国家出版基金项目
NATIONAL PUBLICATION FOUNDATION

『十四五』时期国家重点图书出版版专项规划

中国考古发掘报告提要

辽金元卷

刘庆柱◎总主编

丁晓山◎主编

中国文史出版社

序

记得是在 2013 年初夏的一天，首都师范大学丁晓山先生因公事到六里桥中华书局来找我。办完公事后我们就坐在中华书局一楼大厅里聊了会儿天，晓山先生告诉我，他想编《中国考古发掘报告提要》。我深表赞同，但又觉得兹事体大，任务繁重，恐怕会和许多听上去不错的想法一样，最终也只能停留在策划阶段，无疾自终。没有想到时隔不到两年，晓山先生竟抱着十几册书稿来找我写序了。按说考古方面的著述本不该由我来写序的，但我首先是被晓山先生的实干精神所感动，感到没有理由拒绝如此埋头苦干的后辈学者；其次从考古与文献的结合角度，也还确实有些话想说，便欣然答应了下来。

夜深人静，我翻阅着堆满了小半个书桌的书稿，当然最先翻看的是我比较感兴趣的隋唐五代卷。真的是如入宝库，目不暇接。记得曾有学者讲过，考古是坐在前排看戏。的确如此，考古是跟古人直接对话，你会看到古人穿着什么样的盛装出现在社交场合，你会触摸到古人曾经喝过酒的酒盏，你会站立在当年宫女们居住的寝室，你甚至会行走在一千年前古人曾经走过的街道上……借用时下流行的词语讲，真的是让人有"穿越"之感了。这是阅读古代文献很难获得的一种体验。

正是因为考古资料如此无可替代，20 世纪 20 年代王国维先生就提出了"二重证据法"，以考古资料与传世文献相印证，并将此提高到了方法论的高度。20 世纪 60年代，沈从文先生甚至说过要想做好学问，最好"老老实实去故宫各库房学三五年文物"①的话。然而，结果又如何呢？约 30 年前，张光直先生就指出："考古学与历史学不能打成两截，那种考古归考古，历史归历史，搞考古的不懂历史，搞历史的不懂考古的现象，是一种不应有的奇怪现象，说明了认识观的落后。"②李学勤先

---

① 沈从文：《花花朵朵坛坛罐罐——沈从文文物与艺术研究文集》，外文出版社，1994 年版，第 76 页。
② 见《中国社会科学》杂志社编《未定稿》，1988 年第 4 期。

生在约 20 年前讲："我们学术界的习惯，是把历史学和考古学截然分开。""学历史的专搞文献，学考古的专做田野，井水不犯河水，大多不相往来。我看这对历史学、考古学双方都没有好处。"[①] 10 年前，石兴邦先生还引用张光直先生的话讲："中国古史研究与考古学的发现成果的间距，比海峡两岸的距离还远。"[②] 时至今日，这一状况应该说，有所改观，但恐怕还不好说已有了实质性的改观。

那么，怎么才能让历史学、考古学双方都有好处呢？这就需要沟通。而考古发掘报告，恰恰是双方有望沟通的一个很好的现实选择。从考古学来说，考古发掘报告是发现、发掘、整理、研究这一系列考古活动的最后结晶，是考古发掘过程中必不可少的关键一环。从历史学的角度看，考古发掘报告几乎是认识考古发掘的唯一文字凭证，历史学者不可能老是如同考古学者一样坐在前排看戏，他们在绝大多数情况下，只能通过发掘报告，来了解他们关心的考古事实（或许以后还可以通过网播、专题片等视频来了解）。应该说，考古界、史学界双方都很重视考古发掘报告。

然而，考古发掘报告似乎并不是准备给考古圈以外的人看的，专业词汇触目皆是，叙述过程长篇大论。不用说厚度令人生畏的考古详报，就是所谓考古发掘简报，也是动辄几十页，简报不"简"，难以卒读。李学勤先生曾谈到，早在 1955 年《考古》杂志开第一次编委会时，夏鼐先生就郑重其事地提出办刊的四项任务。头一条任务居然是"普及"[③]。我理解这个"普及"，不仅仅是向群众普及考古知识，提高文物意识，也理应包括向非考古专业的其他学科学者，介绍考古成果，传播相关信息。也早有学者呼吁，考古发掘报告专业性太强，必须加以改进，"使学科内、学科外的读者都可以直接阅读和使用可靠资料"[④]。也曾有学者强调"考古界应该更快地从迷恋于资料信息的占有，转入对资料信息的共享、共商、共研"[⑤]，而《中国考古发掘报告提要》所做的，不正是这样一种"普及"和改进工作吗？不正是这样一种"共享、共商、共研"吗？

说实话，如果说考古学和中国传统的金石学还勉强沾上点边的话，那么考古发掘报告，可就是完完全全、百分之百的舶来品了。中国传统文献里没有这种写法，也难怪国人读起来不太熟悉。而提要，则是我们十分熟悉的写法了，姚名达先生甚至说中国古代目录"优于西洋目录者，仅恃解题一宗"[⑥]。打个比方，如果说考古发

---

① 李学勤：《走出疑古时代》，辽宁大学出版社，1994 年版，第 62 页。
② 张得水：《"文明探源：考古与历史的整合"学术研讨会综述》，《中原文物》2006 年第 1 期。
③ 《〈考古〉50 年笔谈》，《考古》2005 年第 4 期。
④ 谢尧亭：《从〈天马——曲村〉谈考古资料的整理和报告的编写》，《考古》2005 年第 3 期。
⑤ 张忠培：《中国考古学：九十年代的思考》，文物出版社，2005 年版，第 5 页。
⑥ 《中国目录学史》，上海古籍出版社，2002 年版，第 346 页。

掘报告是道洋味扑鼻的"西餐",而"提要"则有如"西餐中做"。《中国考古发掘报告提要》煌煌十卷本,收录自 1928 年至 2015 年 80 多年间出版和专业刊物上的考古发掘报告 13000 多种,超过《四库全书总目》收书 10000 出头的规模了。而每种发掘报告,又力求用最简洁的语言,讲清楚发现、发掘的时间、地点,发现的过程,发掘出什么,属于什么时代或年代,墓主身份,遗址的性质,遗物的价值等。其实非专业学者,也许只需要了解这些基本信息就够了。其写法,又像是《四库全书简明目录》的路数。考古发掘报告这道"西餐",经过中国传统目录学的改造,终于比较适合国人的胃口,能够满足读者的初步诉求了。

翻阅一过,却又感到《中国考古发掘报告提要》所包含的信息十分丰富。如编者比较注重趣味,一般人感兴趣的信息会予以收录。编者比较注重考证,凡有通过与文献对读并由此得出结论的部分,大多予以保留。编者还比较注重信息,尽可能多地提供了一些相关学术信息。在细节上,有些地方也做得很好。如某篇发掘报告是否有照片(彩照还是黑白照片)、拓片,如出土有墓志等是否转录全文,都一一予以交代。这些都是做得不错的地方,是为本书加分的地方。

说完为本书加分的地方,也应说说为本书减分的地方。主要是工程浩大,书出众手,各人取舍标准有宽严之别,难免会出现漏收、误收现象;对内容的把握有高下之分,也会有该"提"的"要"而未"提"或错"提"的情况。至于录校方面的漏网之鱼、分卷方面的可议之处等等,还在其次。但扪心自问,不论是谁来编纂这样一部大书,上述问题几乎可以说是在所难免。

当然,学术型工具书也如同学术专著一样,最大的"加分"还在创新。如《中国丛书综录》(上海古籍出版社 1959 年版、1982 年版),收录丛书 2797 种,遗漏错讹甚多,以至有阳海清先生的《中国丛书综录补正》(广陵书社 1984 年版)问世。日后又扩充成《中国丛书广录》(湖北人民出版社 1999 年版)上、下两册,声称收录《综录》未收或与《综录》有所不同的丛书 3279 种。施廷镛先生的《中国丛书知见录》(北京图书馆出版社 2005 年版)6 册,共收丛书近 2000 种,据称其中 700 种是《综录》失收的。当然这几部书是"知见"性质,与《综录》是依托图书馆藏书的"目睹"性质有所不同。尽管《中国丛书综录》有着种种不足和缺憾,甚至被人讥笑为"大跃进"的产物。但效果如何呢?公道自在人心。可以说,《中国丛书综录》的问世,极大改变了丛书的利用状况。以往即便是学问大家,都很少利用丛书;而此后哪怕是一篇普普通通的毕业论文,都会用到丛书。因为要用什么丛书,一查便知,十分方便。晓山先生和我讲过一个观点,我很赞同。他说学术积累到一定程度,会促使相关工具书的出现;而一部优秀的学术工具书,反过来又会促进学术的发展。

丛书的利用是如此,考古发掘报告呢?我们期待也是如此。

《中国考古发掘报告提要》的创新之处,在我看来,主要就在为中国考古发掘报告算了次总账。台湾"中央研究院"院士周法高先生讲,他研究学问,用的是"结账式的研究方法"。周先生所编《金文诂林》《金文诂林补》和《金文诂林附录》计 22 册,500 万字,就是将容庚《金文编》所收 18000 多个例字原来的出处一一查出,并登录原出处的句子、器名和器号。这是非常费时劳神的工作,等于是替金文研究贡献了一部"算总账"式的著述,且已成为研究金文不可或缺的工具书。据悉已有数位博士、硕士生以此为题来作学位论文。一部工具书居然有人来写学位论文,可见内涵十分丰富。事实上,各个学科、各个门类都应有这种"算总账"的著述才好。而《中国考古发掘报告提要》,不正是在这一领域的一部"算总账"式的工具书吗?

在开学术会议时,我私下曾请教过考古界的朋友:已发表的考古发掘报告到底有多少?结果说法不一,相差甚远,从几千到上万个都有。而《中国考古发掘报告提要》却首次给出了一个数字,这个答案当然还不能说是标准答案,但至少是向最终答案"逼近"和"靠拢"了一大步。在这一点上,编者是有首创之功的。季羡林先生曾讲过:"专就学术界而言,编纂目录或者索引,就是积累功德。"[①]在我看来,这种花了大力气的"算总账"式的工具书,可真是积了大功德了。

对于这部功惠学界的书应如何利用呢?除了通常的查阅和翻阅外,我想至少还有以下几种读法。

其一,通读。即老老实实、认认真真地一本一本、一篇一篇地把《中国考古发掘报告提要》通读一过,这当然要费上一番功夫,花上一点时间。但这么读下来,对全国从史前到明清的主要考古发掘成果都会大致有个印象,这不也算是前辈学者提到的"遇到问题会冒出来"的底子吗?晓山先生有一比,他说《中国考古发掘报告提要》,就好比是地下的《四库全书总目》提要。我倒是很欣赏这个提法。其实,不要说《四库全书总目》提要,如果能够认认真真地把《四库全书简明目录》通读一过,脑子里不就有了 3000 多种书的信息吗?如果再把《中国考古发掘报告提要》通读一过,脑子里不就又有了 13000 多条考古信息了吗?二者相加,差不多是小20000 条信息了,"存储量"不可谓不大。遇到什么问题,"数据库"里总会调出几条相关信息。这也应算是一种学术功底吧。

其二,对读。所谓的"对读",当然是指传世文献与考古材料的对读。但以往似乎是以传世文献为本的成果多一些,王国维先生的大作、陈直先生的《汉书新证》,

---

① 季羡林:《西文中国学研究图书目录·序》,王树英编。《季羡林序跋集》,新世界出版社,2008 年版,第 757 页。

都是如此。如果把考古材料比作"六经"，把传世文献比作"我"，以往大多是"六经注我"。我们在这里提倡的"对读"，是"我注六经"，即用文献来诠释、印证考古材料。或许还可以借用陈佩斯、朱时茂的小品《主角与配角》来打比方：以往我们一般是以传世文献来充当主角，以考古资料来当配角；而今应该倒过来，让考古资料来当主角，以传世文献来当配角，以传世文献来诠注考古资料。而欲这么做，考古资料总得有个文字凭证才行，而这个文字的凭证，只能是考古发掘报告。

其三，核读。"核"是核校的意思。我们可以拿考古发掘报告原文，甚至用出土遗物原件来核校，我们还可以用其他考古研究成果来核校。攻其过，补其阙。最终也形成如同余嘉锡先生的《四库提要辨证》，胡玉缙、王大隆先生的《四库全书总目提要补正》那样的成果，使《中国考古发掘报告提要》更趋完善。当然在这个过程中，自己的学术水平也终会得到提高。

其四，译读。现在不少青年学子都很重视英语。眼下考古发掘报告，往往都有英文书名或刊名，甚至还有英文的内容简介。这样我们不妨通过译读，一方面学习考古知识，一方面提高英语水平。即一边读一边将书名、篇名和内容译成英语，再与专家译的进行比较，在比较中看到自己的不足，达到学习考古、英文的双重目的。据说英国考古学家格林·丹尼尔 (Glyn Daniel) 讲过"未来的世界考古学要看中国"[①]一类的话，中国青年学子要向世界介绍中国考古学成果，当然免不了要谈到考古发掘报告。

其五，解读。《中国考古发掘报告提要》已尽量少用隐晦难懂的专业词汇，但仍然难免有一些词语非专业读者难辨其意。如青铜器名称、墓葬形制等，这就需要解读。可以上网搜一搜图片；还不清楚，有条件的话可以上博物馆看一看实物；如果有点绘画基础的话，可以试着自己画一画复原图、示意图。一个难点一个难点地去克服，一个词语一个词语地去弄懂。学问也会在这个过程中一点一滴地积累起来了。

其六，走读。这个"走读"，不是指改革开放之初"走读大学"那个"走读"，而是指依照《中国考古发掘报告提要》的方位指引，实地去踏察一番。考古仅仅坐在家里是不行的，一定要走出书斋。何况有些事情真的是只可意会无法言传，写得再好的报告，也无从传达。只有去实地看一看，才能更多地理解先民传递给我们的信息。

其七，群读。可以通过兴趣小组、QQ、微信群等方式组织起来，一起来攻读某一类、

---

① 转引自对俞伟超先生的访谈，见《考古与文化续编》，曹兵武编著，中华书局，2012 年版，第 348 页。

某一地甚至某一篇考古发掘报告。这也可以说是一种集体研读。好处是可以互相学习，相互激励。

行文至此，我想到了一个词：落地。考古与文献相结合说得很不少了，历史与文物相对应也喊了很多年了，大方向当然是没有问题的，但为什么一直效果不是那么明显呢？原因之一，恐怕就在于缺少一个"抓手"，而《中国考古发掘报告提要》，不正是这样一个"抓手"吗？它有助于将考古与文献相结合，扎扎实实地落到实处。当然，这还仅是第一步，甚盼日后有《中国考古发掘报告提要补正》《中国考古发掘报告提要·补编》《中国考古发掘报告提要·续编》等陆续推出，如同《四库提要》一样形成一个系列。这就需要众人拾遗补阙，共襄盛举。

最后想到的一个词，在文章开始时已提到过，那就是：感动。这部书的篇幅不小，隐藏在其后的工作量更大。听晓山先生介绍，每篇考古发掘报告，要经过初选、确认、撰写、审定、分卷和汇总共6道程序。一篇报告，要翻来覆去地看好几遍，阅读量之大，可以想见。更难能可贵的是，晓山先生没有申报任何一级课题，而是不等不靠，先干起来再说。近日偶然读到兰州大学历史系赵俪生先生的集子，赵先生说："我们这些干了一辈子的人的眼睛是比较清楚的，知道谁在搞腐败，谁在规规矩矩地干活计。"[1]的确，我们这些人是知道的。

拉杂写来，暂且就说这些，是以为序。

傅璇琮[2]

2015 年 1 月于北京

---

[1] 赵俪生：《赵俪生文集》第一卷，兰州大学出版社，2002 年版，第 119 页。
[2] 傅璇琮（1933 – 2016），浙江宁波人，历任中华书局总编辑、国务院古籍整理出版规划小组秘书长、副组长，清华大学古典文献研究中心主任等职，博士生导师。

本书说明

一、编纂《中国考古发掘报告提要》的目的，在于为读者提供了解中国考古成果的简便途径。从这一意义上讲，或可视其为"地下的《四库全书总目》提要"（见本书"序"）。

二、《中国考古发掘报告提要》，收录20世纪20年代至2015年1月在中国大陆正式出版的考古详报和考古专业核心期刊登载的考古简报，共计收书1008部、文12242篇，合计13250种。

三、考古发掘报告，包括以书籍形式出版的考古详报，以文章形式发表的考古简报。仅限中文报告，外文报告不收；仅限中国境内，涉及外国不收；仅限出土文物，征集、捐献等无明确出土地点的不收。

四、每一报告，给出作者、出处（出版社及出版年、刊物名称、期数），述其所在地点、发现经过、发掘时间、主要发现、重大价值等。

五、《中国考古发掘报告提要》共计10卷：

史前卷

夏商西周卷

春秋战国卷

汉代卷

魏晋南北朝卷

隋唐五代卷

宋·西夏卷

辽金元卷

明清卷

综合卷

六、涉及两个或两个以上时代内容的报告，收入"综合卷"。

七、另有《总目》一册，包括目录汇总、参考文献和后记等内容。

八、详情请参阅各卷前的"本卷说明"。

本卷说明

一、此卷为《中国考古发掘报告提要》中的辽金元卷，共收录以书籍形式出版的考古详报 25 部，以文章形式发表的考古简报 955 篇，二者合计 980 种。

二、本卷分为上、下编，上编收录考古详报，下编收录考古简报。

三、上编下依 34 个省级行政区排列，省级行政区下依出版年为序。同一出版年的，依文物出版社、科学出版社、中国大百科全书出版社及其他出版社的顺序排列。涉及两个或两个以上省市自治区的考古详报，列于 34 个省级行政区之前。

四、下编下依 34 个省级行政区排列，每一省、自治区下再列地级市（州、盟）及省、自治区直管市。涉及两个或两个以上地级市（州、盟）的考古简报，列于该省、自治区之首。

五、其他相关事宜，请参阅"本书说明"。

目录

内蒙古自治区

辽宁省

吉林省

黑龙江省

上海市

江苏省

浙江省

安徽省

福建省

江西省

山东省

河南省

湖北省

湖南省

广东省

广西壮族自治区

海南省

重庆市

四川省

贵州省

云南省

西藏自治区

陕西省

甘肃省

青海省

宁夏回族自治区

新疆维吾尔自治区

香港特别行政区、澳门特别行政区、台湾省

下编　考古简报

北京市

天津市

河北省

石家庄市

唐山市

内蒙古自治区

吉林省

绥化市

大兴安岭地区

上海市

江苏省

南京市

无锡市

徐州市

常州市

苏州市

南通市

连云港

安徽省

神农架林区

湖南省

广东省

广州市

广西壮族自治区

海南省

重庆市

四川省

贵州省

云南省

西藏自治区

陕西省

甘肃省

陇南市

临夏州

甘南州

青海省

西宁市

海东地区

海北州

黄南州

海南州

果洛州

玉树州

海西州

宁夏回族自治区

银川市

石嘴山市

吴忠市

固原市

中卫市

新疆维吾尔自治区

乌鲁木齐市

克拉玛依市

吐鲁番地区

哈密地区

和田地区

香港特别行政区、澳门特别行政区、台湾省

参考文献

后记

上编　考古详报

北京市

1.北京金代皇陵

作　者：北京市文物研究所　编著

出　处：文物出版社 2006 年版

本书为 16 开精装一册，正文 259 页，文后有彩色图版 24 版，黑白图版 56 版。

北京金代皇陵的考古工作开始于 20 世纪 70 年代，80 年代中期进行了较大规模的调查。2001 年至 2002 年，北京市文物研究所对主陵区进行发掘，主要是对金太祖阿骨打睿陵进行抢救性发掘，同时对主陵区内的其他陵墓进行了钻探。本书即是这两年发掘的阶段性发掘详报，主要包括金陵的发现与工作概况，金陵主陵区的平面布局及陵区内出土遗物，同时对金陵的若干问题进行了研究，对墓主人进行了考证。

通过发掘，初步考证了中都金陵的陵域范围，确认了主陵区的平面布局，探明了金太祖地宫形制、金陵的建筑遗迹及金陵的建筑特点。据介绍，位于北京房山区周口店镇龙门村的陵区的金代皇陵有：金太祖睿陵、金太宗恭陵、金德宗顺陵、金世宗兴陵、金睿宗景陵等。

该书简目如下：

2.北京玉河：2007年度考古发掘报告

作　者：北京市文物研究所、北京市东城区文化委员会　编著

出　处：科学出版社2008年版

本书为16开一册，共227页，全彩印刷。

本书是北京玉河遗址2007年度考古发掘详报，详细报道了考古发掘清理出来的元代通惠河堤岸遗存、玉河庵山门及东配殿基址和出土遗物。这是首次对北京玉河及通惠河遗存进行的大规模发掘，对于研究古代玉河及通惠河堤岸的构筑形式、建造年代及河道变迁、走向都具有重要价值，并为研究古代北京漕运、水源、供排水系统和环境变迁等提供了一些新的参考资料。

3.北京龙泉务辽金墓葬发掘报告

作　者：北京市文物研究所　编著

出　处：科学出版社2009年版

该书为大16开全彩色精装一册，正文256页，46.1万字。

该报告是北京市文物研究所2005年配合门头沟区水担路工程建设中配套搬迁用地而进行的考古发掘项目。龙泉务墓地是一处辽金时期的平民墓地，面积8万余平方米，在此次发掘中发现并清理辽金墓葬22座。墓葬内出土的器物均以组合形式出现，有陶器、瓷器、石器、铜钱等遗物，数量丰富，是一批较为重要的考古资料。该报告是北京地区迄今发现的有关辽金时期平民墓葬资料比较丰富的考古学详报。报告按考古单位，以图文形式科学全面地对墓葬资料予以介绍，便于学者进行更深入的研究。

龙泉务辽金墓葬文物的出土，是解决北京地区辽金时期考古学文化编年的重要资料，为研究北京地区辽金时期的丧葬习俗、文化内涵提供了珍贵的实物资料，对解决北京地区辽金时期墓葬的分期与断代具有重要的意义。

本书简目如下：

序

第一章　概论

　第一节　地理环境

　第二节　建制沿革

　第三节　发掘经过及报告编写

第二章　墓葬介绍

4.鲁谷金代吕氏家族墓葬发掘报告

作　者：北京市文物研究所　编著
出　处：科学出版社 2010 年版

本书为 16 开精装一册，正文 230 页，字数约 41.4 万字，文后附彩版 23 版，黑白版 9 版。

该书为 2007 年北京市石景山区鲁谷金代吕氏家族墓地及清代墓葬的发掘报告。此次发掘总面积约为 1240 平方米，共清理古代墓葬 62 座，其中金代墓葬 10 座、清代墓葬 52 座。出土完整或可复原的陶器、铜器、铁器、金器、银器、瓷器、骨器、料器等共计 200 余件（组），以及不同时期的铜钱 100 余枚。

金代墓葬为竖穴土圹石椁墓,均为火葬,出土了 7 件精美的瓷器,并发现墓志两合。据墓志记载，鲁谷地区为辽金时期燕地汉人大族——吕氏家族的墓地。此处墓地的发现为我们了解、研究北京地区辽金时期的历史、社会、政治、习俗等方面的情况有着极为重要的价值。该书还附有金代纺织品的鉴定分析报告。

该书对于考古、文物、历史的研究，均有参考价值。

本书简目如下：

天津市

5.蓟县独乐寺

作　　者：杨　新　编著

出　　处：文物出版社 2007 年版

该书 16 开精装一册，系 20 世纪 90 年代对天津市蓟县西大街独乐寺研究、维修情况的专集。

独乐寺始建于唐代贞观十年（636 年），据称安禄山起兵反唐，即在此誓师出征。因他想当皇帝，思独乐而不与民同乐，故该寺得名"独乐寺"。辽统和二年（984 年）重建。独乐寺是我国仅存的三大辽代寺院之一，全国重点文物保护单位。

该书上篇收录了有关独乐寺历史、建筑、文物方面的研究文章，下篇分 8 个部分，详细介绍了维修工程的全过程。

河北省

6.宣化下八里 II 区辽壁画墓考古发掘报告

作　者：张家口市宣化区文物保管所　刘海文
出　处：文物出版社 2008 年版

本书为 16 开精装一册，正文 153 页，文后有彩色图版 64 版。

宣化下八里村辽墓群于 1971 年首次发现，按地点和家族情况被分为 I 区和 II 区。1998 年，宣化区文物保管所对 II 区已暴露的两座墓葬 M1、M2 进行了抢救性发掘。本书即较详尽地介绍了 II 区 M1、M2 的墓葬结构、葬具与葬式、出土器物、墓室壁画等发掘情况。其中，M1 墓主人所用的葬具和埋葬方法十分罕见。M1 男性墓主人是以尸体外穿一件棉衣和两件单衣，最外层套铜丝网络的方式下葬，而女性墓主人将尸体火化后，骨灰被放入木雕真容偶像的腹中。该书在结语部分又对这两座墓葬的年代和墓主人身份，葬具、葬式及其特点，M1 所出的 I 式真容偶像，壁画的特点，以及 M1 所出木俑和髭发等进行了探讨。

7.宣化辽墓：1974 ～ 1993 年考古发掘报告

作　者：河北省文物研究所　编著
出　处：文物出版社 2001 年版

该书为 16 开精装上、下两册，系 1974 ～ 1993 年河北宣化辽代壁画墓群四次考古清理、发掘的详报，重点介绍了其中的 9 座辽代晚期壁画墓的资料。

该书简目如下：
第一章　张匡正墓（M10）
第二章　张文藻墓（M7）
第三章　张世本墓（M3）
第四章　张姓墓（M6）
第五章　张姓墓（M9）
第六章　张世卿墓（M1）

第七章　张世古墓（M5）

第八章　张恭诱墓（M2）

第九章　韩师训墓（M4）

附有表格 11 种，文章 4 篇。

8.徐水西黑山金元时期墓地发掘报告

作　者：南水北调中线干线工程建设管理局、河北省南水北调工程建设委员会办公室、河北省文物局　编著

出　处：文物出版社 2007 年版

该书为 16 开精装一册，系河北省徐水县西黑山墓地的考古发掘详报。徐水西黑山墓地是一处金元时期平民墓地。2006 年，配合南水北调工程，在此清理金元时期墓葬 62 座、清代墓葬 2 座。本报告刊发墓葬的发掘资料，总结发掘收获。附录有五部分：1. 出土人骨研究，2. 部分出土人骨碳十二氮十五稳定同位素分析研究其食物结构，3. 出土铁器的金相组织分析，4. 出土瓷片的化学分析，5. 出土陶瓷容器内存积土的化学组成分析。

9.元中都：1998～2003 年发掘报告

作　者：河北省文物研究所　编著

出　处：文物出版社 2012 年版

该书 16 开精装上下两册，上册分 8 个章节介绍了调查勘测的情况，重点介绍了宫城西南角台、宫城一号殿址、宫城南门、宫城南墙 1 号排水涵洞、皇城南门等，还附有 6 篇相关研究论文。下册全部为图版，计彩图 436 幅，黑白图 264 幅。

元中都遗址，位于河北省张北县馒头营乡，始建于元大德十一年（1307 年）。由内、中、外三重城组成。与元大都（今北京）、元上都（今内蒙古正蓝旗东）齐名。

山西省

内蒙古自治区

10.东蒙古辽代旧城探考记

作　者：（法）闵宣化　著；冯承钧　译
出　版：商务印书馆 1930 年初版，1933 年第 2 版

该书为 32 开一册，120 页。系将作者发表于法国东方学刊物《通报》上的著述译为中文发表，前有冯承钧先生序。主要内容为对辽代上京、中京及其他一些城市的考古调查。述及这些城市的地理位置、古迹遗址、河道、山脉等。有伯希和的注，译者的补注。

11.契丹女尸——豪欠营辽墓清理与研究

作　者：乌盟文物工作站、内蒙古文物工作队　编著
出　处：内蒙古人民出版社 1985 年版

本书为 16 开精装一册，系内蒙古乌盟豪欠营辽墓的考古发掘详报，并对墓中出土的契丹族女尸进行了初步研究，全面介绍了该墓的清理情况。

12.库伦辽代壁画墓

作　者：王健群、陈相伟　著
出　处：文物出版社 1989 年版

该书为 16 开精装一册，正文 91 页，插图 46 幅，图版 40 版。

库伦旗奈林稿公社前勿力布格大队，位于哲里木盟的最南端，以新开河为界，南临辽宁省阜新县，东临辽宁省彰武县。这里在汉代属于辽西郡的边缘，正当长城脚下，土地肥沃，水草丰美，宜农宜牧。公元 4 世纪以后，契丹族在这里逐水草而居。他们活动于西拉木伦河与老哈河流域的广大地区。公元 916 年建立了契丹国，后改称辽国，直到公元 1125 年灭亡为止，前后 200 年间，成为北方强大的政权。因此，这里留下的辽代文物最多，辽代遗址、墓葬几乎遍布这一广大地区。

从勿力布格村北 200 米处起，有一条通过村中间向南延伸的漫岗，长达 2.5 公里。在漫岗的阳坡上，经过探查，发现几座大型辽墓。这些墓都曾被盗，甚至是几经盗掘，但仍然保存了很多重要文物。1972 ～ 1974 年进行了发掘，共计 4 座墓，特别是一号、二号墓出土了精美的壁画。这些壁画的出土，为研究契丹社会生活、绘画艺术、契丹族和汉族的关系等提供了重要的资料。

13.辽陈国公主墓

作　者：内蒙古考古研究所等　编著
出　处：文物出版社 1993 年版

该书为 16 开一册，介绍了 1986 年发掘的辽国陈国公主、驸马合葬墓。该墓位于内蒙古通辽市哲里木盟奈曼旗青龙山镇斯布格图村东北约 10 公里处。是一处保存完整、出土遗物丰富的契丹大贵族墓。具有极高的学术研究价值。

该书简目如下：
第一章　地理环境与历史沿革及发掘经过
第二章　墓葬形制、葬具及葬式
第三章　随葬品的分布情况
第四章　随葬品
结语。
附有"辽陈国公主与驸马合葬墓墓主年龄鉴定"及金银器、玻璃器等随葬器的鉴定报告等。
内蒙古大学出版社 2008 年出版的孙建华、杨晶宇先生著《大辽公主：陈国公主墓发掘纪实》一书可参阅。

14.元上都

作　者：内蒙古自治区文物考古研究所、中国人民大学北方民族考古研究所编著
出　处：中国大百科全书出版社 2008 年版

本书为 16 开精装本，正文 720 页，文后有彩色图版 335 版，黑白图版 20 版。
本书分为"研究篇"和"报告篇"两部分，是以考古学的方法系统研究元上都及其周边地区元代历史文化的学术著作。"研究篇"有关于元上都的考古学、元上都周围墓葬出土元代人骨、元上都及周围地区出土金属器物和元上都城市生态系统的环境背景等方面的研究论文 4 篇。"报告篇"收录了在元上都及其周边地区进行

考古调查和发掘的 13 篇田野考古工作报告。本书在广泛收集元代以来中外旅行家对元上都记述资料的基础上，通过对元上都及其周边墓葬和祭祀地考古学资料的综合研究，结合文献史料，对元上都古城遗址作了较为全面的分析和探讨，提出了许多值得注意的新见解，是蒙元考古和历史文化研究十分重要的实物资料。

15.包头燕家梁遗址发掘报告

作　　者：内蒙古自治区文物考古研究所、包头市文物管理处　编著
出　　处：科学出版社 2010 年版

该书为 16 开精装一册，是 2006 年内蒙古包头市元代燕家梁遗址的考古发掘详报，发现有灰坑、灰沟、房址、窖藏、窑址等遗迹，出土各类遗物万余件。

据介绍，燕家梁元代遗址位于包头市九原区麻池镇燕家梁村南侧台地上，东西长 650 米，南北宽 600 米，总面积 40 万平方米，20 世纪 50 年代首次发掘，出土了磨研用的瓷杵头、釉壶、圆形生铁块等，从 2006 年陆续进行了一些抢救性发掘。初步判断，燕家梁元代遗址估计是元朝大德年间云内州的一个镇，由于这里紧靠黄河，连接土默川平原和后套平原，所以这里应该是当时较为繁华的水旱码头。

16.关山辽墓

作　　者：辽宁省文物考古研究所　编著
出　　处：文物出版社 2011 年版

该书 16 开精装一册，系辽宁省阜新市阜新蒙古族自治县关山种畜场辽墓的考古发掘详报。2000 年因盗墓被发现，共 9 座砖（石）室墓，2001 年发掘。

简目如下：
前言
壹　墓葬介绍
贰　墓志铭考释
叁　萧和家族兴衰史
结论
附有统计表。

据介绍，此辽墓群为辽代中晚期最显赫的外戚家族——萧和家族的墓地。萧和，《辽史》《契丹国史》无传，生卒年不详。

17.辽代祖陵：2003 ~ 2010 年度考古调查发掘报告

作　者：中国社会科学院考古研究所、内蒙古文物考古研究所　编著
出　处：自印本，时间不详

该自印本 16 开平装一册，似系辽代祖陵考古发掘报告正式付印前的自印本。辽代祖陵考古工作的负责人董新林先生讲，辽代祖陵的考古工作十分艰苦，用时 4 年。他说：

经过为期四年的考古发掘和研究，我们基本搞清了辽祖陵陵园的主要形制布局，诸多重要发现与《辽史·地理志》记载吻合。（《考古学人访谈录Ⅰ》页 9，王巍主编，上海古籍出版社 2014 年版）

董新林先生说："计划三年完成辽祖陵考古发掘报告。"（同前引书）据悉书稿已送到文物出版社进入出版环节。由田野工作至考古详报出版，差不多得 10 年。令人称赞的是，董新林先生还十分注意考古报告的大众性。他说：

我的报告，是以读者的视角来编写的，目的是让读者更方便地利用资料。考古报告是给别人看的，不能只有自己读得懂。（同前引书）

辽祖陵，是辽代第一个皇帝耶律阿保机及其皇后的陵寝之地，建于天显二年（927年），位于内蒙古巴林左旗。

辽宁省

18.沈阳八王寺地区考古发掘报告

作　者：沈阳市文物考古研究所　编著

出　处：辽海出版社 1999 年版

该书为 16 开精装一册，系对辽宁省沈阳市八王寺地区辽金墓群等先民遗迹、遗物的考古发掘报告。墓葬可分三期：一期为辽中期圣宗、兴宗时期，二期为辽晚期、辽道宗至辽天祚帝时期，三期为金代初年。

考古学家认为，沈阳八王寺地区辽金墓葬，为我们认识当地辽金时期的历史风貌，提供了珍贵的一手材料。从考古发掘看，这一地区墓葬墓主人，应为汉族人。辽统一北方后，将大量汉人迁移至沈阳一带，这些汉人大多来自辽西和关内地区，故辽中期沈阳八王寺地区汉人墓葬，还带有唐墓遗风。

19.绥中三道岗元代沉船

作　者：张　威　主编

出　处：科学出版社 2001 年版

该书为 16 开精装一册，系 1992～1997 年辽宁省绥中县三道岗海域元代沉船调查、发掘的详报。共进行了 5 次考古调查、发掘。俞伟超、张柏先生作序。

20.凌源小喇嘛沟辽墓

作　者：辽宁省文物考古研究所　编著

出　处：文物出版社 2015 年版

该书为 16 开精装一册，是 1993～1994 年对辽宁省凌源小喇嘛沟辽墓的考古发掘详报。这批辽墓共 11 座，系一处辽代中晚期的契丹家族墓地。共分 14 章，第 1 章为概述，第 2～12 章分别叙述了 1～11 号墓的情况，第 13 章为殉马坑，第 14 章为结语。

吉林省

黑龙江省

上海市

江苏省

浙江省

21.永丰库：元代仓储遗址发掘报告

作　者：宁波市文物考古研究所编著

出　处：科学出版社 2013 年版

本书为 16 开精装一册，正文 158 页，约 27.3 万字，文后附有彩色图版 124 页。

永丰库遗址位于浙江宁波市海曙区市中心，属于元代庆元路一处重要的仓储遗址。为配合基本建设，2001 年和 2002 年宁波市文物考古研究所对该遗址进行了两次抢救性考古发掘，建筑规模宏大、布局相对完整的宋元明时期大型衙署仓储遗址终于重见天日，并发现了诸如汇集大多数宋元时期著名窑系的陶瓷器产品等大量遗物，是迄今宁波最重要的城市考古新发现，也是"2002 年度全国十大考古新发现"之一。2006 年，永丰库遗址被国务院公布为第六批全国重点文物保护单位。本书是永丰库遗址发掘资料整理和研究的成果，为我国宋元时期的历史和考古增添了新的重要资料。对于元史、考古研究，均有重要的学术价值。

该书简目如下：

安徽省

福建省

22.福建平潭大练岛元代沉船遗址

作　者：中国国家博物馆水下考古研究中心、福建博物院文物考古研究所、福州市文物考古工作队　编著

出　处：科学出版社 2014 年版

该书为 16 开精装一册。本书是关于福建平潭大练岛元代沉船遗址 2006 ～ 2007 年水下考古调查与发掘的考古详报。书中介绍了大练岛及其周边海域的自然地理环境、大练岛元代沉船遗址水下考古工作概况及出水遗物，并将出水遗物与龙泉窑遗址及海外沉船发现的同类器物加以比较，对大练岛元代沉船遗址的性质、年代、航线等相关问题进行了分析。文后附录编入了关于元代龙泉窑瓷器的生产工艺、海外发现及年代分期等方面的论文。

江西省

山东省

河南省

湖北省

湖南省

广东省

广西壮族自治区

海南省

重庆市

四川省

贵州省

云南省

西藏自治区

陕西省

23.西安韩森寨元代壁画墓

作　者：西安市文物保护考古所　　编著
出　处：文物出版社 2004 年版

该书为 16 开平装一册，是西安东郊韩森寨元代壁画墓的考古详报。

简目如下：

第一章　概述
第二章　墓葬形制
第三章　壁画
第四章　出土器物
第五章　有关问题浅探
第六章　壁画的保护、揭取与修复

该墓系 2001 年当地工厂基建时发现，从出土买地券知该墓为至元二十五年 (1288 年) 韩氏与其妻吕氏合葬墓，发掘时上半部已被挖掘机挖掉，但壁画保存尚好，是西安地区首次发现的有明确纪年的元代壁画墓，对研究元代艺术、瓷器、建筑、葬俗等均有价值。

甘肃省

青海省

宁夏回族自治区

24.固原开城墓地

作　者：宁夏文物考古研究所　编著
出　处：科学出版社 2006 年版

该书为 16 开一册，正文 195 页，彩版 8 幅，黑白版 48 幅。

固原开城墓地位于宁夏回族自治区固原市原州区开城乡开城村东侧山梁的东坡。2001 年 6 ~ 9 月，考古人员在此发掘了 73 座墓葬，时代为元至明初。该书就是对这批墓葬的形制、出土遗物和人骨的客观描述以及相关问题的讨论，为历史、考古研究的专家、学者提供了珍贵的实物资料。

本书简目如下：
第一章　概述
第二章　南区墓葬形制和出土遗物
第三章　北区墓葬形制和出土遗物
第四章　开城墓地出土人骨
第五章　墓葬分类及葬俗、随葬品综述
第六章　墓葬时代与分期
第七章　结语
后记

25.开城安西王府遗址勘探报告

作　者：宁夏文物考古研究所、固原市原州区文物管理所　编著
出　处：科学出版社 2009 年版

本书为 16 开一册，共 309 页，彩色图版 52 版。

开城安西王府是元世祖忽必烈三子安西王忙哥剌在六盘山的避暑府邸，也是当时西北地区的行政中枢。本书是 2003、2005、2006 年度对该遗址北家山、长虫梁地点勘探情况的详报。共计 5 章，第一章介绍了安西王府遗址的历史地理及历年文物

工作概况，说明了遗址勘察的经过和方法；第二至四章分别介绍了北家山Ⅰ区、Ⅱ区和长虫梁遗址的各类遗迹现象；第五章按照用途介绍了在安西王府遗址采集和出土的各类遗物。本书还有 25 个附表和 2 个附录，是研究元代宫殿建筑、西北历史的重要资料。

本书简目如下：

新疆维吾尔自治区

香港特别行政区、澳门特别行政区、台湾省

下编 考古简报

北京市

1.北京地区发现辽金时代文物

作　者：苏天钧

出　处：《文物》1959 年第 10 期

1959 年北京地区修建怀柔水库，在怀柔县北门外一带取土时，发现了大批陶器和一些铜器、铁器。从出土物看，这一带是战国至东汉的墓葬区。由于工程取土和雨水冲刷，墓葬大多暴露于地表上，出土物中以两件铜豆最为精美。在怀柔县北台下西北，出土方耳大铁锅两个，锅上端有六耳，底为圆形。此外在通州东门外、延庆、汤河口也有这种铁锅发现。

1958 年冬季在顺义区大故村西南角小学，发现一座古代窖穴，底部用大石块平铺，上置铜钱 50000 多枚。另外还发现铁农具二件及圆形铁器一件（形似钢盔，用途不明）。出土的铜钱 23 种。根据地面上分布的砖瓦及出土物情况看，简报初步推测这处窖穴可能是辽金时代的遗存。

2.北京郊区辽墓发掘简报

作　者：苏天钧

出　处：《考古》1959 年第 2 期

北京的辽墓分布在北京西、南、北郊，距地面都很近，顶部全被破坏。简报分为：一、西翠路辽墓，二、洪茂沟辽墓，三、彭庄一号辽墓，四、彭庄二号辽墓，五、彭庄三、四、五、六、七号辽墓，六、结语，共六个部分，配以照片、手绘图，介绍了一些重点辽墓。

据介绍，西翠路辽墓 1953 年 7 月修下水道时发现，为起券砖室墓，有彩绘和壁画。该墓曾被盗多次，墓室中有两具散乱的人骨，出土定窑白色葵花大碗等不多的遗物，简报推断该墓的年代不会晚于辽圣宗。洪茂沟辽墓有墓志，知墓室主人为董匡信之妻王氏，咸雍五年（1069 年）下葬。彭庄一号墓、二号墓年代不会早于辽圣宗。有砖雕、壁画。四、五、六、七号墓均已被盗，皆无随葬品。三号墓出土有 7 件随葬品，皆为定瓷，十分精美。

3.北京南郊辽赵德钧墓

作　者：北京市文物工作队　苏天钧
出　处：《考古》1962年第5期

1959年11月6日，北京南郊养鸭厂发现了一座砖墓。考古人员自1960年8月开始，在这里进行了三个月的工作，才发掘完毕。这座辽墓位于南郊西马场洋桥村养鸭厂内，该村在永定门外海慧寺西1公里处，村北靠近凉水河南岸。这里可能是处在辽代南京城外东南方。简报分为：一、墓葬结构，二、人骨保存情况，三、墓中的彩绘和壁画，四、出土遗物，五、墓志铭，六、余论，共六个部分。有手绘图、照片、拓片。

据介绍，此墓规模较大，分前、中、后三进，每进主室两侧又各筑一耳室，共九室。墓室间隔尺寸大致相近。9个墓室的平面皆为圆形，顶部都已残毁。多次被盗，只分辨出原葬二人，其中一人为火葬。随葬品仅见劫余的陶、瓷残片和钱币等。白瓷中有定窑官窑标记。铜钱多达73900多枚。墓志一方，是1956年于该墓南约10米处出土的，简报录有志文全文。志文所载史实与《五代史》《辽史》《宋史》所记大致吻合。由本传及志文知此墓主人为赵德钧，《旧五代史》有传，卒于天福二年（937年）夏。其妻种氏合葬入墓的时间，应为应历八年（958年）四月十九日。

4.北京出土的辽、金时代铁器

作　者：北京市文物工作队　苏天钧
出　处：《考古》1963年第3期

在北京郊区发现很多辽、金时代的铁器，其中以生产工具数量最多，有铧、犁镜、长锄、铡刀、镰刀、齿轮、镐等，生活用具中有六瓿釜、罐、三足铛、火盆、灯、锅、流勺、菜刀、剪刀等。这些铁器大部由遗址中出土，少量是出于墓葬。简报分为：一、顺义大固现村，二、通州东门外，三、怀柔上庄村，四、房山县焦庄村，共四个部分。有手绘图等。

顺义大固现村于1958年春，在这个村落的东北角发现了5件铁器。这个地方是一个辽、金时代的遗址。1958年8月，在通州东门外距地表1.5米深处，发现了4件铁器，此处也应为辽、金时代遗址。1958年，在怀柔上庄村发现铁器9件。1961年，在房山焦庄村南断崖上暴露出铁器窖藏一处，共出土铁器64件，包括生产工具和生活用具两种。

简报指出，北京辽、金墓葬出土的铁器，历年来在北京各区发现很多，如先农坛、天坛、清河镇、西郊的百万庄、北郊的东小营等地的许多辽、金墓葬中，就常有铁制的灯台、灯碗、锁等器物。最突出的是金代的土坑墓，差不多每墓都有铁铧头 4 件随葬，这可能是当时的一种风俗。另外在辽、金墓葬发现有仿铁器的陶器，大都是器物模型，有的很小，甚至与小孩的玩具差不多，有六鋬斧、双耳三足铛、流勺等。

简报称，只能根据出土铁器的器形来推测它们的大概年代。通州、怀柔的出土铁器应是辽代的，焦庄与顺义的出土铁器，应是金代的。

5.北京西郊白云观遗址

作　者：北京市文物工作队　苏天钧
出　处：《考古》1963 年第 3 期

白云观西距北京西便门约 0.5 公里，这里是唐幽州城、辽南京城、金中都城的一部，传说古代的蓟城也在这里。1956 年在这里发现了一处遗址，遗址范围很广，西至环城铁路以西 5 米，白云观以东至西便门一带，南至椿树馆，北至护城河北岸以北 80 米，遗址的地表分散着各时代的陶瓷片，陶片较多是在白云观以西。简报配以照片予以介绍。

据介绍，发现有辽代、两汉、战国时期的陶瓷、砖瓦、陶井 151 座分布在会城门村直到宣武门一带。西便门外大桥以西，河道北岸还发现一堆石雷，埋藏在离地表 1 米深处，排列的行次非常整齐，均用青石打成，球状，大小不同，最小的重 2.5 公斤左右，大的不超过 10 公斤。辽、金时代的石雷，过去在北京陶然亭、凤凰嘴等地都有发现，最大的在 10 公斤以上。这种石雷是当时用炮（抛石机）发射的，据宋曾公亮《武经总要》记载，当时石雷的大小是根据抛石机的大小而有所不同的。

简报称，有关辽、金土城城垣问题，白云观附近是辽、金土城西壁和北壁所在的地方，过去有人提出辽城的西壁，应当在白云观西、环城铁路以西的地带，这次的调查中，考古人员在这块地方发现有墙垣的残迹。至于护城河北岸发现石雷的地点，应当接近金城的北壁。以上材料对研究辽南京与金中都两城的关系，也提供了一些可供参考的资料。

6.北京西便门外发现铜器

作　者：北京市文物工作队　苏天钧
出　处：《考古》1963 年第 3 期

1956 年，在西便门外石桥东断崖上发现一处埋藏铜器的窖穴，共出土铜器 17 件。

由在这里开的探沟观察，除表土被扰乱外，下边堆积厚约50厘米的层面中，出土遗物全是属于唐、辽时代的，出土有玉环、宋钱及辽代瓷片等，下面即为生土。窖穴中所藏的铜器，简报配以照片予以介绍。

据介绍，铜器有：龙纹圆盒、薰炉、扁壶、盒、托子、五足莲瓣座、匜、带流勺、火盆、铜龟、八角洗、罐各1件；勺状器2件、水注2件。文物队还沿西便门西壁城墙外的护城河直到椿树馆一带，收集到各时代遗物150余件。

简报称，西便门出土的一批铜器，可能都是属于寺庙的祭器，因此我们推测这里可能是辽代城内的一个大寺院。其中有"入内省香盒"铭文的圆盒，说明这批铜器可能是当时外地向这座寺庙进奉的。由于这批铜器的器形和花纹都具有晚唐风格，因此简报推测它们可能是属于辽代早期的遗物。

7.北京天坛公园内发现古墓

作　者：北京市文物工作队　喻　震
出　处：《考古》1963年第3期

1959年夏，天坛公园发现一座小型的砖室墓，考古人员去作了清理。墓在天坛圜丘坛西南约500米的地方，墓顶距地表约50厘米，墓砖分粗沟纹、绳纹和素面三种。简报配以手绘图予以介绍。

简报介绍，这座墓结构简单，墓室平面呈圆形，顶作穹隆式。根据灰迹和棺床推测，这墓应是火葬，葬具为木匣用以盛骨灰。随葬陶器21件，多系泥质灰陶，火候较高，属定窑产品。铜钱13枚，皆系北宋钱，最早的年号为祥符，最晚的为政和。

简报称，这座墓所出的随葬品，除铜钱而外，其余均为冥器，器型特小，制作粗劣，和以往北京地区发现金代墓出土的陶器、瓷器是相似的。墓的年代，简报推断应为辽末金初。

8.北京西郊百万庄辽墓发掘简报

作　者：北京市文物工作队　苏天钧
出　处：《考古》1963年第3期

1958年4月，在西郊百万庄发现砖室辽墓两座，皆被盗掘过。一为圆形，有前后两室（1号墓）；一为八角形单室（2号墓）。1号墓被破坏了一少部分（原墓顶已塌陷）。根据当地居民谈，在这两座墓葬的北面，耕地或取土时，经常发现圆形的砖券，估计可能是古墓葬区，这些情况有待进一步钻探才能证实。简报分为：一、

1号墓，二、2号墓，共两个部分。

据介绍，1号墓为砖室墓，由前后两室及甬道组成，出土有陶器、铁器、墓志等。原有壁画，已脱落，保存不好。此墓为火葬。简报未录志文全文。由墓志中知墓主人丁文道于天庆三年五月十一日病殁，七月十二日葬于宛平县仁寿乡陈王里。志盖中央刻"丁公墓志"，周围刻十二生肖，顺时正转。其他残存的随葬品有三节陶罐、三足灯架、铁灯碗、残金叶、残木盒、定瓷和越瓷片，可以分辨出器形的有碗、盘等。后室仅保留墓志一块和残碎的陶片，墓志每边宽0.41米，志文共21行。这块墓志是丁文道之独生子丁洪的墓志铭，天庆元年（1111年）六月八日病卒。2号墓也为砖室墓，火葬，曾被盗，仅出土残瓷片、铁锁1把、铜钱107枚。

9.顺义县辽净光舍利塔基清理简报

作　者：北京市文物工作队　苏天钧
出　处：《文物》1964年第8期

1963年3月顺义县城关农业生产合作社，在南门外一块高台地上取土，离地表1.2米深处，发现用勾纹砖砌的一个方池，上盖石板，农民疑是古代墓葬，即报当地有关文化部门，经鉴定此处为塔基，方池即为舍利函。经7天时间，塔基清理完毕，清理经过简报配以手绘图、照片予以介绍。

简报介绍，塔基为圆形，夯土，塔基中央1.2米深处即为舍利函。当中放石经幢一个，经幢前靠南侧放一长方形佛塔题名石刻，东西两侧分放净水瓶、水注、白瓷罐、白瓷盒、银盒、瓷盘、瓷盏、银饰、铜饰等。北侧堆积铜钱一堆，上面用五条青石封盖，在东南角石条上有凿孔痕迹。石志一块。出土的大部分是青瓷，以定瓷为最佳，其中的童子诵经壶是最为罕见的，可列为精品。简报推断这批定瓷应当是属于五代时期的。

简报称，石刻上所提的供养人，非常详细，甚至连本地人与外地人都加以注明，尤其是注明当时的二十几个村落，这对我们研究顺义县的历史沿革是非常有用的。

10.元大都遗迹

作　者：不详
出　处：《文物》1972年第1期

元大都的考古工作开始于"文化大革命"前，但一些主要的发掘工作却是"文化大革命"期间进行的。

简报称，从对元大都的外郭城、皇城、宫城、街道和河湖水系等遗迹的勘测中，考古人员对元大都的城市规划和形制有了一个比较清楚的了解。这个城市的中轴线，是从南城的丽正门开始，穿过皇城、宫城，经万宁桥（即海子桥，今地安门桥），而达大天寿万宁寺的中心阁（今钟楼）。在景山公园少年宫前发现的建筑遗迹可能是宫城的北门址，景山北墙后发现的宽达28米的南北向大路，正是这条中轴大路的一段。它的街道分布，正像当时旅居在大都的意大利人马可波罗所描述的那样："全城中划地为方形"，"方地周围皆是美丽道路"，"全城地面规划有如棋盘"。更确切地说，它的主要形式是在南北主干大街的东西两侧平列着许多等距离的横胡同，今天北京内城的许多大街、胡同，就是沿袭了元大都的旧迹。专供宫廷用水的金水河故道、海子的范围、金口河故道等遗迹也都发现了。1970年发掘了两座地下的排水渠道，有"致和元年（1328年）五月　日石匠刘三"，刻铭的主干大街旁的石筑泄水渠还很完整地保留在地下。

至于埋在明建城墙下的居住遗址，有以下几处：一是雍和宫豁口的居住遗址，这是一处院落。院落中用砖砌出十字形高露道、前附月台的三间北房，方砖铺地，当心间为正厅，两次间三面都用砖、坯围砌成炕，东西厢各三间，南房超出城基之外，早已被拆毁。二是后英房居住址，这也是一处院落。它的南北房之间用三间穿廊相连，这种工字形平面的建筑，是宋元时期大型建筑物流行的形式之一。北、南、西房建筑质量相当好，室内也围砌土坯炕，炕沿以下用木板装饰。从发掘情况看，这个住宅的主人在明初筑城拆毁房屋时，很匆忙地离去，甚至没有来得及全部搬走他的生活用具。这两处居住遗址都是属于封建统治阶级的。三是106中学内发现的一间低窄的住房里，那里的墙壁用碎砖垒砌，房内仅有一炕一灶和一个舂米用的石臼，显然是下层居民住所。

简报称，1970年10月在旧鼓楼大街豁口东的居住遗址里，发现了16件窖藏起来的元代瓷器：9件青花瓷器，有盘、碗、扁壶、带托小盏等，胎釉和造型等技法已相当成熟，给研究元代青花瓷器提供了一批更确实的材料。其中2件青瓷碗底部置书一个八思巴字，该字读音作"张"或"章"，可以推测这批瓷器是一个姓张或章的窖藏。1969年以前，在桦皮厂附近的明代城墙的拆除工程中，发现了不少石刻，其中较重要的有虵儿年（延祐四年即1316年）福寿兴元观圣旨白话碑。此外，还发现了辽重熙二十二年（1053年）张俭墓志，它是明初筑城时被用作基石砌入的。

简报指出，很多元大都的遗迹、遗物（如双凤罐），都被埋入明初修建的城基之内而保存下来，和义门瓮城城门的建筑，就被包砌在明西直门瓮城箭楼下。它建成于元至正十八年（1358年），这年元末农民大起义的熊熊烈火已燃遍全国。1969

年发掘出来的义和门瓮城城门从石路面至城墙上残存的墙壁，全高约12米，城门洞长10.32米，宽4.54米，外洞高4.56米，内洞高6.8米，第一次见到城楼上有防御火攻城门时的灭火设备，很清楚，元代统治者当时是力图使瓮城坚固难攻的，但元政府经济力量已近枯竭，这座城门的建筑不仅用料粗劣，施工也极为草率，这么大的城门，竟连地基都没有来得及做，就仓促施工了。

11.北京后英房元代居住遗址

作　者：中国科学院考古研究所、北京市文物管理处、元大都考古队
出　处：《考古》1972年第6期

后英房元代居住遗址在今北京西直门里后英房胡同西北的明清北城墙基下。1965年秋天，先发掘了它的东部。1972年上半年，又发掘了它的中部和西部。两次的发掘工作表明，这是一处规模较大的居住遗址，现在发掘的仅是它的一部分，在城基范围以外的部分，明初筑城时已被拆毁无存。北京明清的北城墙，在新中国成立前有些地方曾被挖做洞室，后英房遗址中即有两条洞室穿过，破坏了遗址的一少部分，但遗址的布局仍清晰可辨。简报分为：一、平面布局，二、建筑技术，三、室内布置和装修，四、遗物，共四个部分。有手绘图、照片、拓片。

据介绍，后英房遗址在元大都和义门内以北。自今北草厂胡同以西之地，是元大都的豫顺坊，后英房遗址在今北草厂胡同以东，究竟是元代的什么坊，目前尚难推定。从其位置上来看，很可能是在元大都和义门内大街以北的第八条胡同中，它的西面已邻近作为豫顺坊的西界的南北小街（即今北草厂向北的南北胡同）了。它的北墙外，距元大都的海子（积水潭）南岸很近，这个地方在元大都中并非什么要冲之处。从元大都的城市发展上来推测，这处住宅的修建，大概是元代至大（1308～1311年）以后的事。根据遗址中所见的建筑遗迹等细部的情况来分析，简报推断该遗址应为元代中期以后所建。

简报称，从遗址的室内布置和出土的遗物等情况来判断，这里应是一处住宅，而这处住宅的主人，在当时应属封建统治阶级的中上层人物。

从遗址的东、西角门和东、西两院的布置并不对称，主院大台基和西院小台基互相错入，东院东厢房北头有拆改等情况来看，这处建筑自兴建至废毁虽然只有五六十年，但在此期间，似乎也还经历了一些变动。种种迹象说明住宅主人的生活经历正在发生变化。后英房遗址的发掘，为研究我国古代建筑史和制瓷、髹漆等工艺，提供了宝贵的实物资料。

12.北京良乡发现的一处元代窖藏

作　者：田敬东
出　处：《考古》1972 年第 6 期

1969 年 11 月，在北京房山县良乡镇南街县药材批发部院内，因动土施工在距地表 3 米深处发现一处元代窖藏，出土有瓷器 35 件、铁器 13 件、铜器 4 件。简报配以照片予以介绍。

据介绍，这次出土的瓷器、铁器、铜器都是实用品，有的器物还经过修补，说明使用的时间是比较长的。

窖藏出土的钧窑瓷盘，是元代的典型器物。其他瓷器，如罐、梅瓶等，胎骨厚重，形体亦较大，釉多不施到底，具有元瓷的特点。有的梅瓶在肩部书写"内府"二字，在元大都后英房遗址中也曾出过。有的瓷盘底部用墨笔书写"兀刺赤主余"字款，也有光写一"余"字的。从瓷器的造型和"兀刺赤"字款来看，简报推断这个窖藏的时代应为元代。瓷器上除有"兀刺赤"字款外，在梅瓶肩部有破釉露胎成一"刘"字的，在罐的底部也写有"刘定安"三字。从这些情况看，可能这些器物不是一人所有，只是后来到了一人手里埋于地下的。

13.记元大都出土文物

作　者：张　宁
出　处：《考古》1972 年第 6 期

元大都在北京城的发展史上，是一个重要的历史阶段，它是 13 世纪世界著名的大城市之一。近年来对元大都进行了初步的勘察和发掘，出土不少元代文物。现仅就元大都出土部分文物，简报分为：一、明代城墙中出土文物，二、其他地点出土文物，三、结语，共三个部分。有照片。

据介绍，明代城墙出土的遗物中，曾多处发现琉璃釉建筑构件。元大都发掘中出土的琉璃建筑构件，造型美观、釉色鲜艳，有力地说明了大都建筑较普遍运用琉璃作为建筑装饰的历史事实。其他如琉璃香炉等的釉色和造型，也说明元代的琉璃作品生产水平。大型的石雕，充分反映了元代雕刻艺术的水平。元朝统治阶级曾从全国各地征调许多劳动工匠，参加大都的修建，著名的雕刻家杨琼就是其中之一。出土的瓷器中，有影青、青花，有钧窑、磁州窑等各种类型。影青的瓷观音像和笔山等作品，都是水平极高的工艺品。异军突起的青花瓷器的发现，更说明了元代青花瓷器的制作已达到了相当成熟的阶段。钧窑和磁州窑都是宋金以来北方的主要瓷窑,它们在元大都中使用得最为广泛。

简报称,这些文物的发现,特别是这些文物的发现地点,为我们今后研究元大都的城市布局以及若干建置的复原等方面,提供了极为重要的参考资料。

14.记元大都发现的八思巴字文物

作　者:中国科学院考古研究所、北京市文物管理处、元大都考古队

出　处:《考古》1972 年第 4 期

近年来,在元大都遗址中发现的八思巴字文物,有以下三事。简报配以拓片、照片予以介绍。

据介绍,第一事为旧鼓楼大街豁口东窖藏瓷器上的八思巴字姓氏标记。1970 年在旧鼓楼大街豁口东发现一窖元代瓷器,共有青花、影青瓷器 16 件。在 2 件影青瓷碗的底部,都墨书——八思字,其对音为 žan(张或章)。详细情况已见本刊 1972 年第 1 期《元大都的勘查和发掘》一文,此不赘述。简报举例说明:元代中期以后,汉族的官僚地主阶级中盛行在其贵重器皿上用八思巴字标记姓氏。

第二事为八思巴字官印。此印于 1965 年在北京明代北城墙的夯土中发现,当是洪武元年(1368 年)明朝军队占领大都后而被遗弃的。八思巴字官印上的字体,是八思巴字的一种篆体,从汉字篆体摹仿而来,此印为诸路宝钞提举司提举之印。

第三种为万宝寺庙产执照刻石的八思巴字印。此石于 1965 年在北京桦皮厂北口明代北城墙基下发现。为至大四年(1311 年)诸路释教都总统付给万宝寺住持德如的庙产执照。执照的纪年上仿刻八思巴字印一方,由于字迹漫漶,其文已不可释,但可以肯定是三行篆体八思巴字。

简报称,元大都发现的有关八思巴字的文物,虽然数量不多,但却反映了元代文物的时代特点。

15.近年来北京发现的几座辽墓

作　者:北京市文物管理处

出　处:《考古》1972 年第 3 期

一、1970 年 3 月,北京丰台区丰台镇桥南,在施工过程中,发现一座辽代重熙廿二年(1053 年)的墓葬,考古人员进行了清理。简报配以照片介绍了北京发现的几座辽墓。

据介绍，此墓为圆形砖券墓，券顶已塌落，仅存墓壁。壁用白灰涂抹，原绘有壁画，因脱落严重，已看不出所绘内容。有砖砌棺床，未发现完整骨架，只有残骨出现。出土器物为陶器、瓷器；石墓志二副。一盖正中刻"故陇西郡夫人墓志"楷书 8 字，每边长 63 厘米，四面斜坡每面有折枝牡丹花朵。志文刻楷书 24 行，计 738 字。一盖正中刻"王公墓志"篆书 4 字。四周刻有缠枝花纹，四面斜坡每面刻有持笏的文吏十二生肖像，四角刻牡丹花朵，每面长 73 厘米。志文楷书 47 行，计 2151 字。简报录有两志志文，由志文知此墓为夫妇合葬墓。墓主人的名字在志文中，已残。然李氏墓志的撰者，自书为"夫……王泽撰"，故知此墓为王泽夫妇合葬墓。李氏死于重熙十二年（1043 年），葬于重熙十四年（1045 年）。王泽死于重熙二十二年（1053 年），死后即启李氏之墓合葬。

王泽，《辽史》无传。墓志云，曾于重熙六年（1037 年，宋景祐四年）"充贺南朝正旦副使"，《辽史》兴宗本纪于重熙五年条下记"以耶律祥、张素民、耶律甫、王泽充贺宋生辰正旦使副"。又李焘《续资治通鉴长编》卷一二〇，记景祐四年十二月"癸未，契丹遣始平节度使耶律甫、卫尉卿王泽来贺正旦"。《辽史》简漏，误六年为五年。《续资治通鉴长编》所记是正确的，但它把卫尉少卿误为卫尉卿。另外，墓志中所记的许多辽代职官名称，也可补《辽史》之缺漏。

二、1970 年 5 月，在丰台镇桥南距辽王泽墓西约 200 米处，发现一座辽代石棺墓。棺呈长方形，用 6 块青石板组成，两侧与前后有榫衔接。出土器物为瓷器，未见陶器。

三、1970 年 4 月，在宣武区海王村，距地表 2.5 米的黄沙土层中，发现两座辽代的土坑墓。每墓有仰身直肢的骨架一具，头前都放有辽代的典型器物绿釉鸡冠壶两个。其中一座，另外还出有白瓷罐、白瓷碗、陶铃和带流小铜器等。这两座墓，应是辽代早期的墓葬。

四、1970 年 3 月，西城区阜城门外发现一座辽保静军节度使金紫崇禄大夫检校太傅兼御史中丞董庠及其妻张氏的合葬墓，但因该墓坍塌严重，未作清理，只在施工过程中发现了"清河县君墓志铭"（董庠妻），及董庠的"灭罪真言"刻石各一块。董庠妻墓志，简报录有志文全文。

五、1970 年 3 月和 7 月，分别在西城区府右街罗贤胡同和西椅子胡同发现了两座辽代墓葬。这两座墓都是圆形券顶砖室墓。

六、1971 年 10 月，西城区锦什坊街，在距地表 7 米左右发现一座长方形抹角砖室辽墓，墓内发现人骨架 2 具。

七、1971 年 11 月，在西城区福绥境大玉胡同，清理了一座长方形砖砌辽墓。

简报指出，以上发现的几处辽墓的出土器物，最突出的收获是出土的瓷器。王泽墓的一批白瓷，釉色净亮，是定窑系统中的佳作。锦什坊街辽墓出土的黄釉龙头耳洗子，也是辽墓中特有的器物，釉色与造型都很精美。大玉胡同辽墓出土的黑釉瓷组，从其胎质、釉色上来看，也应属于定窑系统。这些瓷器的发现，为研究辽代瓷器提供了一批可贵的资料。另一大收获是三方墓志。寿昌三年（1097 年）董庠墓的"灭罪真言"石刻，反映了佛教密宗在辽代的流行情况，这在王泽夫妇墓志中也充分反映了出来。王泽的继母"落发为尼"，王泽妻李氏也是"净信三归，坚全五戒"，王泽本人在晚年则"杜门不仕……研达性相之宗，熏练戒慧之体。闲看法华经千三百余部，每日持陀罗尼数十本。全藏教部，读览未竟……"王泽的两个女儿也都出家为尼。王泽墓志透露了当时北京附近阶级压迫的情况。太平七年（1027 年）以后，王泽"改除析津判官，时幽蓟民馑，寇盗繁滋"。据《辽史》圣宗本纪记载，太平九年（1029 年）"燕又仍岁大饥"。可见自太平七年至九年间，北京附近阶级矛盾还是很尖锐的。

16.北京西绦胡同和后桃园的元代居住遗址

作　者：中国科学院考古研究所、北京市文物管理处、元大都考古队
出　处：《考古》1973 年第 5 期

考古人员于 1972 年 6 ～ 12 月，分别在西绦胡同和后桃园发掘清理了两处元代居住遗址。简报配以平面图、照片等予以介绍。

据介绍，西绦胡同元代居住遗址，位于旧鼓楼大街豁口以西 150 米许的明清北城墙下。由于这处遗址是压在明清城基下，城基以外的部分早已无存，故发掘出来后，遗址呈长条形。东西总长 36.6 米、宽 11 米。遗址因遭历代破坏，保存得极不完整。后桃园元代居住遗址，位于新街口豁口以西明清北城墙下，东距后英房元代居住遗址约 125 米许。遗址在明初修筑城墙时，即遭严重破坏，故现仅残留一些碎砖破瓦，房屋建筑及基础早已无存。遗址中出土不少元代建筑构件，如覆盆柱础、锭脚石、门砧和壁画残片，以及屋顶各种瓦饰。如鸱尾、迦楞频伽、兽面纹和花草纹瓦当、凤鸟纹和花草纹滴水及各式华头筒瓦等。其中尤以各式残瓦武士为元大都居住遗址中首次发现。

简报称，这两处都是元代统治阶级的居住遗址，出土的元代钧瓷十分珍贵。为我们了解元代建筑、制瓷和雕刻等方面提供了实物资料。

今有故宫出版社 2013 年出版的《钧瓷雅集》一书，汇集了传世钧瓷 130 余件，可参阅。

17.北京先农坛辽墓

作　　者：北京市文物管理处　马希桂
出　　处：《文物》1977 年第 11 期

1973 年初，考古人员在先农坛西南部的某工厂工地发现和清理了一座辽墓。简报配以手绘图等予以介绍。

据介绍，此墓为一南北向圆形单室墓，为火葬墓，陪葬品 11 件，多为泥质灰陶器。

同年，在先农坛东部发现一座金墓。据介绍，该墓为土圹竖穴墓，墓穴东壁已破坏。根据两壁推测，墓坑可能为正方形。葬具为长方形石棺，在石棺内的东部，发现一堆骨灰，四周有木痕和铁钉，简报认为木痕可能为盛骨灰的木盒，除此还有许多随葬品：定窑花草纹刻花洗 1 件、定窑花草纹刻花碟 4 件、黑釉盨 1 件、定窑白瓷盘和六出莲瓣碗各 1 件、定窑小组 1 件、灰绿釉鸡腿瓶 2 件、青釉罐 5 件，此处尚有铜筭 1 件、铜钱 88 枚。简报推断该墓为金墓无疑。

简报称，金代盛行火葬，这座墓葬也是一例。这座墓中出土的定窑瓷器，胎质薄，釉色光润，刻花精细，器形别致，充分反映了宋金时代我国定窑瓷器的水平和工匠们高超的艺术才能。

18.北京市通县金代墓葬发掘简报

作　　者：北京市文物管理处　刘精义、张先得等
出　　处：《文物》1977 年第 11 期

1975 年 8 月，北京市通县城关公社砖厂，因推土取料，发现石椁墓两座（编为一号、二号墓）。考古人员对两墓进行了发掘清理。在清理过程中还利用出土文物在现场举办了小型展览，宣传党的文物政策法令和这些出土文物的历史与艺术价值。两墓位于通县城南 1 公里，三间房村西 400 米砖厂范围内的高坡上。原土坡高约 3 米，已被推土机推平。两墓即在推土的过程中被发现。简报分为"一号墓"、"二号墓"两部分予以介绍，有照片、手绘图。

据介绍，一号墓出土有遗物 20 件及唐、宋、金铜钱 84 枚。出土墓志一方。据志文，墓主石宗璧生于辽天庆四年（1114 年），金史无传。他由一个管理酒税的官吏升为显武将军、丰瞻库副使，后又为博平县尉；又由于镇压农民起义，受到女真贵族统治者的器重，累迁振武将军，除河东路第一将正将，戍守金与西夏的边界，直至五品官阶的宣威将军，管理大和寨的军政。金大定十五年（1175 年）死于汾州大和寨

（今陕西佳县一带），大定十七年（1177 年）葬于通州。志文可补史籍之缺处不少。简报未录志文全文。二号墓墓主为女性，未知是否为一号墓石宗璧之妻。据志文，石之妻应是女真贵族。

19.北京门头沟区龙泉务发现辽代瓷窑

作　者：北京市文物管理处　鲁　琪
出　处：《文物》1978 年第 5 期

考古人员在门头沟军庄公社龙泉务村发现了一处辽代瓷窑。该村距北京城 20 公里，三面环山，层峦叠嶂。村北灰峪、西南对子槐山产坩子土，村西曹家地和东北军庄村永定矿盛产煤。永定河由村东流过。这里资源丰富，运输便利，具备了烧制瓷器的良好自然条件。简报分三个部分予以介绍，有照片、手绘图。

据介绍，窑址在龙泉务村东北部，现为果园和菜地，其东侧紧靠永定河畔，当地人称这里为"窑火筒"。内部遗存大量残碎瓷片、窑具和烧土、煤渣。在调查中，考古人员采集到一部分标本。瓷器以碗、盘为主，间有碟、净水瓶、罐、盂、盒、壶、盆等；釉色以白瓷为主，还有少量褐、黑、青瓷。窑具有匣钵、支钉、印模。简报认为，龙泉务窑在辽代初期应历八年（958 年）以前就已经设置，到辽末天庆三年（1113 年）还在烧造瓷器。在此窑址上采集到的瓷片，目前尚未见到辽代以后的产品，估计辽末以后，这个窑就停烧了。此窑是一座有代表性的辽代瓷窑，其产品主要为白瓷，分粗、细两种。

20.北京市发现金代铜则

作　者：鲁　琪
出　处：《文物》1979 年第 9 期

1978 年 10 月，北京市复兴门外某大楼工地施工时，发现金代铜则一件。简报配以照片予以介绍。

简报介绍，铜则呈鼓形，正面有一圈缘线，圈间点刻缠枝纹。圈内刻牡丹花卉，花卉中间有双线方格，格中刻双钩铭文。经北京钢铁学院光谱定性分析，铜则是紫铜制品。

铜则的"则"，是准则之意。金代标准权衡器铜砝码，过去缺乏实物佐证，这次出土的"壹百两"铜则，是考古的重要发现。

简报称，尚方署属少府监，铸造皇室所用金银器及其他器物，主官有令及丞。

据史料记载，简报认为这件铜则，正是尚方署为皇室主造器物时用作标准砝码测定重量的。"典字号"，似按《千字文》编号。

21.北京昌平县出土元代影青瓷

作　者：马希桂

出　处：《文物》1980年第1期

1974年4月，昌平县城关公社旧县大队在村西北平整土地时，发现一座砖砌双室墓，墓平面略呈长方形。墓室中间有一条南北向砖砌隔梁，把该墓分为东、西两室。简报配以照片予以介绍。

东室内木棺已残朽无存，仅留数枚铁棺钉。在室内北侧发现有零乱放置的残头骨和肢骨。西室内仅在北头遗存残头骨一个。该墓业经盗掘，随葬器物所剩无几，主要为瓷器，其中尤以影青瓷匜和影青瓷把杯最为珍贵。除此之外，在东、西两墓室内都发现有大批铜钱，计有：唐开元通宝，宋咸平、天圣、熙宁、元丰、元祐和绍圣通（元）宝等。简报推断该墓为元代墓葬。

简报称，该墓出土的影青匜、杯和盘，从造型之精美别致，胎质之轻薄坚硬，釉色之细润明亮，都足以说明它们是景德镇窑影青瓷器中的佳品，为过去所不多见。这些艺术珍品说明元代制瓷工艺的高超技巧，为研究我国陶瓷史增添了新的实物资料。

22.北京市斋堂辽壁画墓发掘简报

作　者：北京市文物事业管理局、门头沟区文化办公室发掘小组　鲁　琪、　赵福生

出　处：《文物》1980年第7期

斋堂位于北京市门头沟区清水河畔，距北京市约90公里。1979年8月17日，斋堂公社西斋堂大队农民，在村东俗称"东坟"一带挖土时，发现一座古代壁画墓。考古人员进行了清理。简报分为：一、墓室结构，二、葬具和出土遗物，三、墓葬年代，四、彩绘壁画，五、彩绘棺床档和山水画，六、小结，共六个部分。有照片、手绘图。

据介绍，此墓为砖砌单室墓，墓顶距现地表0.92米。由墓室、墓门、墓道组成。该墓曾被盗，仅出土三彩蟠龙香炉1件、三彩罐1件、白釉罐1件共3件遗物。墓室内有一男一女两具骸骨，应为夫妇合葬墓。简报推断此墓的年代为辽代晚期。

此次发掘最大收获，就是在墓内墓室和棺床上保存的彩画和长山水画比较罕见，为研究北方辽代绘画提供了重要资料。壁画使用的颜色，以朱砂、石绿、石黄、赭石、白粉为主。其中每种颜色都有深浅之分，而且还用了紫、灰等配合色。墓室的侍女画和故事画中的人物皆为汉人，都着汉装，这是因为辽代统治者采用"以国制治契丹，以汉制待汉人"的统治制度。画中人物服冠与文献记载正相印证，为辽燕京地区部分衣冠制度提供了形象资料。山水画风格粗犷，用笔简率，除用墨外，还兼施青绿重彩，具有雄浑的气势，与金元绘画颇有相通之处，由此可见辽金时期北方山水画的风格发展的渊源关系。

23.北京出土金正隆二年银铤

作　者：鲁　琪
出　处：《文物》1980 年第 11 期

1978 年 4 月，在北京市内重建工地出土了錾刻金正隆二年（1157 年）款银一铤，无款银二铤。银铤表面呈淡紫色。简报配以照片予以介绍。

有款银铤，正面微凹，有波纹，錾刻铭文三行，简报录有铭文全文。无款银铤形制与上同，背面也呈蜂窝状麻面。

简报称，正隆是金海陵王完颜亮的年号。邠州，当时属陕西庆原路。据《资治通鉴》载，（唐）僖宗中和四年（884 年）十二月己丑"赐邠宁军号曰静难"。邠州从此为静难军节度使治。宋亦于邠州置静难军节度使，金初因之。金代银铤的使用，据《金史·食货志三》记载："旧例银每铤五十两，其直百贯，民间或有截凿之者。"官府将白银铸成银铤，每铤重五十两，值铜钱一百贯。民间往往将银铤截凿成小块，便于流通。

24.北京市房山县北郑村辽塔清理记

作　者：齐　心、刘精义
出　处：《考古》1980 年第 2 期

1977 年 6 月，房山县北郑村辽塔因年久失修，塔基附近又挖渠取土，致使该塔逐渐向南倾斜。6 月 2 日塔身出现裂口，6 月 3 日清晨突然向南倒塌。考古人员赶往现场对残塔和"地宫"及出土遗物进行了全面的清理。简报分为：一、位置、地理环境，二、塔、"地宫"、石函的形制，三、遗物，四、结语，共四个部分。有手绘图、照片。

据介绍，北郑村在房山县城西南约 20 公里，地面上零星可以拣到汉唐时期的陶片和辽金瓷片、勾纹砖等古代遗物。北郑村辽塔坐落于村西口路南，该村小学门前一个高约 2 米的台地上。塔建筑雄伟，结构精致，在北京辽塔中不多见。倒塌前的北郑村辽塔是一座八角形十三层密檐式实心砖塔。残高 21.3 米。塔下部是基座部分，"地宫"即位于塔基内，出土精美的辽瓷小碟和成组佛幡与银幡架、银棍与宝花供养物薄银片等。

简报推定：此塔建造时间不早于辽兴宗时期，与石函年代一致。石函内出土的具有断代特征的遗物如瓷器、银器等所示年代与石函、铜钱年代相符，总之塔全部内涵物的年代均为辽重熙二十年（1051 年）前之遗物。

25.北京大葆台金代遗址发掘简报

作　者：北京市文物工作队　马希桂
出　处：《考古》1980 年第 5 期

大葆台金代遗址位于北京丰台区郭公庄西南隅，距城 15 公里。1974 年 8 月，在发掘大葆台一号汉墓时，在南部封土中，曾出土一些金代遗物，如汉白玉残观音坐像、大安三年"大金故承信校尉守玉田县醋务御监大公墓"碑、雕花方砖和葬有"大定通宝"的一具完整马骨架等。在一号墓墓道的右侧，又发现一座破坏较为严重的建筑遗址。1975 年 4 月，在发掘二号汉墓时，又在两墓之间清理了一座砖井。简报分为四个部分予以介绍，有照片、手绘图。

据介绍，遗址坐西朝东。南北长 11 米、东西宽 10.5 米，已残破不全。从所存残迹观察，主要是一座西房，另有北房等建筑。西房前是庭院。所谓"葆台"，最早见于辑本《析津志》，内称："葆台在南城之南去城三十里，故老相传明昌时李妃避暑之台，无碑志，有寺甚壮丽，乃故京药师院之支院"。"明昌"为金章宗完颜璟的年号，说明葆台之名，金代已经存在了。据粗略勘探，遗址范围为 7000 多平方米，目前清理仅仅是北部边缘的一角。根据遗址所在地点和范围之大及出土遗物的年代和内涵，尤其是在出土的两种金代铜钱中，有一枚是章宗时的"泰和重宝"，简报推测，此遗址很可能就是文献中所记述的"李妃避暑之台"，亦即京都药师院支院的一部分。

简报称，水井中出土的残象棋盘，是该遗址中的一个重要发现。象棋在我国有着悠久的历史，南宋刘克庄在《象弈》一诗中详细描述了象棋情况，说明八百多年前象棋已和现在的象棋没什么区别，且甚为流行。宋代遗址中出土过象棋子，此次金代象棋盘的出土，为研究我国象棋史提供了宝贵资料。

26.通县唐大庄出土金代陶砚

作　者：鲁　琪

出　处：《文物》1981 年第 8 期

1978 年 4 月北京通县台湖公社唐大庄大队在庄南春耕时，发现金代墓葬。简报配以照片予以介绍。

简报介绍，出土器物有青瓷碗 1 件、崇宁重宝钱一枚、澄泥陶砚 1 件，砚底有"鼎砚铭"19 字，简报录有鼎砚铭全文。后"见海若"三字或为制砚人别号，观察"鼎砚铭"，是在制成砚坯子时，用木刻打印的，其别号"见海若"三字，由于打印次数较多，字迹都已经模糊了。

简报称，澄泥砚在唐代开始制作，最初出土于山西峰州。据说用绢袋装上汾河泥，加以漂洗，澄得细泥，烧制而成。通县唐大庄出土的澄泥陶砚，就是将河泥淘澄得极细后烧制而成的。

27.北京出土鎏金银面具

作　者：首都博物馆

出　处：《文物》1983 年第 9 期

1971 年北京市房山县东方红炼油厂因施工取土，发现一件鎏金银面具。简报配图予以介绍。

据介绍，面具银胎，面颊丰满，眉骨粗壮，双眼微闭，鼻梁瘦高，两耳肥大，下巴圆厚，唇微闭但留有口缝，细密的发纹清晰可见。耳垂部和耳部上边各有一个小圆孔，是系带之用。形象颇健壮，具有明显的古代北方少数民族的特征。

死者脸上戴面具，这是契丹贵族特有的葬俗。据《虏廷事实》载："用金银为面具，铜丝络其子足。"面具有铜、银两种，按不同身份、年龄、性别而制作，形式稍异，一般用带子缚于耳根或后脑上。面具在内蒙古、辽宁等地的辽墓中均有发现。这件面具保存完好，又是银质鎏金，有较高的文物价值。

28.辽韩佚墓发掘报告

作　者：北京市文物工作队　黄秀纯、傅山钺等

出　处：《考古学报》1984 年第 3 期

辽韩佚墓在北京八宝山革命公墓院墙内。1981 年 6 月，八宝山殡葬管理所施工

时发现。20 世纪 60 年代初，这里曾先后出土辽咸雍五年（1069 年）韩资道墓志，金正隆二年（1157 年）韩谇（明道）墓志，分别编为 M1、M2。这两方墓志现存首都博物馆。这次发现的韩佚墓，编为 M3。墓地在八宝山东南隅，明刚铁墓祠堂东 120 余米处。东南距鲁谷村约 1 公里。简报分为：一、墓葬形制，二、随葬器物，三、出土瓷器研究，四、墓志考释和结语，共五个部分。有彩照、拓片、手绘图。

据介绍，韩佚墓是一座砖室墓，由墓道、墓门、甬道和墓室四部分组成。随葬器物约 60 件，其中白瓷 13 件、青瓷 9 件、墓志 2 合尤其珍贵。简报结合墓志和文献，考出韩氏家族世系。墓中有壁画。

简报称，墓主韩佚是辽代统治阶级的汉族官吏。墓室的装饰、壁画的内容取材是现实生活的写照。高大华丽的仿木结构建筑的门楼；墓室北壁彩绘帷幔下绘三扇花鸟屏风，象征着生前居住着豪华的前厅后室，屏风两侧分立身着汉服的奴婢和侍从，室内陈设高腿桌、灯檠和衣箱、衣架等装饰，仍保留着中原传统的汉族生活习俗。此墓出土的珍贵的青瓷，有可能是吴越国的奉品。韩佚的祖父韩颖是契丹开国勋臣，从皇室取得赏赐品，韩佚死时又作为随葬品是很有可能的。此墓出土的一套青瓷注碗、白瓷渣斗、盘、碗等，与在东北、河北、内蒙古等地辽墓中发现的辽瓷产品极为相似。证明唐末、五代、宋初，契丹族和中原之间的往来是密切的。

29.北京市密云县元代壁画墓

作　者：张先得、袁进京
出　处：《文物》1984 年第 6 期

1977 年 7 月，北京市文物管理处在密云县西田各庄公社太子务村，清理了一座村民平整土地时发现的元代壁画墓。此墓早年曾被盗掘，墓顶已塌陷，部分壁画残损，但墓室结构及壁画整体布局均尚完整。简报配以手绘图予以介绍。

据介绍，此墓为砖室墓，下方上圆，穹隆顶。出土遗物有铜镜、白釉黑花瓷器、白瓷经瓶、单系鸡腿瓶、双系灰陶罐、彩绘棺板（残）等。该墓年代，简报推断为元代早期。

30.元代"内府官物"漆盘

作　者：高桂云
出　处：《文物》1985 年第 4 期

1980 年 8 月，北京延庆县清泉铺公社罗家台大队农民，在院内打压水机井时，于距地表 1 米多深处,发现窖藏文物数件,其中有朱素圆漆盘一件,是罕见的珍贵文物。简报配以照片、摹本予以介绍。

据介绍,漆盘盘底直书朱楷体字款识三行:中行"内府官物",右行"泰定元年三月漆匠作头徐祥天",左行"武昌路提调官同知外家奴朝散"。这三行款识已被人刮削过,但字迹仍依稀可辨。从漆盘的款识得知,此盘是元泰定元年(1324年)制造,供统治者使用的器物。"漆匠作头徐祥天"其人,是油漆局内带领漆匠从事作业的小头目。由于元代手工业等级森严,"作头"是管理工匠的,不一定具备精湛的技艺,徐祥天并非漆盘的直接制作者,所以他的名字不见于《漆书》。"武昌路"为元代地方行政区划的名称,属于湖广等处行中书省。元代地方官职有"提举""提控""提领""提调"等名目。"同知"为元代"路"一级的"总管"副职。"朝散"是虚衔,只领俸禄,无职权。"外家奴"为人名,元人多以"千家奴""百家奴"取名。此盘是 1949 年以来北京市出土文物中唯一带有款识的漆器。

31.元代仿古龙纹三足索耳鬲炉

作　者:高桂云
出　处:《文物》1985 年第 12 期

1980 年 8 月,北京延庆县清泉铺公社罗家台大队农民在院内打压水机井时,在距地表 1 米余深处发现元代窖藏文物一批,内有泰定元年(1324年)款识的"内府官物"漆盘(见《文物》1985 年第 4 期),同时还出土有青铜仿古龙纹三足索耳鬲炉一件。简报配以照片等予以介绍。

据介绍,因与"内府官物"泰定元年款的漆盘同出,此炉应系元代后期的内府官物,属陈于庙堂内的仿古祭器。元代仿古铜器过去很少发现,著录不多,这件出土并有相对年代依据的龙纹三足索耳鬲炉,可作为元代仿古铜器断代的参考作品。

32.元铁可父子墓和张弘纲墓

作　者:北京市文物研究所
出　处:《考古学报》1986 年第 1 期

元代铁可父子墓位于北京市崇文区龙潭湖以北吕家窑村,今北京工艺美术研究所院内。1962 年 12 月,当地百姓取土时发现了铁可墓(M1)。1963 年 10 月,又发现铁可父斡脱赤墓(M2)。1972 年 5 月,于朝阳区永定门外小红门发现元张弘纲墓(M13)。这三座墓虽经盗扰,但墓葬形制完整,出土遗物仍较丰富,特别是铁可墓志和张弘纲墓志的发现，是1949年以来北京地区重要考古收获之一，为我们研究元代政治、经济和军事增添了珍贵资料。简报分为"铁可父子墓""张弘纲墓""结语"共三个部分予以介绍，有照片、手绘图。

据介绍，铁可父子墓均为石圹墓，方向正南北，东西相距8米。此处原为高约2米的土岗，发掘时已夷为平地。墓顶距现地表约70厘米。M1为三人合葬墓，即铁可与夫人冉氏、张氏合葬墓，发掘时人骨无存，仅见头骨两个。此墓早年多次被盗，室内随葬品大多破碎，原来位置被移动。经修复整理，陶器有罐、鏊釜、提梁罐、盆、杯、钵、灯，瓷器有瓶、罐、碗、洗、三足炉、鸡腿瓶、双系瓶，铜器有灯、镜和钱币，计90余件，另有铁可墓志一合。铁可父斡脱赤墓（M2）平面为长方形，由墓室和甬道组成。

简报指出，铁可父子墓中具有重要研究价值的是铁可墓志。简报录有志文。铁可，《元史》《新元史》有传，或写作铁哥、帖哥、帖可。观其一生事迹，志文与史传符合。他在定宗时（1248年）生于山西浑源（今山西大同县），是中国籍巴基斯坦人，姓伽乃氏，先世就是乞失迷儿贵族，笃信佛教。父斡脱赤，于元太祖十七年（1222年）大军西征时，偕弟那摩东奔投元，给元军西征在政治、军事上起了不可估量的作用，为元初勋贵。那摩做了国师，总天下释教；斡脱赤封万户，娶汉人李氏做妻子，于宪宗元年（1251年）回伽叶伊弥遇害。志称"乞失迷儿"和"伽叶伊弥"，似指两地名称。按《元史·铁可传》作伽叶弥儿，《宪宗本纪》作"怯失迷儿"和"克什米尔"，《氏族表》作"乞失迷"。可证志文的两名称实际是同一地名的异写。"伽叶伊弥"即"古竺乾国"，是佛教大乘派发源地。铁可叔父那摩，《大正藏》佛祖历代通载卷二十一称"兰麻大师"，又称"罽宾大师""西僧"。"罽宾"是一地名不同的译音，其地即今巴基斯坦东部"克什米尔"。西域人在元朝做官或投附元朝的勋贵、显赫者史见不鲜。但地下出土的墓志，唯见铁氏墓，堪称是一份罕见资料。墓志内容广泛，涉及国内外国名、地名、人物、信仰、宗教活动，以及元朝统治阶级内部的政治斗争，对于元代历史的研究具有颇为重要的史料价值。

简报称，张弘纲墓（M13）为横长方形砖室券顶合葬墓，坐北向南，由墓道、墓门、甬道、墓室四部分组成。此墓发现石棺二具、木棺一具，亦出土有墓志。简报录有志文。值得指出的是，墓志由元代书法家赵孟頫书写。据张弘纲墓志"夫人左氏先殁，继室杨氏"，可知此墓为张弘纲及夫人合葬墓。张弘纲及一夫人施行火葬，而另一夫人施行土葬。

简报介绍说，墓主张弘纲，据墓志记载，东安州常伯人，为元初辅佐忽必烈的重臣。生于太宗九年（1237年）四月，卒于大德五年（1301年）十二月，年65岁。《元史》《新元史》《元史类编》中的张禧传均附张弘纲传。记载虽简略，但所记史实大部与墓志相合。大德九年"葬大都南二十里中疃先茔之兆",是今永定门外小红门一带,元代属中疃村。

简报认为,元铁可父子墓、张弘纲墓虽经早期盗掘和破坏,但墓葬形制完整,且有纪年,可使我们进一步了解元初统治阶级上层人物埋葬及棺椁制度。铁可墓用巨大的青石板垒砌宽阔的石椁室。墓室之间隔墙下凿小券洞,以贯通三室。各室内均放置木棺,用9块青石板分别覆盖在3个椁室上。张弘纲墓则采用砖砌墓室、石棺火葬与尸体埋葬同置一墓的合葬制。这种葬制皆反映了元代初期皇室贵族的丧葬习俗。铁可父子墓随葬器物种类有陶器、瓷器、铜器及贵重的金器,其中以影青壶为元代景德镇窑佳品。张弘纲墓所出器物种类及数量虽不及铁可墓,但出土的枢府釉瓷炉亦属上乘。这3座墓均出土一套仿生活用品的小型陶冥器,其器物组合为五罐、二盆与提梁罐、釜、杯、钵、灯各一。这组器物为北京地区元代墓葬所特有,为其他地区所不见。

33.近年北京地区发现的几处古代琉璃窑址

作　者:赵光林
出　处:《考古》1986 年第 7 期

据文献记载,元明清各朝,为宫廷建筑装饰需要,均在北京城郊设窑,烧造琉璃砖瓦。和平门外琉璃厂和门头沟琉璃渠都是为官府烧造琉璃建筑构件的著名窑场,其中的门头沟琉璃渠窑至今还在烧造。

近几年通过考古调查,发现几个窑址,不但烧造瓷器,一般还都烧造琉璃制品。门头沟区龙泉务窑址出土琉璃三彩,海淀区公主坟窑址出土白釉建筑构件。简报分为:一、龙泉务琉璃三彩窑,二、公主坟窑,两个部分予以介绍,有照片。

据介绍,龙泉务窑址中出土的这批琉璃三彩制品,胎质坚细,釉色光润,制作规整,特别是三彩菩萨及彩绘坐佛制作得非常精致,是北京地区考古工作中的重要收获。简报认为这里很可能是一处官窑或民窑官烧的地方,根据公主坟窑的出土物分析,简报认为这里应是一处以烧造琉璃建筑构件为主,以烧造其他器物为辅的元代窑址。

简报指出,北京地区,除龙泉务琉璃三彩和公主坟烧制的白釉器及建筑构件外,如房山的磁家务、密云的小水峪和庄窠等古窑厂,亦都生产缸胎器,这些缸胎制品多属元代大型黑釉缸、罐等粗器。最近文物普查,又在平谷县的刘店乡演洞村发现大量炼制陶瓷釉料的坩埚和部分辽金瓷片,简报分析这里可能也是一座古窑址。简报称,这说明元以前,北京地区的陶瓷业是相当发达的。

34.北京市拣选一组元代铅供器

作　者：程长新、张先得
出　处：《文物》1988 年第 5 期

1982 年 6 月，考古人员在朝阳区拣选到一组 5 件铜质供器。据调查出土于朝阳区，当时已残破。后经修复，收藏于北京市文物研究所。简报配以照片予以介绍。

据介绍，供器有：铜香炉 1 件、铜瓶 2 件、铅蜡台 2 件。这组铅供器，简报认为当为元墓中的随葬品。

35.北京市海淀区南辛庄金墓清理简报

作　者：北京市海淀区文化文物局　秦大树等
出　处：《文物》1988 年第 7 期

在北京市海淀区南辛庄农民陈贵的宅院里，1949 年前后曾两次发现金代墓葬。第一次是在抗战结束前，侵华日军在他家院内挖防空洞时，发现了一座石椁墓，日军破坏了墓壁，盗走了发现的文物。1949 年后，陈贵建房时，将此墓彻底清除，又发现了 1 方墓志和 9 件定窑瓷器。1984 年北京市进行文物普查，他将这批文物上交国家。第二次是在 1985 年 4 月，陈贵在院内挖渗井时又发现一座形制相同的石椁墓，考古人员对墓葬进行了测绘，清理了墓中的文物，将石椁就地保存。现将两座墓葬（1949 年前发现的编为 M1，1985 年发现的编为 M2）的情况予以介绍。简报分为：一、墓葬形制，二、随葬器物，三、墓葬年代及墓主人身份，四、墓葬的意义，共四个部分。有照片、拓片。

据介绍，M1 已被全部破坏，据陈贵叙述，其形制与 M2 完全相同。两墓相距 3 米。M2 为长方形竖穴土圹石椁墓，石椁六面均为厚 0.13 米的整块青石板，土圹比石椁稍大，四面用黄土夯实。在石椁内底部，留有木棺残迹。棺内有尸骨两具。由于长年积水，棺内淤土近 1 米厚，尸骨已漂散，推测为夫妇合葬。在木棺北侧，有一条木板痕迹，用途不明。M1 出土有墓志，简报录有志文全文。另外还有瓷器、钱币等出土。M2 出土的放梳妆用品的纸盒，是我国纸制品史上难得一见的实物。瓷器也应为定窑出品，制作精美。

简报介绍，志文剥蚀严重，提到的张惟保、张仁规、张□震等人在《辽史》和《金史》中均无传。由墓志可知，墓主人官爵是"宣武将军骑都尉清河县开国男食邑三百户"，宣武将军在金代是从五品下阶的武散官。M2 中有两具尸骨，与 M1 并非并穴合葬，但又与 M1 形制相同，相距仅 3 米，时代接近，应该属于同一茔域之内，其墓主人很可能是张氏家族的成员。简报推断，墓主卒年应在金贞元至正隆年间（1153～1160年），下葬时间亦与此相近。

36.北京顺义安辛庄辽墓发掘简报

作　者：北京市文物研究所、顺义县文物管理所　王武钰、祁庆国等
出　处：《文物》1992年第6期

1989年12月中旬，顺义县木林乡安辛庄农民在挖树坑时发现了一座辽代砖室墓，考古人员立即赶到现场，对墓葬进行了清理。简报分为：一、墓葬位置及形制，二、随葬器物，三、结语，共三个部分。有照片、手绘图。

据介绍，墓葬位于安辛庄村西北1.5公里左右的一个小山洼里，东、北、西三面是山，前面（南面）是平缓的山坡。据调查，山坡上有不少辽代沟纹砖残块。据当地农民讲，几年前在距此墓东南约300米处，曾挖出过2个石卧羊。由此可知，此次清理的这座墓葬不是孤立存在的，此处可能是一处辽代家族墓地。此墓为砖砌圆形单室墓，由甬道和墓室组成。甬道及墓室的一部分已被破坏，墓顶大部分塌陷，只有墓室东壁保存尚好，但也已向西明显倾斜。墓顶距地表1米，填土中有很多大石块，显然是有意放入的。随葬器物中，有陶瓷器14件、铁器77件、铜器129件、角器1件、玛瑙器1件。其中有较齐全的马具，墓主人当为辽代中期一位身份不太高的契丹贵族。

37.北京昌平陈庄辽墓清理简报

作　者：昌平县文物管理所　周景城、王殿华、邢　军等
出　处：《文物》1993年第3期

1986年8月，昌平县南口镇陈庄村农民在村西60米的洼地中发现有青砖暴露，下挖1米余出土3件陶器，继而又在其地北约10米处挖出11件陶器和1件瓷器。考古人员初步确定是2座辽代墓葬，遂进行了抢救性发掘。位于北侧的2号墓已全部被破坏。简报分为：一、墓葬位置与形制，二、出土器物，三、结语，共三个部分。配以照片、手绘图，介绍南侧1号墓的清理情况。

据介绍，该墓为火葬，骨灰装于瓮内。骨灰瓮前有男女髡发俑一对。据此简报认为该墓为契丹族夫妻合葬墓。简报推断其年代为辽末金初。墓中随葬品多为陶器，墓主人当为契丹平民。

简报称，所谓"髡发"，即削去颅顶及颅后、额上蓄发，保留颅侧发成两绺，分垂两耳后，这是典型的契丹族男性发式。至于契丹女子髡发，不仅史籍上未见记载，

而且考古资料也仅有内蒙古察右前旗豪欠营 6 号辽墓女尸一例。陈庄 1 号墓女俑在发式上与豪欠营 6 号墓女尸有着明显的不同，其保留了额发、鬓发、颅侧发和顶发，剃去颅顶的四周及颅后发，保留的颅顶发扭成灵蛇髻，髻头垂于颅前顶。整个髻形正看似汉族妇女的"高髻"，侧看成"几"字形。在"几"顶处用发带结扎，额发中分，汇合鬓发、颅侧发成两绺，垂于两耳前、后。灵蛇髻是我国南北朝时期北魏鲜卑族女性的流行发式，陈庄 1 号墓女俑的顶发作成灵蛇髻，正是契丹族承袭鲜卑族习尚的反映。陈庄 1 号墓女俑的发现，不仅继豪欠营 6 号墓之后再次证明契丹女性髡发的事实，而且丰富了契丹女性髡发的发式内容。

38.北京密云冶仙塔塔基清理简报

作　者：王有泉
出　处：《文物》1994 年第 2 期

密云冶仙塔位于密云县城东北 2.5 公里的冶山上。据《密云县志》记载，此塔建于辽代。现塔已毁。原塔的形制为八角形砖砌二级三重檐式。1988 年秋，考古人员对该塔塔基残址进行了清理发掘。简报分为：一、塔基，二、出土遗物，三、结语，共三部分并配以照片予以介绍。

据介绍，冶仙塔塔基保存状况较差，地面建筑皆无，塔基地宫仅南壁保存稍好，其余三面皆倾斜移位，壁砖粉碎。地宫内出土的器物以陶瓷器为主，共有 40 余件及大量铜钱，大部分器物已毁坏，完整的器物共 8 件。冶仙塔建成的时间，简报推断不早于北宋宋真宗时期，相当于辽圣宗耶律隆绪的开泰年间。

39.北京大兴区青云店辽墓

作　者：北京市文物研究所　王清林、朱志刚、李　华、周　宇、王燕玲等
出　处：《考古》2004 年第 2 期

2002 年 4 月，北京市大兴区青云店镇东南的西杭子村王致和腐乳厂西墙外发现两座砖墓。该地地处凤河流域。考古人员进行了抢救性清理。简报分为：一、M1，二、M2，三、结语，共三个部分。有彩照、手绘图。

据介绍，两座墓葬形制相同，均为青砖砌成的圆形穹隆顶单室墓，由墓道、墓门、门墙、甬道和墓室组成。墓室内壁绘有壁画。随葬品有陶器、瓷器和铜钱等。简报称，1949 年以来，北京地区发现的辽墓有 40 余座，圆形占 80%；壁画墓 10 余座，保存较好的有百万庄 1 号墓、韩佚墓、赵德钧墓等，墓内壁一般都有白地，朱、黑两

色的壁画和部分仿木结构建筑，影作桌椅，斗拱等。但发现的早期辽墓较少。此次出土的两座早期辽墓，墓壁上装饰手法采取壁画与影作结合，器物带有浓厚的唐代风格，为研究辽代早期墓葬形制、壁画风格、器物演变等补充了新的资料。

40.北京房山区金陵遗址的调查与发掘

作　　者：北京市文物研究所金陵考古工作队　黄秀纯、宋大川、陈亚洲、熊永强等

出　　处：《考古》2004 年第 2 期

金陵遗址位于北京市西南、距广安门约 41.7 公里的大房山麓，是经过金海陵王、世宗、章宗、卫绍王、宣宗五世 60 年营建形成的一处规模宏大的金代皇家陵寝，面积约 60 平方公里。现已被列为北京市重点文物保护单位。金陵的主陵区在九龙山，它位于房山区周口店镇龙门口村北山前台地上，占地面积约 65000 平方米。九龙山北接连山顶，是所谓风水极佳之地。简报分为：一、遗迹与遗物，二、墓葬，三、结语，共三个部分。有彩照、手绘图。

据介绍，此处是规模宏大的皇家陵寝。2001 年 3 月，考古人员对主陵区九龙山进行了全面的考古调查，大致了解了主陵区地下遗存的位置、形制结构及陵寝平面布局等。发现并清理了主陵区内多处遗迹，如石桥、神道、台址等；出土了大量的建筑构件和随葬品。

简报称，金陵遗址的考古调查开始于 20 世纪 50 年代，70 年代至 80 年代初的调查中也有相当多的遗迹和遗物。从 1986 年开始，对金陵遗址进行了历时 3 年的考古调查，发现大量的建筑构件、神道以及一通金代睿宗墓碑。联系文献，九龙山主峰下，在已发现的阿骨打陵寝(M6)两侧,还应有太宗恭陵、德宗顺陵。金睿宗景陵也应在此。

简报认为，通过文献记载，结合考古调查，对金代帝陵陵寝结构、平面布局等已有一定了解。但恭陵、景陵、兴陵等陵具体情况，尚有待考古证实。

41.北京平谷河北村元墓发掘简报

作　　者：北京市文物研究所　于　璞、韩鸿生

出　　处：《文物》2012 年第 7 期

为配合京平高速公路工程建设，2006 年 10 月，考古人员对京平高速 7 标段进行了考古发掘。发掘地点位于北京市平谷区马坊镇河北村西。本次发掘共清理古墓葬 23 座，其中元代墓葬 5 座（编号 M1 ～ M4、M8），均为砖筑圆形单室墓，墓道朝南，

墓顶部已坍塌。5座元墓的发掘情况，简报分为：一、1号墓，二、2号墓，三、3号墓，四、4号墓，五、8号墓，六、结语，共六个部分。有彩照、手绘图。

据介绍，5座元代墓葬均为砖筑的圆形单室墓，墓道朝南，墓顶部均已坍塌。出土器物以瓷器为主，共31件，均为实用器物，器形有碗、碟、盘、四系瓶等，四系瓶均成对出土，摆放于墓室南部的东西两侧。5座墓相距不远，墓葬形制、随葬器物相似，简报推断可能为同一家族的墓葬。从墓葬的砌砖多用残砖分析，墓主属于中下阶层。

42.北京石景山区刘娘府元墓发掘简报

作　者：北京市文物研究所　尚　珩、郭力展
出　处：《考古》2014年第9期

刘娘府村位于北京市石景山区。2011年5月，为配合该村综合改造安置房工程建设，考古人员在前期勘探的基础上，对工程控制地带C1地块内的四座古代墓葬（编号为M1～M4）进行了抢救性发掘。发掘区北邻永引渠南路，东临刘娘府路，南邻琅山北路。在这四座墓葬中，M1的形制保存较为完整，出土遗物也较为丰富。简报分为：一、墓葬形制，二、出土遗物，三、结语，共三个部分。有彩照、手绘图、拓片。

据介绍，M1为土坑竖穴石室墓，现存墓葬开口距地表深0.6米。墓坑平面呈长方形，南北长3.06米、东西宽2.8米、深2.8米。石室筑于墓坑内底部，是用卵石和大小不等的石块加灰土浆（白灰和土的混合物）砌筑而成。墓室分为东室和西室两部分，中间以隔墙分开，隔墙上有两个方形窗。此墓曾被盗，但仍出土陶器、铜钱、铜灯盏、铁灯盏等随葬品39件。简报推断为元代墓。

天津市

43.武清县出土金元时代银铤

作　者：天津市文物管理处　纪烈敏
出　处：《文物》1982 年第 8 期

1969 年，天津市武清县东马圈公社大赵庄大队出土一笏银铤。简报配以照片予以介绍。

简报介绍，铤为亚腰形，表面微凹，周有波纹，正面砸印"平阳路""伍拾两"、"张海"等字，錾刻"课税所"等字，背面铸"平阳"两个大字。同年又在双树公社小河大队出土八笏银铤，正面多錾刻"行人""秤子"、重量以及砸印符号等。银铤均无纪年。大赵庄出土银铤砸印"平阳路"三字，据《元史·地理志》："晋宁路……金为平阳府，元初为平阳路，大德九年（1305 年）以地震改晋宁路。"平阳路元初属中书省，即今山西临汾一带。简报推断此银铤当系元初之物。小河出土的八笏银铤，其形制、重量均与元或金的银铤相似，简报推断应为金元时代遗物。

44.天津蓟县独乐寺塔

作　者：天津市历史博物馆考古队、蓟县文物保管所　　纪烈敏等
出　处：《考古学报》1989 年第 1 期

蓟县独乐寺塔俗名白塔，坐落在蓟县城内西南隅，在独乐寺南 380 米偏东 9 米处，是"渔阳八景"之一。塔有院，南北长 68 米、东西宽 24 米。塔处院正中，前有观音寺，故此塔又有"观音寺塔"之名。1932 年梁思成先生考察独乐寺时，曾对此塔作过调查。塔院现只剩山门和正殿，东西配殿皆毁。据塔门洞内镶《重修渔阳郡塔记》碑载：此寺院乃明嘉靖时建造。院内还有万历二十二年《重修蓟州观音寺宝塔碑记》、万历二十八年《重修蓟州观音寺宝塔碑记》《乾隆六十年春奉旨重修观音寺塔》、咸丰九年《重修白塔寺碑记》四通碑，简报附有碑文。另有年代不明之《千手千眼观音自在菩萨摩诃萨广大圆满无碍大悲心陀罗尼经》石幢一座。1976 年唐山大地震，独乐寺塔遭严重破坏，整座塔身倾斜，岌岌可危。1983 年春，文物管理部门决定将

第一层檐以上拆除重修。拆塔工作从 3 月 16 日开始至 4 月 25 日结束。当拆至十三天相轮底时，发现内部还包有一塔，包砖层厚 0.6～1 米不等。为弄清被包塔的面貌，便采取分段剥去包砖外皮的做法，逐段进行测绘、照相，然后再拆除。拆至第一层檐时，全部包砖砌体拆完，暴露出原塔全貌。被包的辽塔，除相轮和覆钵下的 1.6 米表层装饰残毁外，其余基本完好。拆塔过程中发现此塔多次大修的线索，其中包括二次对塔进行了加固包砌，及将假门改为真门等工程。这是了解独乐寺塔历史的重要资料。同时，在覆钵正南面的外皮剥落处，发现明代包砌时修置的佛龛，出土了佛像和经卷等文物。在佛龛后，是内塔的上层塔室，其底部和东北角墙体已局部坍塌，室内的石函等物已随砖土坠落于中层塔室内。中层塔室内积满鸟粪，厚 1.5 米，体积达 8.6 立方米。石函等物散落在鸟粪上，但其上无鸟粪覆盖，故知应是在唐山地震时才塌落的。在加固下层塔室时，发现沿塔室周围有一圈空洞般的回声，疑有地宫，但未能清理。简报分为：一、辽塔原貌，二、几次主要修葺追述，三、遗物，四、问题讨论，共四个部分。介绍了相关情况，有照片、手绘图。

据介绍，该塔系辽代所建，辽代、明嘉靖、万历三次大修。简报专门讨论了石函铭文中提到的三位施舍人：韩知白、秦监、思孝。韩为官员，《辽史》无传，元好问《中州集》记其家世。秦为知州，《辽史》仅一见。沙门思孝，《辽史》未见，当为主持佛事的和尚。施舍人的身份，表明独乐寺塔的地位非同一般，也反映了当时玉田韩氏家族的势力。

简报绘有独乐寺塔复原图。

45.天津市蓟县营房村辽墓

作　者：赵文刚
出　处：《北方文物》1992 年第 3 期

1986 年 6 月初，天津市蓟县官庄乡营房村群众在村北山坡上挖沙子时发现一座砖室墓，考古人员赴现场调查并进行了清理。简报分为：一、墓葬形制，二、葬式与葬具，三、随葬品，四、结语，共四个部分。有手绘图。

据介绍，营房村东南距蓟县城 10 公里。村西北 2.5 公里是风景胜地盘山。墓葬就坐落在盘山东南麓的坡地上。这里东、西、北三面环山，南面为丘陵地带，再南是华北平原。弯曲的沙河由北向南流经墓地东侧，使这里的环境更加幽静。该墓保存基本完好，室内有少量的淤土和树木、植物的根须。室内的骨架、随葬品保留在原来的位置。墓葬由墓道、墓门、甬道和墓室四部分构成。葬具已朽，人骨保存尚好，为一位 40～50 岁左右的女性，仰身直肢葬。头部残留少量头发，呈土黄色，面部有纺织品朽灰。头两侧各有鎏金铜耳环，颈部有坠饰，手部有手镯和指套，左腿下置铁熨斗1件，身侧置小铁削多件。在骨架西侧墓壁处用6块砖砌一祭台，内置羊头一具和四蹄骨。随葬品共计40余件，包括陶器、瓷器、鎏金铜饰件、铁器等。简报认为，此墓应为辽开泰六年（1017年）以前墓，墓主应是有一定社会地位的契丹人。

46.天津市宝坻区哈喇庄遗址的发掘

作　者：天津市文化遗产保护中心、宝坻区文化馆　梅鹏云等
出　处：《考古》2005年第5期

哈喇庄遗址位于天津市宝坻区霍各庄乡哈喇庄村东南约500米处，距宝坻区城关镇4公里。1997年5月18日至7月24日，为配合京沈高速公路（天津段）修建工程，原天津市历史博物馆考古部对该遗址进行了发掘。发掘由北和南分A、B、C三个区进行。简报分为：一、地层堆积及遗址分期，二、遗迹，三、遗物，四、结语，共四个部分。有手绘图、拓片等。

据介绍，共清理出房址1座、灰坑61个、灰沟6条、墓葬4座。出土遗物以陶、瓷器为主。遗址包含了辽代晚期、金代早期、金代晚期至元初三个时期的文化堆积。发掘表明，此地自辽晚期至元初一直是一个大型村落遗址。

简报指出，此地虽自辽至元初一直是一个大的村落居址，但至迟明代初期已废弃为墓地。遗址中出土的瓷器绝大部分为磁州窑系的粗胎瓷，少部分为定窑系产品。其来源应当与周边的河北观台磁州窑、山西介休窑、内蒙古缸瓦窑等窑址有关。同时大量宋钱的出土，表明此地与周边地区经济交往频繁。遗址中还出土有骰子，这说明金人赌博之风盛行。

河北省

石家庄市

47.河北平山县发现的"至元通行宝钞"铜版

作　者：河北省博物馆、文物管理处　郑绍宗
出　处：《考古》1973 年第 1 期

1963 年秋，河北省平山县王坡村农民在地里取土时，发现了一块"至元通行宝钞"的铜版。铜版用黄铜铸成，长方形，简报配以拓片予以介绍。

据介绍，此版证明：钞面值愈大，钱贯垛数愈多。串钱图案两旁各书折叠体八思巴文。根据《元史·食货志》等有关记载，元代钞法主要是继承了宋代的会子和金代的交钞制度而行于世的。平山县发现的这块铜钞版的年代，简报推断当在至元二十四年（1287 年）以后。

简报称，"至元通行宝钞"的铜钞版，过去已发现不少，钞面值有"贰贯"、"壹佰文"、"叁拾文"（罗振玉《四朝钞币图录》），"贰佰文"者尚少。元代钞版，中统初系用木版，以绵纸印刷，至元十三年才改用铜版，说明当时铸版技术上已有较大的进步。平山县出土的这块至元铜钞版，正背两面文字互异，尚属仅见。此版的发现，为研究我国货币发展史和元代的社会经济提供了有价值的资料。

48.河北平山县出土两方八思巴文官印

作　者：焦彦龙
出　处：《考古》1982 年第 5 期

1980 年初，河北省平山县根据国家开辟当地的风景区天桂山的规划，开始修建通往天桂山上的公路。同年 6 月，在修建天桂山西山门前的停车场时，在上下两崖之间的碎石沙土坡中发现了一大一小两方铜印。简报配以拓片予以介绍。

据介绍，印埋在距地面约 30 厘米的深处，挖出时呈绿色，既没有印盒，也没有

其他遗物。其中小的一方一角的印文已残缺。经民族研究所鉴定，两方铜印为八思巴文元代官印。第一方印文释为"大都督□□政使司千户印"。第二方为"□□亳州等处义兵百户之印"。前三字为地名，第一字不清，第二字发音为"德""得"，第三字发音为"亳"。故也可能为"归德亳州等处义兵百户之印"。

49.石家庄市获鹿县发现古钱窖藏

作　者：李胜伍

出　处：《考古》1989 年第 2 期

1984 年 8 月 22 日，获鹿县张家庄村农民在县城南 2.5 公里的杜家庄砖厂取土时，于距地面约 2 米深处，发现一块圆形石板。石板下为一青釉大瓮，瓮内装满古币，重 514.5 公斤，清理时瓮已破碎。9 月 8 日，在距第一瓮古币出土地点西北方向 35 米的高坡断壁上，发现一块被推土机推坏的残瓮口沿，经分析试掘又发现了第二瓮古币。第二瓮古币保存尚好，重 740 公斤。简报配以拓片予以介绍。

据介绍，通过整理，两瓮古币包括十余个朝代，二百五十余个品种。简报称，这次石家庄市获鹿县出土的两瓮古币，其时代之久，数量之大，品种之多，为研究我国古币发展史提供了实物资料。同时，出土的朝鲜货币和吉祥货币，对研究中朝交流史及吉祥货币发展史也具有一定参考价值。两瓮古币，时代最晚的为大定通宝，据此简报推断可知是金代窖藏。

50.河北正定发现元代刻铭石狮

作　者：樊子林、刘友恒

出　处：《文物》1987 年第 11 期

1954 年 12 月，正定县文物管理所进行文物普查时，在朱河乡丁家庄一农民住宅后发现一座元代刻铭石狮。简报配以拓片和图片予以介绍。

据介绍，狮为青石质，蹲坐于长方形石座上。狮、座系一石雕成，通高 122 厘米、座长 56 厘米、宽 42 厘米、高 27 厘米。狮瞪眼，张口，颈戴项圈，左前爪微屈按一仰卧幼狮，尾细长，自后腿间向前弯曲，尾尖分五维垂至底座一侧。项圈雕卷草纹，前部饰铺首衔环，环上系铃，两侧垂缨，后部系带作结。座前部阴刻楷书："大元延祐元年岁次甲寅己巳月丁未日魏宅建镇宅狮〔子〕大吉匠〔人〕提领乔明男提控乔璧镌"。

简报称，此狮用于镇宅，"提领""提控"为当时对工匠中管事人的称呼。据题铭，此狮所雕年代为元延祐元年（1314 年）。

51.石家庄市后太保元代史氏墓群发掘简报

作　者：河北省文物研究所　王会民、张春长等
出　处：《文物》1996年第9期

后太保村位于石家庄市西北约3公里处，石太高速公路从村北穿过。为了配合国家重点工程的建设，1992年春，考古人员对河北境内的公路沿线进行了详细的实地调查，后太保史氏家族墓地就是在调查中发现的。据后太保一带村民反映，元朝丞相史天泽墓就在后太保村北一带公路线上。1993年底考古人员在后太保村北石太线共计400米长、60米宽的路段上进行了钻探，共探出古墓葬9座。1994年4～6月，对已探明的墓葬进行了抢救性发掘清理，共发掘古墓葬8座，出土各类文物百余件。简报分为墓葬形制、随葬器物、小结共三个部分予以介绍，有照片。

据介绍，从9座墓总体分布看，东西相距不过140米，南北宽60余米；各墓皆坐北向南，以M1、M3为中轴线，其余各墓围绕排列的布局。墓葬大多已被盗过，出土有瓷器、金器、银器、铜器、玻璃器、玉器、水晶、玛瑙等，其中金器尤为精美。M4出土有墓志，计527字，简报附有全文。知墓主名史杠，为元丞相史天泽第四子，生前任湖广等处中书省右丞。

M4史杠墓志的发现为我们揭开一个历史之谜提供了绝好的证据，它足以说明已发掘的这8座墓是史天泽家族墓的一部分。史天泽，《元史》有传，祖籍大兴永清（今河北永清），兄弟三人中排行老三，元初官至中书右丞相，赠太尉，谥忠武。史杠为史天泽四子，官至湖广等处行中书省右丞等。墓志所载与《元史》及其他史料记载基本吻合。特别是史杠墓志中载明了"卜以三年（元延祐三年，1316年）二月甲申葬真定之真定县太保庄太尉兆次"，明确说明史杠即葬于太尉（史天泽）墓地内。简报认为，M1应为史天泽墓。发掘中在M1发现一两面磨制平滑的残石块，当是墓志盖上的残块，墓志估计被盗走。史天泽死于公元1275年，即元至元十二年。M1是墓地中最大的一座墓；M3、M5、M6的年代应为元代中期以前；M2、M7、M8的年代应为元代中后期。

52.正定藏三彩琉璃塔

作　者：陈银凤
出　处：《文物》1997年第4期

1974年，河北省灵寿县麒麟院幽居寺旁发掘出土一件三彩琉璃塔，现为河北正定县文物保管所收藏。此塔工艺精美，未作过全面介绍。简报配以照片予以介绍。

据介绍，塔为陶质彩釉，通高78厘米，平面六边形。其造型由下至上以塔身（含基座）、下檐、上檐、塔刹组成。塔基束腰须弥座式。塔身上设仿木结构塔檐，檐下有斗拱承托，斗拱分转角和补间两种，均为四补作单杪。塔身正面贰仿木构形制假门，门上方刻铭文"烧身刘舍利之塔五戒"，左右侧刻铭文"昔大安贰年四月初八日烧身刘五戒干记"，"时大安二年三月初四日起重建功德主王五戒刘王五郎小院使做造"。据铭文可知，大安二年有刘姓者烧身在先，大安三年王姓人为做功德而出资烧造此塔。至于大安年号，塔出土地曾为宋辽交界带和金所领有，而辽、金均用过大安年号。辽大安二年为公元1086年，金大安二年为公元1210年。

简报称，塔为佛教建筑，原为瘗藏佛之骨灰舍利之用。在佛教中除佛祖外，其他有德行修养的僧人骨灰亦可视为舍利。此三彩琉璃塔即为瘗奉刘姓人舍利之物，它的仿木构建筑造型和三彩釉色代表了辽金时期的工艺水平。

唐山市

53.河北迁安上芦村辽韩相墓

作　者：河北省博物馆、文物管理处　唐云明
出　处：《考古》1973年第5期

上芦村是迁安县西南约25公里的一个山村，属沙河驿区。在群岗之中有一个最大的名叫娘娘岗，韩相墓就坐落在这个岗南坡下的一条狭长的梯田上。前临皇姑峪，距村东南约0.25公里。这座墓是1964年春，该村村民在翻地时发现的。同年3月考古人员做过调查，并将出土遗物带回县文化馆保存。以后，于5月份又进行了调查。简报配以拓片、照片予以介绍。

据介绍，这是一座圆形仿木结构单室砖墓，因未发掘，墓门及墓道结构不详。只知墓室坐西朝东，甬道上为券顶，甬道后接墓室。调查时葬具与人架已无存。据当地人介绍，此墓棺床上原来并列放着两个用红色砂岩凿成的石棺，大小一样。人架每棺一具，均头南脚北，仰身伸直式。出土鸡冠壶、白釉瓷注子等遗物11件，有石墓志1合，楷书，计566字。简报未录志文全文。由志文知此墓墓主人是辽兴军衙内马步军都指挥使韩相。

韩相，《辽史》无传。其曾祖韩知古，据志文记载曾为左仆射兼政事令，但《辽史》卷四七《韩知古传》却记为："……拜左仆射，与康默记将汉军征渤海有功迁中书令……"其祖韩匡胤，曾为镇安军节度使判户部主事，赠太傅，其父韩琬，字

象先，曾拜皇辽兴军节度使检校太师，而韩知古传只记子匡嗣一人，均可补阙。又据志文，韩相于辽开泰二年（1013年）终于永安军之私第，时年41岁，以其年龄与死的年代推算，他出生于公元973年，即辽景宗保宁五年。死后的第二年，卜葬未通，故寄葬于宅。公元1017年，即开泰六年才归葬于辽城西安喜县砂沟乡福昌里，即今迁安县沙河驿区上芦村。其先妻刘氏，出生及死亡年代不详，但从志文中"今合祔焉"来解释，埋葬的年代应与韩相相同，墓内另一人架当系刘氏无疑，可见此墓应是韩相夫妇合葬墓。其后妻兰陵肖氏，志文中没有提到她死和埋葬年代，而此墓中又只有人架两具，她很可能事后没有与韩相合祔。值得注意的是，志文中说："近太师堂，礼也"，因知上芦村西北娘娘岗一带应是辽韩氏祖茔地，至少韩相的父辈应该埋在这里。

54.河北遵化县出土古钱币和元代文物

作　者：遵化县文物管理所　黄慧勤

出　处：《考古》1987年第7期

1985年6月18日县工业品贸易中心工程在城内施工中，距地面4米深处，发现一元代陶扑满，内有古铜币。简报配以拓片予以介绍。

据介绍，当时发现人员认为氧化严重，辨认不清，扔去一些，仅剩八两，已收集到县文物管理所。经过考古人员认真清理，有48枚可辨认清楚。计有：北魏"景元通宝"、唐代"开元通宝"等21种。

简报称，这些古铜币在遵化县出土还是第一次，根据没有发现晚于"至元通宝"的古币判断，这些古币应是元朝中期埋入地下的。同时，出土文物还有蓝釉瓷碗、青釉高足杯、白釉瓷豆、陶灯盏、陶制蜡烛台、黄褐釉油嘟噜等。经简报初步鉴定均为元代的文物。

55.河北省迁安市开发区金代墓葬发掘清理报告

作　者：唐山市文物管理处、迁安市文物管理所　李子春、王兴明、尹小燕

出　处：《北方文物》2002年第4期

1996年春，在河北省迁安市北开发区清理发掘了三座金代墓葬，其中M1、M3的随葬品非常丰富。M3出土了银器、玛瑙器、铜镜等珍贵文物，其葬式在中国北方实属罕见。从三座墓葬的布局来看，应为家族墓地。简报分为：一、墓葬情况，二、出土遗物，三、结语，共三个部分。有手绘图。

据介绍，1996 年春，河北唐山迁安市北施工建设中发现金代墓葬，考古人员对施工区域进行了勘探，并对其中 3 座墓葬进行了清理发掘。墓葬中清理出的钱币为准确地鉴定其年代提供了重要依据。《金史》记载大定十八年始铸"大定通宝"，在发掘中除出土一些宋币外未发现晚于"大定"的任何金代钱币，故简报认为该墓时代应不晚于金世宗与章宗之间。

简报称，迁安金墓的发掘，为深入研究金代历史、文化史、民族史，以及民俗、葬俗、酒文化等方面都提供了宝贵的实物资料。

56.河北唐山市丰润区施家营遗址考古发掘报告

作　　者：河北省文物研究所、唐山市文物管理处、丰润区文物保护管理所
　　　　　张晓峥
出　　处：《北方文物》2013 年第 1 期

为支持锦郑输油管道建设，考古人员于 2001 年 8 ～ 9 月，对施家营遗址进行抢救性考古发掘。施家营遗址位于唐山市丰润区王官营镇施家营村南 200 米处台地，该遗址位于河流北侧台地。此次共揭露遗址面积 600 平方米，发现灰坑 21 座、房址 11 座。出土陶、瓷、铁、石等一批生活用具和生产工具。简报分为：一、地层堆积，二、大沱头文化时期遗存，三、东周时期遗存，四、元代文化遗存，五、结语，共五个部分。有手绘图、彩照。

据介绍，简报推断：大沱头文化时期遗存年代大致为早商时期；东周时期文化遗存年代为春秋晚期至战国时期；元代文化遗存年代大致为元代早中期。

秦皇岛市

57.河北省青龙县出土金代铜烧酒锅

作　　者：青龙县井丈子大队革委会、承德市避暑山庄管理处
出　　处：《文物》1976 年第 9 期

1975 年 12 月，河北省承德地区青龙县土门子公社井丈子大队农民在西山嘴村南新开河道中发现一套金代铜烧酒锅。简报配以照片予以介绍。

据介绍，西山嘴在青龙县城东 30 公里，附近是一处金代遗址。烧酒锅出土于一个竖式窖里，为黄铜所制。拿到当地制酒厂进行了蒸酒试验，尚能工作。

58.秦皇岛市发现一方金代都统府弹压印

作　者：邸和顺、沈朝阳

出　处：《考古》1994 年第 10 期

这方铜印是 1988 年 2 月 7 日秦皇岛市公安局检查文物走私中查获的。简报配以拓片予以介绍。

据介绍，据说铜印出土于青龙县朱丈子乡前白山后村（金代属平州迁安县管辖）。印面为正方形，印文汉书阳文九叠篆"都统府弹压印"六字。纽为长方形，其上镌刻一"上"字。纽右刻"天赐二年"，左刻"弹压"，均阴文楷书。

"都统府"见于《金史·兵志》大将府治之称号条："凡猛安之上置军帅，军帅之上置万户，万户之上署都统"。两副都统上为一都统。"天赐"为金末乱军首领张晖、刘永昌所建年号（1214 年）。

张晖、刘永昌，据《金史·完颜佐传》记载："贞祐二年，乱军遣张晖三人来抬佐，佐执云。翌日，刘永昌率众二十人持文书来署，其年曰'天赐'。佐掷之，麾众执永昌及晖等并斩之。"

此印的发现说明，虽然乱军首领张晖、刘永昌于金贞祐二年（1214 年）被完颜佐杀死，但其部众仍继续沿用"天赐"年号进行反金。

59.河北省抚宁县发现古代官印

作　者：抚宁县文物管理所　吴环露　袁秉成

出　处：《考古》1999 年第 3 期

抚宁县文物管理所收藏三方官印，均系县城西北汉代骊城遗址出土。其中，两方是东汉的"军司马印"，一方是金代的"提控所弹压印"，简报配以拓片予以介绍。

据介绍，军司马印，铜质，印面方形，背有桥形纽，印面有"军司马印"四字。印边长 2.2 厘米、厚 0.7 厘米、通高 1.65 厘米，左侧面有"范"字。按《后汉书·百官志》记载，东汉时代，抚宁地属辽西郡，仅现今一地就出土军司马印两方，简报指出可见当年征伐之频繁。

提控所弹压印，铜制，印面方形。边长 7 厘米、厚 1 厘米、通高 4.5 厘米，背有长方形柱状纽。印文九叠篆"提控所弹压印"六字，右侧刻有楷书"贞祐五年三月□日造"八字，字迹十分不清晰。简报据《金史·兵志》等史料记载可知，"提控所弹压印"是提控所专事弹压的官印；金之疆域，元之势力范围时有参差伸缩，简报认为这正是金王朝覆灭之前的动荡局面。

60.河北抚宁县潘庄古瓷窑遗址调查简报

作　者：河北省文物研究所、秦皇岛市文物管理处、抚宁县文物保管所
　　　　吴克贤、樊书海、孟繁峰

出　处：《华夏考古》2007 年第 2 期

2001 年 7 月下旬，秦皇岛海能新型建筑材料有限公司在开山采原料过程中危及一处古瓷窑遗址，考古人员闻讯后速去现场制止施工，收集了文物，并于 8 月 1 日～13 日去现场作了调查，将采集品进行了初步整理。

简报分为：一、地理环境，二、窑址概况，三、采集遗物，四、结语，共四个部分。有手绘图、照片。

据介绍，发现有窑址遗迹，采集有窑具、瓷器。经初步调查，潘庄窑址产品以元代日用的瓷碗、盏、盘、碟为主；釉色以仿官窑的青瓷和白瓷占大宗。该窑史无记载，应是元代一处规模不大的民窑。但是它却采用了南北方各窑几乎全部的烧造技法，特别是支圈覆烧，在元代的井、定等窑口已不采用，托珠叠烧其时在大部分窑场亦被砂堆所取代，而这里却仍然保持并被精心用于专类品的装烧。再如它烧成的青釉开片佳品，青灰者美似官窑，青翠者艳如龙泉，它的同款、字款、姓氏款的题写做法，更可在冀中南甚至江浙等地的窑口找到渊源。这正体现了随着元代中国政治疆域的统一，经济市场亦为之一统，由此推动了陶瓷技术的交流。潘庄窑作为典型的一例，从制瓷业的角度，对此作了独特的反映，如其多姓氏题款，印证着陶瓷市场需求的活跃和发展。

邯郸市

61.河北磁县南开河村元代木船发掘简报

作　者：磁县文化馆　朱金升

出　处：《考古》1978 年第 6 期

1975 年 7 月，南开河村农民在村东修渠时，发现了煤炭和瓷碗等。考古人员进行了调查，1976 年 7 月进行了发掘，至 11 月下旬告一段落，历时 142 天，发掘面积 300 平方米。清理了木船六只，出土了一批瓷器和铁器等。

简报分为：一、地理环境，二、木船位置及结构，三、出土遗物，四、结语，共四个部分。有手绘图。

据介绍，南开河村位于磁县城东4公里，地处平原。木船六只，除了翻覆的三只外，其余木船上都有遗物出土，翻覆的木船处出土器物不多，可能因原已倾覆水中的缘故。从四号船上的铭文，可知其为漕运粮船。从出土瓷器大部分为元代瓷器，出土的铜钱有八思巴文的元武宗"大元通宝"钱二枚等情况看，这些船应为元代的遗物。同时四号船尾有"彰德分省粮船"的铭文，简报据《元史》卷九三《百官志》记载得知，彰德分省始自至正十二年二月，可知"彰德分省粮船"当在至正十二年（1352年）以后建置。简报推断这些木船倾覆时期的上限不会超过元至正十二年。

62.邯郸市峰峰矿区出土的两批红绿彩瓷器

作　者：北京大学考古系、邯郸市峰峰矿区文物保管所、邯郸市文物处
　　　　秦大树、李喜仁、马忠理

出　处：《文物》1997年第10期

邯郸市位于河北省南部，峰峰矿区在邯郸市的西南，滏阳河就发源于这里，在滏源沟旁分布着彭城、临水、富田、张家楼等古窑址。这一地区与漳河沿岸的磁县观台诸窑场构成古代磁州境内的两组窑场。历年来，在峰峰矿区多次出土过红绿彩瓷器，有墓葬、窖藏中出土的完整器物和彭城、临水窑址中出土的残片。

简报分为：一、金泰和二年崔仙奴墓出土的红绿彩瓷俑，二、汽车一队人防工程出土红绿彩佛像，共两个部分。有彩照、拓片。

据介绍，1989年5月，峰峰矿区农电局东侧基建发现一座墓葬，考古人员对其进行了清理，定名为FM1。FM1为竖穴土洞墓。墓室内未发现棺木痕迹，残存一具女性骨架，在骨架右侧出土瓷俑。出土文物共6件，计有白釉红绿彩瓷俑5件和砖墓志1方。墓志阴刻铭文，楷书三行，共14字："泰和二年八月十三日亡过崔仙奴"。墓志为此墓葬提供了可靠的时代依据，是金后期章宗朝泰和二年（1202年）。崔仙奴应为平民女性。

1972年峰峰矿区汽车一队修建人防工程时发现红绿彩瓷片，随即清理收集，后拼对成释迦佛、文殊菩萨、普贤菩萨、天王、弟子各一尊，推测应是金代一处窖藏。

简报称，窖藏彩瓷佛像有的较大，这样的佛像很有可能是替代家庭供佛用的金铜佛像的瓷器制品。金朝十分缺铜，官府的铜禁甚严，这一定程度上导致了瓷器制造业的发展，以取代某些铜制品。另外，红绿彩瓷器大多是器皿和小件的人物瓷塑。这些小人物瓷塑的用途，一直推测为陈设性的摆件，而在崔仙奴墓中却用来随葬，这对于探讨金代生产的这类器物的用途十分有意义。

63.河北磁县发现一座元墓

作　者：磁县文物保管所　张子英
出　处：《考古》1997 年第 2 期

1989 年秋，磁县城西南 0.5 公里处（京广铁路东侧）新建加油站时，发现古墓 1 座。考古人员闻讯赶往现场，进行了抢救性清理，简报配以照片予以介绍。据介绍，此墓为土坑墓，棺木、骨骸全部腐烂。出土器物有长方形白地黑花文字枕 1 件、黑釉双耳罐 1 件、白釉鼓腹罐 1 件、铜钱 4 枚，分别为"太平通宝""咸平元宝""元丰通宝""元祐通宝"，皆为北宋钱币。

瓷器上的文字为一首词。根据《元曲鉴赏辞典》《元人小令》等书记载，《山坡里羊》即《山坡羊》。"风波实怕，唇舌休挂……"这首词为陈草庵《叹世》作品之一。元朝《录鬼簿》（钟嗣成撰）中曾记述，陈草庵生卒年月不详，约与关汉卿是同时代人，喜欢写词。《叹世》是他的代表作，现在只存小令《山坡羊》二十六首。这件瓷枕上抄录的"风波实怕，唇舌休挂"就是其中之一。

邢台市

64.河北任县出土金代"安平都尉之印"

作　者：纪　祥
出　处：《考古》1987 年第 2 期

1984 年 5 月 4 日，河北任县城关乡小豆村农民刘伟森，在其村西北土圪塔北坡挖土时，挖出一方铜质官印。该印印面为正方形，边长 6.7 厘米；直纽，纽高 4 厘米、长 3 厘米、宽 1.5 厘米，纽通高 6 厘米。印重 825 克。印面为阳文汉书九叠篆书"安平都尉之印"六字。简报配以拓片予以介绍。

据介绍，结合《金史·兵志》《金史·百官志》等史籍记载，"安平都尉之印"应为金代晚期武官印。

今有景爱先生编《金代官印集》（文物出版社 1991 年版）一书，可参阅。

65.邢台市邢钢元代壁画墓发掘简报

作　者：北京大学中国考古学研究中心、邢台市文物管理处　秦大树、李　军、
　　　　袁　泉

出　处：《考古与文物》2008 年第 4 期

1999 年 4 月，邢台钢铁有限责任公司（以下简称邢钢）在其冶炼分厂修建厂房时发现一座墓葬。考古人员遂进行了清理发掘。发现该建设区共有墓葬 3 座，3 座墓葬早期均遭盗扰，随葬品基本无存。其中 M1 为土洞墓，墓葬保存较为完整，并有丰富的彩绘壁画。M1 发掘情况，简报分为：一、墓葬形制与结构，二、墓葬壁画装饰，三、结语，共三个部分。有手绘图。

据介绍，M1 为一座圆形单室土洞壁画墓，由墓道、甬道、墓室三部分组成。从墓室内残存的部分可知，此墓通壁都有彩画装饰。壁画由墓顶壁画、中部纹饰带和墓室主题壁画三部分组成。邢钢 M1 既与中原北方宋金墓存在延承性，又体现出蒙元墓葬鲜明的时代性，简报推断应为元代较晚时期河北地区的汉人墓葬。

保定市

66.河北新城县北场村金时立爱和时丰墓发掘记

作　者：河北省文化局文物工作队　罗　平、郑绍宗

出　处：《考古》1962 年第 12 期

1958 年秋，河北省新城县北场村农民在村西北取土时发现了古墓一座，墓内除出有破碎的陶瓷片以外，尚出有"大金勤力奉国功臣开府仪同三司致仕钜鹿矩王时公墓志铭"一合。考古人员于同年 8 月进行了详细调查，除认定该墓系金代时立爱及其妻子的合葬墓外，并于该墓左前方发现其第四子时丰的墓。时立爱墓前（正南）59 米处有一神道碑，今倾没土中。墓东 29.34 米处是其四子时丰的墓。墓地所占面积很广，前后排列井然有序。两座墓在 1949 年前都已被盗掘。简报分为：一、时立爱墓，二、时丰墓，共两部分。有手绘图、照片。

据介绍，时立爱墓有高 2～3 米封土，由墓道、前室、左右耳室、后室组成。墓顶已塌。应为仿木结构，原有壁画或彩绘。遗物仅存瓷器碎片及陶片。有墓志两合，一为时立爱墓志，一为其三个妻子的墓志。简报录有时立爱墓志志文全文，知其为金朝重臣，《金史》有传。皇统三年（1143 年）去世，享年 82 岁，当年下葬。时丰

墓为一长方形单室石椁墓，有壁画，因被盗也几乎无遗物。出土墓志两合：一为时丰墓志，一为其妻张氏墓志。简报录有时丰墓志志文全文。两志志文均可补《金史》之缺。

67.保定市发现一批元代瓷器

作　　者：河北省博物馆　赵巨川、何直刚
出　　处：《文物》1965 年第 2 期

1964 年 5 月 11 日，保定市建筑公司第一工程处第二工程队在保定市永华路南小学的建筑施工过程中挖地基时，在深约 1 米处发现一批古代青花瓷器。考古人员证实瓷器的埋藏情况为一圆形竖穴，共有瓷器 11 件、绿松石山子 2 件、彩绘玻璃瓶 1 件、玉片几十片。另有铁棍 1 根，恐怕不属于埋藏物，而是埋这批东西时使用的工具。简报配以照片予以介绍。

据介绍，计有青花釉黑红开光镂花大罐一对、青花海水龙纹带盖八棱瓶一对、青花八棱玉壶春小瓶 1 件、白釉龙纹盘 1 件、白釉莲瓣式酒杯 1 件、宝石蓝釉金彩匜 1 件、宝石蓝釉金彩酒杯 1 件、宝石蓝八棱执壶 1 件等。简报推断这一批瓷器的烧制时间为元代中期。

68.河北定兴元代窖藏文物

作　　者：河北省文物研究所　刘来成等
出　　处：《文物》1986 年第 1 期

1972 年 4 月，定兴县城关公社南关大队农民在盖房动土时，发现一批窖藏文物，随后将其中一部分拿到北京出售。河北省文物研究所闻讯后，派人到出土地点进行了调查，收回了所余文物。已售出的文物也经北京文物管理部门大力协助，转回河北省文物研究所保存。简报配以照片予以介绍。

据介绍，出土的文物有铁炉 1 件、陶缸 2 件、青花凤纹高足碗 1 件、石碗 1 件、石块 2 件、龙泉窑划花盘 1 件、白釉印花盘 1 件、钧窑盘 2 件、卵白釉双凤纹匜 1 件、青花梅月纹高足碗 1 件、抄手砚 1 件、卵白釉折腹碗 3 件、卵白釉花口盘 1 件、影青印花盘 1 件。简报推断窖藏时间为元代。

简报称，这批瓷器的出土，是河北省继 1964 年保定出土元瓷之后元代瓷器的又一重要发现。特别是其中的青花凤纹高足碗和卵白釉双凤纹匜，造型优美，花纹飘洒自然，是珍贵的元瓷精品，为陶瓷史研究提供了新的材料，受到了学术界的重视。

69.河北定兴小店金代窖藏铜钱

作　者：河北省定兴县文管会　王彦阁、徐浩生
出　处：《中原文物》1987 年第 1 期

1982 年 3 月 15 日，河北省定兴县城关镇小店村农妇肖兰英在村南 150 米处翻地时，于距地表约 0.45 米，发现双耳红陶罐一个，罐口用四块青砖封盖。罐内藏有铜钱 300 斤。简报配以拓片予以介绍。

据介绍，这批窖藏铜钱经县文管会收回整理，计有西汉、东汉、隋、唐、五代十国、北宋、南宋、辽、金等时代的铜钱 49 种，共 31690 枚，其中分辨不清的 1281 枚。这批窖藏铜钱中，以北宋钱币最多，共 27569 枚，占总数的 90.66%。"大定通宝"是这批铜钱中时代最晚的，与南宋的"淳熙元宝"同时，当为公元 1187 年铸造。简报推断这是一处金代窖藏，其窖藏时间当在大定二十七年（1187 年）的当年或其后不久。

简报称，小店村西濒拒马河，为南北大道和东西水路的交汇点。根据县志记载，至迟在明嘉靖前，曾称"浑酒店"，商业繁华，值战乱频仍，政局动荡。此窖藏当属民间窖藏。

70.河北满城发现金代"麹使司印"

作　者：保定市文物管理所　张学考
出　处：《文物》1990 年第 5 期

该印 1988 年 3 月发现于满城县城内一建筑工地，为一近方形铜印，印文为阳文篆书"麹使司印"4 字。查《金史》知其为一管理酒务的机构用印。简报认为是金朝末年天下大乱时遗落于此。

71.河北涿州元代壁画墓

作　者：河北省文物研究所、保定市文物管理处、涿州市文物保管所
　　　　徐海峰、刘连强、李文龙、杨卫东等
出　处：《文物》2004 年第 3 期

2002 年 8 月，涿州市华阳路建筑工地施工中发现一座古墓，考古人员对该墓进行了抢救性清理。墓葬位于涿州市东关村，当在建中的华阳路中央，西距拒马河 11 公里，南距涿州市主干道范阳路约 4 公里，西望智度寺、云居寺双塔。墓葬原

为民宅覆压，据传过去取土时亦发现过类似墓葬，但皆已被毁。简报分为：一、墓葬形制，二、壁画及题记，三、随葬器物，四、结语，共四个部分。有彩照、拓片、手绘图。

据介绍，墓葬（编号 M1）坐北朝南，为土圹砖砌穹隆顶单室墓，由墓道、墓门、墓室三部分组成。为墓葬壁画整体起取安全而清理土圹，只找出平面范围，略呈抹角方形。出土有元代常见的高足杯、三足炉等，另有带有底座的立碑式墓志，简报录有志文全文。壁画画面简略，内容似多为金代以来的孝子故事。

该墓为夫妇合葬墓，综合题记及墓志所记，墓主人李仪，字淑敬。曾任丰润县尹。墓室东壁题记"至顺二年五月十五日"（1331 年），应为李仪之卒年；墓碑所记"至元五年三月"（1339 年），应为其妻方氏之卒年。中原乃至北方有明确纪年的元墓甚少，故此次发掘收获甚大。

张家口市

72.河北宣化辽壁画墓发掘简报

作　者：河北省文物管理处、河北省博物馆
出　处：《文物》1975 年第 8 期

1971 年春，张家口市宣化区下八里村农民在村东北正山南坡平整土地时，发现仿木结构的砖砌古墓一座。考古人员 1974 年冬开始对墓室进行发掘清理，出土各种陶瓷器、木俑、志石等，并于墓门外面修建了永久性的保护建筑，至 1975 年 3 月结束。简报分为：一、墓室结构，二、葬式、葬具和出土遗物，三、壁画，四、彩绘星图，五、小结，共五个部分。有照片。

据介绍，宣化辽墓是目前河北省发现的重要墓葬之一。墓内保存的多种不同幅度的彩色壁画，年代明确，保存较好，在目前我国已发现的辽代壁画墓中是比较少见的，特别是墓顶上的那幅彩色星图，中外星图合璧，十分珍贵。这些文物，为研究我国 12 世纪北方辽代的社会历史、绘画史、天文科学发展史，提供了重要的资料。

该墓出土有墓志，简报未录志文全文。根据墓志记载，墓主人张世卿死于辽天庆六年（1116 年）正月四日，葬于同年四月甲子朔十日。他在辽为官，曾特授右班殿直累罩（迁）至银青崇禄大夫检校国子祭酒兼监察御史云骑尉。

73.河北省蔚县元代墓葬

作　者：郎英杰、班开明
出　处：《考古》1983年第3期

1980年6月，驻蔚县城东2公里的地区汽车七队在基建平整墙基时，发现元墓一座。墓室为方形单室砖墓。墓顶圆弧形，砖砌墓门，长方形大砖铺地。在墓室西北角放陶棺一具，内有骨灰。墓口处有青砖朱文镇墓券一方。墓室中央放置白瓷器及铜钱。简报配以照片、拓片予以介绍。

据介绍，陶棺长64厘米、高40厘米。头档画两扇门。棺盖坡形起脊，四角有脊吻。瓷器，13件，均系明器。铜钱，2件，钱文"崇宁重宝"，其一钱面焊有铁纽。镇墓券，青砖磨面，书朱砂文字。简报录有券文全文，知此墓为元大德二年（1298年）造。

74.河北张北县清理一座辽代壁画墓

作　者：张家口地区文化局　刘　任
出　处：《考古》1987年第1期

1984年4月，在张北县公会镇东北3公里处，发现一座辽代石椁石棺壁画墓。因墓葬已被当地百姓扰乱，葬式不清，壁画亦被破坏，在清理中，仅发现一块幸存的松树残墨，在墓室东北侧有零散人骨架一副，在人头骨下有豆青瓷碗一个，头骨东侧有铁盘一个，在墓室中央发现一些朽木，据当事者云：发现时，壁画完好，有一个木桌已朽坏。简报配以手绘图、照片予以介绍。

据介绍，该墓葬位于张北县公会镇贾汗庙村西南150米处的农田里。墓室全部用黑色的宣武岩板铺砌而成，平面呈不规则八角形。墓顶、墓壁、墓底和石棺外壁均绘有淡雅清秀的水墨山水画。石棺外东北处有零散人骨架一副，可能是人为所移。葬式不清，从眉骨、盆骨及头骨缝愈合等情况分析推断，死者为女性，死时年龄在50岁左右。随葬品极少，仅瓷碗、铁盘、木桌各1件，简报推断墓葬是辽代契丹族墓葬。

简报称，全国辽代石棺壁画墓发现的不多，在墓壁、墓底、墓顶、石棺外壁均绘有水墨山水画的更为罕见，只是壁画无法辨认其内容。随葬品极少，可能是墓主葬后不久即被盗。

75.河北涿鹿县辽代壁画墓发掘简报

作　　者：张家口地区博物馆　刘建忠、贺　勇
出　　处：《考古》1987 年第 3 期

1982 年 6 月 13 日，涿鹿县酒厂在厂院施工建楼时，发现古墓一座。当时因工人误认为是枯井，将部分砖石取出，直挖到底部发现了壁画和随葬品，方知是座墓葬。当考古人员赶到现场时墓葬已遭破坏。墓室只保留了东壁，彩绘壁画已毁损过半，墓底紊乱不堪，室内随葬品也被取出。简报分为四个部分予以介绍，有照片、手绘图。

据介绍，涿鹿县酒厂建在距县城东北 4 公里的山坡上，墓地表面无封土堆积的标志，墓为石砌砖券单室墓，平面近似圆形，墓顶距地表 1.4 米。墓室未发现棺椁痕迹，仅在随葬的白釉罐内发现有十枚牙齿和数块朱砂石。有壁画 15 幅。随葬品有白釉瓷器等。其时代简报推断为辽代晚期。简报称，此墓应为火葬。此墓的墓门用柏木板封闭并书梵文，把死者的牙齿放在瓷罐内，以此作葬具，这在其他地区的同一时期墓葬中是不多见的。从出土的长方形柏木块上书"有出家男大师塚□"的汉文墨迹来分析，有可能是一座和尚墓。简报指出，涿鹿县地处辽代西京道奉圣州地，辽墓分布较为广泛。这座墓葬规模虽小，但彩绘内容丰富，绘画技巧娴熟，对研究辽代社会历史诸方面均有参考价值。

76.河北宣化发现金代窖藏文物

作　　者：张家口市文管所　陶宗冶
出　　处：《考古》1987 年第 12 期

1984 年 9 月，河北宣化县深井乡北大寺村中学教师毛凤鸣等，在修建自家小院时，于地表下 1.5 米处发现一件六耳铁锅，锅下扣有陶双系罐、铜方壶、铁斧等物。考古人员进行了调查，收集了全部出土器物。从现场看，出土地点四周没有发现文化堆积或其他遗迹。因而，这批器物应出自一处窖藏。简报配以照片、手绘图予以介绍。

据介绍，计陶双系罐 1 件、铜方壶 1 件、铜豆形器 2 件、铜镜 1 件、铁六耳锅 1 件、铁双耳锅 1 件、铁斧 1 件、铁凿 1 件、铁蒺藜头 1 件、铁镈 1 件等。简报推断为金代遗存。

77.河北宣化下八里辽金壁画墓

作　者：张家口市文物事业管理所、张家口市宣化区文物保管所

　　　　陶宗冶、刘仲羽、赵　欣等

出　处：《文物》1990年第10期

　　下八里村位于张家口市宣化区西北约1.5公里。1989年3月，村民灌地时相继发现两座辽、金时期墓葬。考古人员于当月组织力量对新发现的两座墓进行了抢救性清理。为叙述方便，将1974年发掘的张世卿墓编为M1号，另两墓分别编为M2、M3号。简报分为：一、M2墓室结构及出土遗物，二、M3墓室结构及出土遗物，三、结语，共三个部分。有照片、拓片、手绘图。

　　简报称，M2出土有墓志1合，志文19行，每行8～27字，简报未录志文全文。M3也出土有墓志1合，志文25行，每行17～25字，简报也未录志文全文。据墓志记载，M2墓主张恭诱卒于辽天庆三年（1113年），葬于天庆七年（1117年），终年45岁。M3为夫妇合葬墓，男性墓主张世本卒于辽大安四年（1088年），葬于大安九年（1093年）；其妻焦氏卒于金皇统三年（1143年），终年93岁，与张世本合葬于金皇统四年（1144年）。两墓下葬年代分别在辽代末年和金代初年，其间相差仅27年。

　　简报指出，两墓壁画保存完整，内容丰富。在绘画技法上，M2所绘人物采用内敷色、外勾轮廓的画法；木器用具一般敷色，但不勾轮廓；花卉多采用没骨画法。M3壁画中，人物的画法同于M2，但运笔更显细腻，造型更为生动，花卉的画法除继续采用没骨法外，还更多地采用了内敷色、外勾轮廓的方法，而且已经具有了图案画的特点。此外，两墓壁画人物的服饰也存在一定的差别。这些一方面体现了两墓壁画绘画技法的异同，另一方面也反映了这一时期社会历史的发展变化。两墓壁画绘制得相当生动，人物神态逼真传神，尤其如M3西壁"挑灯图"及东壁人物等。壁画人物的发式及服饰也颇有特色，如M2西南壁壁画中女侍的发式、M3南壁墓门东侧所绘门吏下身之服饰、M3东壁和西壁所绘人物的发饰等。壁画中尤为珍贵的是墓顶星图。M2、M3星图的发现，为研究我国古代天文史和中西文化交流史增添了有价值的新资料。

78.河北怀安下王屯壁画墓发掘简报

作　者：张家口地区文管所　贺　勇

出　处：《考古》1990年第3期

　　1987年8月27日，怀安县王虎屯乡砖厂在下王屯村东北坡地烧砖取土时，发现

古墓一座。当时墓室顶部已掘开一个小口，并翻动了墓室，个别随葬品被移动了位置。考古人员前往作了调查，确认这是一座壁画古墓。1987年9月4日至8日对该墓进行了清理。简报分为：一、墓葬形制，二、随葬器物，三、墓室壁画，四、结语，共四个部分。有手绘图、照片。

据介绍，这座墓未发现纪年物，依据墓室结构、随葬器物以及壁画的风格等资料，简报推断该墓的时代应为北宋徽宗以后，很可能是金、元时期的壁画墓；由于这座墓未发现墓志，故对墓主人身份难以推测，但从墓葬结构、规模、随葬品和壁画内容风格来分析，有可能是一座下级官吏墓。

79.河北怀安县张家屯辽墓

作　　者：张家口地区文管所、怀安县文管所　贺　勇
出　　处：《考古》1991年第1期

1987年4月下旬，河北省怀安县水利局工程队，在怀安县张家屯乡张家屯村西南1000米处修筑梯田和排水渠时，从距地表0.3米深的土层里挖出一些砖块和部分经过磨制的斗拱、椽头、滴水等砖、瓦。经现场勘察和了解，确认是一座辽代砖室墓（编号为M1）。该墓位于张家屯乡张家屯村西南1000米较高的梯田上。简报分为：一、墓室结构，二、出土遗物，三、墓葬年代，共三个部分。有手绘图、照片。

据介绍，墓地表面无封土堆积。此墓为砖结构圆形穹窿顶单室墓。由墓门、墓道、墓室三个部分组成，券顶已塌。出土遗物有铜器、陶器、漆器、铜钱等。年代应为辽代早期偏晚，下限可到辽代中期偏早，即辽圣宗时。该墓出土了一套较为完整的鎏金铜带銙，共13枚。辽代的服饰制度仿唐制，带銙数量的多寡，标志着墓主人身份的高低。鎏金凤纹革带说明了墓主人地位的高贵。墓室东壁砖雕马球杖，表示着墓主人有一定的身份。简报据此推断，张家屯辽墓是辽代品级较高的贵族夫妇合葬墓。

80.河北宣化下八里辽韩师训墓

作　　者：张家口市宣化区文物保管所　刘海文、颜　诚等
出　　处：《文物》1992年第6期

1990年10月，在河北省张家口市宣化区下八里村又发现1座辽墓，墓壁所绘彩色壁画仍保存完好。这是自1971年以来在该村发现的第4座辽金壁画墓，故将其编为90XM4。简报分为：一、墓葬结构，二、随葬遗物，三、壁画，四、结语，共四

个部分。有彩照、拓片、手绘图。

据介绍，此墓为仿木结构砖筑双室墓，由墓道、墓门、前室、甬道、后室五部分组成。墓门为仿木结构门楼，拱形门洞，原镶木门，现存残痕。由于与现代建筑距离太近，故墓道、门楼无法清理。此墓早年被盗，破坏严重，整个墓室积满泥土。所出遗物完整的有83件（其中钱币62枚），此外在后室积土里还夹杂有砖仿木构件以及黄釉瓷唾盂片，还有经过火烧的人骨碎块，墓主人当为先火化后入葬的。墓室内有壁画，保存尚好。出土有墓志，简报未录志文。由墓志知墓主人叫韩师训，下葬时间为辽天庆元年（1111年）。韩氏仅为一富裕商户，但墓葬规模不次于官员，当有僭越。

简报称此墓壁画颇有研究价值，如此墓前室西壁出行图所绘驼车，色泽鲜艳，构件齐全，似为毡车。在此墓后室西北壁壁画中，一人腰中所束、手中所捧、衣架上所挂的都是玉带，带上饰件清晰可见，为复原辽代服饰提供了新资料。

81.河北赤城县出土元代"内府"白釉梅瓶

作　者：王国荣
出　处：《文物》1994年第8期

1985年5月，赤城县云州村出土一件元代"内府"白釉梅瓶，由乡干部张万山送县博物馆。简报配以照片予以介绍。

简报称，该瓶高35厘米、口径6厘米、底径15厘米。白釉。肩釉下墨书楷体"内府"二字。其形制、釉色、大小与1985年北京房山区出土元代梅瓶相似，应属磁州窑产品。

82.河北崇礼出土元代铜器

作　者：季占林
出　处：《考古》1994年第1期

1988年7月初，在河北崇礼县人民政府大院挖菜窖时，距地面2.5米处出土铜权、铜盏各一件。现为该县文管所征集收藏。简报配以照片予以介绍。

据介绍，铜权覆钵塔式，束腰，圆座，方环纽。权身铸刻铭文，正面铭"至元七年"，背面铭"市令司发"。此权造于元至元七年（1270年），"市令"是职掌管理市场的官署。

铜盏敞口薄唇，斜腹下收，小底稍凹，口沿上伸出一齿形柄，重255克。简报称，元代铜权、铜盏在崇礼县发现尚属首次。

83.河北宣化邓家台辽墓

作　者：陶宗冶、李　维

出　处：《考古》1994 年第 8 期

1991 年春天，河北省宣化县邓家台村民工取土时，发现了一座砖室墓（编号 M1）。考古人员闻讯后立即前往调查，收集了全部出土器物。简报配以手绘图予以介绍。

据介绍，墓葬位于邓家台村南约 0.5 公里处洋河南岸第一阶地上，调查时墓室已毁。据发现人介绍，墓为砖砌仿木穹窿顶单室墓，平面呈六角形，壁角有砖砌仿木立柱 6 根，柱头以上至墓顶已塌毁。墓底方砖铺砌，无棺床，也未发现尸骸。墓门位于东壁，拱形，内有封门砖数层。

随葬器物均集中于南壁附近，种类有唾盂、熨斗、铜铃、铜牌饰等，共计 24 件。

简报称，邓家台发现的这座砖室墓在墓室结构、随葬器物的种类和形制方面，均呈现出鲜明的辽墓特点，根据墓中所出铜铃、山字形铜牌饰、双鱼铜牌饰形制接近内蒙古自治区库伦旗四号辽墓同类器判断，邓家台发现的这座墓葬年代，简报推断约当辽代中晚期。

简报指出，应当注意的是，该墓出土的铜铃、铜扣钉、铜带箍等皆为马具用品，而用马具随葬的习俗又多见于辽代契丹族的墓葬，因此，墓中主人可能为契丹族人。近年来，张家口地区的辽墓屡有发现，为该地区辽代考古增添了新的内容。

84.河北崇礼县水晶屯发现一座金代石函墓

作　者：贺　勇

出　处：《考古》1994 年第 11 期

1984 年 7 月上旬，张家口地质三大队在崇礼县高家营乡水晶屯村内偏北处钻探机井时，发现了一座金代石函墓葬（编号为 M1）。考古人员前往作现场调查，至墓地时，墓室被填平，两方石函和随葬品已被取出。据调查，墓葬形制为竖井式墓道洞室墓。墓室平面呈圆角长方形，室内东西向南北并列放置大小相近的石函两方，石函内均盛有经过火烧的尸骨碎碴。用作随葬的题记石、瓷碗、铜镜、铜钱均放置在石函的前方。简报配以手绘图、拓片予以介绍。

据介绍，2 块题石记制作较精细，正、背面皆有阴刻竖行文字，非常清楚。正面刻有"李孝均妻阿康"6 字，背面刻有"入坟大定十三年五月二十九日记"14 字。墨书题记石一块（M1:2），磨制较粗，正、背面原皆有竖行墨书，可惜正面墨书已被当事者磨掉大部分，仅剩一字；背面竖行墨书，字迹清楚，为"记大定十三年五月二十九日"12字。

简报称，此墓为火葬，据石刻、墨书题记，其墓主人下葬（入坟）时间为金大定十三年（1173年）五月二十九日。男性墓主人名李孝均，其妻名阿康，应为夫妻火葬骨灰合葬。从墓葬结构、规模、随葬品中的铜镜铭文情况来分析，简报推断墓主人应为一般地方官吏。

85.河北蔚县小五台山金河寺调查记

作　者：雷生霖

出　处：《文物》1995年第1期

小五台山是分布于河北省蔚县、涿鹿县境内的太行山支脉，为区别于山西省境内的五台山，故称小五台或东五台。金河寺为辽代小五台山名刹，圣宗、道宗都曾亲临该寺。为进一步了解这一历史名寺的有关情况，考古人员于1994年5月下旬赴蔚县小五台，对金河寺遗址进行了考古调查。简报分为"金河寺遗址位置及现状"等几个部分，配以照片、手绘图予以介绍。

金河寺遗址位于小五台山北台东麓，西临金河。地面无遗迹、遗物可寻。原建有寺庙，据介绍毁于抗日战争时期。现地面随处可见残砖碎瓦，断碣残碑散杂其中。从现存遗迹来看，原寺庙坐东向西，长约24米、宽约18米。现其四周尚存残墙。北墙残高0.35米、南墙残高0.5米、东墙与西墙残高0.4米。主体建筑位于墙内东部。开间及进深均约8米，面阔三间，进深一间。规模很小。此外，在东南山崖下亦发现建筑遗迹，地面上有砖瓦碎片，距地面1.7米高的崖壁上有一长方形孔，长0.43米、宽0.26米。估计此处崖壁之前原有僧人起居、庖厨之类的建筑。金河寺遗址内尚有铸瓦、柱础、经幢、石碑、墓塔等遗物，规模应该不小。明初时已废弃。明宣德、正统年间又重建，后毁于火，清康熙时又重建，道光时重修，抗战时所毁应是清代所建之寺，但规模应不如辽寺、明寺。

86.河北宣化辽代壁画墓

作　者：张家口市宣化区文物保管所　刘海文、李敬斋、颜　诚等

出　处：《文物》1995年第2期

宣化下八里村于1971年、1989年和1990年相继发掘清理了张世卿、张恭诱、张世本、韩师训4座辽金时期的壁画墓（M1～M4），引起了学术界的高度重视。

1993 年春，在张世卿墓西南和东南方又发现了 2 座辽代的壁画墓，编号 M5、M6。考古人员对 2 座墓葬进行了抢救性发掘，又获重大发现。考古人员对该墓地进行了部分钻探，并发掘出 7、9、10 号辽代墓葬，宣化下八里辽代墓群成为 1993 年全国十大考古发现之一。简报分为：一、M5，二、M6，三、小结，共三个部分，配以彩照、拓片、手绘图，先行介绍了 M5、M6 的发掘情况。

据介绍，宣化下八里墓地，到目前为止已发现 9 座辽金时期的墓葬，除 M4 相距较远外，其他 8 座均在南北长 70 米、东西宽 30 米的范围内，墓志中也记载了他们的亲属关系，因此可以确定此处是辽代晚期的张氏家族墓地。

简报称，M5 出土有墓志，简报未录志文全文。据志文，知墓主人张世古一生好善，崇佛教，有一男曰恭诱，墓主人死于辽乾统八年（1108 年），葬于辽天庆七年（1117 年），因此得以知道张世古同已发掘的 M2 的墓主人张恭诱是父子关系，张恭诱为张世古的长子，同为天庆七年下葬。值得注意的是，在棺箱上墨书有"保大三年三月一日巽时"字样，就是说在天庆七年张世古下葬后，事过 6 年，墓内的棺箱又有变动，其目的应该不外于夫妻合葬。张世古前妻李氏比墓主人早卒 31 年，如合葬也应在天庆七年下葬，而后妻李氏墓志中没有提到卒年，因此保大三年（1123 年）很可能是后妻李氏的下葬时间，为此它同 M3 情况一样是一座夫妻合葬墓。

简报指出，M6 墓室规模大，壁画内容之丰富是前 5 座墓所没有的，只可惜被盗严重，没有发现任何纪年物。根据墓葬形制、壁画内容以及出土的陶瓷片，M6 的年代也属辽代晚期。两座墓葬中的壁画均以写实为主，壁画中的出行、散乐、茶道、启门、挑灯、书房以及星图等内容无一不与当时社会生活有关。两座墓葬的壁画面积共 67 平方米，出现人物 33 个，均神态生动。特别是 M6 前室东壁的茶道图尤为珍贵，表现了选茶、碾茶、煮茶等一系列过程，绘出的工具和用具有 10 余种，主要有加工的碾子、煮茶的炉子、点茶的执壶、存茶的箱子和用茶的杯子等。画中有男有女，也有小孩，从中也可想象出当时人们对茶的热衷程度和流行情况。另外，仿木结构彩绘是 M6 的又一大特点，辽代木结构建筑本来留存不多，彩绘更是难以保存，M6 仿木结构彩绘，色泽鲜艳，图案多样，是辽代建筑彩绘不可多得的珍贵材料。

87.河北赤城县博物馆藏印简介

作　者：王国荣

出　处：《文物》1995 年第 9 期

简报配以照片、拓片，介绍了赤城县发现的"云需总管府经历司印""瓮吉剌八秃儿百户印"等 4 枚元印。均出土于赤城县。简报称，元帝时常往返两都之间，路经赤城，百官诸衙相随，或有遗失。

88.河北宣化辽张文藻壁画墓发掘简报

作　　者：河北省文物研究所、张家口市文物管理处、宣化区文物管理所
　　　　　郑绍宗等

出　　处：《文物》1996 年第 8 期

1993 年 3 月下旬，张家口市宣化区下八里村民进行春灌时，在原发掘的张世卿墓东南约 50 米处，发现地面渗水，考古人员组织人力进行了钻探，先后共探出地下古墓 10 座，分布在张世卿墓的东南方耕地中。于 4 月初开始进行发掘，先后清理了第 5、6、7、9、10 号墓。这五座墓均为双室壁画墓，特别是第 7、10 号墓保存完好，反映了当时葬制的有关情况。墓内发现了一批有极高艺术价值的绘画资料。有三座墓出土了墓志和大量木器家具、陶瓷器等。同时还钻探出第 11 ~ 15 号墓的位置。可以看出这处墓地是具有一定规模的家族墓群。到 11 月 28 日工地发掘和墓室测绘等工作告一段落。简报分为：一、墓室结构和彩绘，二、壁画，三、彩绘星图，四、遗物分布情况，五、葬制和葬具，六、出土遗物，七、结语，共七个部分。有彩照、拓片、手绘图。

据介绍，发掘的第 5、6、7、9、10 号五座墓，地表除地势微高以外并无封土等任何标志，分析封土在早年已经遭到自然破坏。墓室一般建造在地面以下 1.8 ~ 2.4 米左右，为长方形竖穴墓圹，在墓圹的南部造阶梯式墓道和长方形天井，天井以北筑墓。五座墓全部为仿木建筑结构的双室墓。除被彻底盗掘的 6 号、9 号墓外，均有墓志出土。简报均未录墓志全文。

简报略述了此次发掘的主要收获，有以下几点：

其一，墓志。第 7 号墓根据出土墓志可知为"辽归化州清河郡张文藻"墓。文藻乃世古之父，恭诱之祖父。墓志又云"咸雍十年（1074 年）二月二十五日……乃卒"，至大安九年（1093 年）四月十五日"改葬于州北之隅"，此时文藻已死 20 年，才与其先妻贾氏合葬。宣化下八里辽墓群，目前已见于报道的有：1 号（张世卿）、2 号（张恭诱）、3 号（张世本）、5 号（张世古）、6 号、9 号、10 号（张匡正）和 7 号（张文藻）墓。其中张文藻为祖辈，恭诱为孙辈，而张匡正则为文藻之父。至此，如加上已经发掘被盗未见志石和已探明地下尚存的 5 座墓，大体可以证明此地为张世卿一族的墓地，约包括了五代人，跨越辽、金两朝，志文中反映许多辽代晚期道宗大安前后民饥、辽归化州一带的政治变化，以及佛教盛行等情况，颇具史料研究价值。

其二，葬式。目前已报道的 7 墓，墓主人的葬式特殊，反映了辽国西京（大同）归化州（宣化）一带民间笃信佛教、实行火葬的情况。各墓葬制基本相同，都是以真人偶像实以骨灰而埋葬。在发掘 1 号张世卿墓时曾发现木棺内葬模拟人体的木制模型，包括头部、躯干、四肢等，体内藏有骨灰，因该墓早期被盗，偶像保存不全，但这是当时一种特殊的葬制应无问题，且张世卿志文有"依西天茶毗礼"葬之语，此即应为佛教的"茶毗礼"葬制。

其三，壁画。这次发掘的 5 座墓全部为仿木结构，从墓门开始到墓室内部，都作出斗拱梁枋，从壁画到穹顶的星空彩绘皆艳丽夺目。五座墓壁画总面积多达 156.7 平方米，出现男女人物 76 个。如加上以前发掘的 1 ~ 4 号墓，壁画总面积已超过 320 平方米，出现人物达 160 个。壁画内容丰富，包括了不同形式的彩绘星图、墓主人出行图、散乐图、茶道图、童嬉图、三老对弈图、妇女挑灯图、妇人掩门图、儿童跳绳图、判官小鬼图等。人物既有汉人装束，又有契丹人装束，反映了辽代中晚期民族融合的情况。已发掘的各墓室顶部均有彩绘星图，包括三种不同的表现形式。一种是受西方古巴比伦黄道十二宫影响，融中国三垣二十八宿为一体，表现为中国化了的中西合璧彩色星图。这可能与印度佛教传入我国有密切的关系。另一种是把中国古代十二生肖像加在上述星图的周围，还有只绘中国的太阳、太阴、二十八宿。图中二十八宿和唐王希明《丹元子步天歌》所记述一致，这对于辽代天文历象的研究、辽司天监如何借鉴西方天文学成果等方面的研究都是不可多得的资料。各墓中普遍发现有散乐图壁画，辽代散乐是从五代石晋和宋的大曲发展而来的，这在壁画中有充分的表现。乐队人数有 5 人（5 号墓）、7 人（7 号墓）、8 人（10 号墓），最多到 12 人不等。伶人皆着袍服，戴簪花幞头，服饰艳丽，有的为女扮男装，吹奏和打击各种不同的乐器，各散乐班子均配以舞者 1 ~ 2 人。7 号墓的童嬉图中绘有选茶、碾茶、煮汤、点茶的道具和与茶相配的果品等，反映了当时饮茶在社会生活中所占有的重要位置。唐五代以后，契丹族建立的大辽国占据了中国北部河山，而中原茶文化在北方特别是燕云地区的流传情况以往知之甚少，壁画所描绘的正是燕云十六州饮茶风俗流行的情况，为研究我国茶文化提供了难得的实物史料。

89.2003 年度元中都皇城南门的发掘

作　　者：河北省文物研究所、张家口市文物管理所、张北县元中都遗址管理处
　　　　　张春长等
出　　处：《文物》2007 年第 1 期

2003 年，考古人员对位于河北省张北县的元中都遗址皇城南门第一发掘区进行

了考古发掘。简报分为：一、发掘经过和地层堆积，二、城门形制与结构，三、出土遗物，四、结语，共四个部分。有照片、手绘图。

据介绍，此次发掘确定了皇城门的准确位置，解决了皇城南墙与宫城南墙的间距问题。出土的琉璃建筑构件，说明城门已经建成。作为皇城正门，简略的城门形制也较为少见，在元代考古发掘中属首次发现。此次发掘为研究元中都的布局、建设进程，以及元代的城门结构提供了重要资料。城门南部勘探发现的夯土遗迹，为下一步工作规划提供了依据。

90.河北宣化元代葛法成墓发掘简报

作　者：张家口市宣化区文物保管所　刘海文、王　鹏等
出　处：《文物》2008 年第 7 期

宣化位于河北省西北部，距张家口市 30 公里，属张家口市辖区。2004 年 3 月，考古人员在宣化城东发现一座古代墓葬，随后对其进行了抢救性清理。简报分为：一、墓葬形制，二、出土器物，三、结语，共三个部分。有彩照、拓片、手绘图。

据介绍，墓葬距离现存地面 4 米，为竖穴土洞墓，由墓道、墓门、墓室组成。墓主人为单人葬，仰身直肢，除头骨略向后移位外，其余保存完好。未发现有棺木痕迹。墓主葛法成是一位女性，葬于至元十四年（1277 年）。墓内出土有瓷器、铜器、银器、铁器等计 20 件，其中有 6 件宋代钧窑瓷器，墓主人头下还放有一块朱书买地券。简报录有全文。

简报指出，宣化南接中原，北连蒙古，是贸易集散地，战争多发区。元代宣化是北方一座繁华城市，而葛法成墓是宣化地区发现的第一座有明确纪年的元代墓葬，对于研究元代宣化历史有着重要意义。

91.河北宣化辽金壁画墓发掘简报

作　者：张家口市宣化区文物保管所　寇振宏、王　鹏、冯渊渊、韵文倩
出　处：《文物》2014 年第 3 期

2006 年 6 月，在河北省张家口市宣化区宣化古城北的山麓下，发现了一座早年被毁坏的壁画墓。由于墓葬发现时已经暴露，考古人员随即对其进行了抢救性发掘，并实施了异地保护。虽然墓中已无随葬器物，但发现了精美的壁画。简报分为：一、墓葬形制，二、壁画，三、结语，共三个部分。有彩照。

据介绍，此墓墓室用石板围合而成，平面呈长方形，石板表面均施白灰，东壁、

南壁及北壁上绘有壁画，壁画题材有备茶等内容。从壁画内容和墓葬形制分析，简报推断此墓的年代为辽代晚期至金代中期。

承德市

92.兴隆县梓木林子发现的契丹文墓志铭

作　者：郑绍宗

出　处：《考古》1973年第5期

梓木林子村是河北省兴隆县阎杖子公社的一个中心村，位于燕山深处，四周群山环抱，岗峦翠叠，风景极佳。村南面有黑河自西向东流，蜿蜒于群山狭谷之中，整个村庄坐落在黑河北岸的一个高约15米的黄土台地上。1942年春，该村农民在村东园地深约1米处发现此墓。1949年后，兴隆县曾派人进行调查保护。1954年以来进行过调查。1957年该墓地和志石被颁布为省级文物保护单位。1960年河北省文物工作队又进行文物普查，查知志石保存尚好。1972年10月再次进行调查时，将志石运回河北省文物管理处保存。简报分为：一、发现经过，二、墓志情况，三、墓志释读，四、墓主人身份的推测，五、附记，共五个部分。

据介绍，此墓志出自该村后山一座仿木砖石墓。墓中除志石以外，别无他物。墓志和盖是用契丹文刻成，大部分文字保存完好，是研究契丹文字的极为重要的资料。简报称，可以推测这是一个封建贵族的墓葬。从志文记载知死者的主要活动时期是从辽道宗大安六年（1090年）开始到金海陵王天德二年（1150年）入葬止，跨越辽、金两个朝代。从金太祖收国元年（1115年）到海陵王天德二年共36年，而上朔辽代一朝只占24年，基于这些原因，可以看出墓主人的主要活动时期是在金代。又志文中出现的"维（大）皇弟""皇弟""职方郎""太守"等提供了关于墓主人身份的线索，因为这和墓葬规模、志文之大和志文中所反映的一部分内容是相一致的。所以我们初步推测墓主人应是金代初年投降女真的契丹贵族中的重要人物。另外，志盖和志文，在相当于封谥部位，均被凿去，可知本人或后人曾获罪。

简报指出，此墓是继辽陵以后所发现的最重要的契丹文资料。契丹文是由模仿汉字部首、偏旁的式样组成的，在结构上与西夏文的组成相似，据目前资料的不完全统计，名字均由1～7个"文母"组成的"复体字"（这样称呼未必恰当），若把它们拆开来看，表现为其各字中的重复"文母"较多，为了进一步了解各"文母"和完整字的构成情况，试将志文并哀册中各字全部拆开，去其重复，求其异同，得"文母"表 402 个，附于文后。

有关契丹文字碑，可参阅刘凤翥先生《遍访契丹文字话拓碑》（华艺出版社 2005 年版）一书。

93.承德发现的契丹符牌

作　者：郑绍宗

出　处：《文物》1974 年第 10 期

河北省承德县八家公社深水河村的村民，1972 年冬在该村水泉沟附近的老阳坡打猎，无意中发现了金银符牌各一面。简报配以手绘图等予以介绍。

据介绍，深水河村位于承德县南的暖儿河上，金银符牌便是在老阳坡大磟子顶峰靠南的峭壁中发现的。除金银牌外，未发现其他遗迹。金牌牌面为长方形，四角抹圆，体如薄板，光亮耀目。重 475 克，含金纯度达 98%。上端有穿孔，银牌的形状和文字与金牌全同。重 383 克，上面所刻文字简报译为"敕宜速"。两牌均有使用痕迹，持有者应为辽国身居要职的官员。简报推断是辽保大二年（1122 年）前后辽军战败撤退时匆忙埋于此地的。

94.河北隆化县发现金代窖藏铁器

作　者：隆化县文物管理所　李柏龄

出　处：《考古》1981 年第 4 期

1978 年 10 月份，隆化县八达营公社农场在平整工地时发现一批文物。收集到铁铧 6 件，铸铁车辖 2 个，铜镜 1 面，铜钱 998 枚。简报分为：一、出土器物，二、鲍家营出土铜辖范，共两个部分。有照片、手绘图。

据介绍，出土地点在八达营村东北约 600 米的东沟门，东南距隆化县城 21 公里。该遗址坐落于距沟口不远的西北山根台地上，驿马吐河在其西侧由北向南流过。从地面散布的砖瓦和陶瓷残片推测，为一处长约 250 米、宽约 80 米的辽金时代遗址。铁铧、车辖、铜镜、铜钱等物，均出自同一土坑内，当为窖藏。隆化各地出土不少辽金时代各式农具，如辖、犁镜、锄、镐、镰、耙、铡刀等，说明当时这一带农业已相当发展。其中比较重要的是 1979 年 10 月出土于存瑞公社下洼子大队鲍家营村的一件铜铧范，重 18.3 公斤。八达营窖藏及鲍家营铜铧的年代，简报推断为辽末金初。

95.耶律加乙里妃墓志铭

作　者：郑绍宗

出　处：《考古》1981 年第 5 期

辽耶律加乙里妃墓，坐落在平泉县榆树林子公社半截沟村杨家北沟西山，发现于 20 世纪初，据当地老人回忆得知：1916 年秋天，杨家北沟西山被雨水冲刷出了古墓一座，当地百姓自行挖掘墓顶塌下处，出土有铁锅、铁锤、瓷器和各种石条、门板等物。1977 年文物普查时发现了墓内所出的一块志石尚存于该村，于是对墓地现场进行了调查。1978 年秋，对该墓进行了清理。简报配以拓片予以介绍。

据介绍，该墓为砖室墓，据当地人讲为双室墓。墓志出于前室，字迹已多无从辨认。但志文第二行提到"姓耶律氏加乙里妃"，知墓主人为一女性，姓耶律名加乙里妃。她死于辽统和二十六年（1008 年），即宋真宗大中祥符元年六月二十四日，享年 59 岁。死后追赠岐国夫人。于第二年二月二十三日葬于□州之龙山。《辽史》："耶律肖氏，十居八九，宗室外戚，势分力适度，相为唇齿。"可以肯定墓主人耶律加乙里妃是契丹宗室上层是没有问题的。志文第 7 行："父阿骨轸，遥辇常衮，世袭二王之□（疑为"后"字），□三公之先，怀卫社之长，□蕴斯时之大略，斯名不坠，厥德弥芳"。知耶律加乙里妃之父名阿骨轸，授"遥辇常衮"。在姓名、活动时代和职别与阿骨轸相近的只有耶律贤适，《辽史》有传。志文第 8 行"母肖氏神烛，生于豪族……夫人即次女也。"反映加乙里妃之母肖神烛，系耶律氏皇族之贵戚。简报称，附近还有"王子沟"等地名，当还有古墓存在。

96.河北平泉县小吉沟辽墓

作　者：平泉县文保所、承德地区文化局　张秀夫、田淑华、成长福

出　处：《文物》1982 年第 7 期

1977 年春季，平泉县台头山公社小吉沟大队四队农民在西山根坡地距地表半米深处发现一座石砌券顶墓。此墓有主室和两个耳室，都是石券顶。墓底铺片石。墓道距主室 3.3 米处用石片垒压封堵。各室之间没有封石。简报配以照片予以介绍。

据介绍，主室底部有半尺厚的淤土。清理时，在主室北侧发现棺木残迹和一具零乱的尸骨，并有鎏金银冠。室内东南角有瓷碗、铜盂、铁马镜、玛瑙镶饰等。左耳室有鸡冠壶、鸡腿坛、青釉执壶、白釉盘口长颈注壶、白瓷盆等生活用具。右耳室有铁提梁壶、铁勺、铁方炉，方炉上放有铁铲、铁剪、铁锁、铁熨斗、铁铃等总计 120 余件。此墓的年代，简报推断上限约与叶茂台墓的下限（986 年）接近，下限

不会晚于辽圣宗太平年间（1021～1031 年）。墓主为辽国贵族。

简报称，小吉沟辽墓所出瓷器，对于研究北方青瓷，确定有关青瓷的窑口，都是有价值的。

97.河北隆化县发现契丹节度使印

作　者：隆化县文物管理所　李柏龄
出　处：《考古》1982 年第 4 期

1977 年文物普查时，征集到"契丹节度使印"和"金"字人形铜押印各一方，简报配以照片、拓片予以介绍。

据介绍，两方印出土于同一地点，即隆化县的韩吉营西沟大队。该地位于隆化镇东北深山中，两印出土于当地人称为"大旗顶"的一座山峰东侧的深谷尽头。谷底乱石堆积，灌木丛生，是人迹罕至之处。1960 年，农民在谷底开荒地时掘出一颗"金"字人形铜押印和两把锈蚀严重的铁剪。铁剪当时即被扔掉，印保存了下来。1972 年，另一农民在该地放羊时，在押印出土地点北侧约三四米的灌木丛中，发现了暴露于地面的"契丹节度使印"。"契丹节度使印"铜质，鎏金，有使用封泥的痕迹。"节度使"作为职官名称，始于唐景云年间（710～711 年）。此后，五代、宋、辽、金都曾沿用这一官职。

据史载，唐代几次征讨契丹时均惨败，天宝十年（751 年）安禄山率兵 6 万大军入征契丹大败，"折冠簪失履，独与麾下二十余骑逃走"，"史思明逃入山谷近二旬"。契丹与奚，也曾多次被唐军打败。隆化地处要冲，印的出土地点经调查后没发现任何遗址和墓葬，因此这两方印很可能是在战争中所遗落。至于"契丹节度使"一职，不见《唐书》记载，可能与该官职存在时间短暂有关。

98.河北兴隆县发现金代"签宣抚司事印"

作　者：成常福、王峰
出　处：《考古》1985 年第 2 期

1983 年 5 月，河北省兴隆县榆木林村农民向县文物管理所捐献一方铜印。此印是其祖父七十多年前在本村南沟取土时发现的，一直珍存在家中。后因怀疑质料是金的，曾将印柄顶部稍加取样进行鉴定。其余部分保存完好。简报配以照片予以介绍。

据介绍，印面呈方形，边长 8.6 厘米、印厚 1.5 厘米，上有梯形柱状纽。纽侧阴刻一"上"字。印面中部稍凸，阳文汉字九叠篆，有六字"签宣抚司事印"。其他部位无款识。

简报称，据《金史》知金代宣抚司下并设有"宣抚司参谋""宣抚司都统"二职。"签宣抚司事印"的发现，表明宣抚司中除设有上述官职外，还曾设有签宣抚司事一职，为研究宣抚司职官的设置提供了新资料。

99.承德县三沟村发现辽金窖藏

作　者：田淑华
出　处：《文物》1986 年第 6 期

1978 年 10 月，河北省承德县三沟村农民在村西南角一顶地发现一处窖藏。在距地表 40 厘米深处，埋有一个泥质灰陶罐，罐内存放瓷器、铁器和铜钱等。简报配以照片予以说明。

据介绍，窖藏发现时，陶罐已破碎，部分瓷器也遭损坏。瓷器 9 件，均为白釉。铁器 8 件。多已朽坏，保存尚好的有：锁，1 把，横式，全长 29.5 厘米；钉马桩，1 件；钱币，5 枚，计"崇宁重宝" 3 枚，"崇宁通宝" 2 枚。简报认为三沟村一顶地窖藏的时代当为辽代晚期，或辽末金初。辽末，女真人不断南侵。自中京（今内蒙古宁城县大名城）经古北口往南京（今北京）的通道是辽军南侵的主要路线之一，三沟村一顶地窖藏正位于这条道上，简报推断可能是金辽战争中为避兵燹而埋藏的。

100.河北宽城县发现经幢石塔

作　者：宽城县文保所　刘兴文、马瑞雪
出　处：《考古》1987 年第 6 期

在宽城县城西南 9 公里处黄崖北山主峰下的石壁上有个小平台，宽 1.2 米，石壁向内凹陷 1 米。平台西侧为峭壁，东侧通向栈道。就在这个小平台上有经幢一座。经幢为八棱状，通高 55 厘米，质地为青白石灰岩。经幢由四个部分组成：基座、主体、八棱状盖板、瓦垄状八棱顶盖。简报配以照片予以介绍。

据介绍，经幢上残存有石刻图案：（1）男俑身背大鼓，左手提住鼓环回首张望；（2）一宫门半开半掩，有一妇人探头向外窥测；（3）两名手持不同鼓击乐器的男俑正在奏乐；（4）两名男俑手持大钹正在鼓打；（5）一男俑持灯引路，妇人在后跟随；（6）宫门紧闭；（7）一男俑手持管笛乐器正在吹奏。简报未提及该经幢的年代，似应为辽代遗物。

101.河北丰宁县发现两方古代官印

作　者：白光
出　处：《考古》1987 年第 10 期

河北省丰宁县近几年在文物普查中，征集到铜质官印两方，均有出土地点。简报配以拓片予以介绍。

据介绍，两印一为"都提控所之印"。1975 年，塔黄旗乡胡麻营村铁沟农民在挖房基地时出土。应为金代官印。二为"行省都事之印"。1974 年在县城的洪汤寺疗养院发现。为元代官印。

102.宽城县出土金元时代文物

作　者：马瑞雪
出　处：《考古》1987 年第 12 期

1983 年 6 月，河北宽城县物资局在基建施工中于地下 3 米处发现元代"大都路"和大德七年铜权各一件，黑釉碗一个。在距地表 4 米深处发现金代铜印一方，瓷瓮一个。简报配以照片、拓片予以介绍。

据介绍，大都路铜权是六棱状，铜权的重量为 725 克。正反两面刻汉字，正面阴刻"大德三年大都路造"，反面已模糊不清。其余四个侧面均是蒙文，已模糊不清。刻有"大德七年官造"字样的铜权为圆锥体形，重 440 克。正面阴刻"大德七年"四字，反面阴刻"官造"二字，质地铸工都很粗糙。"勾当公事之印"为铜印，纽侧阴刻"勾当公事"四字，印面刻阳纹"公勾当公事之印"六字。1975 年宽城县东川乡东川村农民张俊友在起土时，于 1.5 米以下的土层中发现金代"都提控所之印"铜印一方，伴随出土的还有铁斧一件。印体为正方形，印文为"都提控所之印"。

103.河北承德县发现四方金代官印

作　者：承德县文物保护管理所　李林
出　处：《考古》1988 年第 4 期

近年来，承德县文物保护管理所收集金代官印四方，简报配以拓片予以介绍。

据介绍，一、"副统之印"一方。1977 年六沟镇六沟村出土。铜质，正方形印面，长方形印柄，有铭文。印文为九叠篆书"副统之印"四字。上边棱面刻"副统之印"，左边棱面刻"贞范二年九月□□日造"。

二、"副统所印"一方。1982 年 3 月石灰窑乡三道河村出土。铜质，正方形印面，印柄略呈长方形。印文为九叠篆书"副统所印"四字。有铭文。

三、"提控之印"一方。1980 年 6 月三家乡三家村出土。铜质，正方形印面，印柄略呈长方形。印文为九叠篆书"提控之印"四字。

四、"副提控所之印"一方。1975 年 11 月两家乡小庙子村出土。铜质，正方形印面，长方形印柄。印文为九叠篆书"副提控所之印"六字。右边棱面刻"副提控印"。

简报称，以上发现的"副统之印"，为"贞祐二年九月"所造。由此可知，《金史·兵志》载元光年间设副统之职，复国初之名，所记与史实有误。这四方金代官印，"副提控所之印"在村外山崖上发现，"副统之印""提控之印""副统之印"也是在村外山坡上发现的。1214 年，金宣宗迁都开封。次年，金中都、辽东、河北等地皆被蒙古军攻占。承德县北境地处军事要冲，这四方金代官印，简报推断可能是金宣宗贞祐二年或三年，金兵溃散时遗弃在此的。

104.河北丰宁哈拉海沟发现辽墓

作　者：白　光
出　处：《考古》1989 年第 11 期

1987 年 9 月，河北省丰宁满族自治县张百万乡张百万村农民于村西南部约 1.5 公里的哈拉海沟西坡断土层下，发现了一个完整的鸡腿坛。考古人员对实地进行了调查。发现了在离地面近 4 米高处的断土层上，还留有鸡腿坛的印痕和两侧腐朽的木质。以此判断是墓葬，并且进行清理。简报配以拓片予以介绍。

据介绍，哈拉海沟西坡是一座缓丘陵，没有任何植物覆盖，墓位于半山腰处，木质葬具腐朽很严重，骨架残碎，只能辨认出下腭骨、头盖骨、腿骨和脚骨。器物有铜镜、琥珀佩饰、铁削刀、小钱饰件、车构件、鸡腿坛、篦纹陶壶和碎陶片。简报推断此墓应为辽代墓葬。

105.河北滦平辽代渤海冶铁遗址调查

作　者：承德地区文物管理所、滦平县文物管理所　田淑华
出　处：《北方文物》1989 年第 4 期

1982 年夏季，考古人员对承德境内辽驿道进行实地考察，在考察柳河馆时，于其西北的半砬子东沟村后梁梁顶发现大量古代炼铁渣，根据文献记载，疑此地就是辽朝柳河馆渤海冶铁遗址所在。1988 年 5 月，根据有关线索，考古人员对滦平县半

砬子东沟村后梁冶铁遗址进行了详细调查，并对其中一处业已破坏的残存炼铁炉进行了抢救性发掘。同时调查了周围的遗迹，对冶铁遗址内涵有了较清楚的认识。简报分为：一、冶铁遗址的地理位置和自然概貌，二、冶铁遗址的清理经过，三、冶铁炉的年代问题，四、对渤海冶铁的几点认识，共四个部分。有手绘图、照片。

据介绍，半砬子东沟炼铁炉结构形状与河南古荥镇汉代冶铁炉有一些相近之处，即均为环平底，炉壁内收，炉膛也较大，呈现着早期冶铁炉的某些特征。然而这里没有发现汉代遗存，附近也没有发现任何这一时期的遗迹。相反，在与炼铁炉遗址邻近的一些山地和村落里却暴露着多处辽金时期的遗址，其中重要者有 5 处，简报推断这处冶铁遗址为辽代渤海冶铁的遗存。

简报称，半砬子东沟村后梁渤海冶铁遗址的发现，是一个重要线索，尽管这座炼铁炉已遭严重破坏，但无疑为渤海冶铁的研究提供了十分重要的实物资料。

106.河北宽城出土两件元代铜权

作　者：宽城县文化局　马瑞雪
出　处：《文物》1990 年第 9 期

1983 年 6 月，宽城县物资局基建施工时出土 2 件元代铜权。简报配以照片予以介绍。

简报介绍，"大德三年"（1299 年）权，权体呈束腰六面体，权身正面有阴文"大德三年大德路造"字样，背面铭文模糊不清，其余四面均刻蒙文，也模糊不可辨。元时宽城属大宁路，故简报认为这件铜权当系由别处传至宽城。"大德七年"（1303 年）权，权体呈亚腰圆柱体，权身正面有阴文"大德七年"字样，背面有阴文"官造"二字。

107.河北承德县道北沟村辽墓

作　者：承德县博物馆　李　霖
出　处：《考古》1990 年第 12 期

1984 年 11 月，承德县十道河乡道北沟村农民在挖水井时发现古墓一座。考古人员赶到现场，古墓已被破坏，仅对残存部分进行清理。简报分为：一、地理位置与葬式，二、出土遗物，三、结语，共三个部分。

据介绍，墓为长方形土坑竖穴式。单人葬，葬具为木棺。木棺南侧，还有杀殉的一匹马，骨骼保存完整。出土器物有铜器、瓷器、铁器、银器等。此墓未经正式发掘，部分遗物毁坏严重，有的已辨认不出器形。墓中的带扣、马铃等，形状与辽代契丹墓的同类器物相似。据此，简报推断此墓为辽代墓葬。

108.河北丰宁小皮匠沟发现辽墓

作　者：张汉英、白　光
出　处：《考古》1993 年第 10 期

1988 年春，河北省丰宁满族自治县凤山镇上官营村村民在本村西沟内的小皮匠沟开垦荒地时，发现了一座砖砌单室墓，因其损坏严重，无法了解墓葬的建筑结构。墓内尸骨、葬具皆已扰乱。简报配以手绘图予以介绍。

据介绍，墓葬位于一座缓山坡上，因长年水土流失，墓前被水冲成一条小沟槽。紧靠墓门处有一条宽 7 米、高 0.6 米的挡墙，这在以往未曾见过。有墓道，墓室为圆形。根据村民介绍与实地观察分析，墓顶可能是用木板搭盖。清理出随葬品计有陶瓷器、铁器、铜器、银器等 40 余件，其中银器 16 件。简报指出，在辽代，只有贵族才能在马具上用金银装饰，小皮匠沟辽墓只是一座小型墓，但却随葬了错金银鞍具，这反映该墓的时代已经到了辽代后期，由于社会动乱，人们有可能不再严格遵守过去的葬制规定了。

109.河北承德县发现元代铜权

作　者：承德县文物保管所　刘　朴
出　处：《考古》1994 年第 10 期

承德县在近几年的文物调查中收集了一批元代铜权。简报配以拓片予以介绍。

据介绍，元贞二年权 1 件。权为六面体塔形，有铭文，重 750 克。出土时曾伴出"大定通宝"铜币 7 枚。铜权铸于元成宗元贞二年（1296 年）。大都路初为燕京路，总管大兴府，至元九年（1272 年）改大都路。至元十一年（1274 年）置大都路总管府，治所在今北京市。

至正廿四年权 1 件。权为六面体塔形，有铭文，重 490 克。铜权铸于元惠宗至正廿四年（1364 年）。永平路初为兴平府，大德四年（1300 年）因水患改永平路，治所为今河北卢龙。"三十一"应为元代铜权的编号。

至正二年权 1 件。权为六面体塔形，有铭文，重 400 克。铜权铸于元惠宗至正二年（1342 年）。迁安县即今迁安县，元时隶属永平路。"官平"意为此权经官方校勘后通行。

无字权 1 件。六面体塔形，通体无字，重 740 克。

"二"字权 1 件，重 400 克，有铭文。

"三年"权 1 件，有铭文，背无文，重 390 克。

"五"字权 1 件，有铭文，背无文，重 1450 克。此权形体粗重，铜质杂劣，铸造工艺粗糙，似为民间私铸。

"上二号"权 1 件，有铭文，重 220 克。

铁权 1 件，重 390 克。

简报称，承德县一带元时属上都路兴安地和大宁路惠州地。这些元代铜权的发现，为研究当时的政治、经济及贸易往来情况，提供了重要的实物资料。

110.河北承德县发现元代窖藏

作　者：承德县文物保护管理所　刘　朴
出　处：《考古》1995 年第 3 期

1989 年 10 月，承德县岔沟乡谢营村一村民在院内挖菜窖时出土瓷坛、瓷罐、铜权和部分铜币。简报配以照片、拓片，介绍了这处窖藏。

据介绍，计瓷罐 1 件、双系罐 1 件、铜权 1 件，上刻"同一十五斤"等铭文。铜币 20 余种，能辨认字迹的有 17 种。

111.河北滦平县发现三方金代官印

作　者：滦平县博物馆　沈军山
出　处：《考古》1996 年第 7 期

滦平县在文物普查中发现金代官印三方，简报配图予以介绍。

这三方金代官印为：一、"神字号行军万户所印"，二、"副统所印"，三、"都提控所之印"。均有明确出土地点，皆为铜质铸造，从使用痕迹看应为实用官印。

112.河北省承德县发现金元时期窖藏

作　者：承德县博物馆　刘　朴
出　处：《北方文物》1996 年第 2 期

1993 年 11 月 13 日，承德县下板城镇（县政府所在地）县晶体技术研究所在门前挖下水道时，在距地面深约 1 米处发现了一批文物，其中有铁器、陶瓷器、铜镜等。

考古人员收集、勘察，确认为一处窖藏。简报分为：一、铁器，二、陶器，三、瓷器，四、铜器，共四个部分。有手绘图。

据介绍，计有铁釜 1 件、铁锄 3 件、镰刀 2 件、锁 2 件、刀 1 件、铁支架 2 件、铁饰件 2 件、铁条 2 件、铁钉 4 件。陶罐形器 1 件、铁锈花瓷罐 1 件、铜镜 1 件。其中铁支架有可能是镜子支架。陶罐形器用途不详。简报推断为金元时期窖藏。

113.河北滦平县银窝沟辽墓

作　者：河北滦平县博物馆　马清鹏、赵志厚
出　处：《北方文物》1997 年第 3 期

1991 年 3 月，河北滦平县平坊乡银窝沟村农民张占祥在自家院内取土时，发现一座辽代砖室墓。考古人员到达现场时，墓葬已被农民掏挖掉一半，部分随葬品已被农民拿走，考古人员初步清理了残存部分，并在当地政府的配合下追回全部文物。简报配以手绘图予以介绍。

据介绍，该墓大部分已被破坏。据当事人介绍：墓葬为单室结构，圆形，墓道位于墓室的东南方，呈斜坡状。从残存情况看，墓道为青砖砌筑，墓门为拱券形，用砖封堵。木棺已朽烂。葬式和随葬品在墓中摆放位置不详。出土器物主要有鸡冠壶、白瓷碗、唾盂、玛瑙管、骨刷把等。简报推断该墓为辽代中晚期有一定身份的上层贵族墓。

据介绍，滦平地处燕山中部，是历代中原地区通往塞北草原的重要通道。辽代，是中京通往南京的必由之路，辽代驿道贯穿全县境内，银窝沟辽墓就位于辽驿道旁。

114.河北平泉县发现两方金代官印

作　者：平泉民族师范学校　王　烨
出　处：《考古》1999 年第 10 期

1975 年 5 月，在位于河北省平泉县南五十家子乡会州城村的省级文物保护单位——会州城遗址，出土了两方金代官印，保存完整，简报配以拓片予以介绍。

据介绍，惠州之印，铜质，印面正方形，边长 8.7 厘米、厚 1.6 厘米。印文为阳文九叠篆"惠州之印"四字。神山县印，铜质，印面近正方形，长 7.7 厘米、宽 7.5 厘米、厚 1.5 厘米。印文为阳文九叠篆"神山县印"四字，为楷书。

简报称，此次会州城遗址出土的"惠州之印"和"神山县印"印证了史料之正确。

115.河北平泉县博物馆藏辽代鸡冠壶

作　者：平泉县博物馆、平泉师范学校　刘子龙、王　烨
出　处：《考古》1998 年第 6 期

平泉县博物馆在多年来的文物考古工作中，征集了大批瓷器，其中以辽代鸡冠壶最具代表性。现选几件分述如下。

据介绍，酱青釉鸡冠壶，县公安局拨交；馆藏品，绿釉双猴系刻花带盖鸡冠壶，台头山小吉沟辽墓出土；墨绿釉鸡冠壶，县公安局拨交；黄釉鸡冠壶、黄釉鸡冠壶、黄釉牡丹花鸡冠壶，馆藏品。除蟹青釉鸡冠壶为国家一级文物外，其余均为国家二级文物。

简报指出，鸡冠壶是辽代瓷器中最有特色的器物之一。平泉县博物馆收藏的鸡冠壶多出自墓葬，而且多为釉陶。这些鸡冠壶是仿照皮囊烧造的，有的把皮囊上的缝合线、皮扣、皮条装饰和皮绳环把等都逼真地表现出来。这不仅表明这类壶是仿皮囊而来，而且还可由此对北方古代少数民族使用的皮囊形状、类型等有了进一步的了解。

116.河北承德县发现元代窖藏

作　者：承德县文物保管所　刘　朴
出　处：《考古》1999 年第 12 期

1993 年秋，承德县上板城镇西三家村一农民在院内挖菜窖时，在距地表 1.5 米深处发现一元代窖藏，出土铜印 1 方，另有铁器、瓷器等。简报配以手绘图、拓片予以介绍。

据介绍，窖藏器物有：铜印 1 方、铁马镫 2 件、铁锁 1 件、铁镰 1 件、铁件 1 件。据介绍，出土时铜印即放在此罐内。至元六年（1269 年）起，八思巴文创制成功，被定为蒙古官方法定文字。以后，在中书省礼部监造颁发的官印中，大多用八思巴文字。这方"虎贲军百户印"，印背边款刻以汉字，即为了帮助释读。

简报称，这批元代遗物的出土，为研究金、元时期承德县一带的政治、经济情况提供了实物资料。

117.河北承德县房深沟发现一座辽墓

作　者：河北省承德县博物馆　刘　朴
出　处：《北方文物》1999 年第 1 期

1995 年 10 月，河北省承德县下板城镇房深沟村一村民在挖地取土时，发现

古墓一座。古墓位于一狭长的山沟内，两侧是山梁。墓内有人骨及马骨，均被扰乱。出土铁器、铜器数十件。简报分为：一、铁器，二、铜器，共两个部分。有手绘图。

据介绍，铁器计有马镫1件、马衔镳1件、马铃3件、锤1件、镞8件、刀1件、带卡1件。铜器有鎏金铃罩1件、铃1件、鎏金铃状饰件1件、带扣16件、长方形饰件3件、"吕"字形饰件1件、长方形带卡1件。简报称此墓时代为辽代早期。

118.平泉县博物馆藏两方金代官印

作　者： 河北平泉民族师范学校　王　烨
出　处：《文物》2001年第4期

1975年，在河北省平泉县会州城遗址内发现2方金代官印，现收藏于平泉县博物馆。简报配以拓片予以介绍。

简报介绍，2方金代官印为"惠州之印"和"神山县印"，均为黄铜质，两印应是当地州县长官在处理军政事务时所用之印。简报称，"惠州之印"和"神山县印"的出土，对研究金代的职官和社会制度都具有参考价值。

119.河北省承德县发现辽代窖藏

作　者： 刘　朴
出　处：《北方文物》2002年第3期

甲山窖藏位于河北省承德县甲山镇海拔1255米的甲山深处。2000年8月，当地农民开山采石时发现，共出土铜器、玉器、水晶器等200多件。该窖藏的发现，为研究辽代历史文化提供了重要资料。简报分为：一、窖藏地理状况，二、出土文物，三、结语，共三个部分。有拓片、手绘图。

据介绍，窖藏地点在海拔1235米的甲山深处，距最近的村庄也有8公里。这里山高坡陡，怪石嶙峋。在山腰的中部，有一片千百年来累积而成的石头群，面积有几十亩。前几年，当地村民建起开采大理石的采石场，修通了去往山外的盘山公路。这个窖藏就是在修路时发现的。据发现者介绍，文物没有被装入窖藏，只是平整摆放在一凹坑内，上盖一大石板。出土遗物种类多、种类杂。出土铜印章上文字，专家认定为契丹大字，究竟何意尚待研究。甲山窖藏远离现代村庄，位于人迹罕至的山上，而且没有任何容器包装，说明埋藏之时非常匆忙，很可能是战乱原因。这说明民间流传的甲山是古代兵将占山为王的地方，并非完全妄谈。这批文物数量之多，品位之精，也很罕见，尤其是成批的水晶饰品和玉饰件，反映了很高的工艺水平。究竟是何人留下也有待研究。

120.河北隆化鸽子洞元代窖藏

作　者：隆化县博物馆　田淑华、陶　敏、王晓强、孙慧君等
出　处：《文物》2004 年第 5 期

1999 年 1 月，河北省隆化县鸽子洞元代窖藏出土珍贵遗物 66 件，其中织绣品 45 件、文书 6 件、其他类 15 件。简报分为：一、发现地点概况，二、发现经过，三、出土文物，四、小结，共四个部分。有彩照、手绘图。

据介绍，窖藏发现地点"鸽子洞"，位于河北省隆化县西北的湾沟门乡与白虎沟乡交界的白虎沟辖区内，距湾沟门乡茶棚村窑沟垴自然村东南 450 米。地处窑沟垴前山一北缓南陡突起岩峰南面峭壁的山腰。洞中因长年栖息成群山鸽，故当地人称之为"鸽子洞"。洞坐北朝南，洞内地面由黄土夹碎石垫成，北坡取土大坑现尚清晰可见，时代不详。据当地人反映，洞前原有的挡土石墙，现已无存。1991 年 1 月间，张立满等 4 名少年到洞中玩耍，见洞中部地势偏高处的土坑中有桦树皮并露出一布角，便用力从中拽出一个麻袋状粗糙织物的包裹，并割开包裹取出 2 张文书（已被毁）和 1 件角器，其他人拿了 1 枚五铢钱、几枚骨角器等。1999 年 8 月 23 日至 27 日，考古人员对鸽子洞进行清理。在距地表 2.5 米深的土层中，发现草木灰、木炭及烧过的小鸟兽碎骨，分析在窖藏形成之前，就有人在此活动，但未发现与窖藏有关的遗迹。据地质结构和现象分析，鸽子洞应为人工开凿，年代不详。

简报指出，鸽子洞窖藏文物的发现，是一次重要的考古收获，为研究元代官吏俸钞、租典制度、织造刺绣工艺、纹样图案等提供了难得的实物资料。出土文书年代下限为元至正二十二年（1362 年），为窖藏断代提供了重要依据。鸽子洞地处高山的半山腰处，地势险要，难于登攀，不易被人发现。元末明初，隆化一带正处于战争频繁之地，窖藏主人可能为避战乱急于逃难而将东西临时埋藏，日后因故未能取走。从出土文物分析，此非一般贫民所有，其主人身份待进一步考证。窖藏文物保存完整，分析原因主要有两方面：

其一，洞中干燥通风，窖藏位于洞中央较高处，埋在距地表 1.2 米深的黄土夹碎石垫成的土层里，隔热隔潮，通风透气。

其二，包裹周围垫有桦树皮，可能也起了一定的保护作用。

这批文物在地下埋藏了 600 多年，至今保存仍然完好，实属罕见。

121.丰宁发现一处辽金时期窖藏

作　者：丰宁满族自治县文物保护管理所

出　处：《北方文物》2008 年第 3 期

2008 年 6 月 11 日，河北省文物普查队在丰宁进行第三次全国文物普查时，在丰宁凤山镇发现一处辽金时期的窖藏，出土了大量的铁器。在整理这些出土文物的过程中发现以生产、生活用具为主，多达十余种，同时还出土了大量的铠甲铁片。

据介绍，此处辽金时期的窖藏文物是凤山镇村民在其自家耕地里发现的。出生的生活用具有铁铲 1 把、铁剪子 1 把、铁钉 23 枚、铁火钳 1 把、铁刀 1 把、铁凿 1 个、铁锁 1 把、铁手铐 1 副；农具有铁锄 5 把、铁镰 11 把，还有铁铡刀、车马具等，另有铠甲铁片多达 500 多片。这些出土的铁器大部分基本保存完好，少部分锈蚀。这是丰宁出土辽金时期文物数量较多的一次，为研究辽金时期丰宁农业生产、生活、司法及军事提供了宝贵的实物资料。

沧州市

122.河北盐山发现元代铜权

作　者：盐山县文保所　李　刚、李超峰

出　处：《考古》1992 年第 1 期

1985 年 3 月 25 日，河北盐山庆云镇东方红小学院内在挖坑取土时，于距地表 85 厘米处，发现了元代铜权 7 件。出土时铜权放置有序，似为窖藏。简报配以拓片予以介绍。

据介绍，7 件铜权为：大德元年权 1 件。有铭文，铜权铸于元成宗大德元年（1297 年），"益都官造"即"益都路总管府"造。治所在今山东青州市。

大德五年权 1 件。体为六面塔形，上端方环纽，下呈梯形。有铭文，重 750 克。铜权铸于元成宗大德五年（1301 年）。"大都路"初为燕京路，总管大兴府，至元九年（1272 年）改大都路。至元二十一年（1284 年）置大都路总管府，治所在今北京市。

大德五年权 1 件。重 580 克，有铭文。

延祐元年权 1 件。重 400 克，有铭文。铜权铸于元仁宗延祐元年（1314 年）。背铭虽磨助，但尚能辨出"较勘相同"铭文痕迹。据推测，该权为官衙铸行，从其造型分析，可能是益都路总管府产物。

延祐元年权1件。有铭文，铜权铸于元仁宗延祐元年（1314年）。

至元二年权1件。重625克，有铭文。铜权铸于元惠宗至元二年（1336年）。"较勘相同"可能是校勘后的刻铭。"般阳路"元初为淄莱路，至元二十四年（1287年）改名。

"九字权"1件。有铭文，重380克，无背文。

简报称，元代窖藏出土如此之多的铜权在益山县尚属首次，它的发现为研究元代大都路、般阳路、益都路总管府铸行度量制度和经济情况提供了实物资料。

廊坊市

123.河北固安于沿村金宝严寺塔基地宫出土文物

作　者：河北省文物研究所、河北大学历史系、固安县文物保管所　金家广等

出　处：《文物》1993年第4期

1975年冬，河北省固安县于沿村村民在村东原"奶奶庙"（又称天仙宫）旧址挖砖时，于地表下7.5米深处发现一件石函，内藏一批文物。据函上刻铭，知这是金代涿州固安县严村宝严寺舍利塔塔基地宫所在。这批文物出土时曾有散失，后大部分被收集追回。考古人员于1976年、1992年两次前往调查。简报分为：一、宝严寺塔基地宫的位置和结构，二、石函形制、刻铭与墨书题记碑，三、地宫出土文物，四、几点看法，共四个部分。有照片、手绘图。

据介绍，金代涿州固安县严村宝严寺舍利塔塔基遗址，位于今固安县柳泉乡于沿村东300米原"奶奶庙"旧址西侧。原为一片高于周边农田约2米的砖砌废墟。石函出土时位于废墟下7.5米深的一个八角形砖基中央。出土有金银器等，上有题铭。简报推测这些金银器有可能是信徒在燕京或汴京金银作坊定制。简报指出，佛教地宫已发现多处，但此处金代地宫尚属首例。

124.河北三河县辽金元时代墓葬出土遗物

作　者：河北省文物研究所、河北大学历史系、三河县文物保管所
　　　　金家广、姚宝珍

出　处：《考古》1993年第12期

河北省三河县行仁庄和张白塔村民于1974年春、秋平整土地时，分别挖出若干

陶器、瓷器。1976 年上半年和 1992 年 8 月，考古人员先后到两村现场调查和复查。

简报分为：一、行仁庄"方桌子"辽金古墓区，二、张白塔遗址，三、结语。

据介绍，行仁庄位于三河县东南 12 公里，村北 250 米处"方桌子"高岗地。张白塔遗址，位于三河以南，行仁庄西北方向。简报推断行仁庄火葬墓的年代相当于辽（北宋）晚期，下限不晚于辽末金初。出土遗物中，定窑白釉瓷器、"大金何公墓志"等值得注意。简报录有志文全文。张白塔墓为元代墓葬，墓中出土的"白家酒"四系橄榄形瓶当是酒具，铭文显然具有明显的商品竞争性质，生动地描绘了元代三河酒类市场的画面。

衡水市

山西省

太原市

大同市

125.大同西南郊发现三座辽代壁画墓

作　者：边成修
出　处：《文物》1959 年第 7 期

1957 年 9 月、1959 年 6 月，考古人员在大同西南郊分两次清理了三座辽代壁画墓。

据介绍，三墓均位于大同西南郊。其中两座（M27、M28）位于十里铺村东约500 米处，另一墓（M29）位于新添堡村东北约百米处。三墓均为圆锥形单室砖墓，均有壁画。M29 出土辽"天庆九年故彭城刘公墓志"一块，简报未引志文全文。M29 因墓顶坍塌，壁画保存不好。

126.山西大同郊区五座辽壁画墓

作　者：山西省文物管理委员会　边成修
出　处：《考古》1960 年第 10 期

简报分为：一、十里铺村东的 27、28 号墓，二、新添堡村东北的 29 号墓，三、卧虎湾村的 1、2 号墓，四、结语，共四个部分，介绍了大同郊区的五座辽代壁画墓，有手绘图等。

据介绍，5 墓均为火葬墓，均有壁画。新添堡村东北的 29 号墓，有天庆九年（1119 年）"故彭城刘公墓志"，简报未录志文全文，但志文中提到墓主刘承遂

"儿常慕善，诀信大乘"等民间信佛事迹。27、28 号墓及 1、2 号墓的年代，当较此 29 号墓要早。

127.山西大同西郊的一座金墓

作　者：张秉信
出　处：《考古》1961 年第 11 期

1960 年 7 月下旬，在大同市西南 1 公里处发现了一座金墓。

据介绍，这座墓为南北向砖砌单室。门前为土坯砌甬道，长 0.6 米。甬道前接墓道，长 5.25 米，有阶梯七级。墓室平面为八角形，棺床上置木棺 4 具。木棺均用松木制成，尺寸不一。棺内葬一男三女，骨架头均向北。左数第三棺为男棺，棺中央固有宽 3 厘米的铁束腰一圈，棺盖上平铺一块长方形黄色丝织品，上下两头联以长 40 厘米、宽 10 厘米的小木板，板上涂红褐色，并绘黄、绿二色花草图案，丝织品上写白字"故处士□□□□智之柩"。男尸着长领衣服，头用丝絮包裹，尸体用黄麻丝织品包裹，棺内底部铺灰一层，其上又铺一层干草。女尸亦着衣服，下铺干草。随葬品以瓷器为主。东北及西北角各有黑瓷小罐一件，东南角棺床下有黑瓷灯一件，内置一木盂。此外，又有兰花豆青色窄沿圆底小瓷碗和侈口黄花白瓷残碗各一件。在西南角棺床下还置有一块长 30 厘米的板瓦。在棺床上西部发现"至道元宝""天圣元宝""正隆元宝"各一枚。在墓室北壁中央放置砖券一方，长 50 厘米、宽 50 厘米、厚 6 厘米。其上有红色字迹，惜已剥落不清。

128.大同城东马家堡发现一座辽壁画墓

作　者：张秉仁
出　处：《文物》1962 年第 2 期

大同市文物管理所于 1959 年在大同城东 2.5 公里马家堡村北 250 米处清理了一座辽代砖室墓，简报配以照片予以介绍。

简报介绍，墓室为南北向砖筑单室墓，平面呈圆形，四边呈弧形向外突出。墓内以琉璃棺为葬具，骨灰置于棺内，系火葬。随葬器物计有大白瓷碗一件，钱币有治平元宝一枚。

几年来，在大同地区像这种有壁画、有琉璃棺的辽墓很少发现。这一座墓的发现，给我国考古研究工作提供了新的资料。

129.山西省大同市元代冯道真、王青墓清理简报

作　者：大同市文物陈列馆、山西云冈文物管理所　解廷琦等
出　处：《文物》1959 年第 3 期

宋家庄在大同城西北 5 里，同蒲铁路的南侧，北靠雷公山，南临十里河北岸之广阔平原。1958 年，考古人员在宋家庄附近进行钻探，发现古墓较多。冯道真墓是同年 10 月上旬发现的，位于宋家庄西南约一里许。简报分为：一、墓的结构，二、葬具和葬式，三、出土遗物，四、墓室壁画，五、结语，共五个部分。有手绘图、照片。

据介绍，墓为砖砌单室墓，由墓室、甬道、墓道三部分组成。墓室平面为方形，墓顶为四角攒尖的圆锥形，有壁画。在砖砌的棺床上，有一块东西横放的大青石板，棺罩内停放男性尸体一具，头向东，面向南，屈肢而卧。墓内出土遗物，共计 45 件，石碑一通，墓志铭文共 12 行，行字不等，共 150 字，简报录有全文。买地契文 14 行，行字不等，简报录有全文。

简报称，根据墓志铭文叙述，死者冯道真不是一般的道人，曾被封为"清虚德政助国真人"，是全真教的道官，龙翔万寿宫的宗主，属于上层统治阶级。墓室整个布局严整、朴素。壁画作者以鹤来追念死者的精神万年长存（松鹤延年）。此墓出土一批珍贵精美的元代钧瓷，为研究元代制瓷工业提供了宝贵的资料。

关于墓的年代，根据墓志铭文，冯道真"生于大定二十九年十二月二十三日申时，升于大朝乙丑年六月初八日"，简报认为墓葬年代当为至元二年，即公元 1265 年。

白马城位于大同北郊孤山山麓，同蒲铁路之北侧，距城约 10 里，西南临十里河北岸的平原，附近一带地下古墓较多，亦为大同市蕴藏文物较丰富的一个地区。1957 年 7 月中旬，发现了王青墓葬，当地工人即将墓内较完整的文物取出，大部文物已被翻乱。事后考古人员进行了清理。简报分为：一、墓室结构，二、葬具和葬式，三、出土遗物，四、结语，共四个部分。有照片。

据介绍，墓室平面呈方形，顶作叠涩圆锥状。在墓室后部砖砌棺床上，东西停有木棺两具，靠北的木棺内置有男尸一具，另在靠南之木棺内有女尸一具，葬式与男尸相同。墓内出土遗物共 54 件，随葬品以灰陶明器为主，另有铜器和丝织类。墓志一通，简报录有全文。

简报称，此墓从墓室结构、规模及棺床等情况看，和大同一般元代砖室墓（单券式、平面作方形、顶为攒尖圆锥形）相同，但是出土器物较丰富，特别是以大量的灰陶冥器为主，为研究元代社会生活提供了资料。关于此墓的年代问题，根据墓志铭记载，简报推断该墓年代系元代大德年间，墓主人王青系平阳府汾西县人。

130.山西大同卧虎湾四座辽代壁画墓

作　者：大同市文物陈列馆　张秉仁

出　处：《考古》1963年第8期

简报分为：一、3号和4号墓，二、5号和6号墓，共两个部分。有照片、手绘图。

1961年9月中旬至1962年7月上旬，考古人员在大同北郊约5公里卧虎湾西面发现了两座单室圆锥状壁画墓。墓底距地表深4.75米。两墓南北排列，坐北向南，相距约70米。墓室保存完整，室内壁画色彩鲜艳。按大同市郊墓葬清理编号，将其南面的编为3号，北面的编为4号。两座墓结构及壁画轮廓内容大致相同。就是3号墓室比4号墓室小一些，3号墓壁画大部分脱落，4号墓壁画较完整。3号墓为砖棺，火葬。出土遗物有白瓷碗等4件，净法界真言碑1件。石棺内有字迹，简报录有全文。4号墓也为火葬，此墓曾被盗，随葬品几被洗劫一空，所幸壁画保存尚好，内容有门卫、侍女、饮宴等。

5号、6号墓是1962年10月在同一地点先后发现的两座砖砌单室壁画墓。墓东西并列，相离仅约1米，东面的编为5号，西面的编为6号。5号墓室完整，室内壁画部分脱落，随葬器物很少。6号墓壁画保存较完整，彩色鲜明，随葬器物也不多。墓顶及墓道填土均夯实，墓顶距地表0.6～1米。

两墓均为火葬墓。

131.云冈石窟建筑遗迹的新发现

作　者：云冈石窟文物保管所、文物保护科学技术研究所

出　处：《文物》1976年第4期

云冈石窟文物保管所为配合云冈石窟维修加固工程，于1972年至1974年间在五华洞（编号九至十三窟）窟前进行考古发掘，陆续发现了一些重要建筑遗址、遗物。简报分为两个部分予以介绍，有照片、手绘图。

据介绍，简报认为在九窟、十窟前面有过两次修建活动，一次建造过7间大殿，一次修建过5间窟檐。可能建于辽代，未全部完工。

简报指出，仿木构建筑的石雕窟檐，见于麦积山、天龙山和响堂山石窟，云冈石窟是第一次发现。另外，从建筑年代来说，新发现的第十二窟在全国现存崖阁式洞窟中是最早的一处。

132.大同金代阎德源墓发掘报告

作　者：大同市博物馆　解廷琦等
出　处：《文物》1978年第4期

金代阎德源墓，位于大同市西1公里处，1973年10月进行了发掘。简报分为四个部分，配以照片予以介绍。

据介绍，该墓为仿木构砖砌单室墓，由墓道、甬道、墓室组成，有老年男尸一具。出土有丝织品、木制小家具，为我们了解当时的刺绣工艺水平及家具发展情况提供了实物。该墓出土有墓志，简报未录全文。据志文，墓主为金代道士阎德源，生前受到金西京权贵们的赏识。

简报称，"棺椁东头空隙间放了几本书"，但未详述是些什么书？保存状况如何？

133.山西浑源县界庄窑

作　者：李知宴
出　处：《考古》1985年第10期

1982年10月，考古人员对浑源界庄窑进行了调查，获得大量新的资料。对研究雁北地区辽、金、元时期瓷器手工业作坊的范围、规模、品种和特点有一定的意义。

简报分为：一、地理位置和窑址范围，二、品种与特征，三、几点认识，共三个部分。有手绘图。

据介绍，界庄窑在浑源县青瓷窑公社，浑源县西南，距县城20公里地，在磁窑镇的西南约2.5公里。窑址在界庄村东北边的一个山坡上，刁窝峪河顺坡由东北向西南流出。该窑细白瓷器产量很少。沿刁窝峪河谷两岸45公里范围，瓷窑很多，距离磁窑镇和交通线较远的地方，如河谷上沿地势较高的地方发现唐代窑址，规模小，作坊遗址极少，辽、金、元等时代较晚的窑址则多发现在距集镇较近、交通比较方便的地方，这说明浑源窑系有优良的发展瓷器生产的条件。随着陶瓷业的发展，开辟作坊不但注意原料，还注意集市和交通，即生产和销售的联系。磁窑沟窑址随时代不同而移向集镇、交通线上的情况，为研究封建时代陶瓷手工业作坊布局提供了有价值的资料。浑源地处雁北，属辽政权控制的范围，从界庄窑看与宋政权控制区陶瓷工艺关系密切。

关于界庄窑的生产时代，从作品的特征分析，简报推断它开始生产的时间应该是辽的晚期，下限应该迟到元代。

134.山西大同东郊元代崔莹李氏墓

作　者：大同市文化局文物科　唐云俊等
出　处：《文物》1987 年第 6 期

1976 年 4 月，大同市北御河灌溉管理处工人在东郊曹夫楼村本单位院内挖自来水管道时发现一座古墓。考古人员赶到现场时，墓内随葬品均已移出。简报配以照片、手绘图予以介绍。

据介绍，此墓为南北向方形券顶砖室墓。墓底距地表 2.8 米。墓壁涂白灰，无壁画及文字。墓室四角下部 0.4 米高处，各有一高 0.45 米、宽 0.52 米的砖砌小龛。墓室后部（即北面）有高 0.23 米、宽 0.75 米、长 1.8 米的砖砌棺台。上面并列两件桌式陶棺床，上置长方形石棺，正面楷书"崔莹李氏"四字。棺内有绢裹的骨灰，内有耳坠、戒指。墓主当为女性。此墓共出土随葬品 40 余件，主要为陶质随葬品，多为冥器及供器，均为灰陶。另有银戒指、红玛瑙耳坠、铜钱及铁地券。简报录有券文，多有缺字。

简报称，券文模糊不清，推断此墓为元世祖中统二年（1261 年）下葬的可能性较大。简报估计此墓安葬时先将墓主遗体火化，骨灰装入石棺后置于墓中，这反映了辽、金、元三代在北方流行的火葬习俗。此墓随葬品中有多种陶质仿木冥器家具，这些家具模型粗壮厚重，具有注重实用的特点。这批家具模型的出土，为研究我国家具发展史提供了实物资料。

135.大同市南郊金代壁画墓

作　者：大同市博物馆　王银田等
出　处：《考古学报》1992 年第 4 期

1988 年 1 月与同年 6 月，考古人员先后在大同城南云中大学食堂地基施工中清理金代壁画墓两座，编号云大 M1、云大 M2。二墓相距 5 米。简报分为：一、1 号墓，二、2 号墓，三、几点认识。共三个部分，介绍了两墓的发掘情况，有照片、拓片、手绘图。

简报称，辽、金两朝，大同均为西京，但就地下出土文物而言，金远不及辽。故而此次发掘，为金代历史研究而言，尤有价值。

据介绍，由 M2 墓志可知，该墓为夫妇合葬墓。墓主陈庆，官至"西京大同府定霸军左一副兵马使"，"朝廷敕加进义校尉"。军号"定霸军"不见于《金史》。"进义校尉"正九品下，属武官中的第四十阶，可见墓主陈庆为下级军吏。"公从幼及壮，不习文墨，……自亡辽已前亦补定霸籍中。"查《辽史·地理志》，辽上京临潢府有定霸县，故址在今内蒙古赤峰市巴林左旗西，金废。墓主原籍应是在辽定霸县境。据志文载，陈庆卒于正隆二年（1157年），其妻李氏卒于正隆四年（1159年），夫妇于是年合葬。由M1与M2对比可明显看出：两墓形制相同，规模相等；器物组合相同，并且有不少器物完全一样；墓室壁画布局一致，且内容大同小异；从画风观察，很可能出于同一人之手；二墓仅相距5米。据此简报认为M1也应建于正隆四年前后。M2志文称陈氏"久居大同府人也"，所以这里应是陈氏的家族墓地，M1的墓主也应是这一家族的成员。

随葬器物中，M1、M2所出白瓷器胎质细白，釉色润泽，制作规整精巧，花纹刻划生动。碟、碗、血等器皆芒口，应是用"覆烧法"制成。刻划花常常在轮廓线的一侧或两侧以细线衬托，以增强纹饰的立体感，应是典型的定瓷器。各地辽金墓葬常有定瓷出土，而大同辽金墓随葬定瓷尤为普遍，这应与山西属定窑系的窑址较多有关。

简报称，最具价值的还是壁画。云大壁画墓是大同市首次发现的金代壁画墓。壁画人物表情生动，具有较高的价值。两座墓室壁画的内容、布局与辽代大同墓葬壁画具有明显的承袭关系，通过大同辽金壁画墓的研究，可清楚地看出其发展演变过程。

从壁画中可窥见不少文献不载或语焉不详之处。简报举发式为例。大同辽代壁画墓曾见有髡发人物形象，其髡发形象同库伦旗前勿力布恪6号辽墓壁画的云大壁画墓的髡发人物一样，是典型的契丹人发式。云大壁画墓的髡发人物像则不同。此二墓的髡发人物共见4人，髡发式样分两种。一种即M1北壁西侧男侍和M2北壁东侧男侍，此种髡发除颅顶多一"朝天髻"外，发式同契丹人；另一种发式据简报推测是在颅顶留三撮头发，并包扎起来，其余头发全部剃光，颇类宋金时期儿童的三搭头式（但并不完全相同）。就目前已发表的资料看，此两种发式尚属首见。契丹男人的发式虽有多种，但其基本特点是剃颅顶发，留颅四周发或留颅两侧发；女真男人发式的特点是"男子辫发垂后，耳垂金银，留脑后发，以色红系之，富者以珠玉为饰，"接近后来满人的发式。由此看来，云大金墓壁画所反映的两种髡发属女真人的可能性不大。简报认为，第一种发式虽多一"朝天髻"，但基本发式与契丹人同，此男侍应属契丹人；第二种发式应属三搭头式，从服饰观察，该男侍也应是契丹男童。

136.山西灵丘觉山寺辽代砖塔

作　者：王春波

出　处：《文物》1996 年第 2 期

觉山寺位于今山西省灵丘县城东南 14 公里处的笔架山西侧。四周群山迭起，清河环绕，北魏孝文帝南巡曾留碑碣于此。觉山寺依山就势，坐北面南，全寺现有建筑分三条轴线。中轴线上由南向北依次为山门、钟鼓楼、天王殿、韦陀殿、大雄宝殿，东侧轴线上依次为魁星楼、碑亭、金刚殿、梆点楼、弥勒殿，西侧轴线上依次为文昌阁、辽代砖塔、罗汉殿、藏经楼、贵真殿。简报分为：一、觉山寺的历史沿革，二、觉山寺砖塔现状，三、觉山寺辽塔与同时期塔类建筑的比较，共三个部分。有彩照。

据介绍，觉山寺创建于北魏，辽大安五年（1089 年）或六年（1090 年）重建。辽代砖塔即为那时所建，距今已近千年。觉山寺内除砖塔为辽代建筑外，其余建筑均为后世所修。简报配以表格，详述了此塔实测尺寸等。

137.山西大同市金代徐龟墓

作　者：大同市博物馆　焦强、白彦芳、周雪松等

出　处：《考古》2004 年第 9 期

徐龟墓位于山西省大同市内站东小桥街。1996 年 6 月，大同市政公司在此扩展公路时发现了该墓葬。施工的民工凿塌墓顶并进入墓室，随后将墓中的随葬品哄抢藏匿。大同市博物馆几经周折后追回了随葬器物。因受到施工时间紧迫等限制，只对此墓葬进行了简单的抢救性清理。简报分为：一、墓葬概况，二、壁画，三、出土器物，四、结语，共四个部分。有彩照、手绘图。

据介绍，墓室平面呈正方形，内壁为仿木建筑结构；北、东、西三面墓壁及甬道两侧均发现有彩绘壁画，内容包括散乐、侍酒、出行等反映当时生活的场景。墓中出土随葬品共 24 件，包括瓷器、陶器、铁器等。根据石棺上的墓志铭文，墓主人为徐龟，卒于正隆六年（1161 年）。

简报指出，出土的一件瓷注壶值得注意。据调查，瓷注壶出土时原应放置在注碗中，是一套酒具；一件葵口盏的釉色、胎质及形制风格与注壶和注碗也基本一致，此器小而轻巧，应是酒盏。上述三件器物应该是配套使用的酒具，根据它们的釉色、纹饰，以及注碗的"履烧"工艺，推测这套酒具应是金代的定窑产品，十分少见，极为珍贵。

138.山西大同市辽代军节度使许从赟夫妇壁画墓

作　　者：山西大学考古系、大同市博物馆　王银田、解廷琦、周雪松等

出　　处：《考古》2005 年第 8 期

　　许从赟夫妇墓位于大同市西南郊新添堡村南，北临同蒲铁路的东侧，东北距明清大同古城6.5公里，西南距十里河约1.5公里，北靠雷公山。大同市西南郊的新添堡、十里堡、周家店一带是大同市古代遗存较多的地区之一，这里曾先后发现过唐、辽、金、元代墓群，出土了大批珍贵文物。许从赟夫妇墓于1984年10月发现，当时顶部已坍塌，顶部部分壁画脱落，墓内也遭到不同程度的损坏。考古人员对其进行了抢救性发掘，1996年定为省级重点文物保护单位。简报分为：一、墓葬形制，二、墓室壁画，三、出土遗物，四、结语，共四个部分。有彩照、手绘图、拓片。

　　据介绍，许从赟夫妇合葬墓是辽代景宗乾亨四年（982年）的壁画墓，是晋北地区惟一的一座辽代早期纪年墓。该墓为砖砌单室墓，由墓道、门楼、甬道和墓室组成。墓室顶部与四壁设影作砖雕与彩色壁画。出土遗物22件，有墓志。

　　据墓志记载，墓主人许从赟，字温毅。其夫人为长沙康氏，云州都指挥使敬习之女。许从赟曾于五代后唐"清泰（934～936年）初事云州元帅沙公"，任马步使、内外巡检斩斫使、银青崇禄大夫兼监察御史等职。志文上的"嗣圣皇帝提虎旅而越雁门，翦唐师而解晋难"即指清泰三年，辽太宗耶律德光应石敬瑭之约，亲率骑兵五万，挥师南下灭后唐事。次年契丹人占领云州城（今大同市）。许从赟在这期间投降契丹，即志文所言的"归焉"。入辽后，官至大同军节度使、检校司徒、上将军兼御史大夫，食邑三百户，作为朝官在燕京（今北京）任职，死后赠官太傅。他于应历八年（958年）病逝于燕京肃慎坊的家中，享年57岁。18年后，其夫人康氏于保宁八年（976年）病逝于云州（今大同）丰稔坊私第，年65岁。乾亨四年（982年），许从赟遗骨迁于燕京，夫妇二人合葬于云中县权宝里。墓志未记许从赟籍贯，但从许氏生平履历、婚姻和葬地等综合考察，他的籍贯应该在云州。辽代文献中无云中县确切位置的记载，该墓志为确定其位置提供了重要的线索。墓志中共记载许从赟夫妇及其子女等十余人，而见诸文献记载的仅许从赟一人，且文字简略。志文可补史籍之缺。简报未录志文全文。

　　简报指出，晚唐时期，中原地区小型墓葬中开始出现仿木结构建筑的砖雕墓。1987年，大同市振华南街还曾发掘过一座罕见的唐末天祐年间（904～907年）的圆形大型砖雕墓。这种墓葬形制在五代时期得到进一步发展：一方面，仿木结构部分日趋复杂；另一方面，汉唐以来高等级墓葬中的壁画被继承下来，辽代以北境内出现了大量集影作砖雕与彩色壁画于一体的墓葬。

　　简报指出，地处长城地带的燕云地区虽然在石敬瑭的政治交易中易主契丹人，

但该地区的文化面貌仍以汉文化为主流。晚唐、五代以来，回鹘、沙陀、吐谷浑、契丹等均到过这里，同时这里又长期受到突厥文化以及草原游牧民族生活习俗的影响，墓多以圆形为主。辽西京府建立后，契丹人开始大量涌入大同，西京区域文化中的契丹化倾向日渐明显。辽墓中象征地毯的地面彩绘、壁画中的驼车、髡发契丹人物形象等契丹文化因素在燕云地区均较常见。燕云地区已发现的辽代墓葬集中于北京、张家口和大同三地，总数有100座左右，然而辽代早期大型纪年壁画墓发现极少，过去仅在北京南郊发掘过应历八年（958年）的赵德钧墓1座。许从赟墓的发掘可填补这一缺环，对于我们认识辽代早期大型壁画墓的基本特征以及辽墓形制和墓葬壁画的发展序列殊为重要。

除了墓志，许从赟墓出土大型彩绘组合式陶器3件，其中的将军罐与枭首壶皆由器身与底座两部分组成，喇叭口形器则由三部分组成。将军罐或称塔式罐，唐墓中多有出土，是北方唐墓中十分重要的冥器。与唐代将军罐相比，许从赟墓出土将军罐的罐盖更高，超过器物通高的一半。通体的附加装饰更为繁缛，器盖顶端有两周外翘的莲瓣装饰，这也是同类器中罕见的，可能是一种地方特色。喇叭口形器的名称似未必确切，这类器物在大同辽墓中也已多次发现，但以许从赟墓中所见个体最大、结构与纹饰也最为繁杂。就目前资料而言，其用途与演变不明，推测可能与焚烧纸扎或佛教活动有关。墓中出土的7件铁器，从一些器物表现的疤痕和大小分析，可能都是冥器。

至于建筑，简报指出，在墓门墙与墓室的影作彩绘中，柱头铺作的卢斗直接放置于柱头上而不用普柏枋，这与现存的唐代和五代的一些建筑实物是一致的，是隋唐五代木构建筑的典型作法。许从赟墓室建筑的结构特征反映了辽初木结构建筑的真实面貌，这对于完整地了解唐宋之间我国木构建筑的演变具有重要意义。

139.山西大同市东郊马家堡辽墓

作　者：大同市博物馆　曹臣明等
出　处：《考古》2005年第11期

1958年8月，在山西省大同市东郊马家堡村附近发现一座辽代砖室壁画墓（编号为马M1）。该墓位于村西北约0.5公里，西距大同市区约2公里。考古人员进行了抢救性发掘。该墓墓顶已塌毁，室内填满淤泥，壁画剥落严重，图像模糊不清。但随葬的几件瓷器和一具釉陶棺保存较好，颇为珍贵。简报分为：一、墓室结构和葬具，二、随葬器物，三、结语，共三个部分。有彩照、手绘图。

据介绍，该墓为一现面呈圆形的砖室壁画墓，穹隆顶，带甬道，墓室后半部砖砌棺床。棺床上南北向放置一具釉陶棺，大头向北，内装骨灰。棺床前东侧放置 5 件随葬品，有釉陶三联壶、瓷碗、瓷注壶和 2 件瓷碟。釉陶棺为白色高岭土低温烧制而成。棺体由棺盖和棺身两部分组成。盖顶为拱形，上面刻划交叉的菱形方格，方格内外刻海棠、菊花等纹饰。盖顶四周堆贴卷云纹。棺身前大后小，近底部堆塑一周柱脚，形成棺座。棺身前面嵌小门，两侧面及后面堆塑缠枝牡丹图案，各壁周边堆贴高浮雕卷草纹带。棺外施黄、绿双色釉。该墓年代，简报推断为辽代晚期。

简报指出，契丹（辽）于 938 年占据云州（即今大同和朔州两市辖区），但是一直到 11 世纪初，云州还只是契丹（辽）西南边界的一个军事重镇。这里战事频繁，人口稀少，文化、经济长期得不到恢复。早期辽墓具有随葬大量陶器却没有任何瓷器的特点，也是当地经济、文化落后的反映。1004 年宋辽"澶渊之盟"以后，云州的经济、文化迅速恢复和发展起来，特别是重熙十三年（1044 年）云州改为西京道及大同府之后，政治地位提高了，各方面均出现繁荣的景象。地方的制瓷业发达，佛教盛行。反映在墓葬方面，出现了大批以瓷器为主要随葬品、实行火葬的辽晚期墓葬。马家堡辽墓墓室平面为圆形，穹隆顶，有壁画、沟纹砖，这些都是大同地区辽墓常见的特征。墓中所出随葬品大部分为瓷器且实行火葬，也符合本地区晚期辽墓的特点。釉陶棺、瓷器和釉陶器的出土，也表明辽晚期境内手工业较发达，但工艺技术明显受定窑影响，这表明辽境与中原的交流在当时是很活跃的。

140.山西大同机车厂辽代壁画墓

作　者：大同市考古研究所　李白军等
出　处：《文物》2006 年第 10 期

2004 年 6 月，大同机车厂在新建职工住宅楼北侧发现一座古代墓葬，并在墓葬周围进行了调查和钻探，确认为一座辽代单室砖墓。简报分为：一、墓葬概况，二、壁画，三、出土器物，四、结语，共四个部分。有彩照、手绘图。

据介绍，该墓位于大同市西南隅、机车厂厂区南，东北距大同明代府城四牌楼 4.5 公里。墓葬为斜坡墓道砖构单室墓，由墓道、墓门和墓室三部分组成。该墓曾被盗，原墓石碑仅存碑座。简报推断该墓为辽代早期墓葬，壁画或为此次发掘最大收获。据考古发掘，大同（辽西京）的辽代壁画墓多发现于大同西南郊。大同辽代壁画墓不管时间早晚，无论从时代或形式上都有自己的特点。它既受北方契丹文化的影响，又受到中原文化的浸染，加之本地区文化、习俗及传统模式的制约，与上京、中京的契丹墓葬和其南的宋墓都有相同和不同之处，并且与近邻南京（今北京）一带的辽代壁画墓也有诸多不同。

141.山西大同市辽墓的发掘

作　者：暨南大学历史系、大同市博物馆　王银田、解廷琦、周雪松等
出　处：《考古》2007年第8期

20世纪50年代以来，在大同市城郊先后发掘和清理了数十座辽墓。本简报分为：一、南关辽墓，二、五法村辽墓，三、周家店辽代壁画墓，四、结语，共四个部分。遴选其中5座尚未报告者予以介绍，其中有1座竖穴土坑墓、1座砖室墓和3座砖室壁画墓。有照片、手绘图。

据介绍，清理的5座辽墓出土遗物较少，主要遗存为壁画。其中周家店辽墓为砖雕影作仿木结构，是辽代早期唐、宋建筑结构演变的又一实例。五法村辽墓壁画是辽代早期偏晚的遗存。南关M2则是大同辽代壁画墓由早期向晚期的过渡形态。大同辽代壁画墓在宋、辽时期的墓葬壁画遗存中具有独特的风格。

简报称，已发现的辽西京墓葬多数集中在今大同市区周围。南关M1平面呈圆形，直径仅1米多，石棺，火葬，是辽西京平民阶层最为常见的墓形。南关M3可能是迁葬，出土的白瓷碟是辽墓中常见的随葬品。南关M2与五法村壁画墓的墓主人应属于中小地主，但无官爵。据研究，大同辽代早期壁画墓大致有如下特征：墓室平面多呈圆形，所绘立柱以六根或八根为主；顶部绘制星象图；立壁上端与券拱处绘建筑斗拱等梁架结构，下层壁画绘男侍女婢、门窗等，较晚期简单，尤其是出行、散乐等特点尚未形成，所以各壁画面缺乏较为固定的内容，由多人组成的画面难以见到，此时的绘画技法也远不及晚期成熟。辽代晚期墓壁画已是"程式化"，墓室各面的壁画都有较为固定的内容。自石敬瑭割燕云十六州给契丹后，随着契丹人的大批迁入，这里的文化有着浓郁的契丹化倾向，这在大同辽代墓葬壁画中表现得最为突出：入辽以后，尤其是辽设西京府后，流行于北方民族的圆领窄袖长衫遍及朝野，男女皆穿，源于草原毡帐的圆形墓室及棺床上流行的彩绘地毯，驼车及牧马、牧牛、牧羊图等，形象地反映了大同辽代文化的独特面貌。

简报指出，与东北、内蒙古发现的辽墓壁画相比，大同辽墓壁画以反映居室生活为主，许多是反映室内、庭院生活的场面。早期辽代壁画墓为仿木结构，用柱六根，间成七幅画面，柱间各面或绘板门，或绘直棂栿，或绘大衣架、灯檠等。在板门、直棂窗、大衣架等两侧绘制侍官图、侍女图、会客图、备膳图、灯檠侍女图等。壁画人物面相浑圆，神情各异，线条流畅，特别是侍女丰颐红颊，头梳高髻，广袖宽袍，似有唐俑遗风。而辽宁、内蒙古的多数辽代墓葬壁画则以反映室外生活场景为主，如法库叶茂台辽墓中的骑猎图，喀喇沁旗娄子店1号墓西壁的放牧图等，反映了粗犷、豪放的风格。上京、中京等辽代墓壁画的出行图与归来图分布在墓道两壁，场面大，

人物多；而大同辽墓壁画早期不见出行图，晚期有出行图而无归来图，且规模较小，反映了当时的出殡情况也较为简单，说明上京与中京的厚葬之风对西京的影响甚微，辽上京、中京墓葬壁画常有山水画，而大同基本上不见。大同辽代壁画墓既受北方契丹文化的影响，又受到中原宋文化的影响，加上本地文化、习俗传统模式的制约，使它在宋、辽时期的墓葬壁画遗存中具有自己独特的风格。

142.山西大同东风里辽代壁画墓发掘简报

作　者：山西省大同市考古研究所　江伟伟等
出　处：《文物》2013 年第 10 期

2011 年 4 月，考古人员抢救性发掘了一座砖砌古墓（编号 M1）。M1 位于大同市东风里东街北侧，东距大同火车站约 1 公里。墓葬周围为居民区，地势较平坦，墓室建在距现地表 1.5 米以下的细沙与河卵石混杂的沙砾层中。墓葬出土器物不多，但壁画保存完整，是较为重要的发现。简报分为四个部分，将"壁画"专门列为一个部分，有多幅彩照及手绘图。

第一部分"墓葬概况"介绍说，该墓为素面沟纹砖砌筑的单室砖墓，坐北朝南，由墓道、甬道和墓室三部分组成。从砖床被毁和随葬品位置凌乱等情况看，该墓早年曾被盗扰，墓室内有积土。墓室顶部和墓道遭到施工破坏。墓砖均为单面有七道沟纹的青色条砖，长 37 厘米、宽 18 厘米、厚 7 厘米。

第二部分"壁画"介绍说，壁画布满墓室内壁，除顶部有少许破坏外其余保存较好，总面积约 15 平方米。制作方法是在已砌好的砖壁上抹约 1.5 厘米厚的草拌泥，其上施 0.2 ~ 0.5 厘米厚的白灰膏，打平抹光后，在白灰膏上作画。壁画布局依其内容从上至下可分为三层：上层为墓室的穹隆顶，彩绘星宿图；中层为影作的仿木构建筑；下层画面以人物为主，用立柱将其分成四幅，每幅图案又加绘土黄色小边框，单独成图。技法分两种：一是敷色不勾轮廓；二是用黑、黑蓝或褐色线条勾出轮廓，而后平涂朱、黄、蓝、绿、指等色。影作仿木构建筑、画面边框和星宿图采用第一种技法，其余采用后一种。

至于壁画内容，简报介绍说，顶部壁画为彩绘星宿图，中层壁画为影作的仿木构建筑，南壁壁画为男、女门侍图，西壁壁画为农耕和出行图，此壁壁画为起居图。东壁壁画为侍酒散乐图和吉祥图。壁画包含有丰富的文化信息。如起居图中，绘有一张透视效果的宽大寝床，还绘有一只黑地白花猫。

第三部分"出土器物"。石雕真容偶像 1 躯、石供桌 1 件、影青小碗 1 件、影青高足碗 2 件、白釉小碟 2 件、鎏金铜押印 1 枚、铜镊 1 件、骨耳勺 1 件、琥珀童子 1 件、玉串饰 2 件、蜡烛 1 根。

第四部分"结语",简报认为该墓年代应为辽代晚期。因未发现墓志,墓主人估计为具有一定等级身份及宗教信仰的汉人。简报说,墓室西壁所绘的马球杖显示墓主人有一定等级身份。墓室内出土的石雕真容偶像是一种葬具,以墓主人的真容出现,采用真容偶像代替身体下葬应当来自当时佛教丧葬文化的有关传统,此种葬法只有在一定层面或达到一定境界的汉人才能享用,契丹人不用此法。墓室北壁左侧侍从所执经卷,也表明墓主人为信佛之人。此墓未见骨灰,和一般辽墓中火葬后直接装入骨灰罐或石棺的葬俗不同,这种葬式在大同目前发掘的辽代墓中尚属首次发现。

朔州市

143.山西应县佛宫寺木塔内发现辽代珍贵文物

作　者:国家文物局文物保护科学技术研究所、山西省古代建筑保护研究所、山西省雁北地区文物工作站、山西省应县木塔文物保管所　张畅耕、毕素娟、郑恩淮等

出　处:《文物》1982 年第 6 期

山西应县佛宫寺释迦塔(木塔),建于契丹清宁二年(1056 年),规模宏伟,是我国古代建筑中的瑰宝。1961 年 3 月 4 日,经国务院公布为全国重点文物保护单位。木塔建立九百余年来,由于地震、风雨剥蚀及战争等自然与人为灾害的影响,致部分承重构件压损劈裂,易损构件残缺腐朽,阶基局部塌毁,塔身已见扭转变形。"文化大革命"之初,塔内塑像又遭破坏。根据建筑专家杨廷保等同志的意见,从 1974年起,对木塔进行了抢险加固工程。施工过程中,在塑像内陆续发现了一批辽代的珍贵文物。简报分为:文物的发现与修复整理、文物内容、文物的入藏年代,共三个部分予以介绍,有照片。

据介绍,1974 年 7 月 2 日,文物工作人员自上而下逐层检查木塔塑像的残破情况。发现四层主像(释迦)胸背部开洞。从残破处看到,塑像系木构骨架,装板缠绳,外敷薄泥后装饰成型。木架中柱上端相当塑像胸部,有一凹槽,罩板及槽内藏物已失,木架中柱的凹槽以下,有一长方形竖槽。以木棍探之,感觉内中有物,经设法提取,得到卷轴 2 件。一为刻经,一为绘画《神农采药图》。后继续进行清理,又发现一批卷轴文物分层立放于竖槽之内。竖槽下端与塑像盘膝部位的木架相接,其间散乱

放置刻经、写经、刻书及大量经书碎片，并有黄鼠骨架一具。简报推断这批文物的入藏时间，应与塑像同时，即在辽末金初。

简报称，木塔发现辽代刻经47件，刻书与杂刻8种，板刻印刷佛像6件。只此一端，已大大填补了我国印刷史的空白。其中契丹藏的发现，尤为国内外学者提供了多年来所希望见到的珍贵实物。至于其在历史、文学、艺术、宗教以及科学技术等方面所起的作用和贡献，均有待于进一步深入研究。根据刻经和写本题记，这批文物经统和迄天庆，绵延近120年。引人注目的是，这些纸质优良、印刷精美的契丹藏和大部分刻书、刻经，是在燕京雕板印制的。当时的燕京是北方地区政治、经济和文化的中心。木塔辽文物的发现，为北方佛教史的研究、木塔的兴建历史的探索都提供了重要资料。

144.山西朔县金代火葬墓

作　者：宁立新
出　处：《文物》1987年第6期

1983年7月，为配合平朔煤矿施工建设，考古人员在朔县北旺庄汉墓群南缘，探出并清理了3座古代墓葬，分别编号为M105、M106、M109。3墓呈品字形分布，墓道向着品字的中心，发掘时地表无封土及其他遗存。简报配以照片、拓片予以说明。

据介绍，3墓均由墓室、墓道组成，出土有陶器、铜器、铜钱等。简报推断其年代为金代。墓室中墓壁上挖有若干壁龛，每个壁龛上放有陶质或瓷质骨灰罐，当为火葬墓。此处当为一家族墓地，反映的是女真族的墓葬习俗。

简报称，朔县地处雁门关外，金代为顺义军治所，受契丹、女真贵族统治时间较长。这批火葬墓的发现，为该地区辽金时代考古学文化增添了新的内容，对研究当时的丧葬制度具有一定意义。

145.朔州出土金代墓志

作　者：高士英
出　处：《考古与文物》2001年第2期

1983年山西朔州城区修筑通往南河槽的地下污水道，在南关外瓦瓷地挖出一座金代砖券石棺墓。石棺为细白砂石雕成。棺内只留骨灰，出土铜镜和正隆元宝铜钱十多斤，均被当时挖土方工人卖到城关供销社废品收购站。唯有墓志一方仍在石棺外不远处泥土里掩埋着，半块外露，清理出来尚完好。该墓志为石灰岩质，镌刻楷书 18 行，共 310 字，简报录有墓志铭全文，并配以拓片予以介绍。

据介绍，从墓主人李汝为的年庚，发现金代海陵王完颜亮的正隆年号，不是丙子年开始，应是甲戌年开始。这比现在所有的工具书中的历史年表记述得都早二年，是值得探讨的问题。《现代汉语辞典》《新华辞典》和《中国历史地名辞典》等工具书所附录的历代纪年表中，所有正隆年号都是丙子年（1156 年）开始的，没有"甲戌"字样。像金代"名家之子"李汝为和撰墓志铭的秦八元，对干支纪年的使用应该都不会有误，特别是作为生日的"正隆甲戌岁三月九日"，李汝为与其妻、子不会记错，为李汝为撰写墓志的"承德郎""飞骑尉"秦八元是李的好友，更不会写错。据此，金代"正隆"有"甲戌"岁，比"丙子"早了二年，所以正隆年号应始于甲戌，是理所当然的常识问题。这是这一墓志留给我们的最大一个问题。

忻州市

146.山西繁峙岩上寺的金代壁画

作　者：忻县地区文化局、繁峙县文化局　张亚平、赵晋樟

出　处：《文物》1979 年第 2 期

在天岩山北麓，位于山西省繁峙县境内的天岩村岩上寺，原名灵岩院，创建于金正隆三年（1158 年），距今 800 余年。价值最大的是四周的壁画，其绘画技巧的精湛，表现内容的丰富，堪称我国古代壁画中稀有的精品，具有很高的历史和艺术价值。这组壁画，过去没有受到应有的重视。1973 年复查时，从壁画的题记上发现它是金代的遗物。据画上题记和寺内碑碣考证，作者为王逵，身份是御前承应画匠，于金大定七年（1167 年，南宋乾道三年）画完，时年 68 岁。简报配以照片予以介绍。

简报介绍，殿内各壁，以东、西壁及北壁东梢间笔墨技巧最佳，构图紧凑完整，笔法细腻自然，应主要是王氏亲笔。其余各壁构图均略松散，与东、西壁不似出于一人之于。据寺内金正隆三年石刻记载，有绘画人王道，这些可能就是出于王道之笔。

岩上寺南殿壁画，不论在绘画史上，还是就所反映内容的史料价值说，都是极其珍贵的。金代绘画传世甚少，就目前所知，有署名者更是寥寥无几，且多是卷轴画，或出于文人遣兴之作。像这样有确切年代，出于金代宫廷画匠之手的高水平的巨制，在过去是从未见过的。岩上寺壁画的发现，对于全面、正确地了解金代绘画特点，重新估计金代绘画水平，是极重要的材料。从年龄上推算，北宋亡时，王氏年已 28 岁，或是被俘入金的宋代画工。

简报称，岩上寺壁画既是研究金代宫殿的珍贵形象资料，也是探索宋元宫殿形制、研究我国建筑历史的可靠依据。此外，画中的人物衣冠服饰、仪仗执事、车格鞍辔、旗帜伞扇等都描绘细致，有很高的史料价值。

147.山西河曲出土四方金代官印

作　者：马福善

出　处：《文物》1988 年第 5 期

山西省河曲县博物馆藏有四方金代铜质官印，简报配以照片予以介绍。

简报介绍有：尚书户部之印。1985 年夏出土于河曲县城东南约 1 公里处的砖场。印正方形，7 厘米，矩形直柄，印文为阳文九叠篆。

都统之印。与前印同出。印正方形，边长 7 厘米，矩形柄，印文为阳文九叠篆。

万户之印。与前两方印同出。印正方形，边长 6 厘米，矩形柄，印文为阳文九叠篆。

宣差规措所印。20 世纪 70 年代出土于河曲县城关岱岳殿村。印正方形，边长 6.5 厘米，杙纽，印文为阳文九叠篆。印背有款，刀迹浅且蚀泐较重，右款为"兴定四年正月"，左款为"行宫礼部造"。印上部立侧面有"宣差规措所印"款。印纽顶端刻"上"字。兴定为金宣宗年号，兴定四年为 1220 年。

阳泉市

晋中市

吕梁市

148.山西孝义下吐京和梁家庄金、元墓发掘简报

作　者：山西省文物管理委员会、山西省考古研究所　解希恭

出　处：《考古》1960 年第 7 期

下吐京村在张家庄西 10 公里左右。梁家庄在张家庄村西 2.5 公里。考古人员在

1959 年 6 ～ 8 月，在下吐京发掘金墓一座、元墓一座，而在梁家庄发掘元墓一座。简报分为：一、金墓，二、元墓，共两个部分。有照片、手绘图。

据介绍，金墓在张家庄西 10 公里下吐京村东北。墓系砖砌平面八角形仿木构建筑的单室墓，有砖雕。两座元墓也有砖雕。梁家庄元墓内出土有砖质朱书（元大德元年即 1297 年）买地券；下吐京墓没有文字记载，但从它的建筑形式和壁画的风格以及人物服饰等观察，与梁家庄元墓大体相同，因而简报推测它应与梁家庄元墓是同一时期的。

149.山西文水北峪口的一座古墓

作　者：山西省文物管理委员会、山西省考古研究所　冯文海
出　处：《考古》1961 年第 3 期

1960 年 6 月中旬，文水县北峪口发现了一座画像石墓。考古人员对此墓进行清理。另在墓前 15 米处，发现宋铜钱两瓮，300 余公斤，钱上有嘉祐、元祐和崇宁等年号。简报配以照片、手绘图予以介绍。

据介绍，此墓为石砌八角形仿木构建筑的单室墓。墓中有人骨 3 具，随葬 3 件瓷器，墓壁共有人物、花卉等线雕 9 块。简报推断墓葬年代为元末明初，墓主非一般平民，可能是其始祖蔚少回之墓。

150.柳林县出土黑釉铁锈花长颈瓶

作　者：李　勇
出　处：《文物》1986 年第 8 期

1983 年，山西省柳林县薛村农民在建房时发现了一件黑釉铁锈花长颈瓶。简报配以照片予以介绍。

据介绍，该瓶通体施较厚的黑釉，底足露土红色胎。因采用蘸釉方法，在腹下部近足落胎处有流釉痕迹，腹部绘有三朵像蒲公英叶状的铁锈花，浸在黑釉层中，醒目清晰。同时，出土的还有一件黑釉碗，敞口，浅腹，圈足，口沿内折，碗壁较薄，足部露胎，碗内壁绘有铁锈花草叶纹，底心一圈刮釉，系砂圈叠烧。从它们的造型及工艺特点来看，当为金代遗物。

简报指出，在黑釉器上作铁锈花装饰，是宋代窑工的一种创新。它是用一种呈色为赭色的氧化物，在黑釉上画花，入窑烧造而成。这件黑釉铁锈花长颈瓶，纹饰形象写实，造型优美，具有鲜明的民间艺术风格，是金代的优秀作品。

151.山西石楼发现的三方官印

作　者：杨绍舜

出　处：《考古》1986 年第 2 期

山西石楼发现三方官印，简报配以拓片予以介绍。

据介绍，官印有：（一）肥乡县尉朱记。1982 年秋天，西卫公社刘家塔村一农民在耕地时发现一方铜印。印为长方形，重 275 克，有铭文，简报推断为宋代遗物。（二）提控之印。1980 年春季，义牒公社农民任文海在地里劳动时发现了一方古印，印为铜质，重 950 克，有铭文。"提控"在宣帝时已是领兵之官，州、县各有提控官。（三）都统之印。1981 年 7 月 16 日，龙交公社下庄河大队吉家垣村农民辛子业在村东地名叫莹条的地里，锄山药蛋时发现铜印一方，印为正方形，重 575 克，有铭文。从形制和印文内容看，简报推断此印时代为金代末期。

152.汾阳北榆苑五岳庙调查简报

作　者：刘永生、商彤流

出　处：《文物》1991 年第 12 期

1986 年 7 月，考古人员配合孝义至柳林铁路基建工程进行文物调查时，于线路经过的汾阳县三泉镇北榆苑村五岳庙内，发现两座元代建筑和壁画。简报分为：一、五岳殿，二、水仙殿，三、小结，共三部分并配以照片予以介绍。

据介绍，北榆苑村位于汾阳县城西南 20 公里处，五岳庙平面布局可分为三部分：前院有庙门和部分窑洞；中院为戏台和成一字排列的殿宇，殿宇中的五岳殿居中正对戏台，东侧为水仙殿、龙王殿，西侧为圣母殿，后院是自成一体的小院，为窑洞建筑。五岳庙是道教寺庙，庙内五岳殿檐下现存两通清代维修碑记，记载了庙内殿堂的修建年代和名称。据清道光元年重修五岳大庙碑志，庙中五岳殿、水仙殿和圣母殿均为元代修建，但根据现存建筑结构情况和梁架上题记，圣母殿已经明、清改建，无元代建筑遗迹；龙王殿为清乾隆六年（1741 年）修造，其余如戏台、窑洞等亦是清代修建。而较完整地保存元代建筑原状的仅有五岳殿和水仙殿。水仙殿中还保留有元代壁画。

此次调查的另一大收获是五岳庙五岳、水仙两殿中梁枋上布满墨书题记，除记叙有关两殿建造及维修时间的内容外，还涉及一些其他问题，也有重要的资料价值。如题记反映了五岳庙所在的北榆苑村元代行政归属和地方行政管理的情况。记有县主簿、县尉的官职和题名，还有社长、村长、里正、乡老等人员的姓名和官职。题记也保存了与文化艺术有关的资料线索。汾阳是山西梆子（晋剧）的发源地。但当地元以前的戏剧资料极少见，五岳殿梁枋题记中有"大散乐……"字样。又如水仙殿有题记"画待诏汾州同节坊郭从礼、琉璃待诏六院庄任廿宗"，为研究元代工艺匠人的称谓、组织提供了资料。

153.山西孝义市发现一座金墓

作　者：孝义市博物馆　康孝红
出　处：《考古》2001 年第 4 期

1992 年 11 月，在山西省孝义市经济开发区工地筑路挖基时，发现一座金墓（编号为 M1）。该墓位于孝义市新义东街路北 200 米，人民医院东约 300 米处。考古人员对此墓进行了清理。现将发掘情况简介如下。简报配以手绘图予以介绍。

据介绍，该墓为八角券顶式单室合葬砖墓，平面呈抹角八边形。由墓道、墓门、墓室组成，出土器物有陶器、瓷器及买地券。买地券朱砂写有铭文"维大安元年……"等 268 字，简报录有铭文全文。从该墓形制和所出瓷枕、陶楼等器物来看，具有南宋（金）时期的风格；从墓志铭文来看，大安为金完颜永济的年号，其元年为公元 1209 年，即己巳年，简报推断此墓年代应为金代。

154.山西兴县红峪村元至大二年壁画墓

作　者：山西大学科学技术哲学研究中心、山西省考古研究所、山西博物院
　　　　韩炳华、霍宝强等
出　处：《文物》2011 年第 2 期

2008 年 5 月，山西兴县康宁镇附近发现被盗墓葬，考古人员前往调查，并在山西兴县康宁镇红峪村发掘了一座壁画墓。简报分为：一、墓葬位置及形制，二、壁画，三、结语，共三个部分。有彩照、手绘图。

据介绍，墓位于红峪村北山梁上，南距北峪村约 3 公里，北距兴县县城约 25 公里。墓葬坐西朝东，由墓道、封门石、甬道、墓门及墓室组成，墓室为八角形，为夫妇合葬墓。墓顶和墓室皆绘有壁画，包括花卉、鞍马、墓主夫妇对坐图、备茶图及孝行故事等。西壁墓主夫妇之间有一牌位，题有墓主武庆及其妻景氏名字，其后座屏上题有马致远所作《天净沙·秋思》。西南壁上题记中有元代至大二年（1309 年）纪年。推断该墓建造的确切时间是公元 1309 年五月初十。由题记知墓主人为武庆和景氏夫妇，应是富裕的汉族地主或小官吏。

此次发掘的一大收获是墓葬壁画中题记较多，成为研究当时社会历史状况非常重要的史料。墓室西壁题记内容应源自元代马致远《越调·天净沙·秋思》。世传马致远所作《天净沙·秋思》一般为：

枯藤老树昏鸦，小桥流水人家，古道西风瘦马。夕阳西下，断肠人在天涯。

最早见于元周德清《中原音韵》。元盛如梓《庶斋老学丛谈》卷中下，收录文字略有差异，曰：

北方士友传沙漠小同三阕，颇能状其景：枯藤老树昏鸦，远山流水人家，古道西风瘦马。夕阳西下，断肠人在天涯。

今人范春义钩稽史料，以为此曲元人著录均作无名氏，明人始系于马致远名下。

由此看来，此曲当时在北方颇为流行，且版本多异，元人著录失其名氏，亦近情理。马致远被誉为元曲四大家之一，在当时就已经非常出名。此墓葬的建造年代离马致远活动的时间不远，墓葬所处地点在当时也是比较偏僻的地方，可见这首曲子在当时有较大影响力。壁画作者将其写为"西江月"，内容也与现在流行的版本稍有不同，可能是传诵导致。墓葬倚柱壁画描绘的是当时广为流传的二十四孝中的四个故事，"孟宗哭笋""蔡顺分椹""时礼涌泉"和"黄香扇枕"。"时礼涌泉"这种表述在二十四孝中从未出现过，但通过画面可以推断是"姜诗行孝"的故事。壁画中墓主人所戴藤帽，也证实《事林广记》所载不虚。

长治市

155.山西长治李村沟壁画墓清理

作　者：王秀生

出　处：《考古》1965 年第 7 期

1964 年 10 月下旬，在长治城北 13 公里的李村沟东约 500 米，在地面下 0.8 米处，发现一座砖建墓顶，发现后墓顶封顶石被揭开，墓内被填满石块。考古人员前去重新作了清理。惜部分建筑，如昂、耍头、椽、瓦等多数残破，壁画亦大部漫漶不清。据原发现人说，原有八个黑、白瓷碗分置于耍头上，现已残碎。因该墓较深，室内涌积泉水，水面至地砖深 0.38 米。将整个墓室清理一遍后，未发现随葬品。仅有腐朽棺板数块，系柏木做成，厚约 5 厘米。铁棺钉一枚，白瓷片一片。简报分为：一、发掘经过，二、墓室结构，三、墓的装饰，四、小结，共四个部分。有拓片、照片。

据介绍，此墓为带墓道的砖砌单室墓，分墓道、甬道、墓室三部分，墓道为长方形竖穴。墓室除四壁砖砌部分外，均涂白灰一层，上绘彩色壁画。从人物周围所留痕迹观察，壁画的绘法似是先用碳块起稿，再以墨线勾出轮廓，线条精炼、流畅，而后涂色，墓内仿木建筑部分，除拱眼壁涂白灰一层，上绘花卉外，皆刷土红色，施彩单彩彩画。北壁须弥座束腰嵌镶四块刻花砖、减地造。左起顺序为：狮子、牡丹、荷花、菊花。主体布在菱形图案纹内，四角填以菊花和五瓣形花瓣。其中尤以狮子雕工精细，姿态生动，口衔绣球系带，上飘流云。

简报称，此墓中无墓志记载和题记，又无出土器物。南壁东侧龛内卷面墨书七字是墓中唯一的文字资料，但又剥落不可辨识，故此墓的绝对年代与墓主人的社会地位无据可考。

由这座墓的仿木构建筑形制，尤其是壁画的作风，简报推断该墓是金代的墓葬。墓中壁画人物的衣饰发式也具有少数民族习俗特征，如男侍的发式为前面分梳三片，向后结成长辫等，都是值得注意的资料。

156.山西长治市故漳金代纪年墓

作　者：长治市博物馆　王进先

出　处：《考古》1984 年第 8 期

1981 年 4 月 2 日，在山西省长治市北约 30 公里，故漳公社故漳村农民挖房基时发现一座古墓。考古人员前往现场进行了调查。此墓为金大定二十九年建造的仿木建筑结构砖室墓。属二次迁葬。发现前，墓掩埋于地表 1.5 米深土内，被推土机推出墓顶。墓室已有人进入被扰动。为了进一步搞清情况，于 4 月 3 日至 30 日进行了清理与临摹工作。简报分为：一、墓室结构，二、彩绘壁画，三、随葬情况，四、结语，共四个部分。有手绘图、拓片、照片。

据介绍，故漳一带为土丘陵地。村西北 1 公里有故县村，南行 1.5 公里是漳河水库大坝。墓地就在村西北端通往故县村路旁的土丘上。这座仿木建结构的砖室墓由墓道、墓门、主室及东西耳室组成。墓主室内采用宋金时期常见的整体粉饰的彩绘装饰。色彩以土朱、白、黑为主。出土器物有残瓷枕、棺钉、陶罐、货币等。从墨书知墓主人在世时身为敦武校尉，为从八品官。墓主人卒于金大定二十九年一月（1189 年），享年 86 岁，推断他的生年应是宋徽宗崇宁二年（1103 年），正是北宋末年。简报未录墨书全文。

简报称，墨书中还记述了墓主人在世生活情况与他在职期间曾受过朝廷两次赐恩，经查有关史料均无传，还有待于今后进一步解决。

157.山西长子县石哲金代壁画墓

作　者：山西省考古研究所晋东南工作站　李奉山等
出　处：《文物》1985 年第 6 期

1983 年 12 月，长子县石哲公社石哲大队农民在修房动土时发现金代砖室墓一座，工作站闻讯后前往进行了清理。简报分为：一、墓葬情况，二、墓室壁画，三、小结，共三个部分。有手绘图、照片。

据介绍，石哲大队西距长子县城 11 公里，地处丘陵地带，墓葬发现在村西岭下民房后。墓室为砖筑仿木结构，平面呈方形，东壁北侧直棂窗上有墨书题记 17 字，墓室南壁在墓门两侧亦绘壁画。简报推断西南可能为一男二女头南脚北合葬，东北是一男一女头北脚南合葬。随葬品较少，发现白底黑花瓷枕 1 件、白釉和黑釉瓷碗各 1 件、残破宋代铜钱 2 枚。此墓壁画主题为"二十四孝"，画法比较粗疏，但反映了当时大众的服饰和当时的伦理思想与社会习俗。

158.山西长治市捉马村元代壁画墓

作　者：长治市博物馆　王进先
出　处：《文物》1985 年第 6 期

捉马村位于长治市北部，东南有景家庄，西南临角沿村。村南原有石子河东西贯通，因城市建设不断发展，这一带已成为市区。1983 年 6 月，在村南部八一广场市交易中心的建设施工中，于距地表 1.3 米深处发现两座墓葬。墓葬编号为 M1、M2。简报分为：一、墓葬结构与墓室情况，二、墓室壁画，三、结语，共三个部分。有手绘图、照片。

据介绍，两墓的仿木结构基本相同，斗拱均使用最简单的把头绞项作。这种做法虽然简单，但目前保留的实物资料不多。两墓未见被盗痕迹，M1 出土白瓷灯盏、陶罐、铁牛、铁猪各 1 件。元代壁画墓，山西早有发现，但在长治还是初见，其中 M2 壁画保存较好，又有明确的纪年，是此次发掘的主要收获。简报据 M2 题记，推断此墓为大德十一年（1307 年）建造，M1 可能是杨添及李氏、贾氏的合葬墓。

159.山西长治市发现金代石棺

作　者：王进先
出　处：《考古》1986 年第 2 期

1983 年，在进行文物普查中，发现一口有纪年铭刻的石僧棺。据调查证实，该棺是市建工程公司于 1978 年 12 月 28 日在打地道时发现的，出土时棺内放置有用火烧过的骨头，未见他物。简报配以照片予以介绍。

据介绍，石棺采用青石凿成，刻工较为粗糙，式样和木棺大致雷同，前高后低，前宽后窄。棺外四面除后挡头无题铭外，其余前、左、右三面均通体磨光，并用楷书题刻铭文。简报录有全文，中有大金大定二十年（1180 年）字样，知此为金代佛僧墓。

160.山西省长治县郝家庄元墓

作　者：长治市博物馆　王进先、朱晓芳等
出　处：《文物》1987 年第 7 期

1984 年 10 月，山西长治肉联厂在长治县郝家庄西侧太焦（太原—焦作）铁路东侧施工中，发现一座元代墓葬，考古人员闻讯赶到时，墓葬已被扰动，随葬品均已取出。但墓葬形制完整，墓内尚存壁画。简报分为：一、墓室结构，二、墓室壁画，三、随葬器物，四、结语，共四个部分。有照片、手绘图。

据介绍，此墓坐北向南，为方形穹隆顶砖室墓。墓室四壁皆抹泥涂白灰，绘有壁画，壁画以墨线绘制，无其他颜色，人物服饰似有淡黄色，已看不出剥落。出土遗物有瓷器、铁猪、铁牛等。简报推断为元代墓葬。

此次发掘最大的收获当为壁画。简报称，此墓壁画应为民间画师所作，但四壁的画面布局完整，绘画技巧相当娴熟。进入墓室，两侧为仆人，东、西壁有屏风、双扇门、山水挂轴，正面（北壁）画幔帐、床榻，应为象征墓主夫妇所在之处，但又虚位以待。从北壁壁画可以看出，画师对画面有周到的构思，熟练地运用正面透视的手法，使画面有很强的空间感。壁画中的童子启门图特别显示出画师的功力，不但线条流畅自如，而且人物的衣服、毛发、双目墨色亦深浅不同，形象极为生动传神。壁画中的水墨山水，如林泉野屋、山树水渚，画得意境幽远，颇有"文人画"的韵味。墓室壁画中画有竹雀的影屏、三面绘有水墨山水的床榻围屏以及山水挂轴、男童的发式等，在以往元墓壁画中较为少见，为研究元代的室内陈设、服饰等提供了新的材料。

161.山西黎城县发现金代"宣差招抚使印"

作　者：侯艮枝、秦季清
出　处：《考古》1988 年第 12 期

1983 年原晋东南地区博物馆从黎城县东阳关乡、枣镇村、郑树迁家征集到金"宣

差招抚使印"铜印一方，这方铜印原出在枣镇村西侧，甘长公路的东边（距公路 300 余米）的土沟南岸根，河卵石下边，用砖垒砌的一个方坑内。1962 年在修邯长公路时，挖出后保存在家里。简报配以拓片予以介绍。

据介绍，印呈长方形，重 1200 克，长扁方柱状形纽，印面铸阳文九叠篆，二行六字"宣差招抚使印"。这个官印始于金朝晚期，其时间在金宣宗南迁以后，大约 1214 ~ 1234 年这二十年内。"宣差招抚使"这个官职见于《金史》。招抚使是临时派遣的武官，招抚使前常冠以"宣差"，此类印大多属金代末期遗物。

162.山西长治安昌金墓

作　者：长治市博物馆　王进先、朱晓芳
出　处：《文物》1990 年第 5 期

1985 年 7 月，考古人员对长治市北郊安昌村砖窑场一座暴露在外的金明昌六年墓作了调查清理。简报分为：一、墓葬概况，二、壁画及墨题，三、随葬遗物，四、结语，共四个部分。有照片、拓片、手绘图。

据介绍，安昌村位于长治市北郊，距市区 25 公里。此墓原是在取土时发现的，墓内已被扰动，墓东南角已被部分拆毁。此墓为仿木结构砖室墓，由墓道、墓室及耳室三部分组成。墓道上部已毁，高度不明。墓室呈长方形，墓室内有壁画，内容为二十四孝。南壁有墨书题记。此墓曾遭扰动，仅清理出陶罐、铜簪、铁犁、铁镰、铜钱等少量随葬品。据墨题，该墓年代为金明昌六年（1195 年）。

163.山西长治市南郊元代壁画墓

作　者：长治市博物馆　朱晓芳、王进先
出　处：《考古》1996 年第 6 期

1993 年 8 月，山西长治市南郊司马乡北一砖窑厂发现一座暴露在外的古墓。墓早已被破坏，但墓内壁画尚存。简报配以手绘图予以介绍，有照片。

据介绍，此墓为仿木构砖室墓。坐北向南，墓室近方形，穹隆顶，方砖铺地。东西 1.9 米、南北 2.1 米、墓内高 2.62 米。整个墓室均施彩画，墓内券顶部用红、黄、蓝、白等色勾绘覆莲藻井。券壁四坡面均绘有缠枝花卉，南壁用蓝色绘制，东、西、北三壁用黄色绘制。画法均先用笔勾出轮廓，然后填以色彩。内容有"王祥图""曹娥图""董永图""孟宗图"等。此墓时代，简报推断为元代。此次发掘成果对于研究元代的建筑及绘画有重要的参考价值。

164.山西屯留宋村金代壁画墓

作　者：长治市博物馆、山西省考古研究所　王进先、杨林中
出　处：《文物》2003 年第 3 期

1999 年 1 月，屯留县李高乡北部的宋村发现一座砖室墓。该墓已多次被盗，仅残存少许人骨，随葬品尽失。墓内尚存壁画，并有纪年题记，为金太宗天会十三年（1135 年）。考古人员对该墓进行了调查。

简报分为：一、墓葬形制，二、墓室壁画，三、结语，共三个部分。有彩照。

据介绍，此墓为仿木结构砖室墓，墓顶有一盗洞，墓内为二层楼阁形式。墓室四周均有壁画，分上、中、下三层，还有多处墨书题记。南壁两幅有关杂剧的壁画较为独特。这类题材在山西南部墓葬中较为常见，多以雕砖形式出现。而该墓墓室内，杂剧题材以壁画形式出现，填补了山西省金代杂剧壁画的空白。

今有刘晓明先生《杂剧形成史》（中华书局 2007 年版）一书，可参阅。

165.长治出土金代纪年三彩虎枕

作　者：长治市博物馆　崔利民
出　处：《文物》2003 年第 6 期

1996 年 5 月长治县郝家庄村发现金代古墓，考古人员前往调查，在当地公安部门的大力协助下，追缴回一件有纪年的金代三彩莲石鸳鸯纹虎形枕。虎枕遍施黄、白、黑三色釉。枕为卧虎形，白耳、粗眉、圆目，鼻有双孔兼作气孔，大口，犬齿外露，虎体黄色黑斑纹，长尾盘于腹侧。枕面开光，施白釉，绘山石、莲枝、芦苇及鸳鸯嬉戏。底平无釉，露黄色泥胎，中部墨书"贞元三年六月五日王造"10 字。简报配以彩照予以介绍。

简报称，贞元即金代海陵王完颜亮年号，贞元三年为公元 1155 年。虎枕属磁州窑系产品，金代有确切纪年瓷器很少发现金大定以前的产品。一般认为中原地区的陶瓷业是在大定年间得以恢复和发展的，现在看来并非如此。至少黄河以北山西地区陶瓷业在金海陵王迁都后三年就已恢复生产了。简报指出，"贞元三年"三彩莲石鸳鸯纹虎形枕釉色光亮，绘画简练明快，富有浓厚的生活气息。该枕于 1997 年 5 月被定为一级文物。

166.山西屯留宋村金代壁画墓

作　者：山西省考古研究所、长治市博物馆　朱晓芳、杨林中、王进先、杨永杰等
出　处：《文物》2008 年第 8 期

1999 年 10 月，山西屯留县李高乡宋村农民发现了被盗的砖室墓葬，考古人员随即进行了抢救性清理。

简报分为：一、墓室结构，二、墓室壁画，三、结语，共三个部分。有彩照、手绘图。

据介绍，该墓为仿木建筑结构，整个墓室用条砖砌成。墓室平面近方形，东西长 3.3 米、南北宽 2.9 米。攒尖顶，顶高 3.64 米。墓室南壁有拱券形墓门。墓内砌有仿木斗拱及门窗结构。墓内各部均施彩画，保存较好的有"杨香女图""董永图""舜子图""刘明达图""曹娥女图""赵孝宗图"等。

该墓年代，简报推断为金代。

167.山西长子县小关村金代纪年壁画墓

作　者：长治市博物馆　朱晓芳、王进先、李永杰、崔国琳等
出　处：《文物》2008 年第 10 期

1994 年 6 月，长子县西北部小关村砖瓦窑在挖土时发现一座仿木结构砖室墓，墓内已遭扰动，随葬器物皆不存，但壁画保存较好，并有金代大定十四年（1174 年）纪年。

简报分为：一、墓葬结构，二、墓室建筑彩画，三、墓室壁画，四、结语，共四个部分。有彩照、手绘图。

据介绍，此墓为仿木砖室结构，坐北朝南。由墓道、甬道、主室及北耳室组成。主墓室为方形，总高 3.84 米、进深 2.5 米、东西宽 2.5 米。室内横砌棺床。墓门门洞内有墨书文字，竖写"大定十四年三月初八日……"，知此墓年代为大定十四年（1174 年），正逢金代兴盛之时。

简报称，此次发掘最重要收获就是壁画。墓室内柱身、四壁、券顶均有壁画或图案。内容有居家生活、生产劳作、孝子故事等。有关"奈河桥"的壁画表明奈河桥的传说至迟在宋金时已存在。此墓壁画整体设计比较合理，画中人物比例准确，场景的描绘也不乏精彩之处。如在劳作场面中，一个童子摇团扇为休息进食的劳动者降温，动作自然生动，生活气息浓郁，既反映出当时民间绘画的艺术水平，也从侧面反映了当时的社会经济与生产生活状况。

168.山西长治市魏村金代纪年彩绘砖雕墓

作　者：长治市博物馆　王进先、朱晓芳、崔国琳、张斌宏等
出　处：《考古》2009 年第 1 期

故漳乡魏村位于长治市北郊 25 公里。1994 年 9 月，长治电厂在施工中发现一座砖室墓，清理前墓顶部已被撬开，但墓室结构、壁画与砖雕保存较好。考古人员对该墓进行了抢救性清理。简报分为：一、墓室结构，二、墓室壁画与砖雕，三、结语，共三个部分。有彩照、手绘图。

据介绍，该墓为一座仿木结构砖室墓。墓室平面近方形，北、东、西壁各有 3 个壁垒。墓内未见人骨及随葬品。墓内南壁和券顶有壁画，内容为木碓、石磨与"二十八宿"星斗图。墓室四壁均镶砌砖雕，内容为二十四孝人物故事，还有金代天德三年（1151 年）纪年题记。一般认为二十四孝成书于元代，而据此，至少在金代已有流传。这一发现，对宣扬我国孝道文化尤有价值。

简报还指出，宋金墓室中转角处都砌转角柱头铺作，但斗拱之上大都不再装饰由昂等复杂构件，而直接做出屋沿部分。值得注意的是，此墓转角柱头斗拱上却置放了角神，形象如力士。角神在地面建筑上保留的实例已不多见或大部改样，此次发现在各地宋金仿木结构墓室中也是首次，对于《营造法式》大木作制度特别是角神的形制研究有重要意义。

另外，墓室内在墓室南壁墓门两侧壁画内容为常见的磨碾与木碓等生产工具。墓室南壁两侧壁画多为常见的门神武卫及侍人，但此墓将劳动工具绘于此壁两侧却很少见，而且还隐藏人物，这种表现空间意境的绘画手法，也反映出宋金时期的一种新的绘画风格。

169.山西屯留县康庄工业园区元代壁画墓

作　者：山西省考古研究所、长治市文物旅游局、长治市博物馆、屯留县文博馆
　　　　杨林中、王进先、李永杰等
出　处：《考古》2009 年第 12 期

2004 年 7 月，在山西省屯留县李高乡康庄工业园区内进行基建施工时发现了 3 座元代壁画墓。考古人员进行了抢救性发掘。墓葬编号简称 M1 ~ M3。其中，M1、M2 保存较好，壁画较清晰、内容丰富；M3 的壁画则已严重脱落。简报分为：一、M1，二、M2，三、M3，四、结语，共四个部分。有彩照、手绘图。

据介绍，3 墓皆为带墓道的方形砖室墓，穹隆顶，其中两座墓砌有仿木建筑结构。

墓室均有壁画，题材较为丰富，包括门神、侍从、孝子人物故事、神仙故事及星象图等。墓中发现墨书纪年题记，内容涉及墓主身份、墓地位置、墓葬的建造及下葬年代等。其中 M2 年代最早，修建时间可能为至元十三年（1276 年），首次下葬可能是在至元二十二年（1285 年），大德八年（1304 年）最终完成了合葬。M1 年代稍晚，修建时间为大德十年（1306 年），第一次下葬的时间为至大二年（1309 年），而到至治元年（1321 年）才最终完成合葬。M3 出现的纪年则最晚，为至正八年（1348 年）。M1、M2 墓室内题记的内容可以相互印证，涉及韩氏祖孙三代诸多相同人名，它们显然属于同一家族的墓葬。M3 与上述两墓位置相近，方向一致，形制也基本相同，但由于墓主并不明确，是否也是同一家族的墓葬还无法肯定。M1 的墓葬结构最为复杂，壁画内容最为丰富，在墓壁上还题写有象征宅第的名号，也进一步说明此墓是最后合葬墓，故而题记中称为"大葬"。

　　简报介绍说，墓中壁画的风格和题材也各有特点。M1 不仅绘制了宋、金时期常见的门神、侍从以及孝子人物故事，还有非常形象的星象图，特别是墓顶的八仙人物图在长治地区是首次发现，对于研究元代绘画史及当时道教的发展状况等具有重要价值。孝子人物故事图在画面的表现手法上强调远山林木的视觉效果，人物和自然场景遥相呼应，意境深远。而 M2 壁画的布局和风格与宋、金时期相比有较大改变，采用了庙堂壁画中大画面的形式，在墓壁预先设计并勾绘出黑色画框，侍女人物、孝子故事等都采用这种大画面的形式来表现。在绘画技法上则采用工笔手法来刻画人物故事，非常精细，人物比例准确，线条流畅，形象生动逼真。这改变了宋、金时期墓室内壁画繁杂拥挤的情况，增加了艺术感染力，是元壁画中难得的佳作。

晋城市

170.金代乐舞杂剧石刻的新发现

作　者：景李虎、王福才、延保全
出　处：《文物》1991 年第 12 期

　　近年来，山西省高平县西李门村新发现一处金代乐舞杂剧石刻，引起了古代乐舞戏剧研究者的兴趣。高平县位于山西东南部古上党地区，金时属泽州。西李门村在高平县城西南约 5 公里处，村边有一高约 300 米的土山，称二仙岭；岭上建有一座古寺庙——二仙庙，新发现的金代乐舞石刻即保存于此庙中。简报配以照片、拓片、手绘图予以介绍。

据介绍，二仙庙坐北朝南，南北长约 70 米、东西宽约 40 米，主要建筑排列在一条南北向的中轴线上，依次为山门、露台及正殿、后殿。在后殿殿基中砌有两块刻有纪年的石刻，所记时间分别为金正隆三年（1158 年）和金大定三年（1163 年）。据大定三年石刻记，此庙始建于唐，金初坍塌后重修。此外，正殿石质门框的门楣上刻有"晋城县莒山乡司徒村众社民户施门一合　正隆二年岁次丁丑仲秋二十日谨记"字样。庙内现存的主要建筑亦为金代风格。

简报称，露台是宋、金时期寺庙中的常设建筑，一般建于庙内正殿的前方，其作用有二：一是用于祭祀供献，二是用作表演歌舞百戏的舞台。二仙庙中的这一露台无疑也是供祭祀和演出之用，只是因庙建于一个小土山上，面积狭小，使得所有建筑难以一一疏朗地排列开来，设计者便因地制宜，巧妙地将露台和正殿连在一起。露台上有雕刻，内容即为金代乐舞杂剧。金人乐舞图中的人物、服饰、风格完全是典型的女真民族特点，说明当时山西地区这种由金人表演的女真民族风格的舞蹈十分流行。北宋末年金人南下时，今山西南部是其较早攻占的地区，金人经过休养生息又以此为基地向南推进，因此金人的文化艺术、生活习俗对这一地区影响较深。到正隆二年，宋王朝南迁已 30 年，金人在这里的统治已相当巩固，经营有了一定成效，金人的生活习俗、文化艺术也在这里广泛传播。高平西李门二仙庙露台金人乐舞石刻图便是这一史实的反映。这处石刻的年代，简报推断为金代前期。

171.陵川龙岩寺金代建筑及金代文物

作　者：中国科学院自然科学史研究所　张驭寰
出　处：《文物》2007 年第 3 期

金代龙岩寺，建在山西省晋东南陵川县境的北部梁泉村。附近地势多为山川，该村的附近略为平坦，龙岩寺就建在这处平地上。龙岩寺南北 55 米、东西 33 米，总占地面积 1815 平方米。全寺以中轴线为主，作左右对称式。在中轴线上建有三座建筑，第一为山门，山门后部接一抱厦（戏台）。第二为中佛殿，即寺中主要的佛殿。第三为后殿，用后排房来充实，共 13 间。寺院两侧为配房，没有厢殿。这样的布局是沿袭北方一般寺院布局的特征。寺院用地宽广，分为前院、后院，前院空地甚多，院中遍植树木，尽显古寺的清幽静谧。其中的中佛殿（亦称"过殿"）是龙岩寺的主殿，也是唯一的一座金代建筑（金天会七年，1129 年），至今保存完好。一般说来，我国许多早期寺庙殿堂建筑都曾被后世修改，例如更换梁架或部分构件，在梁架中改换新材料等。但龙岩寺中佛殿的木结构梁架以及歇山式顶均没有受到大的破坏，也没有做大的修改，这是十分难能可贵的。另外，还发现了金大定三年皇帝的敕牒，简报录有全文。

简报指出，牒实际是皇帝敕给寺院里的文书证件，也是寺院里和尚受戒的证书。早在唐代已经有牒，由尚书省设祠部司，那时度牒已经开始了。辽、金时代的寺院皆有度牒，到辽、金时代有敕牒之事，统由尚书礼部办。考古人员在山西、陕西、河北各地对古建筑考察期间，曾在各寺院发现敕牒，寺院里的度牒、戒牒、牒呈、通牒等，式样很多，发戒者十分严格。

简报认为，一项是中佛殿木结构梁架，为金代建造；另一项就是金代敕牒的实物，是尚书礼部牒，都是非常宝贵的。现龙岩寺已被列为全国重点文物保护单位。

临汾市

172.侯马一金墓中发现戏台模型

作　者：杨文斋

出　处：《文物》1959 年第 6 期

1959 年 1 月中旬，考古人员在侯马配合工程清理地下文物时，发掘了一座董姓古墓。

据介绍，此墓全用磨砖雕刻，仿木构建筑，有堂屋、大门、隔扇、屏风、几凳、花盆，细部雕刻有花鸟兽，以及以墓主人为主的八十多人的故事。最引人注目的，是墓室后壁上方砌有一座舞台，正面宽约 60 厘米，高约 80 厘米，进深约 20 厘米，有 5 个砖雕的舞者站在台上作歌唱表演状。此墓的年代，简报据墓中题记推断为金代。

173.侯马金代董氏墓介绍

作　者：山西省文管会侯马工作站　杨文斋

出　处：《文物》1959 年第 6 期

1959 年 1 月中旬，考古人员发掘了两座金大安二年（1210 年）仿木构雕刻的砖室墓。这两座墓位于侯马镇西三里许，牛村古城南面。墓 1 保存很好，建筑部分完整如新，唯骨架、葬具腐朽过甚。现该墓已搬回修复保管。墓 2 在多年前已被破坏，现残留部分也已采集保存。两墓的门额上都悬挂有买地券，记述买地的过程及一些迷信内容。这块墓地是泰和八年（1208 年）从本村房亲董平家名下买来的，大安二年十一月初一日安葬。墓主人姓董，河东南路绛州曲沃县虒祁乡南方村人，兄弟二人，兄董玘坚，弟董明，同营两墓，各瘗一茔。因为两块地券记载雷同，已不知何者为兄、何者为弟。但墓 1 靠上为主茔，可能是董玘坚的墓；墓 2 居主茔的左下侧，可能是董明的墓。简报分为"墓室结构及内部情况""葬式及遗物"两部分予以介绍，有照片、手绘图。

据介绍，两墓基本相同，由墓道、墓门、墓室组成。墓室为方形，室内布满雕刻，内容丰富。有堂屋、大门、隔扇、屏风、几凳、花盆、人物故事、鸟兽花草、戏台、墓主人雕像、仆从等。实为一座宋、金时代的建筑模型。随葬物品有白瓷碗两个，印花白瓷盘一个，印花青瓷盘一个，小白瓷碗一个，小黑瓷碟一个，竹筷子一双，木梳一个，木质发簪一支，缠线的木樾一件（从轴孔的磨痕上看，这件还是实用器物），另外在一个碗里放有一些谷子。

174.侯马元代墓发掘简报

作　者：山西省文管会侯马工作站　杨富斗等
出　处：《文物》1959 年第 12 期

1959 年 4 月间，考古人员在今侯马西北二里的工地上，发掘了一座元代砖墓。墓室仿木构建筑，并有雕刻及彩绘装饰，结构坚实，保存完好。

简报分为：一、结构及形制，二、墓内的砖雕，三、葬式及遗物，四、结语，共四个部分。有照片。

据介绍，墓坐北向南，长方形竖穴墓。墓室的东、西、北三壁砌有模制花卉砖雕 3 层 13 块，墓室内的棺床上共放有 6 具骨架。东、西、北三边各有二架，未发现棺痕。骨骼除西边二架较完整外，余皆凌乱不堪，看来是再次检骨移葬。根据墓内出土的砖券记载，这 6 具骨架中有立券砖人赵氏，其夫马大和、祖翁马恩、婆婆高氏 4 人。其余二人未写明与墓主人关系，推测当系墓主直系亲属。

随葬品计有铜镜一面，蛋青色釉瓷碗一件，折口黑釉瓷碗二件，带把铜灯一件，砖券两块。根据砖券题记，简报认为墓的营建时代在元延祐元年（1314 年），即仁宗爱育黎拔力八达称帝的第三年。

简报称，关于直系家属丛葬的现象，并不限于此墓一例，侯马 59、H4、M29、31 金墓都是如此，但在晋南地区却未发现过这种墓葬。简报推测或是其他少数民族的一种葬式。

175.山西侯马金墓发掘简报

作　者：山西省文物管理委员会侯马工作站　杨富斗
出　处：《考古》1961 年第 12 期

1959 年以来，在侯马市西郊牛村古城遗址的南面，发掘和清理过 6 座雕砖金墓。其中 1 号和 2 号墓已有简报发表。简报分为：一、31 号墓，二、29 号墓，三、9 号墓，四、5 号墓，五、结语，共五个部分。有照片。

据介绍，这 4 座雕砖金墓中，31 号墓有金大安四年题记，即公元 1212 年。其余 3 墓，从形制结构及雕砖内容看来，都与 31 号墓相近，仅雕工有粗细，结构有繁简而已，所以它们的时代都应属金代。这种仿木构的雕砖墓，在南宋中期已有高度发展，晋南一带的金墓多作这种形式，到元代即逐渐趋于简化，所发现的元墓可以说明这一点。

简报称，这些雕砖金墓，结构坚实，保存完好，墓内的雕砖内容丰富，雕工细致，反映出当时建筑艺术和雕砖艺术的水平，为研究古建筑与雕刻提供了丰富的实物资料。

176.永乐宫调查日记——附永乐宫大事年表

作　者：宿　白
出　处：《文物》1963 年第 8 期

1956 年 6 月，宿白先生赴山西调查了永乐宫遗址，以日记形式予以介绍。

据介绍，永乐宫位于山西省平阳永乐镇，建筑保存完好，且保存有巨大面积的元代壁画，当年震动学界。宿白先生结合文献及考察情况，编有"永乐宫大事年表"附于文后，颇有价值。

177.山西襄汾县南董金墓清理简报

作　者：临汾地区丁村文化工作站　陶富海
出　处：《文物》1979 年第 8 期

1977 年 12 月中旬，山西省襄汾县永固公社南董大队在村西约 400 米处发现了一座金墓。简报分为：一、墓室结构，二、葬具及出土器物，三、各类砖雕，四、结语，共四个部分。有照片。

据介绍，此墓墓道狭窄、室内砌回形棺床，四壁下部砌束腰须弥座，上部砌隔扇门，四转角砌小八角柱，叠涩攒尖顶，棂窗，均无棺木，人骨架腐朽。出土器物14件及各类雕砖。这座墓葬的年代，简报推断为金代。

简报称，据金代非品官不得用墓志的制度和此墓合葬9人而未发现墓志的情况看，墓主人不会是达官贵人，很可能是农村中具有资产的地主阶级家族合葬墓。后室倒"凹"字形棺床上又砌棺床，做法稍有差异，可能因死者的辈分不同。后室上者可能是父辈，前室下者为晚辈，系两代人合葬。其中9座嵌有散乐雕砖，而且全是模制。简报指出，可知当时这类雕砖是专门烧制的。这对研究我国戏曲艺术的发展，是有参考价值的。

178.山西霍县发现重要瓷窑

作　者：光　军
出　处：《文物》1980年第2期

霍州窑在文献中屡有记载，经调查，霍县窑址位于霍县西南面的陈村。陈村在汾河的西岸，村中东西横跨一干枯小溪，溪的北面是农民的住房，南面就是瓷窑的集中地。碎片与窑具除陈村外，还广泛散布在汾河沿岸，可见当时霍县窑的生产规模是比较大的。简报配以照片、手绘图予以介绍。

霍县窑烧制的白瓷，以造型小巧、胎薄体轻、制作精工、纹饰精细为其特色。烧制器物中碗、盘、碟、高足杯等最多，瓶、壶之类不见。胎釉沾白，器里施满釉，器外施釉不到底。胎体底部较厚，口沿处较薄，器小体轻但很稳固。以往常有人以霍州窑产印花白瓷冒充定窑出品。霍州窑的遗存，以元代为主。

179.山西襄汾县曲里村金元墓清理简报

作　者：陶富海、解希恭
出　处：《文物》1986年第12期

1983年7月，在襄汾县城关镇曲里村北约200米处，发现一座单室砖雕墓，简报配以照片予以介绍。

据介绍，此墓位于曲里村汾河第三级台地的前缘。在竖穴内用青砖砌筑墓室，平面略呈方形，四角攒尖叠涩穹隆顶。墓室墙壁下部砌成须弥座，须弥座下部、束腰部及上边嵌有砖雕78块，内容有花卉、力士、格子门、狮子、马戏、马球、门吏、"二女弈棋""教子学书""莲生贵子"等。砖雕四边遗留由前向后砍研成斜面的痕迹，可以看出，砖雕是在墙壁建好后嵌入预留的位置的。四壁砖雕之上先平砌数层卧砖，然后出棱，其上平砌两层卧砖后再出棱。这样逐层收涩攒尖，至顶部成长方形口，以两块方砖覆盖封口。清理时，墓北壁东侧两块格子门砖雕已坠落，墓内淤泥 0.7 米。墓主骨架漂移零散，根据发现的 5 个颅骨和墓底方砖上遗留的骨架痕迹判断，墓内原葬 5 人，4 人头向南，1 人头向西。随葬品仅在墓门淤土中清理出 1 只小瓷碗。该墓的年代，简报推断为金元时期。

简报称，此次发掘发现的 78 块砖雕，不甚精细，但内容丰富、刻划真实生动，很有艺术价值，其中的马球、马戏砖雕，更是值得重视。马球及马戏，是我国古老的民族体育项目，有悠久的历史传统。但是作为地下出土的考古资料，尤其是以砖雕形式出现在金元墓葬中的极为少见。这次发现，为研究我国这一传统体育项目的发展、演变、分布地域，提供了极为珍贵的实物资料。

180.山西吉县出土金代铜砝码

作　者：吉县文物工作站　阎金铸
出　处：《文物》1987 年第 11 期

1985 年初，山西省吉县结子沟村农民发现一枚窖藏铜砝码，出土时置于一高约 15 厘米、腹径 10 厘米的小口彭腹陶罐中。现收藏在吉县文物工作站。简报配以照片予以介绍，简报推断为金代遗物。

据介绍，铜砝码高 2.1 厘米、面径 4.1 厘米，重 198 克。呈鼓形，通体刻点线纹，侧刻一周连续缠枝牡丹纹。正面内区中刻铭"伍两"，上下覆荷叶纹和莲花纹，两侧为牡丹纹，外区点刻缠枝纹。反面正中刻"育字"二字，周围纹饰与正面相同。

简报称，金代重量标准器在吉县系首次发现，为研究当时的社会经济特别是计量制度提供了新资料。

181.山西襄汾县的四座金元时期墓葬

作　者：陶富海
出　处：《考古》1988 年第 12 期

近年来，山西襄汾县陆续发现了一批金元时期的墓葬。简报分为：一、贾庄金墓，二、丁村元墓，三、解村元墓，四、结语，共四个部分。配以手绘图，介绍了其中四座有可靠年代依据者。

据介绍，4 墓均有较明确的年代。丁村 1 号元墓地券开首为"大元国河东南路"，简报认为该墓的年代当在元至元后期，不可能晚至元贞、大德间。丁村 2 号元墓和解村元墓的年代比较明确：2 号墓陶罐墨书"至正七年"和解村墓出土地券开首的"大元大德三年"，当系下葬的绝对年代。贾庄金墓唯一可资断代的文字依据即铜镜题刻之"泰和四年"，然此系制镜之年，非下葬之期。虽然如此，亦当于此后不远，至迟不会晚到元初。这些普通平民墓葬虽然规模小、随葬品少，但对考察金元百多年民间风俗很有帮助。如丁村 1 号元墓的绑扎竹筐，证明当时在一般平民中已广泛实行以纸扎冥器随葬的习俗。这些墓葬的随葬生活用具，一般全是实用品，模型少，而且实物精者不多，这恰好证明了平民百姓经济地位的低下，埋葬及随葬习俗不得不有所改变。

182.山西永和县出土金大安三年石棺

作　者：解希恭、阎金铸
出　处：《文物》1989 年第 5 期

1987 年 8 月，考古人员在永和县交口乡可托村普查中，见到彩绘石棺一具，弃置于村边草丛之中。经调查了解，此棺系 1983 年 7 月村民修窑时在地基下发现。县文化馆曾派人作了现场察看。嗣后，村民将石棺移置地面至今。简报配以照片、手绘图予以介绍。

据介绍，石棺用灰黄色砂岩为料。盖、身、底、座分别用整石凿成。榫卯扣合，联成一体。棺身两侧刻有墓志，简报录有志文全文。知墓主姓冯，无任官经历。下葬于金大安三年（1211 年）。此棺出自吕梁山腹地，为研究黄河中下游地区石棺同西南、东北地区的石棺墓形制间的差别、与汉画像石棺之间的承袭关系以及石棺演变规律等问题，提供了一份珍贵资料。

183.山西襄汾金墓清理简报

作　者：山西省考古研究所　戴尊德
出　处：《文物》1989 年第 10 期

1965 年 4、5 月间，考古人员对襄汾县荆村沟、上庄、西郭等村在农田生产和砖厂生产中发现的 3 座金代墓葬进行了清理发掘。简报分为：一、荆村沟金墓，二、上庄村的金墓，三、西郭村金墓，四、结语，共四个部分并配以照片予以介绍。

据介绍，此 3 墓均系仿木构建筑形式砖雕墓。荆村沟与上庄两座墓均为单室结构，布局与砖雕内容基本相同，各墓又砌出板门、雕花格扇门、直棂窗、桌椅等；西郭村墓为多室，砖雕的总体形象与荆村沟、上庄墓雕刻内容基本相同。此3座墓的时代，简报推断为金代后期。

简报称，据有关记载和实物资料可知，宋、金、元时期平阳地区无论农村还是城镇都有不少砖木结构舞台、"舞厅"建筑，说明戏剧艺术是非常兴盛发达的。荆村沟、上庄金墓所出戏剧砖雕也反映了这一点。

184.山西霍州市陈村瓷窑址的调查

作　者：陶富海

出　处：《考古》1992年第6期

霍州窑，是我国北方金元时期的重要瓷窑址之一，然而其确切地址，多年来一直没有定论。考古人员调查了霍州陈村瓷窑址，并初步认定陈村瓷窑址即元代霍州窑址。这个发现，曾由光军先生写短文在1980年第2期《文物》杂志上予以披露。1986年10月，对该窑址进行了普查。1989年4月，考古人员又对其进行了深入踏察，并采集到一批标本，从而对陈村瓷窑有了更进一步的了解。调查的记录简报分为：一、地理位置及自然环境，二、采集遗物，三、几点看法，共三个部分。有手绘图、照片。

据介绍，陈村瓷窑址位于山西霍县（今为霍州市）城关西南白龙镇之陈村，距县城约7公里。霍州窑的白瓷分细白瓷和粗白瓷两类。简报认为，当时霍州窑的精白瓷器是特制的产品，专供上层贵族使用，而灰白胎瓷器是适应民间生活需要而大量生产的产品，因而两者出现了较明显的差别，这也充分显示了该窑的民窑性质。其次，折腹、印花、酱色绘花是霍州窑产品的特点。

简报称，霍州窑与河南鹤壁瓷窑有某些相近之处。简报推断，霍州窑应是金元时期的瓷窑，并且和同时期的鹤壁窑存在某种交流关系。

185.临汾发现元代银锭铜范

作　者：山西师范大学　邓爱纪

出　处：《文物》1994年第5期

1990年，山西省临汾市一工地挖地基时，在距地表3米处发现一件银锭铜范，现藏于山西师大图书馆。简报配以照片予以说明。

据介绍，此范为青铜质，重约350克。范腔底部有许多突起的小乳丁。并阳文反书"晋宁"二字。

简报称，晋宁，指的是晋宁路，元代置。据史载，此地元初名为平阳路，治所临汾，辖境相当临汾、洪洞、浮山、霍县、汾西、安泽等地。元大德九年（1305 年）临汾发生大地震后，改名晋宁路。至明洪武二年（1369 年）又改为平阳府。据此，简报推断该铜范时代为元无疑。

186.山西平阳古瓷窑调查

作　者：山西省考古研究所　孟耀虎
出　处：《考古与文物》2005 年第 3 期

宋金元时期，山西陶瓷业分布，北部以浑源窑为中心（包括大同窑、怀仁窑等），晋中以介休窑为中心（包括榆次窑、交城窑等），长治以长治八义窑为中心（包括襄垣窑等），临汾以霍州窑、平阳窑为中心，阳泉有和定窑系统相近的盂县窑、平定窑，晋城有和河南系统相近的阳城窑、晋城窑等。以这个大的框架为纲要，2003 年初秋，考古人员对临汾平阳窑进行了详细调查，取得了较大的收获。

平阳窑位于山西南部临汾市尧都区西的龙祠、峪里一带，距尧都区约 4 公里。这次工作主要在龙祠。龙祠原名窑院，后改今名。据当地百姓讲，村中在几十年前还有灰渣堆 5 座，如小山一般，现多已摊平。窑址面积东西约 200 米、南北约 300 米。这次调查是在原来堆积最高现已为一农户院落的空地上进行的。这次调查采集标本有黑瓷、白瓷、钧釉、酱釉、茶叶末釉、青黄釉等器物。简报分为：一、遗物，二、结语，共两个部分。有照片。

据介绍，平阳窑在早期文献资料中没有记载，虽然发现较早，但至今还没有报告发表。从这次调查看，平阳窑烧造的器物多数为粗瓷。虽然也有细瓷发现，但基本上可以确认为霍州窑产品。平阳窑烧造的器物以白瓷、黑瓷为主，兼烧钧釉器物和青黄釉类器物。根据这批遗物的时代特点并将其与一些纪年墓葬出土器物对比，简报推断平阳的烧造时间当在元代。

187.山西襄汾侯村金代纪年砖雕墓

作　者：丁村民俗博物馆　李　慧
出　处：《文物》2008 年第 2 期

2001 年，山西省襄汾县的东侯村在平田整地过程中发现了一座古墓，考古人员对其进行了清理。由于该墓是在挖土时发现的，当时人们曾打开墓门进入墓室，墓遭扰乱，但墓室装饰未被破坏。简报分为：一、墓葬形制，二、墓室装饰，三、结语，共三个部分。有照片、拓片、手绘图。

据介绍，该墓坐北朝南，为仿木结构砖砌单室墓，由墓道、墓门和墓室组成。墓室装饰有护门卫士、吹口哨人、表演艺人、持尘道人、吹笛人、吹笙人等图案。据纪年砖，该墓年代为金代明昌五年（1194 年）。

运城市

188.山西新绛寨里村元墓

作　者：山西省文物工作委员会侯马工作站　李奉山
出　处：《考古》1966 年第 1 期

1963 年 5 月，新绛县城关公社正平坊小队在县城北寨里村发现古墓一座。因墓室北部和顶部均已倒塌，无法继续保存，考古人员于 1965 年 6 月 28 日开始清理，至 7 月中旬清理完毕。简报分为：一、墓室结构，二、随葬器物，三、雕砖，四、彩绘，五、结语，共五个部分。有拓片、手绘图。

据介绍，墓室坐北向南，墓道在墓室的南端。墓室是仿木构建筑，平面近方形，墓中有雕砖彩绘。雕砖所刻戏剧人物，彩绘所画花卉人物，都是很好的艺术品。在墓室西南隅上方有一行墨书题铭，为"绛州正平县王庄村□□□□□"十三字，另一行写着"外男外甥赵毓祥妇夫初□砌就"十三字。南壁西隅上方也有一行题铭："至大四年二月"六字。以上题铭，都被水侵蚀得不很清楚，但仍可辨认出此墓为元至大四年（1311 年）墓。

189.山西新绛出土"贞祐宝券"铜版

作　者：山西省考古研究所　杨富斗
出　处：《考古与文物》1981 年第 1 期

1978 年 11 月间，山西新绛县城西北约 15 公里的泉掌公社梁村大队村民在院内挖红薯窖时，于 2 米深处掘得金代"贞祐宝券"铜版一方。铜版出土后立即送交该县文化馆保存。1979 年 1 月，考古人员赴铜版出土地点作了调查。出土物周围系活土，土中夹杂着宋金时期的破瓦片与碎瓷片。由这一现象判断，这里可能是一处宋金时代的居住遗址。与铜版同时出土的还有黑釉大瓷缸与臼形瓷器各一件。铜版出土时竖靠在大瓷缸的旁边，似为窖藏之物。简报配以照片予以介绍。

据介绍，"贞祐宝券"铜版系金印刷纸币的一种底版。这方铜版是平阳（河东南路)、太原(河东北路)两路于金宣宗贞祐四年奏准铸造发行的。铜版系青铜质。竖长方形,高 29 厘米、宽 17.5 厘米、厚 1.2 厘米。上边突出一块书贯例,限额"伍拾贯"。上有铭文,简报录有全文。

简报称,金代初期未曾自制货币,用的是辽宋旧钱。到海陵王贞元二年(1154 年)迁都之后始制交钞,与钱并用。到正隆二年(1157 年)才议鼓铸,自制钱币。金代的钱币,制作细致,非常精美,但仅有"正隆元宝""大定通宝"与"泰和重宝"等几种。而交钞有"大钞""小钞""贞祐宝券""贞祐通宝""兴定宝泉""元光珍货"与"天兴宝会"等多种。简报怀疑此铜版是金末金兵败退时转战于这一带时带来的。

190.山西绛县发现金代人形瓷枕

作　者:张国维

出　处:《考古与文物》1982 年第 1 期

1972 年绛县大交公社张村大队农民在修铁路时从一座古墓里发现人形瓷枕一件,1981 年县文化馆收回入藏。简报配以照片予以介绍。

据介绍,瓷枕长 42 厘米、宽 11.5 厘米、高 10.05 厘米。通体呈黄土色。瓷枕工艺精致,器身表面细腻光亮,墨绘花叶,衣纹皱褶,尤其是眼珠眉梢,都是一笔勾画而出,粗细适度,刚柔得体,墨绘发髻简而不繁。虽属暖色,但不鲜艳,使人有和谐幽静之感,易于使人入睡。

简报称,经有关方面鉴定,此枕应为金代之物,它为我国陶瓷发展史的研究提供了有益的实物资料。

191.山西稷山金墓发掘简报

作　者:山西省考古研究所　杨富斗

出　处:《文物》1983 年第 1 期

稷山金墓分别发现于稷山县马村、化峪镇及县苗圃三地。马村位于县西南 5 公里的汾河北台地上,著名的元代建筑青龙寺就坐落在该村的西南隅。1973 年,当地农民在青龙寺西南方向约 300 米的"百墓"一带挖出仿木构砖雕金墓 3 座。因将现场扰乱,墓室结构部分破坏。当年 6、7 月间,考古人员前往清理。1978 秋、1979 年冬又两度对该墓地进行普探,新发现砖墓 11 座,发掘 6 座。前后共发现砖墓 14 座,清理发掘 9 座。编号为马村 M1 ~ M9。化峪镇系化峪公社所在地,位于县城西北 15 公里的吕梁山麓,该镇西南约 1 公里的果园。1979 年夏季灌溉果木时塌出砖墓 5 座,当年冬季发掘马村金墓时一并进行了清理。编号为化峪 M1～M5。墓道因有障碍，未曾发掘。苗圃为县农业局所属，位于县城西南部约 1.5 公里汾河大桥北面的小高地上。也是由于浇灌树木而塌出金墓一座，编号苗圃 M1。简报分为：一、墓的结构与雕刻装饰，二、杂剧砖雕，三、葬式与随葬物，四、墓主人的身份及墓葬时代，共四个部分。有照片、手绘图。

据介绍，马村金墓群相传为段氏家族墓地，1949 年前封土犹存。此次发现的"段楫顶修墓记"证实传言属实。砖雕内容丰富、华丽而碑文粗俗，可知段氏家族应为农村中的豪族地主。该墓群年代，简报推断为金代前期。化峪、苗圃两处，简报也推断为金代前期。

此次发掘的砖雕，涉及杂剧、二十四孝等，颇有研究价值。

192.山西新绛南范庄、吴岭庄金元墓发掘简报

作　者：山西省考古研究所　杨富斗
出　处：《文物》1983 年第 1 期

南范庄与吴岭庄两村东西相距 1.5 公里，位于山西省新绛县西北 20 公里的吕梁山南麓的泽掌公社。1979 年春，南范庄农民在村西取土时发现一座金墓；当年秋季，吴岭庄农民于村北 0.5 公里许整地时又发现一座元墓。考古人员于 1981 年 11 月，对两座墓进行了清理发掘。简报分为：一、南范庄金墓，二、吴岭庄元墓，三、两墓的时代与主要价值，共三个部分。有手绘图。

据介绍，南范庄金墓由墓道、墓门、前室、后室和左右耳室组成，多个墓室是为满足家族合葬的需要。该墓年代，简报推断为金代晚期。吴岭庄墓有多处题记，知此墓是卫忠家族合葬墓，建于元至元十六年（1279 年）。两墓的砖雕，涉及元杂剧及乐舞等民间舞蹈形式，有很高的研究价值。

193.山西永济发现金代贞元元年青石棺

作　者：张青晋
出　处：《文物》1985 年第 8 期

1979 年 4 月，山西省永济县张营公社北杨大队发现一具金海陵王贞元元年（1153 年）青石棺。简报配以照片予以介绍。

简报介绍，青石棺置于一座东北向的砖券窑洞式墓室中。墓室不大，棺的两旁只容一人，前后略有空隙。此棺前带棺首，前挡中设有通棺内的两扇小门。门下部

右为墓主后嗣题名，可知墓主姓姚；下部左刻标明了刻工姓氏和此墓年代，即"贞元元年十月十四日"（1153 年），此棺的左右棺帮上以划框分幅形式绘刻了二十四孝图，每图各标内容题记。

194.山西省闻喜县金代砖雕、壁画墓

作　　者：山西省考古研究所、山西省闻喜县博物馆　杨富斗等
出　　处：《文物》1986 年第 12 期

1963 年春季，山西省闻喜县小罗庄因砖瓦厂取土，先后发现金代砖雕墓 6 座。同时，下阳村在建房时发现金代壁画墓 1 座。从 3 月下旬至 4 月底，考古人员进行了发掘清理。简报分为：一、小罗庄金墓，二、下阳村金墓，三、小罗庄与下阳村金墓的时代，四、结语，共四个部分。有照片。

据介绍，小罗庄 6 座墓大都保存较好，5 号墓因修砖窑被削去上半部，1 号墓在修"大寨田"时已暴露，当地村民小孩经常出入墓室。6 座墓为仿木构砖雕墓。下阳庄墓壁画保存尚好。

简报称，小罗庄 1 号墓题记纪年为金海陵王完颜亮正隆年间（1156～1161 年）。2 号墓买地券纪年为金大定二十八年（1188 年），较 1 号墓晚三十年左右。5、6 号墓无文字资料。简报推断 5、6 号墓与 1、2 号墓的时代基本相同。3 号墓亦无纪年，所出一枚"正隆元宝"，可证其上限不早于 1157 年。4 号墓结构较简单，砖雕装饰似无一定格局。根据以往发掘所知，似系金代砖雕墓趋向衰退的一种迹象，其时代应比 1、2、5、6 号墓为晚。但它既与 1、2、5、6 号墓同属一个家族的墓地，年代相差亦不会太远。如此看来，这 6 座墓当是由北向南顺序埋藏的。下阳村的金墓，题记纪年为金明昌辛亥岁，即明昌二年（1191 年），较小罗庄 2 号墓仅晚三年。

简报指出，小罗庄金墓砖雕表现的散乐、乐器组合、女伎、舞伎，均十分珍贵。下阳村金墓壁画虽为民间画师所绘，内容多是颂扬封建的伦理道德，但画面布局得当，构图严谨，形象生动，线条刚柔相间，可见画师工力甚厚，出手不凡，反映了这个时期民间绘画艺术的水平。

195.山西运城西里庄元代壁画墓

作　　者：山西省考古研究所　杨富斗等
出　　处：《文物》1988 年第 4 期

1986 年初，在山西省运城市东北约 15 公里的西里庄村南，当地农民取土时发现

一座元代壁画墓。考古人员对此墓进行了清理。简报分为：一、墓葬概况，二、墓室壁画，三、结语，共三个部分。有彩照、手绘图。

据介绍，此墓为长方形单室砖券墓。墓道、墓门及墓顶大部已毁。墓壁均用条砖单层砌筑。墓壁表面抹白灰，上绘壁画。色彩主要有红、黄、蓝、黑色，画法为单线平涂。墓内已被扰乱。沿西壁顺置一具人骨，头向北，已残缺。墓内原置一张木床，现只残存零星构件。此外，墓内散见唐、宋、元代铜钱共 22 枚，其中元代铜钱有至大通宝。此墓的年代，简报推断为元代晚期。

简报指出，此次发现的壁画，有未见文献记载的《风雪奇》剧名，有女子扮演的旦角形象，有琵琶伴奏的场面，以及杂剧与队舞结合演出的场面，对于元杂剧研究等均有重大价值。

今有孟嗣徽先生《元代晋南寺观壁画群研究》（紫禁城出版社 2011 年版）一书，可参阅。

196.山西闻喜寺底金墓

作　者：闻喜县博物馆　李全赦等
出　处：《文物》1988 年第 7 期

1986 年 7 月，闻喜县侯村乡寺底村村民在村西南取土时发现一座金代砖雕壁画墓。考古人员于同年 8 月对此墓进行了清理。简报配以照片、手绘图予以介绍。

据介绍，此墓为仿木结构砖室墓，由墓道、甬道、墓门及墓室组成。墓道未发掘，仅知其近甬道一侧用青砖立砌封堵。墓室平面呈长方形，墓室西壁嵌有 15 块砖雕，分三排嵌砌，每排五块，每块四周均用红色勾勒几何形图案。自上而下第一排雕花草，第二排雕缠枝牡丹，第三排雕伎乐人物。伎乐人物皆为女子。墓室内有壁画，保存尚好。该墓的年代，简报推断为金代中期偏晚。

简报称，金代砖雕虽多有发现，但闻喜寺底金墓砖雕上的伎乐人物形象、家冠服饰等却自有特色。如均为女伎，皆上身赤裸，肩披彩帛，体态丰盈，形体相貌都与唐代人物的风格相似，且雕工洗炼，手法简洁，为金墓中少见的佳品。至于壁画，寺底金墓壁画为民间画师所绘，但笔力流畅，构图严谨，形象逼真，为美术史的研究提供了又一资料。

内蒙古自治区

呼和浩特市

197.呼和浩特北郊大青山哈拉沁沟发现金代文物

作　者：郑　隆

出　处：《考古》1959 年第 9 期

哈拉沁沟在呼和浩特市北 10 公里的大青山上。1957 年 12 月在沟里开凿石头时，发现遗址 1 处，出土文物数十件。简报配以照片予以介绍。

据介绍，出土地点在哈拉沁沟口往里约半公里的北山坡上，出土遗物有小铜座佛像 1 尊、铜佛弟子像 1 尊、铜镜 2 件、铁马蹬 1 件、铜钱 391 枚。

据铜钱，简报将这批遗物的年代推断为金代。

198.和林格尔县土城子试掘记录

作　者：内蒙古自治区文物工作队　张　郁

出　处：《文物》1961 年第 9 期

和林格尔县土城子，在县城北 10 公里，呼和浩特南 40 公里，宝贝河流经西南，河即古之金河。古城东及河西南岸，是一列黄土小山。古城南面是平坦的河谷地带，为呼和浩特通往和林、清水河等县的必经之路。考古人员为配合水利渠道工程，于 1960 年 4 月 17 日至 5 月 19 日，对古城东部边缘地带进行重点清理试掘。清理古墓 23 座，出土遗物 387 件。

简报分为：一、地层情况，二、遗迹情况，三、结语，共三个部分。有照片、手绘图。

据介绍，发现窑址 2 处，出土有陶器、铁农具、铁兵器等。土城子应为汉代定襄郡治及成乐县所在。文化面貌接近中原文化系统。

199.呼和浩特市东郊出土的几件元代瓷器

作　　者：内蒙古博物馆　李作智

出　　处：《文物》1977年第5期

在内蒙古呼和浩特市东郊约20公里的太平庄公社白塔村附近有一座古城遗址。当地农民于1970年12月在古城址内平整土地时，发现窖藏的两个大瓮。这两个瓮内外均施黑釉，一个高67厘米，一个高78厘米。出土时瓮口覆盖着一圆形平底的铁器，因锈蚀严重，已毁。在瓮中藏有6件精美的瓷器。当即派人把文物送到呼和浩特市交给内蒙古博物馆保存。简报配以彩照予以介绍。

据介绍，6件瓷器中，其中一件为钧窑香炉，刻有铭文，造型美观，气势浑厚，是钧窑瓷中的珍品。简报推断这件钧窑香炉为公元1309年的产品。

简报称，出土的这6件精美的元代瓷器中，有钧窑产品，也有浙江龙泉窑的产品，它们出自不同的产地，远隔千山万水，却能共同窖藏在一起，出土于内蒙古呼和浩特市东郊。这表明，在我国辽阔的国土上，不论古代交通运输条件如何不方便，都阻碍不了我国南方和北方长期以来在经济、文化等方面的密切联系。

200.内蒙古和林县发现一座金墓

作　　者：崔利明

出　　处：《考古》1983年第12期

此墓发现于1983年10月初，1984年在文物普查中考古人员去墓地调查清理，并收集出土遗物。据挖掘者所述，墓室内有两具尸骨，出土随葬品有陶盆、钧瓷小香炉、三彩盘、白釉瓷盘、黑釉瓷碗、铜莲花盘、银发钗、铁环、木梳等共13件。仅在墓底南壁下发现黑釉瓷碗一片，从挖掘者手中收集5件，其余7件已散失。简报配以手绘图予以介绍。

简报介绍，据现场调查，此墓位于和林县东北约15公里，距西沟门村东约1公里。墓顶距地表11厘米。此墓虽然破坏严重，但形制基本清楚。墓室近方形，砖室墓，墓顶用一块椭圆石片覆盖，砖缝用黄泥浆黏合。清理时，墓内葬具、尸骨已不存，从收集的银发钗、木梳等器物看，该墓似为夫妇合葬墓。

该墓时代，简报推断为金代。

包头市

201.内蒙古包头市郊麻池出土铜范

作　者：内蒙古文物工作队　盖山林
出　处：《考古》1965 年第 5 期

1963 年 5 月，包头市郊麻池农民掘得铜范一合，系"犁镜"范。发现时两范扣合在一起。下范内面下凹，上半部呈半圆形，下半部有一凹槽，中间分置四个"十"字形凹沟，近上端有一横行凹沟。上范背部微凹，中间有一横系（已残缺），其上下各有一横行凸纽。两范侧有喇叭形流，为灌注铁水之处。范宽 29 厘米、流长 8 厘米，共重 22 公斤。简报配以照片予以介绍。

据介绍，铜范的出土地点是一处古遗址，位于麻池西南约 1 公里的地方，其东北距麻池汉代古城约 0.5 公里，其南有小河一条，遗址就在这条河第一台地上。此处为元代遗址，遗址东部有窑址，地面还残存有 23 公斤之多的铁渣。可见这里应是冶铁的手工业遗址。

乌海市

赤峰市

202.赤峰县大营子辽墓发掘报告

作　者：前热河省博物馆筹备组　郑绍宗
出　处：《考古学报》1956 年第 3 期

1953 年夏，热河省赤峰县大营子村的西北山地，被雨水冲出古墓一座。当时由村民周海亭等取出墓中的随葬品若干件。考古人员曾先后去该地作了两次调查，认定该墓是辽穆宗应历九年"故驸马赠卫国王墓"；同时，又发现另外两座古墓，都有清理的必要。在 1954 年 10 月中进行发掘，先后历经 27 天，全部结束。简报配以照片予以介绍，目次如下：

一、引言

二、第一号墓（辽驸马赠卫国王墓）

（一）位置及外形

（二）墓室构造

（三）遗物分布情况

（四）葬具和葬式

（五）出土遗物

三、第二号墓

四、第三号墓

五、结语

据介绍，大营子距赤峰县城约 45 公里。辽驸马赠卫国王墓位于大营子西北的盔甲山南麓。有残存墓志出土，应为夫妇合葬墓，下葬时间应为辽应历九年（959年），简报推测墓主人为辽国公主与驸马肖翰里。出土大量成套马具、白瓷、银器、铁器等，还有大量紫色绣金的丝织品。另两座墓，简报推断为辽代中晚期墓。墓主不详。

203.林东辽上京临潢府故城内瓷窑址

作　者：东北博物馆　李文信

出　处：《考古学报》1958 年第 2 期

东北各省已发现的古陶瓷：汉有绿釉器，魏有黄釉器，高句丽有黄釉褐釉器，这都是低温釉陶性质。渤海的黄绿琉璃砖瓦和三色釉器（所谓渤海三彩），在生产制造上可以说是接受了唐代先进窑业技术文明的结果。这几种窑器不但不具有突出的地方性和民族造型特点，而且发现的资料很少，又都不知窑场所在，目前也就很难进行比较全面而有系统的研究。到了辽代就不一样了，辽瓷带有不少自己的特色，已发现辽代古窑 5 处。简报分为：一、序说，二、窑址，三、窑艺，四、窑器，五、结语，共五个部分。配以照片、手绘图，重点介绍了辽上京窑及其附近的两个窑。

据介绍，窑址位于辽上京临潢府故城的皇城里，位于今内蒙古昭乌达盟巴林左旗林东镇南 1.5 公里处。简报推断要么是契丹贵族利用中原掠得的奴隶窑工所为，要么是寺庙僧侣的副业。窑工中可能有俘虏来的定窑工人。窑室烧造时间似不长，最多两年。似乎是从别处迁来，后又迁走。另外两窑，简报作为附录介绍：一是林东白龘勒辽茶绿釉瓷窑址，二是林东辽上京南山三彩釉陶窑址。

204.昭盟巴林右旗白塔子出土铜镜

作　　者：李逸友
出　　处：《文物》1959 年第 5 期

1958 年 8 月间，考古人员在昭乌达盟巴林右旗白塔子苏木调查时，在苏木人民委员会收集到铜镜一件，它是同年夏季在白塔子古城中出土的，简报配图予以介绍。

简报称，出土地点为辽代庆州。铭文有汉文和契丹文，从铭文来看，并非辽金时期官镜铭记，似与契丹人信仰佛教有关。

205.昭盟巴林左旗林东镇金墓

作　　者：李逸友
出　　处：《文物》1959 年第 7 期

1958 年 7 月，内蒙古自治区文化局在内蒙古自治区昭乌达盟巴林左旗林东镇北山坡，清理了小型古墓 3 座。

简报分为：第一号墓、第二号墓、第三号墓，共三个部分予以介绍，有照片和手绘图。

据介绍，巴林左旗林东镇南面为辽代上京临潢府故城，镇西北山坡有辽代残塔一座。第一号墓位于辽塔东北约 200 米的山坡，由该旗公安局工作人员在此义务劳动时发现，在挖树坑时正好打破了墓顶，于是进入墓室内将文物取出。墓室全部用素面砖砌成，为单室八面形。墓内北部淤土内发现有火葬骨灰，墓内出土白瓷质地器物 8 件；第二号墓在第一号墓的上边，相距约 50 米，春季平整土地时将墓顶打破，取出了一些木棺残片，清理时墓室已露在地面。墓室用直纹砖砌成，在墓底北部经修整，得小木棺一具，发现有火葬骨灰一堆，随葬品有小瓷碟 2 件；第三号墓位置紧靠第二号墓，在其南面约 2 米处，清理时发现墓内已积满淤土，墓口外露，墓室砌法略同于第二号墓。墓底平面为正方形，共用八块直纹砖砌成。无葬具，只在墓底有火葬的骨灰，也无其他随葬品。

这 3 座古墓的时代，简报推断为金代。

简报称，小木棺的埋葬制度，过去曾在该旗井沟子村发现过，并推断为契丹人的埋葬制度。由此可见，这种小木棺葬的年代和族别问题，是值得商榷和今后继续调查研究的。

206.赤峰大窝铺发现一座辽墓

作　者：郑　隆

出　处：《考古》1959 年第 1 期

　　大窝铺村位于赤峰县西 100 余里，村北山有一个大沟叫北沟。古墓就在沟内西坡上。1957 年 5 月，考古人员进行了清理。简报配以照片、手绘图予以介绍。

　　据介绍，此墓为一大型砖室墓，由前室、后室、下水道构成，有一男一女骨架两副。该墓早年曾被盗，仅出土铜丝网、瓷器、铁铲、琥珀、铜币等。该墓年代，简报推断为辽代晚期。瓷碟底部有一"官"字，墓主人当有一定身份。

207.内蒙古辽中京及西城外出土的文物

作　者：张　郁

出　处：《考古》1959 年第 7 期

　　考古人员在 1956 年冬季，为配合挖渠工程，征集出土文物 70 多件。昭乌达盟宁城县大名乡，为辽代中京古城所在。简报配以照片予以介绍。

　　据介绍，中京古城，不但规模宏伟，它中间的城垣也因为历代变迁关系，而形成了相当复杂的情况。据老乡们的传说：中央是紫禁（宫）城，东部为大塔城，西部为小塔城，西南有土山城，北面有管财城及花城，还有东北城、西北城、里外罗城等。紫禁城及大塔城有石狮及石造像，均残缺。土山城中有石桌、石座、石幢及元墓碑、元代瓷器等出土。城外西南角约半公里，有方形土筑垣围，每面长约 150 米，中部有椭圆形凸出地面约 1 米高的土丘一处，中间略下陷，稍近马鞍形，东西 30 多米，南北 15 米，地面散布着碎砖乱瓦。垣西南角约 400 米处，有石人一个，束发披肩，拱手而立，腋下挟一囊袋，作武士装束。城中最使人注目的是大小塔及半截塔，分立在古城文化遗物最丰富的区域，也就是当时繁华热闹的场所。大塔周围刻有观世音等 8 个菩萨的雕像及飞天、宝盖等精美的浮雕。塔前庙里还保存着一块修塔捐资碑。小塔周围有砖刻的狮首及人物造像。现在大塔的上部、小塔的基座，均残缺极甚。

　　简报称，在此次配合挖渠工作清理出土的 70 多件文物中，包括辽及元代的两个时期的文物。其中较珍贵的有元代陶砚、辽代应历七年（957 年）小型佛幢等。

　　研究赤峰地区的辽史，有顾亚丽先生《辽史国边缘》(内蒙古人民出版社 2013 年版)一书，可参阅。

208.内蒙古发掘辽中京"紫金城"发现许多重要遗迹遗物

作　者：辽中京发掘委员会
出　处：《文物》1960 年第 2 期

内蒙古自治区昭乌达盟宁城县大明城，是辽代中京大定府故城遗址，金代改称北京路，元代也曾改设大宁路，古城地下埋藏有丰富的文物，为研究契丹、女真及蒙古史的重要遗迹。考古人员 1959 年起在古城内进行发掘，发现许多重要遗迹与遗物。

由于当地迫切要求解决辽中京故城内所谓"紫金城"部分土地问题，1959 年重点发掘区域全部在"紫金城"内。通过这次大规模的发掘，发现了古城内地下文化层是由辽、金、元、明各代堆积成的，其中有辽代的步廊，金、元、明各代的民居等，共采集了文物标本一百余箱，其中较为完整的器物有千余件，包括生产工具、生活用具、兵器、玩具及建筑物装饰等。

简报称，这次发掘为我国研究辽、金、元各代文物制度，提供了系统的科学的资料，并以地下出土资料证实了所谓"紫金城"乃是明代初年修筑的大宁卫遗址，被误传为"紫金城"。地下钻探资料还证实了文献上记载的辽中京宫殿遗址位置。

209.辽中京城址发掘的重要收获

作　者：辽中京发掘委员会　李逸友
出　处：《文物》1961 年第 9 期

内蒙古自治区昭乌达盟宁城县大明城（又称大名城），为辽代中京大定府故城，并为金代北京路、元代大宁路及明代大宁卫城址。地上暴露及地下埋藏的文物极为丰富，为研究契丹史之重要遗迹，在研究女真及蒙古史方面也占有较为重要的地位，已由国务院列入全国重点文物保护单位。1959 年 4 月，考古人员开始进行发掘。简报分为：一、前言，二、地层概况，三、城市布局概况，四、外城西南隅之佛寺遗址，五、外城廊舍建筑遗迹，六、关于金元明各代城市布局，七、结束语，共七个部分。有照片、手绘图。

据介绍，城墙尚保存完好，城内发现有道路、房基遗址多处，城外有佛寺遗址等。简报还特别提到：经过这次在辽中京城址钻探和发掘，证明洛阳铲在钻探城市遗址方面能起到最大的作用。它不仅在探墓方面效果良好，而且在探测大面积城市遗址方面，更能取得多快好省的效果。当然，要掌握地下遗迹的更具体情况，还必须重点发掘，才能起决定性作用。就是在使用探铲时，也需要根据具体情况，普查与重点复查相结合，机动灵活地使用这一简易工具，才能充分发挥其作用。

210.辽中京西城外的古墓葬

作　者：内蒙古自治区文物工作队　李逸友
出　处：《文物》1961年第9期

昭乌达盟宁城县辽中京城址的西面，是一座东西走向的大山，在山头的南坡下是山头村，再往西约2公里是吆斯营子，在这带大山南坡，过去常发现古墓葬。1959年春季当地老乡在山头村后开渠时，发现了两座圆形砖室墓和一批石棺葬，据此线索，考古人员在发掘辽中京城址时，顺便在山头村吆斯营子一带清理发掘了一批古墓葬。这批墓葬有砖室和石棺两类，砖室又可分圆形、六角形和小型砖墓几种。简报分为：一、圆形砖室墓，二、六角形砖室墓，三、小型砖室墓，四、石棺葬，五、结论，共五个部分。有照片、手绘图。

据介绍，圆形砖室墓共4座，六角形砖室墓2座，小型砖室墓3座，石棺葬13座。这批墓应都属辽墓，石棺墓年代上限为辽天祚帝时期。均系火葬，但墓内没有带契丹特点的东西，又都是中小型墓。简报认为墓主人应为汉人。

211.昭乌达盟宁城县小刘仗子辽墓发掘简报

作　者：内蒙古自治区文物工作队　李逸友
出　处：《文物》1961年第9期

1959年考古人员在昭乌达盟宁城县发掘辽中京城址时，曾协助宁城县开展文物普查工作。根据普查材料得知，吆斯营子乡小刘仗子村附近曾发现过许多辽墓，出土各种有契丹特色的文物。考古人员于10月先后两次前往发掘。简报分为：一、墓葬位置及形制，二、出土遗物，三、结语，共三个部分。有照片、手绘图。

据介绍，自辽中京故城南渡老洽河，往西南走，经榆树林子、东洼子、从仗子等村，进入老哈河南岸大山的北麓，小刘仗子村位于一条南北向大沟的西山坡，北至从仗子村约2公里，至辽中京城约15公里，古墓群分布在山洼中。这次共发掘墓葬5座，有砖室和石室两种。出土有辽三彩、白玉制品、铜镜、琥珀串珠、围棋子等。简报推断为辽代晚期契丹人的墓葬。简报称，契丹人的埋葬习惯，头戴金属面具，手脚套金属丝网。这批墓葬没有发现手足套铜丝，而有铜靴底出土，这又提供了另一种新资料。各墓内出土的铜面具，面形略不相同，也可能是根据死者的脸型定做的。

212.昭乌达盟辽尚暐符墓清理简报

作　者：郑　隆

出　处：《文物》1961 年第 9 期

考古人员 1959 年在昭乌达盟发掘辽中京故城时，曾在古城附近一带做了一些调查发掘工作，秋季在周仗子清理了两座残墓，其中较大的一座即是辽尚暐符墓。简报配以拓本、手绘图予以介绍。

据介绍，周仗子村位于辽中京故城西南 17.5 公里，老哈河南岸十余公里大山沟北的山坡上，周围群山耸立，墓地即在村东北大道中，共发现古墓两座，南北相距 50 米。尚暐符墓便是其中保存较好的第 1 号墓。墓室为砖石结构，用大砾石砌成八角形，内有壁画。在墓底正中放着墓主人骨灰，在它的西北侧放狗头骨一个，可能为殉葬品。墓室东壁下平放墓志一块，其上面出土小骨梳一件，在扰土层中出土银椎子一件、砚台和陶盆各一件；东南角出大量白瓷片，经过修复得瓷器 13 件。简报未录志文全文。由志文知，墓主为辽中京大定府少尹尚暐符，死于辽寿昌二年（1096 年），享年 66 岁，寿昌五年（1099 年）下葬。此墓北约 50 米处为 2 号墓，早年曾被盗，未见完整遗物，壁画也已脱落，简报估计有可能是尚氏家人墓葬。

213.内蒙古巴林左旗前后昭庙的辽代石窟

作　者：李逸友

出　处：《文物》1961 年第 12 期

内蒙古昭乌达盟巴林左旗林东镇南，为辽上京临潢府故城，古城附近分布有辽代石窟 4 处。简报配以照片、手绘图予以介绍。

据介绍，这 4 处辽代石窟是：一、洞山石窟寺，在古城北约 30 公里，规模最大，洞窟百余，但雕塑大都已毁；二、三山屯石窟，在城北偏东约 70 公里，洞窟数十，遗迹很少；三、前昭庙石窟，位于古城以南；四、后昭庙石窟，也位于古城以南。前、后昭庙石窟，保存较好，也是内蒙古现今保存较好的辽代石窟。

214.元应昌路故城调查记

作　者：李逸友

出　处：《考古》1961 年第 10 期

内蒙古自治区昭乌达盟克什克腾旗境内之元代应昌路故城，为历史名城之一。

1957 年秋考古人员前往调查，简报配以手绘图、照片予以介绍。

据介绍，锡林郭勒高原东南部，有湖泊二个，东面的较小，周围仅数公里，面积约 100 平方公里，名达里诺尔，即元史所称之"答儿海子"。应昌路故城位于达里诺尔西南约 2 公里，东距克什克腾旗的经棚约 80 公里，北距锡林浩特市约 90 公里。古城平面为长方形，城墙保存完好，南北长约 650 米，东西宽约 600 米。全为土筑，最高残存 3 米。城墙东、南、西三面正中开门，并有瓮城，北墙无门的迹象。城内建筑遗迹暴露地表，可清楚地看出街道坊市，为内蒙古自治区元代古城保存最完整者。据史料记载，至元七年八月以前，应昌城已建立。应昌路自囊加真公主时建立后，世为鲁国大长公主及鲁王所居。应昌路在元末曾一度罢废，至正十四年（1354 年）复立，见《元史·顺帝本纪》。元亡，顺帝北奔，驻应昌府，公元 1370 年 4 月死于应昌，5 月明将李文忠率部攻入应昌。明初，鞑靼曾一度占据此地。

215.内蒙古昭盟巴林左旗双井沟辽火葬墓

作　者：中国科学院考古研究所内蒙古工作队　赵　信
出　处：《考古》1963 年第 10 期

1962 年 8 月，考古人员在内蒙古自治区昭乌达盟巴林左旗南杨家营子工作时，当地农民说在双井沟村北面山沟的西北坡上，有用石块垒砌的"老房身"。得到线索后，考古人员前往试掘，知是古墓地。工作于 16 日始，至 18 日止，历时 3 天。简报配以照片、手绘图予以介绍。

据介绍，共发现 6 处石堆，墓圹位于石堆之下，为长方形竖穴土坑墓。坑内有火葬罐。随葬品有陶器等。简报推断为辽墓，有可能是一个家族的墓地。

216.内蒙古宁城县武官营子发现的辽代石函

作　者：郑绍宗
出　处：《考古》1964 年第 11 期

1954 年 7 月，在内蒙古宁城县武官营子村北后山乱砖中发现一座用石板砌筑的石函，出土有石雕的庙宇模型及铁、铜、银、瓷等器物，考古人员进行了调查，确认系一辽代砖塔下面所埋藏的石函。简报配以照片予以介绍。

据介绍，武官营子位于老哈河北岸，东北距"辽中京大定府"故址 6.5 公里，村后有黄土山，山顶高出现地面约 70 米，上面是一处长约 90 米、宽约 40 米的平坦方台，台面上有大量的辽金时期的残砖碎瓦，可以看出大体是南北向的一处辽金时期的建筑废墟。石函等遗物发现在长方台南侧的长圆形土堆中。石函以花岗岩石板砌成，长 1.17 米、宽 1.07 米、高 1.4 米。四壁立四石板，均厚 25 厘米。下铺平石板，上盖方顶石，形似一方形小室。顶石一角残缺，背面有墨书字迹六行，有些字迹已模糊不清。简报录有全文，中有辽代重熙十四年（1045 年）纪年。石函内的出土遗物计 245 件。

217.内蒙古昭盟辽太祖陵调查散记

作　者：洲　杰
出　处：《考古》1966 年第 5 期

辽太祖耶律阿保机的陵墓，在内蒙古自治区昭盟林东镇西约 30 公里的深山中。陵东约 1.5 公里是辽代祖州城遗址，再往东林东镇旁就是辽上京城遗址。文献上有不少相关记载，也有不少人曾对辽太祖陵进行过调查。简报分为：一、陵园门外的调查，二、陵园的调查，三、山谷四周山岭上的石墙，四、其他情况，五、结束语，共五个部分。有手绘图等。

据介绍，通过几次实地调查，得知辽太祖陵园所在地四面环山，内有水源，且距当时都城"上京"较近。地面尚存有石护堤、石墙、房屋遗址、陵园门、石龟趺、石柱础、石人、石桥等遗迹。采集到瓦当、残碑、铜印、石印等遗物。其中代表辽代初期的瓦当和滴水、对研究契丹风俗有用的辫发石像，以及契丹文残碑的发现等均值得注意。简报指出，陵园内的情况是复杂的，据有关文献记载，陵内还陪葬有后妃等人，如北面的墓坑，就有可能是陪葬坑。

218.赤峰缸瓦窑村辽代瓷窑调查记

作　者：洲　杰
出　处：《考古》1973 年第 4 期

为了弄清在辽中京发掘出土的一些瓷器的产地问题，1964 年夏季，考古人员调查了赤峰县境的一个古代瓷窑遗址。简报配以手绘图、照片予以介绍。

据介绍，窑址在赤峰市西约 70 公里、半支箭河上游山中的一块平地上。据调查所见，该窑以烧制粗白瓷为主，细瓷不多。还有不少粗厚的缸胎瓷器以及火候较低的彩绘瓷器，器物花纹繁杂。另外，采集到一些刻划着文字的瓷片。从调查中看到，该窑烧造的瓷器，多为生活用品。简报称，过去人们认为这个窑系仿定窑产品，这是一个事实。因为从该窑所出产品，无论从花纹风格、器物造型等方面看，它受定窑技术的影响是明显的。但它们之间还是有显著的区别：和定器相比，胎质不及定瓷细薄坚实，釉色不及定瓷光亮莹润，花纹不及定瓷明快清晰。而且除仿定器处之外，还有定瓷中没有的花纹和器形。这些都是应当加以说明的。

简报指出，通过这次调查，可以看出辽中京出土的一批瓷器的产地就在这里。同时，这样一个规模较大的瓷器产地，也可说明辽代手工业发展的水平。

219.敖汉旗李家营子出土的金银器

作　者：敖汉旗文化馆　邵国田
出　处：《考古》1978 年第 2 期

1975 年春，敖汉旗荷叶勿苏公社李家营子大队修水渠时，发现了一批银器和金带饰，文化馆对这次出土的文物进行了收集，并对出土地点进行了调查。简报配以手绘图予以介绍。

据介绍，这批金银器出土在老哈河右岸的第一台地上，北距河身有 0.5 公里。据当地人反映，出土时都发现过人骨，但没有发现砖、石建筑材料，估计金银器的出土地点可能为两个土坑墓，简报编为墓 1 和墓 2。墓 1 出土的鎏金银盘的制作和纹饰与近年陕西长安何家村出土的唐代鎏银盘相似。而银壶（李 M1:1）的造型和联珠纹饰，则是波斯萨珊王朝时期的式样。墓 2 出现的金质带饰，为辽墓中习见的饰物，捶雕的卷草纹仍有浓厚的唐代风格。由于这两组金银器的发现，简报推断李家营子是一处年代较早的辽代墓地。

220.敖汉旗白塔子辽墓

作　者：敖汉旗文化馆　邵国田
出　处：《考古》1978 年第 2 期

1977 年 4 月 5 日，敖汉旗丰收公社白塔子大队发现一座辽代墓葬，昭乌达盟文物工作站和旗文化馆派人进行了清理。简报配以手绘图予以介绍。

据介绍，白塔子村位于敖汉旗址——新惠之东 30 余公里。墓位于村东南约 1 公里的南山山脚下，地表并无封土。据当地人反映，在此墓之东还发现过另一座辽墓，简报认为可能这里是一处辽代墓地。墓为六角形砖室木椁墓，由斜坡墓道、天井、甬道和墓室四部分组成。据发现的残石经幢楷书刊写的经文，简报称这座墓葬的时代应在大康七年（1081 年）以前。

简报称，这座墓中发现的壁画，还较精美，可作为研究契丹族社会风俗的参考；

出土的围棋，是过去较少发现的资料；出土的影青瓷器，较为精美，对了解当时的制瓷工艺和辽与中原地区的经济联系，都是有用的资料。

221.内蒙古解放营子辽墓发掘简报

作　者： 翁牛特旗文化馆、昭乌达盟文物工作站　项春松
出　处：《考古》1979 年第 4 期

1970 年夏，解放营子公社因修渠取石发现一座辽墓，考古人员随即进行了发掘。简报配以手绘图、照片予以介绍。

据介绍，墓葬位于翁牛特旗乌丹镇东南 37.5 公里的羊肠子河北岸。此墓为石室木椁券顶单室墓，墓顶距地表深约 2 米。石室呈圆形，直径约 7.5 米，四周用自然石垒砌石壁，南向留有甬道口。石壁高 1.8 米，以上为半圆形券顶，正顶留一圆洞，上用整块石板覆盖。木椁为八角形，全为昂贵的柏木结构，外形与近代蒙古包相似。此墓为夫妇合葬墓，男左女右，脸部均覆盖铜面具。男尸头戴毡冠，脚穿长靴；女尸头部扎缠，脚穿尖头鞋。尸前有随葬冥器，棺床前放一小桌配椅，上有供器。发掘时床幔、椅披、桌围等纺织品均已朽。随葬品中黄釉瓷器、银器等均较精致。

简报推断此墓年代当在辽中期以后至道宗初年，墓主人有可能是辽中京道某州的最高统治者。

222.内蒙古昭乌达盟巴林右旗发现辽代银器窖藏

作　者： 巴右文、成　顺
出　处：《文物》1980 年第 5 期

1978 年 8 月，昭乌达盟巴林右旗白音汉公社友爱大队发现了一处窖藏。考古人员立即进行了清理。简报配以照片、手绘图予以介绍。

据介绍，窖藏位于淖尔爱里（泡子营子），在凤凰山（格根少冷）西麓，查干木伦河（白河）北岸。地面遍布辽代砖瓦，经常出土辽代文物。窖藏没有窖穴和容器，器物散埋土中，说明是仓促埋藏的。这批窖藏，以银器为主，还有铜器、瓷器等。计有八楞錾花银执壶、温碗 1 套，柳斗形银杯 2 件、荷叶敞口银杯 2 件、复瓣仰莲纹银杯 2 件、二十五瓣莲花口银杯 2 件、海棠形錾花银盘 1 件、菊花玛瑙杯 1 件、白玛瑙杯 1 件、汉白玉石杯 1 件、白玉兽 1 件、页岩石镇 2 件、三足仰莲铜熏炉 1 件等。简报推断为辽代晚期窖藏。

223.敖汉旗乃林皋村出土的几件辽代陶瓷器

作　者：敖汉旗文化馆　邵国田
出　处：《文物》1980 年第 7 期

1971 年 7 月，距敖汉旗所在地——新惠之南 7 公里半的乃林皋村，出土了一批辽代文物。这里是一处辽代遗址，但由于多年耕种和孟克河的冲刷，现已很难看出整个遗址的全貌。这批文物是发洪水时冲出来的，据当地人讲，有大瓮、瓷器、铁器、陶器、方砖等，有的被河水冲走，现保存在旗文化馆的仅有大小两件瓷罐和两件陶瓶。简报配以照片、手绘图予以介绍。

简报称，这 4 件文物应属辽代器物，瓜形瓶为辽代典型器物。两件瓷罐虽为一般的辽代黑花粗胎白瓷，但画有官吏像的瓷罐应为难得的珍品，有重要的艺术价值。两幅官吏像是很精彩的漫画，寥寥几笔，把两个大腹便便的贪官污吏的形象画得活灵活现。

224.辽饶州故城调查记

作　者：林西县文化馆　吴宗信
出　处：《考古》1980 年第 6 期

辽代饶州故城，位于林西县城西南 60 公里，西拉木伦河北岸之台地上。属于小城子公社西英桃沟大队。简报配以手绘图予以介绍。

据介绍，城址呈长方形，分东、西两城，东大西小。城址东西全长 1400 米，南北宽 700 米。西城东西宽 350 米，东城东西宽 1050 米。城墙基底宽 12 米、墙残高 12 米，为夯土筑成。城址东西两面各有二门，四周无马面，东城南墙中部有 60 余平方米的方形土岗一处，疑为南门遗址。城内建筑遗址、长街市肆遗迹有的仍明显可见，据初步勘察，现有建筑遗址共 37 处。城址内北部遗址已不存在。东门内附近，有明显建筑遗址，其上满布冶铁礁渣，西城南半部遍布冶铁礁渣。城外西南方 300 米，有当地人称为"白庙子"的石庙遗址，城西北 500 米小山岗上，有石墙遗迹，疑为防御设施。城正北有平台 5 处，上有大量辽代残砖碎瓦。城北有大封土堆一处，当地人称为"王坟"。城西 20 公里亦有古建筑遗址，出土有骨器、铁器等。

简报称，据考古发掘，此古城确系辽代饶州故城。唐代时，为饶乐督都府（后改称"松漠督都府"）。

225.辽庆州古城出土"西京古砚"

作　者：内蒙古昭盟巴林右旗文物收购站　成　顺
出　处：《文物》1981 年第 4 期

内蒙古昭盟巴林右旗原辽代庆州古城内，出土"西京古砚"一方。于附近同时出土的还有上肢人骨一块、黑陶粗砂浅沿小钵一个、僧帽雕花玉饰片数枚（已残）。骨上墨书"人葛道人"，下左方书"信士弟子□□□"，字黑蓝色，已浸入骨内。简报配以照片予以介绍。

简报介绍，砚为灰色澄泥制成。砚身为长方八角形；墨堂呈椭圆形，周边弦纹一道，砚面微凸；墨堂与墨池间有流槽，墨池作扇形花瓣。砚底有一深槽，和砚面椭圆形墨堂相对称，中间偏上有两行凹印款识：右行为"西京仁和坊李让"，左行为"罗土澄泥砚瓦记"。

简报称，庆州是辽代圣宗耶律隆绪太平十一年、兴宗景福元年（1031 年）秋七月所建，据《辽史》记载："比他州为富庶，刺此郡者，非耶律萧氏不与，辽国宝货，多聚藏于此。"以上文物出土，为研究辽代历史文化提供了一些资料。

226.辽上京出土契丹大字银币

作　者：刘凤翥、王　晴
出　处：《文物》1981 年第 10 期

1977 年 5 月在辽上京遗址出土的契丹银币，正面有 4 个阳文契丹大字，是原铸的；背面有 8 个阴文契丹大字，每两个字一组，是后刻的。与该银币正面铭文完全相同的契丹铜币曾有过出土，但背面无字。该币似不作为流通钱币，而是用作某种盛典的厌胜钱。简报配以照片予以介绍。

简报称，银币正面 4 个契丹大字考释为"天朝万顺"之音译。辽代自称天朝，汉字在辽代碑刻中亦有其例。例如《彭城郡王刘公墓志铭》中有"将谋大事，须向天朝"之句，其中"天朝"即指辽朝。

227.内蒙古昭盟赤峰三眼井元代壁画墓

作　者：项春松、王建国
出　处：《文物》1982 年第 1 期

1965 年及 1976 年，昭乌达盟赤峰县三眼井公社社员在村西半华里的山坡上先后发现两座元代壁画墓，考古人员随即进行了清理，分别编为M1、M2号。简报分为三部分予以介绍，有照片。

据介绍，这是两座小型砖砌单室墓。M1早期被盗，随葬器物被盗窃一空，骨架及葬式已扰乱不清。M2保存完整，为男女合葬墓。有瓷器、铜镜等随葬品。两座墓室内均有壁画。M1壁画多被破坏，残缺不全。北壁残存楼阁建筑、卧马、鞍马、鞍辔等画迹；东壁残存脚穿麻鞋的人物像，似作行走状；南壁残存鞍马、侍从等，侍者身着短衣，绷腿，有的似佩箭，有的似扛旌。M2壁画保存完整，内容以描写元代贵族日常生活为主，技法多以黑墨勾勒线条，间或以朱红、翠绿点缀。有宴饮图、出猎图、出猎归来图等，共绘有28个人物，让我们看到了元代市民生活的某些侧面，说明画师对当时的社会生活比较熟悉。简报最后指出，三眼井的墓室壁画，具有浓厚的地方特点和生活气息，不失为研究元代社会的重要资料之一。

228.宁城县黑城古城址调查

作　者：冯永谦、姜念思
出　处：《考古》1982年第2期

昭乌达盟宁城县甸子公社黑城大队古城址，在1958年曾有简要报道，当时调查未发现"外罗城"，时代认为是辽；但又见到许多汉代遗物，感到尚需进一步探索。1976年春，在这座古城址内发现了新莽时期钱范作坊遗址，自此以后，文物考古工作者对这座古城址更加注意。1979年，考古人员于5月中旬再次对黑城古城址进行了较为深入的了解和详细勘测。这次调查，又有一些重要发现。

简报分为：一、地理位置，二、城址结构和现状，三、遗物，四、城址的年代，共四个部分。有手绘图等。

据介绍，黑城村古城址位于宁城县（天义镇）西南，相距60公里，地近平泉县界，是昭乌达盟和河北省的毗邻地区。这座城址，从现存情况看比较复杂，共有大、中、小三城，其间并有互相借用或打破的关系。因此可知不是同一时期建成，它们应是几个不同时期的遗迹。小城俗称花城，应是战国时燕国所建一座军事防御城堡。外罗城大约是经秦、西汉至新莽的一座城址。简报认为应是右北平郡及其治所平刚县遗址。黑城最复杂，简报认为是辽代始建，元、明两代补修。

229.内蒙古宁城辽邓中举墓

作　者：项春松、吴殿珍
出　处：《考古》1982 年第 3 期

1976 年夏，内蒙古宁城县一肯中公社农民在农田建设中发现一座辽墓，出土完整墓志及志盖各一方和砖刻造像等文物。简报分为四个部分予以介绍，有照片、手绘图。

墓地位于辽中京故城西 12.5 公里，万家大队二夹心子沟西沿，墓顶距地表深 0.5 米。砖砌券顶单室墓，方形，墓门南向，券顶式，斜坡式土坑墓道，未清理。室内壁面抹白灰，上有彩绘多剥落，漫漶不清。地面用方形勾纹砖铺地。此墓为火葬墓，两堆骨灰分别置于墓室北部左、右两侧。由志文推测系墓主人邓中举和夫人冯氏的合葬墓。墓葬早期被盗。室内地面残存唐开元钱 2 枚，宋至道元宝钱 2 枚，铁钉 2 枚，黑、白棋子 76 个，仿定白瓷盘 5 件，多残缺。有砖雕 16 块，内容有青龙、白虎、武士、老翁、童仆、侍吏等。墓志一合，志文楷体，简报未录志文全文。

由志文得知，邓中举大父为邓延正，《辽史》中有记载，生活在辽圣宗时期，以治皇太后牙疾而累官至节度使。邓中举，《辽史》无传。由志文得知，他生于辽兴宗重熙六年（1037 年），卒于辽道宗寿昌四年（1098 年）。曾到今河南开封及辽上京、中京（今塞北辽河上游）及辽东地区，并以善于整顿政务而著称一时，封官进爵，破格晋升，最后特授保安军节度使。

简报称，关于辽代墓葬用志制度，目前尚难得出结论，但一般说来，属于辽代肖氏、耶律氏两姓贵族，及于越氏、各大节度使、南北院大王等，多用墓志。汉族官僚多用汉文墓志，契丹贵族多用契丹文，有的同时加刻汉文。就其时间而言，墓志多出于中期，尤其晚期墓志较多。简报指出，《辽史》成书于元代，上距辽亡时间较远，且仓促编纂，史料缺漏，这已为史学界所公认。邓中举墓志的发现，可补正《辽史》记载之不足，对于研究契丹社会政治、经济、科学等，是一件很有参考价值的实物资料。

230.辽代永州调查记

作　者：姜念思、冯永谦
出　处：《文物》1982 年第 7 期

永州，是文献记载地理位置较为明确的一座辽代州城，它所在的潢河和土河汇合处，是契丹民族早期活动的中心地区。在契丹民族历史上，两河汇合处一直被视为契丹族的发祥地。建于此处的永州，也就成为辽代著名的州城。永州的地理位置，据《辽史》，在潢河、土河汇合处，附近有山叫木叶山。按潢河即今西喇沐伦河，土河即今老哈河，二水在今翁牛特旗大兴农场东5公里海力图附近汇合。但永州究竟在两河间何处，一直是研究者无法确定的。有的学者曾考定永州在潢、土二水合流点附近，但并没有找到永州的确切位置。1975年，考古人员根据当地人提供的线索，在白音他拉公社找到了这一座古城址，进行了调查。1979年7月，再一次对这座古城址进行了调查。调查结果认为这座城址，应即是辽之永州。简报分为：一、沙漠草原中的古城，二、寻找木叶山，三、关于永州和木叶山的考订，四、小结，共四个部分。有照片、手绘图。

据介绍，通过调查并结合文献记载，初步认为吐列毛杜古城建于金代，元废。地属泰州。城前的霍林河即是金代临潢府、泰州的分界河——鹤午河。古城与其北的界壕构成一套边疆防御体系，是金代北部的军事重镇。古城一带是乌古、敌烈部族活动的主要地区。吐列毛杜古城可能是乌古、敌烈统军司治所。

231.内蒙古赤峰市元宝山元代壁画墓

作　者：项春松

出　处：《文物》1983年第4期

1982年7月，内蒙古赤峰市元宝山公社百姓在附近山上推土取石，发现一座保存完好的古墓，考古人员到现场进行了清理、发掘。墓室中保存的八幅元代壁画是这次发掘的主要收获。简报配以照片予以介绍。

据介绍，墓地位于今赤峰市东30公里，修造在老哈河西岸"沙子山"西坡沙质土层中，东距老哈河仅200米。山下是老哈河冲积的广阔平地，隔河与辽宁省建平县境相望。墓地南北为起伏不高的丘陵山地。该墓为小型砖砌单室墓，形制别致。墓中未发现任何纪年文物。墓葬的形制结构、筑造方法及壁画的风格、布局格式等，与赤峰县三眼井元代壁画墓相似，但这一壁画墓所表现的民族风格和民族特点更为突出。从人物的民族特征看，壁画中男主人的面部特征和体态与近代蒙古族极为相近，而与辽、金时期壁画中所见的契丹人、女真人有明显的差别。从服饰的民族特征看，男主人及男仆所戴宽沿圆顶帽，饰帽缨，是元代贵族中常见的帽式。关于服饰，据文献记载："百官公服，制以罗，盘领，俱右衽。"壁画中的男主人及男仆的服饰可以印证。而女主人和女仆都是"左衽"，而且在长服之外均加开襟短衫，这给我们增添了有关元代男女服饰制度的考古资料。

按《元史·舆服志》："一品至三品许用金花刺绣纱罗，四品、五品用刺绣纱罗，六品以下用素纱罗。"又妇女服饰有"六品以下用金，唯耳环用珠玉"的规定。从壁画中的服饰看，墓主人的品阶大约相当于六品。

简报指出，元代舆服、礼乐制度，从世祖"混一天下"以后，"近取宋、金，远法汉、唐"，但又"多从本俗"，保持了较多的民族文化内容。元宝山壁画墓为研究元代舆服、礼乐制度提供了难得的形象资料。

232.契丹大字《北大王墓志》考释

作　　者：刘凤翥、马俊山

出　　处：《文物》1983年第9期

辽代北大王墓位于内蒙古自治区昭乌达盟阿鲁科尔沁旗昆都公社的一个辽墓群中。该墓在1949年前已被盗掘，墓门打开。1975年冬，当地农民进山劳动时进入墓中，发现仅存的一合墓志，随即送至旗文化馆收藏。简报分为：一、墓志的发现，二、汉文考释，三、契丹大字考释，四、结语，共四个部分。有照片。

据介绍，墓志为青砂岩质。正面中央刻篆体汉字"北大王墓志"一行，背面正刻汉字21行。简报推测，志盖是利用一块原来刻有契丹大字的碑打磨后改刻的。简报抄录了汉文志文全文，为耶律万辛志文。对所刻27行契丹大字录文于附录中并予以释读。

简报称，现存契丹大字墓志原石完整的仅有三块，它们是《萧孝忠墓志》《耶律延宁墓志铭》和《北大王墓志》。其他如《故太师铭石记》和《应历碑》的原石均已下落不明。现存三块原石中，《北大王墓志》字数最多，书写最为规整，是研究契丹大字的珍贵资料。

刘凤翥先生著《遍访契丹文字话拓碑》（华艺出版社2005年版）一书叙述此事甚详，可参阅。

233.内蒙古宁城出土辽代三彩壶

作　　者：白俊波

出　　处：《文物》1984年第3期

1981年3月，内蒙古宁城县榆树林子公社范杖子大队农民在盖房时，发掘到一件辽代三彩壶。简报配以照片予以介绍。

简报介绍，壶通高25厘米、足径9厘米。施黄、绿、白三色釉，色泽较为鲜艳，但浑厚无光，有细小开片。釉胎结合紧密，无脱落现象。假圈足平底露胎，胎质呈黄白色，火候低，质松软。扁圆腹，前后侧有明显的接痕，可知是两模合制而成。这件三彩壶口流均过于细小，带有象征性，可能是专为殉葬而烧造的冥器。

234.内蒙古赤峰大营子元代瓷器窖藏

作　者：唐汉三、李福臣、张松柏
出　处：《文物》1984 年第 5 期

1978 年 4 月，内蒙古自治区赤峰县大营子公社哈金沟村村民在平整土地时发现一处元代窖藏，考古人员进行了清理。简报配以照片、手绘图予以介绍。

据介绍，窖藏位于哈金沟村西北 300 米处的一座南北向山坡中部地段，高出地表 40 米。窖藏南部 20 米处为一辽、金、元时期建的大型建筑遗址，面积约 4000 平方米，地面砖、瓦、瓷片随处可见。这处窖藏的全部器物盛在一个绿釉大瓮中，瓮埋在一个方形土坑里。瓮上部盖石板，板上覆盖厚约 40 厘米的土层。窖藏器物以瓷器为主，还有少量铁器、铜钱、装饰品等，共 93 件。部分瓷器出自赤峰县缸瓦窑。

此次窖藏的年代，简报推断为元代。

235.内蒙古昭乌达盟敖汉旗北三家辽墓

作　者：敖汉旗文物管理所　邵国田
出　处：《考古》1984 年第 11 期

敖汉旗文化馆于 1978 年 5 月和 1979 年 8 月，在敖汉旗丰收公社北三家村清理了三座辽代墓葬。

北三家村位于新惠镇之东 37.5 公里，西距白塔子古城址 4 公里。这里为较平缓的坡地，村东西各有一座小山相距约 1 公里，北为半环形山环，东边的山脚下有一片辽代遗址。村南距教来河约 1 公里。据清理的这三座古墓和调查发现的二十余座古墓，可知这里是一处辽代墓地，其范围与整个现代村子的范围相当。

已经清理的这三座辽墓在很早均遭破坏，因此出土器物很少。主要收获是在 1 号墓和 3 号墓中发现一批壁画资料。简报分为：一、1 号辽墓，二、2 号辽墓，三、3 号辽墓，共三个部分。有照片、手绘图。

1 号墓的壁画面积有 40 余平方米，有 24 人，保存较好，内容也很丰富。是目前所知的辽墓壁画中画技较高的一座。壁画的作者尤擅长画动物，马和狮子画得栩栩如生。狮子只是寥寥几笔，勾画得逼真形象，利用笔锋十分精彩地画出了肌肉和骨骼的关系。

3 号墓的壁画面积有 20 平方米，人物有 20 个。从墓的规模到壁画的面积，均不及 1 号墓，画技上也较 1 号墓逊色。单从内容上看，其价值并不亚于 1 号墓。其中如题有"刘三取钱"题记的二人撕斗的场面，是已发现辽墓壁画中所仅见。它生动地描绘了流传在辽国境内的汉族故事，反映了辽代北方各民族在文化上的融合。这三座墓均未发现明确的纪年。简报推断，从其形制上看，1 号和 3 号墓属于辽中期以后墓葬，而 2 号墓较早。距这处墓地之西 4 公里的白塔子城址是辽的武安州，墓地东侧的辽代遗址当属守茔者的住所。估计这处墓地可能是武安州的最高统治者的契丹人家族茔地。

236.赤峰发现的契丹鎏金银器

作　者：项春松
出　处：《文物》1985 年第 2 期

1979 年夏，内蒙古自治区赤峰市郊区城子公社群众发现了雨水冲刷后暴露出来的 3 件契丹银器，并送交当地文化主管部门。随即考古人员两次赴现场进行实地调查，确认这 3 件银器出自古代窖藏，系辽代金银器中的珍品。简报分三个部分，配以手绘图、照片予以介绍。

据介绍，银器出土地点位于城子公社洞山大队洞后生产队村南 0.5 公里的山坡上，窖藏地点附近均为较松软的黑色杂土层，周围未发现辽代遗址或墓葬，无疑这是一处窖藏。3 件窖藏银器中，2 件为鱼龙提梁壶，1 件为鸡冠壶，均鎏金錾花。这 3 件银器制造精美，色彩鲜艳，保存也较完整，是近年来赤峰市发现的古代金银器中的珍品，也是辽河上游辽代文物考古工作的一次重要收获。

简报称，这几件银器，在工艺上具有唐代金银器风格，而在造型上则具有契丹民族特征，为研究契丹族金银器制造工艺提供了不可多得的新资料。

237.赤峰市郊石佛山发现辽大康七年石刻

作　者：项春松
出　处：《考古》1986 年第 7 期

石佛山在赤峰市东北 22.5 公里，今赤峰县水地人民公社北 1 公里。石佛山南山脚下，有一城址。东西 60 米、南北 30 米，四周石砌城墙残高 1 ~ 3 米，城中凹下成锅底形，南墙正中似有一门。整个城址建造在圆土丘上，现存残基高出附近地面 8 米，当地俗称"香炉山"。城内遗物以"夏家店下层"和战国时期居多，当是与长城有关的城堡；辽代遗物也有发现，可能在建造石刻时曾利用土丘旧墟修建过祭祀场所。1965年调查长城并勘探"香炉山"城址时，发现这批石刻，当即作了详细记录和拍照。1975年再行复查时，这批石刻已毁于"文化大革命"，片石无存。

简报分为：一、地理位置，二、石刻内容，三、石刻题记，四、小结，共四个部分。有照片。

据介绍，石刻建造在石佛山山顶尽南端的一座自然孤石上，外观成馒头状，高2米、底径3.4米。略加修整，凿以佛龛，龛内刻像。共6组，调查时按西向南折东转北为顺序，编为一至六号。此处石刻的重要发现是发现了一处简短的六十余字石刻题记，题记罗列了刘慎行、刘六符、刘尧祖孙三代的六种主要任职。刘六符，《辽史》有传。刘六符的先人，原籍河涧人。曾祖守敬、祖父景、父慎行，在辽代世为汉族大官僚，其远祖为唐德宗时期幽州卢龙军节度使刘怦。石晋以幽、蓟入辽，刘氏六世仕辽，相继为宰相。辽时主要出任于中京、南京地区。刘家是辽代燕、蓟地区韩、刘、马、赵四大豪族之一，在辽国历史上影响较大。题记多处可补《辽史》之阙。

由题记，知此处石刻年代为辽大康七年（1081年）。

238.赤峰敖汉旗出土元代纪年瓦当范

作　者：邵国田

出　处：《文物》1987年第7期

1983年春，内蒙古赤峰敖汉旗白塔子乡农民在村西元代武平县遗址南约500米的耕地里发现一件元代瓦当范。简报配以拓片予以介绍。

据介绍，瓦当范长23.1厘米，宽16.6厘米，厚3.3厘米，腔壁厚1.5厘米。范为褐色泥质陶，火候较高。正面呈扁桃形，为母范模压出来的兽面纹范腔。兽面的边缘饰勾云纹。范腔周壁有浅槽。背面略平，有横向的刮抹痕，正中竖刻"至大叁年五月　日记□"九个字，末一字似行书的"六"字，应为匠作的花押。范腔中部有一条竖裂缝，补缝处施有绿色釉。

简报称，武平县遗址内曾采集到兽面纹圆瓦当，这件元代纪年扁桃形瓦当范则为首次发现，可以作为研究元代瓦当分期的标准器。

239.内蒙古敖汉旗英凤沟金代墓地

作　者：敖汉旗文物管理所　邵国田
出　处：《文物》1987 年第 8 期

1983 年秋，敖汉旗文物部门进行文物普查时，在新地乡三家村英凤沟发现一处金代墓地，并征集到这个墓地出土的石棺一个、墓碑一通。1986 年 6 月初，对墓地进行了复查，并对其中两座已全部暴露并受到破坏的墓葬（编号为 M1、M2）进行了抢救性清理。简报配以照片、拓片、手绘图予以介绍。

据介绍，英凤沟屯北距敖汉旗政府所在地新惠约 10 公里，西距孟克河约 3 公里。墓地位于英凤沟屯北面 1.5 公里的山洼中，北依一道东西走向的山脉。此山当地称为鹰窝山，顶上有石砌的燕长城遗迹，山南坡向前伸出两道漫梁，构成一个环绕墓地的椅圈形。由于当地水土流失严重，自 20 世纪 50 年代起，山洼内陆续冲出一些墓葬。1952 年曾冲出一座砖室墓，1958 年冲出一座石棺墓（编号为 M5）。目前除这次清理的 M1 和 M2 外，因洪水冲刷而露出墓道和墓圹的还有四座墓（编号为 M3、M4、M6、M7）。简报重点介绍了 M1、M2、M5 等墓。M1 早年曾被盗。M2 仅发现石棺与墓碑各一。志文有残，但仍可看出 M2 墓主为金代宗室，有从三品的"镇国上将军"武散官阶。墓碑上记载着墓主两次埋葬的时间，第一次是金代明昌三年（1192 年），第二次是明昌七年，表明这座墓是二次葬。此墓石棺内长仅 1.1 米，应为火葬墓。M5 石棺上雕刻的四神及人物，显示出中原地区文化在当地的影响。根据 M2 的墓碑，此处应为金代墓地，但 M1 的形制却与辽墓相近。判断此墓的确切时代，还缺乏足够的依据。

简报称，新惠镇南侧有一处辽金时代的古城址，从地望考察，可能是金代的惠和县。英凤沟墓地距此城址不远，两者可能有一定的联系。

240.内蒙古敖汉旗沙子沟、大横沟辽墓

作　者：敖汉旗文物管理所　邵国田
出　处：《考古》1987 年第 10 期

1976 年春和 1983 年夏季，分别在内蒙古自治区敖汉旗南部的金厂沟梁镇四六地村沙子沟和新地乡大横道子村大横沟的山上，牧民们发现有辽墓。1982 年 5 月和 1983 年 8 月，考古人员先后对两座辽墓进行了抢救性清理。两座辽墓地处燕山山脉的余脉努鲁儿虎山北麓的山地上。简报分为：一、沙子沟 1 号辽墓，二、大横沟 1 号辽墓，三、小结，共三个部分。有手绘图。

据介绍，沙子沟 1 号辽墓在四六地村之西南 0.5 公里的沙子沟村沟里，四棱山东南山下的半环形缓坡地上。沙子沟 1 号辽墓由主室、前室、东西耳室、前后甬道、天井、斜坡墓道六个部分组成。大横沟 1 号辽墓位于沙子沟西南方向，可能早于沙子沟墓。两墓出土有马具、武器、工具、陶器等，应为辽代早期墓。从随葬品可以看出契丹族"是把马与龙相等同看待"。镞的制作也十分精良。填土中埋入陶器，或为契丹族葬俗。

241.巴林左旗金代临潢路边堡界壕踏查记

作　　者：赤峰市博物馆　项春松
出　　处：《北方文物》1987 年第 2 期

辽亡以后，金朝在原辽上京地区改设临潢路，曾经作为辽国政治、经济、文化、交通重心的上京临潢府，逐渐失去了昔日的历史地位而成为金朝抵御北方蒙古南下的边防重镇。临潢路边堡界壕营建规模较大，结构坚实宏伟，防御设施严密，和其他地段有所不同，体现了临潢路在金朝军事上的重要地位。1981 年 5 月，考古人员前往调查。简报分为：一、分布范围及走向，二、边堡所经地形，三、界壕建筑及防御设施，四、结语，共四个部分。有手绘图。

据介绍，这次踏查地段选择在巴林左旗北部的乌兰坝、好尔吐、白音勿拉（蒙古语，富饶的山）三个公社，这里既有较为宽阔的草原，又有峻险的山地，金代军事工程当时称为"边堡界壕"。壕，是金代边堡工事的主体建筑工程之一，规模壮观，超过前代，由外壕、外墙、内壕、内墙四部分组成，有点像抗日战争时期日本人挖的封锁沟。再加上所谓"障寨"、城址，形成一个完整的军事体系。金朝北部边防需要迎战的是强悍的骑兵，而蒙古铁骑又具有相当强劲的越野、越障能力，一般单层的防线（土筑或石筑城墙、壕堑）能一跃而过，丝毫阻挡不了轻骑的进攻。金代边堡采用外壕、外墙、内壕、内墙四道障碍，即用一堑（外壕）一障（外墙）、再一堑（内壕）一障（内墙）的高低相错的构筑形式，这样最易消耗骑兵的战斗力。从史料记载不难看出，金朝为了巩固边防、阻击北方蒙古铁骑南下，朝野上下不仅费了很大的精力，而且投入了大量的人力、物力和财力，是一项耗资巨大的军费开支，而防御重点即在临潢路，从金初大定年间已开始修建。

简报指出，在金朝边堡整个前线防御系统设施中，经考察推断，"戍堡"应是基本的戍守、瞭望单位，按每 60～70 米设一堡（马面）计算，全线 3500 余公里应不少于 25000 余座，若以每堡两人轮换戍守，则戍堡士卒需 10 万人。"堡"应是管理具体戍守人员的单位，每堡置堡户，管理若干个小堡，按临潢路归设二十四堡，则每一"堡"当管理 200 个戍堡（临潢路起鹤午河，止撒里乃，长约 300 公里）。障是较大的编制单位，主要任务是屯戍。按临潢路一段每 5 公里一障，则全线应有 350 个障。障内均有 10 至 12 排营房，称每障共有营房 100～120 间，每间按住 4 个士卒计算，则每障内可住戍卒近 500 人（主体建筑尚不包括在内），全线则需营屯 17 万人。至于"寨"，因限于条件，目前尚难确知它的具体设置和布局，但此种寨址规模较大，除了指挥、转运、调遣人员外，应有部分戍卒。这样，金朝要完全控制这道界壕并发挥它在军事上的戍守、攻战作用的话，仅边防戍守士卒或军民堡户最少需要 30 万至 50 万人。

242.内蒙古巴林右旗罕山辽代祭祀遗址发掘报告

作　者：内蒙古自治区文物工作队、巴林右旗文物馆　刘晓光
出　处：《考古》1988 年第 11 期

内蒙古巴林右旗北部的罕山，属于大兴安岭山脉的南支，主峰巍峨挺拔于群峰众岭之间，海拔 1928 米，为全旗境内最高的山峰。山顶为一长阔约 2 公里的较平缓的高原，其中有一座天池，清澈的泉眼散布其间，每逢雨水丰沛年份，池中尚有积水，附近还生长有旱金莲花。现今除山顶无树木外，约自 1700 米以下的阴坡和山谷内松桦茂密，牧草丛生，鸟兽甚多，人迹罕至，当地人又称此山为"罕山"。1949 年以前每年都将罕山作为神山祭祀，1981 年考古人员在这一带进行文物调查时，得知黄花沟内有一通残石碑，该碑长期矗立于地表，当地人也少有人知，"文化大革命"中将其推翻倒地，并砸毁了螭首及部分碑身。同年 8 月，将石碑运回旗文物馆保存。这座石碑所在的地方，位于罕山主峰的正南方，西偏北距白塔子辽庆州城址约 25 公里。石碑附近分布有许多建筑遗址，地表散布有砖瓦碎块和石柱础，经辨认这些建筑遗址共 8 处，其中有的仅一座建筑物，有的围有石块垒砌的石墙，有的为依山建筑的两进建筑物，还有在夯土台基上建造的大型建筑。石碑铭文只见有地名、管理机构称谓、官职和姓名，无纪年和完整的记事铭文。为了探明石碑与建筑遗址的关系，认识这些建筑物的性质，考古人员进行了正式发掘，自 1983 年 5 月 28 日始至 6 月 21 日结束。简报分为：一、遗址概况与发掘经过，二、第一号建筑址，三、第二号建筑址，四、第三号建筑址，五、第四号建筑址等几个部分予以介绍，有手绘图。

据介绍，此次发掘共清理了 4 处建筑遗址，编号为 F1～F4，发掘面积共 650 平方米。F1 建筑面积 22 平方米，室内面积仅 9.6 平方米，是已发掘四处建筑遗址中最小的一处。F2 破坏严重，只知石碑原应竖立在此小型建筑中。F3 面积 136 平方米。

F4 更大一些。在此四处建筑以东，还有一座大型建筑，比这 4 处建筑要大得多，尚未发掘。简报认为这里应是辽代一处祭祀遗址。

243.内蒙古敖汉旗发现胡人骑狮辽瓷像

作　者：邵国田

出　处：《北方文物》1988 年第 2 期

内蒙古敖汉旗撒力巴乡喇嘛沟村于 1984 年秋，发现了一尊胡人骑狮瓷像。考古人员对出土地点作了调查。喇嘛沟村位于老哈河的支流——饮马河右岸，整个村子坐落在一处辽代遗址上，东南距敖汉旗政府所在地——新惠 23 公里。这尊瓷像是农民在盖房取土时发现的，同时出土的还有其他文物。简报配以手绘图予以介绍。

据介绍，瓷像通高 14.5 厘米、长 9 厘米、宽 4 厘米。狮为雄狮。与这件瓷像共出的还有一件黑花瓷瓮，出土时瓷像放在瓮中，距地表约 1 米深，还出土了铁犁铧等生产工具。简报认为，这是一处窖藏。简报称，这件瓷造像的出土，为研究辽代艺术、辽代瓷器等均提供了珍贵的资料。

244.内蒙古巴林右旗虎吐路辽墓

作　者：巴林右旗博物馆　苗润华

出　处：《北方文物》1988 年第 3 期

1987 年 6 月 11 日，巴林右旗沙巴尔台苏木虎吐路嘎查牧民特木热巴根，将他在放牧中于村南沙窝里拣到的陶罐、铜铃等一批文物，全部送交巴林右旗博物馆。这件事引起了考古人员的重视，同前往现场进行调查。

简报分为：一、地理位置，二、遗物，三、结语，共三个部分。有手绘图。

据介绍，虎吐路嘎查隶属巴林右旗沙巴尔台苏木，西北距苏木 13 公里，南距旗政府所在地大板镇 12 公里。文物出土于村南 1.5 公里的敖包山东坡中段。出土遗物共 28 件。这座墓出土的陶罐、陶壶、铜铃及各类装饰品，具有鲜明的北方古代民族文物特征。

简报推断该墓当是一座契丹人墓，其时代可能相当于辽代早期。

245.内蒙古翁牛特旗辽代广德公墓

作　者：项春松
出　处：《北方文物》1989 年第 4 期

辽广德公墓位于翁牛特旗所在地乌丹镇西南约 30 公里的鸽子洞沟，地处少郎河北岸。1965 年以来，该地区曾多次发现辽墓，是辽上京丰州境内重要的辽墓群之一。简报分为：一、墓葬形制，二、葬具，三、随葬品，四、墓葬年代，共四个部分。有手绘图。

据介绍，鸽子洞沟辽墓系石筑券顶单室墓，葬具为一大型木屋式的木棺，形制别致，结构复杂，保存完整，在辽墓中较为罕见，随葬品有银质耳环、玛瑙串、绿釉器等，系供器。简报推断：鸽子洞墓葬应属辽代中早期墓葬，最晚也应在统和年前后；墓主人当为汉族官僚地主，抑或是宋朝使臣。

246.辽上京出土许由巢父故事铜镜

作　者：金永田
出　处：《文物》1990 年第 4 期

1982 年 4 月在内蒙古巴林左旗辽上京汉城遗址中出土一件铜镜。铜镜出土于辽代文化堆积层，距地表 1.75 米，同时出土的有辽代沟纹砖、布纹板瓦残块。简报配以拓片予以介绍。

据介绍，此镜为菱花形，直径 14.5 厘米、边厚 0.4 厘米，半球形纽，以人物故事图像为饰。纽下为河岸及水面，纽上有远山。中部偏左矗立一株大树，藤萝绕树而上。树左坐一人，左手提着右面的长袖，右手在耳际作摩挲状。树右一人，左手牵牛，右手前举。这件铜镜制作较粗糙，但人物形象比较清晰。可以判断，树右牵牛者当为巢父，树左坐者为许由，所铸图像内容为许由遇巢父故事。

五代至宋，社会经济衰落，铜镜制作偏重实用。北方契丹政权铜禁甚严，辽地制镜多仿宋镜风格，但镜体趋于薄小，做工不精。这件铜镜具备上述特点，且出自辽上京汉城辽代文化堆积层中，简报推断铜镜当属辽代遗物。

247.内蒙古赤峰郊区新地辽墓

作　者：项春松
出　处：《北方文物》1990 年第 4 期

1976 年 5 月，赤峰郊区岗子乡新地村村民在农田基本建设中发现一座辽墓。随后考古人员进行了抢救性清理。这座墓葬构筑规模较大，形制别具特点，随葬器物比较丰富，在辽代考古上也是难得的资料。考古发掘结果报告，简报分为：一、地理位置，二、墓室结构，三、葬具及葬式，四、随葬器物，五、小结，共五个部分。有手绘图。

据介绍，墓葬位于今内蒙古赤峰市西北 60 公里岗子乡新地村。筑于召苏河（辽代称网子河，见沈括《熙宁使虏图抄》）北岸 0.5 公里山坡下。新地辽墓规模较大，由墓道、墓门、甬道、耳室、主室组成，是一座多室墓。出土文物中，有些带有明显的中早期风格。简报推断：新地辽墓的时代当在辽中期向晚期过渡时期，也就是说不会早于圣宗建辽中京以前；墓主可能是一个汉化较深的契丹贵族。

248.翁牛特旗发现元青花玉壶春瓷瓶

作　　者：蒙景新
出　　处：《文物》1991 年第 7 期

1988 年，内蒙古赤峰市翁牛特旗文物管理站在墓葬中发现一件青花玉壶春瓷瓶。简报配以照片予以介绍。

据介绍，这件青花玉壶春瓶应属景德镇瓷窑所烧制，制作年代大约在元代中晚期。

249.赤峰市郊区发现的辽墓

作　　者：赤峰市博物馆　项春松
出　　处：《北方文物》1991 年第 3 期

近几年来，在赤峰市郊区先后发现并清理了近 20 座辽墓。这些辽墓虽然有的早期被盗，但其结构形式各有早晚特点，出土文物各具民族风格，为全面了解辽墓的时代风貌及其演变、葬式葬俗及其族属特征，以及契丹民族的文化面貌等，提供了较多的实物资料。简报配以手绘图予以综合介绍。

据介绍，简报介绍有：兴旺庄辽墓、牛营子辽墓、大富铺辽墓、和平营 1 号辽墓、十间房辽墓、王家店辽墓、三把火辽墓、大营子辽墓、石营子辽墓、红庙子辽墓、达拉明安辽墓、古都河 1～2 号辽墓、窑沟门辽墓、曲家沟 1～2 号辽墓、那眜府 1～2 号辽墓，共 15 座。这批墓葬共清理出土文物 100 余件，器形较多，多数制作精致，除了明显的契丹族器皿如鸡冠壶、长颈瓶、三彩暖盘等外，还有相当数量的中原风格的文物。这些表明，中京地近中原，和汉文化交流较早，影响也较深，因而在辽代墓葬中反映比较明显、突出。简报称，从总的风格看更接近南京地区，而和上京有显著的差异，这是契丹文化中多元文化因素的反映。

250.内蒙古赤峰沙子山元代壁画墓

作　者：刘　冰
出　处：《文物》1992 年第 2 期

1989 年 4 月，在赤峰市元宝山区的宁家营子村沙子山发现一座壁画墓。墓葬已被破坏，墓顶南侧有 2 个直径约 50 厘米的盗洞，随葬品无存，但壁画保存较好。简报分为：一、墓葬情况，二、壁画内容，三、结语，共三个部分。有照片、手绘图。

据介绍，沙子山是呈东西走向的马鞍形小山，老哈河由北向南在山的东坡下流过。墓葬就位于沙子山东坡半山腰。墓葬地面无封土，墓顶距现地表约 0.6 米，墓葬为砖室结构，仅存头盖骨、盆骨，墓主人应为男性。壁画绘于墓室四壁及顶部，发现时色彩新鲜艳丽。壁画共 9 幅，内容有瑞鹤图、乐舞图、闲居图、出行图等。

251.赤峰市阿鲁科尔沁旗温多尔敖瑞山辽墓清理简报

作　者：赤峰市博物馆考古队、阿鲁科尔沁旗文物管理所　刘　冰、赵国栋等
出　处：《文物》1993 年第 3 期

1989 年 3 月，在文物普查中，考古人员于内蒙古赤峰市阿鲁科尔沁旗扎嘎斯台苏木的温多尔敖瑞山，发现了一处辽代墓地。1991 年 6 月，该墓地部分墓葬遭到破坏。考古人员进行调查处理，并发现一座墓室已暴露于地表的早期被盗墓，对其进行了抢救性清理。简报分为：一、墓葬形制，二、葬具葬式，三、随葬器物，四、结语，共四个部分。有照片、手绘图。

据介绍，温多尔敖瑞山位于阿旗扎嘎斯台苏木吐古他拉嘎查北 30 多公里，此处为多山多沙丘地带，现为吐古他拉牧场。墓地位于山南侧，在山峦沙丘的环绕之中。墓地中的辽墓，在地表有用石块垒砌墓道及墓穴的痕迹，墓室多已坍塌或早期被盗，有 2 座墓在近期被盗。此次抢救清理的这座墓葬，位于墓地的中部。墓葬为砖砌单室墓，由墓道、天井、甬道和墓室四部分组成。天井已遭破坏。简报推断此墓年代在辽亡前不久，盗墓发生在辽末金初。

简报称，契丹族古老丧俗反映在两点上：

一是使用铜丝网。契丹旧俗，父母死以哭为懦弱不孝，将死尸置树上，三年收骨焚之。为保证尸骨不失落，当时肯定要采取一定的措施，如以绳结网或用渔网等罩于尸上，戴上面具等。后来便演变成金属网这一特殊的殡葬服饰。因此，网络的

使用与宗教及防腐应无直接联系。金属网络在使用上应有贵贱之分，级别高的贵族，可以用由冠、靴、面具、全身网络组成的一套完整的殡葬服饰，另外殡葬服饰质地上的不同，也反映墓主人地位上的差别。

二是墓葬中出土的大石棺，正面画有门扇。将石棺、椁制成祖庙的形制，当有死后追随先祖、回归祖庙之意，也反映了契丹族的一种较特殊的葬俗。

252.内蒙古巴林右旗庆州白塔发现辽代佛教文物

作　者：德　新、张汉君、韩仁信
出　处：《文物》1994 年第 12 期

辽庆州白塔名释迦佛舍利塔，位于内蒙古自治区巴林右旗索布日嘎苏木，南距旗所在地大板镇 98 公里。在国务院公布的第三批全国重点文物保护单位"辽陵及奉陵邑"——庆陵及庆州城遗址内，属遗址地面仅存的一座辽代佛塔建筑。塔平面呈八角形，共七级，属砖木结构的楼阁式形制，总高 73.27 米。因年久失修，残破严重，经国家文物局批准，于 1988～1992 年对其进行以"加固为主、局部复修"为原则的保护、抢救性维修。施工期间，于塔刹内发现一批辽代重要佛教文物。简报分为：一、层位分布，二、形制结构，三、主要遗物，四、结语，共四个部分。有拓片、手绘图。

据介绍，庆州白塔塔刹内发现的这批辽代佛教遗物，数量之多，品类之繁，保存之好，砖碑铭文内容之丰富，实为鲜见。由碑铭知该塔于辽重熙十八年（1049 年）完工。工程在皇室直接干预下，各级官吏参与，甚至有军队士兵参与。碑文详细记录了参与建塔的军官、僧官、宫卫内寺的官职、姓名，各工种工匠姓名，这都是研究辽史的一手史料。发现的辽代佛经、一批保存较好的辽代丝物等，都为研究辽史提供了实物资料。

253.敖汉旗出土两件辽代铜镜

作　者：邵国田
出　处：《文物》1995 年第 5 期

内蒙古敖汉旗出土有 2 件辽代铜镜，简报配以拓片予以介绍。

据介绍，一件，1974 年大甸子乡新地村辽代窖藏中出土。另一件，1987 年四德堂乡夹信梁辽墓出土。

简报指出，这 2 件铜镜分别在辽代窖藏和墓葬中出土，其图案中的连珠纹边框及火珠纹等，均为辽代器物上常见的纹饰。因此，简报推断这2件铜镜可能为辽本土所铸造。铜镜体大且图案精美，在辽代铜镜中罕见。

254.内蒙古巴林左旗出土辽代蔡志顺墓志

作　者：王未想
出　处：《考古》1995年第9期

1989年初冬，内蒙古赤峰市巴林左旗林东镇西榆毛子山南麓发现一处辽代墓群，皆早期被盗。在其中一座墓的淤泥中发现了辽代乾统八年（1108年）的《蔡志顺墓志》。除右上角残缺一块外，其余部分虽断为三块，但粘接后文字基本不缺。墓志出土地点东南2公里即辽上京遗址。简报配以拓片予以介绍。

据介绍，墓志为长方形，共有字19行，满行27字，现存446字，简报录有志文全文，中多缺字。

由志文得知，墓主名叫蔡志顺，得到辽兴宗次子和鲁斡赏识，一步步提拔起来。清宁六年（1060年）任辽北枢密院的契丹令史。次年耶律乙辛主持北院枢密使事时，蔡即离任而去，做了"通事"，可能是契丹语与汉语的翻译。后又任过多种官职。乾统八年（1108年）下葬。

简报称，此墓志虽然仅有四百多字，但内容非常丰富，不见于《辽史》的官名尤多。多有匡补《辽史》之处，为研究辽代职官提供了新资料。

255.内蒙古敖汉旗老虎沟金代博州防御使墓

作　者：朱志民
出　处：《考古》1995年第9期

1993年9月13日，内蒙古敖汉旗新地乡老虎沟村发现一座古墓被盗。考古人员于9月16～24日对该墓（编号M1）进行了抢救性清理。该墓虽早期多次被盗，但经清理仍出土有大型石棺、汉白玉质契丹小字墓志、白釉瓷器、铜丝网络、铜饰件（均残）等重要遗物。尤其是契丹小字墓志更是十分重要的发现。简报分为：一、地理位置与墓葬形制，二、随葬器物，三、墓志解读，共三个部分。有拓片、手绘图。

据介绍，敖汉旗老虎沟金代墓葬的重要发现是契丹小字墓志，此志原文应有2000多字，残缺左右两上角，现存1570余字。这是目前所知内蒙古地区发现的字数最多、质地最好、书法及雕刻水平高超的契丹小字墓志铭。为了方便契丹文字研究者们，简报特把墓志进行转写和解读。为了印刷的方便，解读的过程说明从略，仅把可释读的契丹字在摹本中字旁标出汉字。

简报称，从解读可以得知，墓主人是辽末降金的契丹人，在金代曾任博州防御使，死于金代大定十年（1170 年）十二月二十五日，享年 70 岁。志文中出现了辽代的大康和金代的天会、天眷、皇统、大定等年号以及辅国上将军、昭武大将军、宣武将军、护军、郎中、户部尚书等职官名称，还有燕京、中京等地名，是目前发现的契丹小字墓志中时代最晚的一合。这是继河北省兴隆县出土的金代天德二年（1150 年）的萧仲恭墓志之后，全国第二次出土的金代契丹小字墓志。此墓志下距金朝明令废除契丹小字的明昌二年（1191 年）仅有 21 年，从中可以研究晚期契丹字的使用情况，因此极为珍贵。另外，墓志由于刻于金代，出现了金的国号多次，但不是用的"金"，而是用的"女真"。"女真"一词是靠此墓志解读出来的。契丹小字食邑多少户，在《萧令公墓志残石》虽然出现过，但以前没有释出，这次之所以能够释出是靠了与它配套的食邑实封多少户释出来。这些都是契丹小字解读方面的重大收获。墓志中还出现了一些其他契丹小字资料中不曾出现的新的原字和由这些原字拼成的字词。这些都为契丹小字的解读提供了新的资料。

简报最后指出，墓志志文为行书楷体，字体飘逸精美，雕刻艺术高超，刀法遒劲，线条流畅，堪称一份极为难得的书法、雕刻艺术珍品。

256.辽耶律羽之墓发掘简报

作　者：内蒙古文物考古研究所、赤峰市博物馆、阿鲁科尔沁旗文物管理所
　　　　齐晓光、王建国、丛艳双等

出　处：《文物》1996 年第 1 期

1992 年 7 月，赤峰市阿鲁科尔沁旗罕苏木朝克图山一座大型辽墓被盗，随后确认墓主人为辽东丹国左相耶律羽之。同年 8 月末至 10 月初，考古人员对墓葬进行了抢救性发掘。苏木所在地罕庙南距天山镇 130 余公里，其东南约 30 公里有一牧村，称古日板呼舒，村东北为绵延数十里的朝克图山，该山西端异峰突起，峰顶有一巨大裂带，当地人称之为"裂缝山"，山东南阳坡三面环山，幽谷寂静，耶律羽之墓即坐落在坡南。简报分为：一、墓葬形制，二、葬制，三、壁画与彩绘，四、随葬品，五、结语，共五个部分。有彩照、拓片、手绘图。

据介绍，墓葬为砖石结构，由墓道、门庭、墓门、甬道、东耳室、西耳室和主室组成。深 10.2 米，全长 32.5 米，其地表原建有砖砌方形享堂，现已毁。据出土墓志可知墓主为辽国重臣耶律羽之，会同四年（941 年）死，享年 52 岁，会同五年（942 年）

下葬，其夫人于葬夫 18 日后去世，当年与夫合葬。

简报指出，耶律羽之墓规模宏大，结构精细考究，墓室以琉璃砖为建筑材料，坚固美观，这种四壁生辉的设计在众多辽墓中堪称一绝。墓内装饰壁画与彩绘形象逼真，画技高超，亦是罕见的辽早期绘画佳作。大量随葬品做工精湛，许多文物在工艺和造型上都极具特色。如海兽铜镜、青瓷、定窑白瓷、辽三彩、金器、丝织品等。墓志洋洋千余言，史料丰富，有助于对文献史实的勘补，特别是有关契丹与鲜卑关系的记载殊为珍贵。

据志文，知耶律羽之生于唐大顺元年（890 年），契丹迭剌部人。其先宗派出石槐，历经汉、魏、隋、唐，世为君长，这是首次发现的有关契丹黄金家族与鲜卑承袭关系的明确记载。其曾祖勤德，祖曷鲁，父金云大王讴思都曾历任迭剌部夷离堇。耶律羽之与辽太祖阿保机同出一脉，属堂兄弟。羽之自幼聪慧，才能过人，通晓多种部族语言。早年常参与军谋，为阿保机所器重。天显元年（926 年），太祖征灭渤海，改其国曰东丹，册封皇太子耶律倍为人皇王（亦称东丹王），任命羽之为中台右平章事（即右次相）。时新国初建，羽之虽居四辅之末，实际是主要执事命臣，因办事勤恪，建树颇丰，不久即加太尉掌军事，翌年又加太傅判盐铁，封东平郡开国公。天显二年太宗即位，羽之迁升为左相。天显四年，人皇王欲效盘庚之迁，羽之奉诏进表，出谋献策。太宗嘉纳，于是迁国于东平（辽阳城），移渤海民户以实之，并升东平为南京。天显五年，人皇王忧太宗见疑，漂海奔唐。嗣后东丹国实际由羽之主政。天显十三年，太宗皇帝受大晋之册礼，改元会同，特召羽之入朝，表彰其为通敏、博达、启运功臣，加特进参议朝政，进阶上柱国。同年改东平为东京，羽之终前亦兼东京太傅之职，为辽国重臣。

257.林西县发现金代瓷器窖藏

作　者：王　刚

出　处：《文物》1996 年第 8 期

1972 年 5 月，内蒙古林西县冬不冷乡温都村一农民在平整院子时发现一批瓷器。县文物主管部门得知消息后，赴现场清理收集了这批文物。简报分为：一、地理位置和窖藏装饰品，二、遗物，三、小结，共三个部分。有照片。

据介绍，温都村位于西拉木伦河支流的嘎斯汰河，窖藏南距嘎斯汰河 0.5 公里，西距冬不冷乡 12 公里，距林西县城 16 公里。窖藏所在处地势较平缓，为嘎斯汰河二级台地，高出河床约 20 米，现已辟为村庄。窖藏发现于村民院内，在窖藏南 200 米，发现辽金时期居住遗址一处，面积 500 平方米，地表散布着大量辽金时期的陶瓷残片、砖头瓦砾等遗物，文化层厚达 0.7 米，当地老百姓称之为"高丽房身"。出土的瓷器共 6 件，其中 3 件为黑釉瓷碗、2 件白釉瓷碟、1 件青瓷香炉。

三足香炉为青釉，胎质细腻发灰，器表施粉釉，釉色浑厚润泽，呈色深沉苍翠。缠枝花卉纹采用镂空手法，奔放流畅，釉下隐见冰裂纹。炉体制造规整，胎厚器重，造型美观大方。根据制作特点、釉色及装饰花纹等全面分析，此炉应为耀州窑珍品。这批窑藏文物的时代，简报推断应为金代。

258.内蒙古巴林右旗友爱辽墓

作　者：巴林右旗博物馆　苗润华等
出　处：《文物》1996 年第 11 期

1992 年 1 月，内蒙古巴林右旗都希苏木友爱村发现一座被盗掘破坏的辽墓，考古人员前往现场做了调查。墓内随葬品基本全部被盗走，现场发现小帐木板画 2 幅，并清理出部分文物。简报分为：一、地理位置和墓葬形制，二、木板画，三、出土遗物，四、结语，共四个部分。有彩照、手绘图。

据介绍，墓葬位于友爱村西南 500 米，地处村西西泡子山南缘坡脚下。其南是开阔平坦的耕地，东北至村间为半流动沙丘，西距查干沐伦河 2 公里。墓葬东南 100 米为辽代黑河州城址。墓葬为方形单室，系开凿地下基岩为墓穴和墓道，墓穴立壁以上用石片内收券顶，墓顶用直径 1.5 米的大石板封盖。墓道上部横盖条石。墓室壁抹三层泥：里层抹黑土黏泥找平，中层为草拌黄土泥，外面抹一层薄白灰。地面为凿平基岩后垫铺黄沙土，外用 2 块较大的条石并列立置封堵墓门。墓内葬具为小木帐，柏木质，方形，置于墓室中后部，已被破坏无法复原。出土了一批纺织品，木板画上男女侍从手托银器，反映出墓主人当有一定地位。简报猜测此墓主人或为辽代中期或早期辽黑河州官吏或其眷属。

259.内蒙古巴林右旗发现辽代《王延福办佛会发愿碑》

作　者：巴林右旗博物馆　苗润华
出　处：《考古》1997 年第 2 期

内蒙古巴林右旗巴彦琥硕村百姓于 1993 年 1 月 20 日掘土时发现辽代《王延福办佛会发愿碑》一通，现存巴林右旗博物馆，简报配以拓片予以介绍。

据介绍，石碑出土地原为辽代遗址。《王延福办佛会发愿碑》阴文楷书，共计 14 行 156 字，简报录有碑文全文。碑铭内容为记事发愿文。辽道宗清宁十年（1064 年），以王延福为首的一群虔诚的佛教弟子办佛会事佛，上为皇帝百官，下为存亡七世父母及自身眷属等祈福。文中的"皇太后"指辽兴宗的仁懿皇后萧挞里，她是辽道宗生母。文中的"皇帝"指辽道宗耶律洪基，"皇后"为道宗的宣懿皇后萧观音。

简报指出，这类体例的发愿文与北魏、西魏、北齐、隋、唐和五代时期的石窟寺及造像题记是一致的。在辽代，这类发愿文主要见于佛塔地宫中，而涉及民间办佛会者尚属首例。

260.韩德威和耶律元佐墓志铭考释

作　者：巴林左旗博物馆　金永田
出　处：《文物》1998 年第 7 期

简报分为：一、韩德威墓志，二、耶律元佐墓志，共两个部分介绍了这两方墓志。有拓片。

据介绍，1994 年秋，内蒙古巴林左旗白音勿拉苏木（苏木，蒙古语"乡"之意）依斯力格嘎查（嘎查，蒙古语"村"之意）的一牧民在村附近山脚下洪沟中发现韩德威墓志一方，用车拉回家中私藏。后被公安人员发现收缴，现存旗公安局。韩德威墓志发现处并非出土地。出土地点应是依斯力格嘎查西北 11.5 公里的白音罕山韩德威家族墓群中。因墓志发现处并无古墓，而墓志称"附大茔"。韩德威之祖茔已在白音罕山被发现。1995 年 5 月，考古人员听说林东镇西北 80 公里的白音罕山有一座古墓被盗，即前往调查，发现多座古墓被盗掘，其中一座古墓中，尚有盗墓者遗于墓中的志盖 2 方，现已运回巴林左旗博物馆收藏。志盖一为青砂岩质，方形盝顶式，篆书阴刻"故尚父秦王赠尚书令昌黎韩公墓志铭"；一为乳白色砂岩质，略呈方形，盝顶式，盝顶台面边长 73 厘米，篆书阴刻"故秦国太夫人墓志铭"。根据有关资料，此两石即韩德威父母韩匡嗣夫妇的墓志盖。韩德威墓志必然出在此墓群中，盗墓者盗出外运时因某种原因中途弃置于发现地。韩德威墓志为青砂岩质，志文楷书 39 行，左下角有些残，现存 1400 余字。简报录有全文。

简报称，韩德威为辽重臣，墓志对韩德威的事迹，记载详于《辽史》本传。此志用典较多，可见撰者知识之丰富。韩德威下葬之年似为辽清宁三年（1057 年）。

耶律元佐墓志在 1994 年于韩匡嗣家族墓群被盗墓者盗走。1995 年 8 月被公安人员收缴，现存巴林左旗公安局。该志石为淡赭色砂岩质，略呈方形。楷书，20 行，通篇 504 字，简报录有全文。

据志文，耶律元佐本姓韩，因其伯祖父韩德让被赐国姓耶律，改耶律氏，其乃韩德威之孙。志文记载元佐的生平事迹简略，说他出身名门，风神俊秀，有谋略，善骑射。终生做的都是陪伴皇帝的保卫工作，亦未提及他的生卒年月。

韩德戚家族墓地在白音罕山。巴林左旗四方城乡四方城遗址即为韩氏家族的居住地，即韩匡嗣的私城——头下军州，后收归朝廷所有的全州故址。

261.内蒙古赤峰宝山辽壁画墓发掘简报

作　者：内蒙古文物考古研究所、阿鲁科尔沁旗文物管理所　齐晓光、盖志勇、丛艳双

出　处：《文物》1998 年第 1 期

宝山又名"老头山"，位于赤峰市阿鲁科尔沁旗东沙布日台乡西南 12.5 公里，西与巴林左旗毗邻，东距宝山村 1.5 公里。在主峰阳坡有辽代夯筑茔墙，茔墙内分布大、中型辽墓 10 余座，早在 20 世纪 50 年代这里已被视为一处固有茔墙、规模壮观的契丹显贵墓地。1993 年冬，墓地中一座大型壁画墓被盗。该墓内部结构独特，装饰华丽，满绘壁画，并有"天赞二年"（923 年）题记，这是迄今发现的纪年辽墓中最早的契丹贵族墓。考古人员对墓葬进行了抢救性发掘。同时，在该墓西侧 40 余米发现一盗洞，并确认这是另一座绘有大量精美壁画的墓葬，后将两墓分别编为 1、2 号墓。简报分为：一、墓地茔墙与墓葬分布，二、1 号墓，三、2 号墓，四、结语，共四个部分。有照片、手绘图。

简报称，大规模围建茔墙的契丹显贵墓地尚为鲜见，其建筑年代应相当于其中最早的墓葬时代。按 1 号墓题记，墓主下葬于天赞二年（923 年）。2 号墓出土有契丹小字石碑，该文字的创制年代晚于契丹大字（神册五年，920 年），大约在天显元年（926 年）稍前，由耶律阿保机弟迭剌（926 年于东丹国左相任内病故）主持创制，故该墓晚于 1 号墓。但从两墓形制和壁画特点比较，二者年代相隔不远。又据 1 号墓所在东北侧位置判断，应有更早的墓葬坐落于墓地的主要位置，因此墓地茔墙的始建应早于天赞二年，这是迄今所确认年代最早的契丹显贵家族墓地。葬俗似受唐制影响，不同于此后契丹契制。壁画十分珍贵，多含五代时特点。

根据 1 号墓题记，墓主人名勤德，年仅 14 岁，系"大少君"次子。该墓位置居墓地边缘，墓主应属家族成员中的晚辈。2 号墓位置接近墓地中心，墓主为成年女性，其下葬时间略晚于 1 号墓，有可能是"大少君"夫人之一。如前所述，早在契丹建国初始便已存在的这种茔区墓地，其中仅以少年勤德墓之豪华，并使用高规格银丝网络，即表明墓地主人身份的显赫。当时正值契丹开国皇帝耶律阿保机在位，因此这处墓地的归属便更为引人注目。"大少君"之称未见于史籍，类似称谓见《旧五代史》。简报怀疑 1 号墓墓主人为阿保机之子。

262.内蒙古敖汉旗皮匠沟1、2号辽墓

作　者：内蒙古赤峰市敖汉旗博物馆　邱国彬等
出　处：《文物》1998年第9期

1990年秋季，内蒙古敖汉旗宝国吐乡丰山村皮匠沟2座辽代墓葬被盗掘，1座是六角形砖室壁画墓，1座是八角形土洞式木椁墓。考古人员进行了抢救性清理。简报分为：一、地理环境，二、1号墓，三、2号墓，四、结语，共四个部分。有照片、拓片、手绘图。

据介绍，宝国吐乡位于敖汉旗旗政府所在地——新惠东偏南约100公里，皮匠沟屯在乡政府之北约5公里，墓葬位于屯西北约500米的岱王山东南坡地上。经调查发现，在直径约1公里的范围之内共有10余座早期或近期被盗掘的墓葬。其中有4座规模较大，当地人称"四大坟"。

简报称，1号墓为辽代中期契丹人墓，其时代上限可能是辽圣宗统和初年，下限可能在辽圣宗开泰末年。出土有铜覆面、铜丝网络、鸡冠壶等。出土瓷器为仿定瓷，马毯图壁画值得重视。墓主人生前当有较高身份。简报推断2号墓年代为辽代晚期，出土瓷器为辽代缸瓦窑产品，墓主人身份不高。

263.辽庆州白塔塔身嵌饰的两件纪年铭文铜镜

作　者：赤峰市巴林右旗博物馆　清格勒
出　处：《文物》1998年第9期

辽庆州释迦佛舍利塔俗称庆州白塔，位于内蒙古赤峰市巴林右旗索博日嘎苏木所在地的国家重点文物保护单位辽陵及奉陵邑的辽代庆州古城遗址内。塔为八角五层砖木结构楼阁式，高73.27米，1988～1992年经国家文物局批准拨专款进行了全面维修。在维修施工过程中，于塔中发现了一批辽代珍贵的佛教文物，简报已发表于《文物》1995年第12期。另外，庆州白塔塔体外部还镶嵌有一千多面铜镜，已发简报中未作报道。其中刻划有铭文和图像的二件铜镜简报配以照片予以介绍。

据介绍，镜一呈圆形，铸制，镜背光素无纹饰，在靠镜缘处有四个等距对称的菱形组及三个透孔。铭文刻划在佛像石上方及两侧平行线下方空白处。佛像右侧饰5字铭文，平行线右下方饰22字铭文。左侧平行线下方饰9字铭文。镜二形制及铸造方法同前镜，如出一范。不同的是镜面只有刻划的文字，无其他纹饰。铭文从左至右排列为8组40字。该镜刻划非常潦草，有些字迹模糊不清，从刻划的文字内容看，

"塔下本司田孝章"似是修塔时负责领工之人，其余应是修塔工匠。

简报指出，据庆州白塔维修工作中发现的碑刻铭文，知塔始建于辽重熙十六年（1047 年），历时两年多时间，到重熙十八年（1049 年）建成，塔身嵌镶一千多面铜镜也是与建塔同时期完成。简报推断，介绍的两面铜镜刻铭均为辽乾统五年（1105 年），距塔之建成已过了五十多年。这或许是塔体在乾统年间曾进行过一次大的立架维修，镜上的文字刻铭是此次维修留下的资料。这也为研究庆州白塔的建造维修历史提供了佐证。

264.内蒙古林西县发现一件辽代陶扁壶

作　　者：林西县文物管理所　王　刚
出　　处：《考古》1999 年第 7 期

1990 年 2 月，内蒙古林西县文物管理所征集到一件陶扁壶。据悉该壶于 1989 年出于赤峰市巴林右旗巴颜琥硕，而后移交给当地文物主管部门，现收藏在林西县文物管理所，简报配以照片予以介绍。

据介绍，此壶为泥质灰陶，火候较高，口径 5.2 厘米、腹径 14.5 厘米、腹厚 6.5 厘米、底径 5.2 厘米、通高 18.5 厘米。该壶从纹饰上看与赤峰翁牛特旗广德公辽墓出土的绿釉穿带扁壶十分相似，从造型上看与赤峰敖汉旗长胜乡辽墓出土的三彩凤纹执壶近似，简报断定这件陶扁壶应为辽代之物。

265.内蒙古巴林左旗滴水壶辽代壁画墓

作　　者：巴林左旗博物馆　王未想
出　　处：《考古》1999 年第 8 期

1990 年春，在内蒙古赤峰市巴林左旗辽上京遗址南约 20 公里的山谷中发现一座辽代壁画墓。墓葬位于查干哈达苏木阿鲁召嘎查后召南 2.5 公里的滴水壶对面山峰的西北麓。此墓位于围墙内的东南部，这类围墙应属于茔垣，是家族陵园。巴林左旗博物馆对这座早期被盗掘的墓葬进行了抢救性清理，简报分为：一、墓葬形制，二、墓室壁画及墨题，三、结语，共三个部分。有手绘图、照片。

据介绍，此墓由墓室、甬道和墓道三个部分组成，墓室为八角形石室券顶结构，穹庐式，内壁整体彩绘为仿木结构，墓壁和甬道两侧绘有人物和花卉、水禽。从墓葬形制和壁画风格看，简报推断：此墓年代应在辽中期以后；墓主人是位崇佛笃深并与皇族关系密切的人物，身份绝非一般贵族。

简报称，壁画以写实的风格表现了契丹社会不同阶层的服饰、头饰、用具等，都十分典型，很多是第一次出现在辽代壁画上，生动地记录了辽上京一带的契丹人和汉人的真实形象和社会风俗。

266.内蒙古巴林右旗出土辽代首都符箓铜牌和石印

作　者：内蒙古巴林右旗博物馆　韩仁信
出　处：《北方文物》1999 年第 2 期

巴林右旗的旗府所在地大板镇，东距辽上京临潢府即巴林左旗林东镇 90 公里。巴林右旗境内有辽代州级以上古城址多处，如怀州、庆州、黑河州和松山州等。这两件辽代道教文物就出土于庆州古城址内。简报配以拓片予以介绍。

据辽庆州城，位于巴林右旗大板镇北 100 公里的索博日嘎苏木治所的东北隅。州城始建于辽统和八年（990 年），景福元年（1031 年）圣宗葬于庆州北的庆云山阳，陵园称"永庆陵"，又徙民实州充为奉陵邑。1988 年庆州与庆陵被公布为全国第三批重点文物保护单位。1982 年春，该苏木（当时称公社）郑庆新向旗文物馆（旗博物馆的前身）交献符箓铜牌和石印各一件。这两件文物均为 1969 年春郑庆新岳父在古城内城的北部放羊时所得，现藏于巴林右旗博物馆。

简报称，铜牌，为青铜质，体为薄板状，周边呈圆唇，平面为不规则的长方形。下端为齐头，唯两角抹圆，顶端为圆弧状。圆弧的中间部位，特铸一内径为 0.4 厘米的圆形透孔。石印，白色巴林石所制，上有契丹大字。简报称，巴林右旗出土的辽代道教符箓铜牌和石印，因出土于契丹腹地上京地区，而且是出土于有辽一代最高政治中心和统治者所常驻的要地辽庆州，故对研究辽代的道教文化以及契丹文字，应有特殊的意义和价值。

267.内蒙古林西县出土辽代铜镜

作　者：林西县文物管理所　白明泽
出　处：《考古》2000 年第 8 期

1978 年 6 月，内蒙古林西县三段乡二段村农民在清理打谷场时发现一座辽代墓葬。由于墓葬破坏较严重，考古工作人员到达现场时仅发现阴刻牡丹纹铜镜 1 件。简报配以摹本予以介绍。

据介绍，铜镜为圆形，无缘，银白色，纽残。直径 14.4 厘米、厚 0.3 厘米，重290 克。此铜镜线条流畅，图案清晰，纹饰繁缛。铜镜纹饰多采用浮雕铸造技术，而使用阴纹刻划手法制造的铜镜以前发现较少。该镜的出土，为研究辽代铜镜又增添了新的资料。

268.内蒙古巴林左旗发现辽代王士方墓志

作　　者：巴林左旗博物馆　王未想

出　　处：《考古》2000 年第 1 期

　　1987 年 10 月末，在内蒙古巴林左旗林东镇辽上京遗址以南 5 公里的南塔山山头东麓，发现一座辽代砖室墓。此墓虽早年被盗，但墓壁上仍依稀残存有人物和山水壁画。并且，在淤土中清理出已残为三段的辽代乾统二年（1102 年）墓志一方，题为"东头供奉官王士方墓志铭"，简报配以拓片予以介绍。

　　据介绍，志文为两面镌刻，竖行楷书，共 523 字，简报录有志文全文。据墓志，王士方卒于乾统二年（1102 年），享年 74 岁，以此推算，他应生于辽圣宗太平九年（1029年）。而耶律乙辛专权之事发生在大康三年至大康九年（1077～1083 年）间，因此，王士方为太子鸣冤应在其五十岁以后。在此之前他虽"素非簪笏"，即没有做官，但"生平多与王公大人交游"，说明也不是一般的平民百姓。

269.巴林右旗床金沟 5 号辽墓发掘简报

作　　者：内蒙古文物考古研究所　孙建华、苗润华等

出　　处：《文物》2002 年第 3 期

　　1990 年 11 月，赤峰市巴林右旗岗根苏木床金沟两座大型辽墓被盗掘，1991 年 4 月底至 9 月初，考古人员对被盗辽墓进行了抢救性发掘。简报分为：一、墓葬形制，二、壁画，三、随葬品，四、结语，共四个部分。有照片、手绘图。

　　据介绍，位于巴林右旗岗根苏木床金沟的辽墓，20 世纪 70 年代中期和 80 年代早期，根据调查结果并结合史书记载，认为岗根苏木岗岗庙的古城址是辽怀州城，床金沟辽墓群应是辽怀陵。据此本次发掘墓号的编序依然按照当年调查顺序排列，此次主要介绍 5 号墓的发掘情况。床金沟位于岗根苏木东北约 3 公里，沟两侧为西偏南走向的山脉，沟北侧有一些和山势平行延伸的台地，墓葬都分布在这些台地上。5 号墓位于床金沟上营子村东北约 3 公里的最高峰架子山前的坳窝地中部，三面群峰环绕，林木繁茂，东南部宽广开阔，正南遥对一挺拔的山峰。在墓葬西南约 300 米的坡地上有一处面积近 700 平方米的建筑基址，地表散见青灰色沟纹砖和布纹瓦等建筑构件，此处可能是 5 号墓的祭殿址。此墓为砖木结构的多室壁画墓，由墓道、

天井、前室、东西耳室和后室组成，墓室之间有甬道相连接，全长 35.72 米。后室底距地表深 10.48 米，前室带东、西耳室横宽 15.16 米。简报认定此墓为辽太宗耶律德光的陵墓怀陵。墓室中仅有少量肢骨、头盖骨，此墓应不是合葬墓，从残存的鎏金铜丝网络、瓷器上有墨书题款"内报恩寺萧愿女"，这些器皿有可能是墓主人生前准备捐给寺院的贡品。据此推测，墓主人可能是一信佛女性。辽代皇室后族多为萧氏，墓主人有可能是皇室内的一位嫔妃。

至于墓葬年代，怀陵始建于太宗大同元年（947 年），穆宗崩（应历十九年，969 年）亦葬怀陵，因此陵区内葬有两代皇帝。陵区内的陪葬墓，也就局限于太宗和穆宗时期的皇室成员。根据目前所知有纪年的辽代皇室、贵族墓葬资料，早期墓室多为方形，中期墓室出现圆形。5 号墓主室为圆形，东、西耳室为圆角方形，已接近于中期辽墓形制，但仍然保留早期辽墓的一些特征。从壁画分析，早期壁画多绘于墓室内，中、晚期之后由墓室逐渐扩大到天井以至墓道。壁画中契丹族侍卫、奴仆的发型，早期头顶部分为短发，额前、两鬓和脑后留有长发，中、晚期之后头顶部分的头发甚至全部剃光。床金沟 5 号墓壁画人物发型接近于宝山 1 号辽墓侍仆图人物发型，5 号墓的时代应为辽代中期偏早，最晚到辽圣宗统和之前。

270.辽代释迦佛舍利塔内出土的"无垢净光大陀罗尼经"鎏金银板

作　者：内蒙古巴林右旗博物馆　刘志安
出　处：《北方文物》2002 年第 1 期

辽代释迦佛舍利塔位于内蒙古自治区巴林右旗索博日嘎苏木政府所在地，是辽代皇陵之一庆陵及奉陵邑遗址内仅存的一座辽代地面建筑。该塔始建于重熙十八年（1049 年），为八角七级砖木结构的楼阁式建筑，通高 71.43 米。因年久失修，塔已残破严重，于 1988 ~ 1992 年进行了抢救性保护维修。施工期间，于塔覆钵中相轮樘五室之中室内，发现凤衔珠银鎏金法舍利塔，塔内置密藏卷"无垢净光大陀罗尼经"鎏金银板，现由巴林右旗博物馆收藏。简报配以照片予以介绍。

据介绍，鎏金银板长 102.5 厘米、宽 9 厘米、厚 0.05 厘米，重 168.6 克。从右向左单面竖行镌刻经文 93 行，每行文字均顶格镌刻，每行字数不等，多到 13 字，少至 2 字，个别字有多笔少画现象，共 953 字。银板整体保存较好，只是板上间部位鎏金脱落较重，其他部位有轻微脱落现象。简报录有经文全文。简报称，"无垢净光大陀罗尼经"鎏金银板的发现，对我们了解辽代金属冶炼加工工艺以及鎏金技术等都有一定的参考价值。特别是对当时的经文镌刻技术及宗教礼仪和宗教意识也有重要的实证作用。

271.内蒙古宁城县发现辽代《大王记结亲事》碑

作　者：辽中京博物馆　李　义
出　处：《考古》2003 年第 4 期

内蒙古自治区宁城县存金沟乡喇嘛沟门村一组的农民于 1974 年在该村曹家房后地段深翻土地时，在距地表约 0.5 米的熟土中发现石碑两块。1989 年 4 月，宁城县文物管理所在进行文物普查时，发现了村民取回的这两块碑，于是将碑运回县文物管理所收藏。简报配以拓片予以介绍。

据介绍，二碑石质均为白色花岗岩。一碑通体无字，仅在榫部刻一"王"字。另一碑的正面、右侧面、背面和左侧面均刻有竖线栏，栏内有字。各面碑文共 27 行，原有约 893 字，背面上部磨损约 66 字，现存 827 字。该碑内容丰富，记载了娉女事 4 件、续娉 1 件、求妇事 9 件，同时又穿插记载了与娉女求妇事有关的买卖牛羊事 4 件。

简报称，此碑刻于辽太祖天赞二年（923 年），在传世的辽代碑刻中是时代最早的，碑文为白话，而发现的辽代白话碑独此一件。

272.内蒙古林西县小哈达辽墓

作　者：林西县文物管理所　王　刚等
出　处：《考古》2005 年第 7 期

1975 年 8 月，内蒙古林西县大营子乡和平村小哈达自然村西发现一座古代墓葬。小晗达自然村位于林西县西北 12 公里，南距西拉木伦河支流嘎斯汰河 14 公里。墓葬发现之后，遗物被当地群众取出，因此具体位置不清楚。林西县文物管理部门派人进行了调查清理。简报分为：一、墓葬形制，二、随葬器物，三、结语，共三个部分。有照片、手绘图。

据介绍，该墓为单室石椁墓，由墓室、墓道和天井组成。墓门呈方形。墓室平面呈圆形，穹隆顶，东西各有一个壁龛。墓室内北部有半月形尸床，为天然石板平砌。尸床上有人骨，单人葬，头东足西，仰身直肢，已腐朽，残缺不全，但关键部位保存较好。经有关专家鉴定为女性。墓内共随葬器物 30 件，有陶器、瓷器、铜器、铁器、骨器、玛瑙饰等，其中绿釉陶器 10 件。据了解，随葬品主要放置在墓道和尸床上头骨两侧。该墓年代，简报推测为辽代中期。简报认为墓主人应为契丹中等贵族。

273.辽代庆陵皇族墓发现小型木雕件

作　者：乌力吉德力根
出　处：《北方文物》2005 年第 1 期

2000 年 7 月，考古人员抢救性清理了辽庆陵中永兴陵区的一座多次遭盗掘而现已无法保护的辽代晚期皇族墓葬。简报配以照片、手绘图予以介绍。

据介绍，辽庆陵位于巴林右旗大板镇北 100 公里处的索博日嘎苏木境内，在苏木政府所在地北 14 公里的瓦仁乌仁山南麓，当地人把这块地叫王坟沟。因为这里是辽代中晚期的三个皇帝陵所在地，即辽圣宗耶律隆绪的永庆陵、兴宗耶律宗真的永兴陵和道宗耶律弘基的永福陵。这三座陵也叫中陵、东陵、西陵。这次清理的陪葬墓是在东陵区主陵的西南 300 米处。据此墓葬出土的墓志证明，此墓为辽兴宗耶律宗真次子、辽道宗的亲弟弟耶律弘本及其原配王妃萧氏的合葬墓。墓室中发现的一些小型木雕件值得注意，计有木雕卧狮 2 件、木雕乌龟 2 件、凤首形木雕饰件 1 件、木板浮雕人物像 3 件、莲瓣形彩绘木饰件 1 件。该墓因被盗，随葬品除墓志外几乎无一件完整之物。这次出土的木雕件，风格独特，造型各一，是巴林右旗境内辽代墓首次发现，几乎是该墓除墓志外最重要的随葬品，为我们了解和研究辽代契丹族晚期皇族丧葬制度和随葬风格等方面提供了新的资料。该墓墓志，可参阅《内蒙古文物考古》2000 年第 2 期。

274.内蒙古巴林右旗博物馆收藏的一件辽代骨鱼

作　者：乌力吉
出　处：《北方文物》2007 年第 4 期

1983 年春，在内蒙古巴林右旗北部朝阳乡政府所在地西南 15 公里处的太本艾里村南 1 公里处，土山南阳坡上有一座古代墓葬被风刮出，随葬品已暴露，当地老乡发现后转告巴林右旗博物馆，考古人员赶到现场进行了清理。在这座墓葬中，出土有瓷器、陶器、骨器和铜器等许多珍贵文物，其中有一件极少见的骨质鱼。简报配以手绘图予以介绍。

据介绍，鱼用骆驼骨雕刻而成，呈土黄色，硬度比较高，整体为长圆形，长10.4 厘米，最宽处 1.5 厘米。大嘴，大圆眼，椭圆形身，尾部右弯，身部光滑无鳞纹、无鳍。因长时间埋在湿土中腐朽较严重，身部已脱落得凹凸不平，但头和尾部的纹饰清晰可辨。从整体看，呈仿佛在水中游玩的形态。骨鱼虽然形体不大，可是充分表现了北方地区河流、湖泊里鲇鱼的特征和形状。骨鱼雕刻技术较精，鲇鱼形象栩栩如生，很有艺术特色，也是一件很成功的作品。

简报称，这座墓葬虽属辽代早期、规模不大，但是随葬品特别丰富，墓主人的生前应具有一定地位。辽代的骨质文物比较多，但多为生活用品，这样的骨制鲇鱼较罕见。

275.巴林右旗博物馆收藏的几件辽代石枕和瓷枕

作　　者：乌力吉德力根

出　　处：《北方文物》2006 年第 3 期

1983 年 5 ~ 8 月，在内蒙古巴林右旗巴彦尔灯苏木和布特哈达村南 2 公里处的和布特哈达山东南沟里，有两座辽代墓葬被洪水冲毁，从墓中出土了一批珍贵文物，其中有刻花石枕片、卧鹿石枕、卧狮白瓷枕和黄釉菊花瓷枕等。简报配以手绘图、照片予以介绍。

据介绍，依据墓葬的结构和其他出土文物考证，该墓为辽代中晚期的贵族墓。根据这几件石枕及瓷枕的形状、质地确定，应为墓主人特制的随葬物品。北方地区辽代墓葬虽然很多，但是石、瓷器同时随葬的很少。这一发现，为研究辽代契丹族的随葬风俗等提供了难得的实物资料。

276.内蒙古巴林左旗辽代祖陵考古发掘的新收获

作　　者：中国社会科学院考古研究所内蒙古第二工作队、内蒙古文物考古研究所
　　　　　董新林、塔　拉、康立君等

出　　处：《考古》2008 年第 2 期

祖陵是辽代第一个皇帝耶律阿保机及其皇后的陵寝之地，建于天显二年(927 年)。祖陵位于内蒙古巴林左旗查干哈达苏木石房子嘎查西北的山谷中，东南约 2.5 公里处为其奉陵邑祖州城。祖陵坐落于一个口袋形山谷中，四面环山，仅在临近祖州的东南方向有一狭窄的山口，现存陵门基址。考古人员于 2007 年 8 ~ 10 月对辽代祖陵内一座被盗墓（PMI）和陵外东侧的龟趺山建筑基址进行了抢救性考古发掘。

简报分为：一、一号陪葬墓，二、龟趺山建筑基址，三、结语，共三个部分。有彩照。

简报指出，此次考古发掘，是辽代祖陵陵园的第一次正式考古发掘。根据龟趺山建筑基址提供的线索，首次从考古学上佐证了文献所定的祖陵确切地点。"辽太祖纪功碑"两种文字的整合和研究，具有很高的史料价值，如"天赞五年"等不见于《辽史》，在一定程度上增补了辽史的内容。同时双文石碑对契丹大字的解读也有重要的参考价值。

277.辽弘法寺僧志柔壁画墓

作　　者：金永田

出　　处：《北方文物》2008年第4期

1993年5月23日，考古人员在巴林左旗哈达英格乡西白音高洛村北2公里处，发现一座被盗掘的古墓，随后进行了抢救性清理。

简报分为：一、墓葬形制及葬具，二、墓室壁画，三、结语，共三个部分。有照片。

据介绍，该墓为砖结构单室墓，墓室平面呈圆形，直径272厘米。墓壁起自圹底生土，灰色条砖砌筑，直壁120厘米，以上叠涩起券成穹隆顶，券顶已被破坏，墓顶高约260厘米。墓室内除一装殓骨灰的石函外，不见其他随葬品，但墓室壁画保存尚好，具有很高的研究价值。图像有"老僧差遣图""弟子僧众图""山寺行童图"。据图像及榜题文字，知此墓应为弘法寺僧志柔墓。

简报认为，弘法寺老僧志柔亦当葬于佛教泛滥、广泛流行火葬的辽道宗至天祚帝初期。

278.内蒙古巴林左旗出土彩绘木棺

作　　者：内蒙古辽上京博物馆　张兴国

出　　处：《文物》2009年第3期

2005年9月，内蒙古巴林左旗辽上京遗址东南约4公里处的山谷内发现一座辽代土葬墓。墓中出土一件雕龙彩绘木棺，现藏于内蒙古辽上京博物馆。简报配以彩照予以介绍。

据介绍，木棺前高后低，前宽后窄。棺长2.19米，前高0.9米、宽0.9米，后高0.7米、宽0.7米。棺盖呈卷檐式屋脊形状，镶有三条木雕行龙，中间一条为独角夔龙，另外两条分别镶在棺盖两侧，头部残损严重。棺底腐朽不存，只残存四个木雕坐狮，由此可知木棺原有棺座，坐狮应为望柱上的装饰物。木棺两侧板分绘青龙、白虎，前挡、后挡分绘朱雀、玄武。在青龙和白虎的头部前方各绘有一名侍女，皆叉手而立，神态恭敬。前挡的朱雀图像下方绘一虚掩的大门，门两侧绘叉手肃立的男女侍从。

简报指出，这种前高后低的木棺形制在辽代较为常见，棺上的四神、半掩的门及侍从等图像则说明当时辽上京一带契丹社会中的汉文化气息已经非常浓郁。

279.内蒙古巴林左旗辽代祖陵陵园遗址

作　者：中国社会科学院考古研究所内蒙古第二工作队、内蒙古文物考古研究所
　　　　董新林、塔　拉、康立君、肖淮雁等

出　处：《考古》2009 年第 7 期

简报开篇即指出，中国古代陵寝制度的研究，是中国考古学的重要内容之一。长期以来，中原和关中地区的历代陵寝制度研究，始终受到学术界的关注。近年来，金陵和西夏王陵的考古发掘和研究也取得了很大进展。相对而言，关于辽代陵寝制度的考古工作显得较为沉寂。辽朝和五代诸国、北宋王朝先后对峙，形成了中国历史上第二次南北朝并立的局面，为多元一体的中华民族的形成曾做出过重要贡献。因此，深入研究以辽代陵寝制度等为载体的辽文化有着非常重要的学术意义。

辽朝主要有 5 处帝陵，日本学者曾对辽代中、晚期的庆陵进行过考古研究。20世纪 60 年代初，贾洲杰先生曾对辽祖陵进行过考古踏查，这是目前所见最重要的关于祖陵的考古资料。祖陵陵园是辽代第一个皇帝耶律阿保机及其皇后的陵寝之地，建于天显二年（927 年）。祖陵位于现今内蒙古巴林左旗查干哈达苏木石房子嘎查西北。2003 年以来，考古人员对辽代祖陵陵园及其附近相关遗存进行了较为全面的调查，并对陵园内的一号陪葬墓、陵外"太祖纪功碑楼"基址、陵园内"甲组建筑基址"等进行了发掘。调查和发掘获得了一些新的认识，填补了辽代早期陵寝制度研究的空白，推进了中国古代陵寝制度、辽代考古学与历史学等方面的研究。

简报分为：一、地理位置，二、考古调查的基本情况，三、考古发掘的基本情况，四、结语，共四个部分。有彩照、拓片、手绘图。

据介绍，祖陵陵园布局承袭了汉唐陵寝制度的部分精髓，也具有自己的特色。如陵园选址讲究堪舆术。祖陵坐落于一个口袋形山谷中，四面环山，仅在临近祖州的东南方向有一狭窄的黑龙门，现存门阙墓址。陵园南面有漫岐嘎山和沙力河。四周山脊的豁口均砌有石墙，不仅是陵城界标，而且与堪舆制度有关。

简报称，祖陵陵园大体可分为内、外陵区。北部为太祖阿保机帝陵的内陵区，南部为陪葬墓的外陵区。根据考古资料可知，东西向的"南岭"石墙与岭上建筑基址相联，再衔接东部的"甲组建筑基址"，形成一道东西向屏障，构成了南、北两个陵域的分界线。

《辽史·地理志》记载："太祖陵凿山为殿，曰明殿。殿南岭有膳堂，以备时祭。门曰黑龙。东偏有圣踪殿，立碑述太祖游猎之事。殿东有楼，立碑以纪太祖创业之功。"考古发掘证实文献记载基本属实。

280.喀喇沁旗二道沟辽墓清理简报

作 者：李凤举
出 处：《北方文物》2009 年第 1 期

1984 年，考古人员进行文物普查时，在喀喇沁旗四十家子乡二道沟村发现一座残破的圆形砖室墓，遂进行抢救性清理。由于周围环境较差，土质较松，随时有塌方的危险，故未进行彻底清理。简报分为：一、地理位置，二、出土遗物，三、结语，共三个部分。有手绘图。

据介绍，二道沟辽墓位于内蒙古赤峰市喀喇沁旗四十家子乡东北部二道沟村西山东坡。墓内共清理出随葬器物 14 件，有铜器、瓷器。墓内填土中还发现了一些碎瓷片。简报推断为辽代墓葬。简报称，此墓结构简单，随葬品数量较少，且均为日常生活用品，简报认为此墓墓主应为家境较为殷实的平民。

281.内蒙古巴林左旗辽代祖陵陵园黑龙门址和四号建筑基址

作 者：中国社会科学院考古研究所内蒙古第二工作队、内蒙古文物考古研究所
　　　　董新林、塔　拉、肖淮雁、康立君等
出 处：《考古》2011 年第 1 期

祖陵是辽代开国皇帝耶律阿保机的陵寝之地，始建于天显二年（927 年），毁于金兵侵占辽祖陵陵园的天庆十年（1120 年）。祖陵遗址位于内蒙古巴林左旗查干哈达苏木石房子嘎查西北的山谷中，从 2007 年起，考古人员持续对辽祖陵遗址进行考古发掘。2010 年 7 ～ 10 月，发掘了黑龙门址（一号门址）和四号建筑基址，取得了重要收获。简报分为：一、黑龙门址，二、四号建筑遗址，三、初步认识，共三个部分。有彩照等。

简报称，此次考古发掘取得了一些突破性的重要收获，主要表现在以下几点上：

第一，这是第一次对辽代帝陵陵园门址进行的考古发掘，具有重要的学术意义。目前辽代都城和帝陵的门址都没有经过科学发掘，黑龙门的发掘填补了这方面的学术空白。

第二，辽祖陵黑龙门址主体保存之完好为国内所罕见。中原地区都城城门和帝王陵陵门多仅存建筑基础，而黑龙门址两个门道内的将军石和门砧石均在中间原位，石、木地栿和排叉柱也都保持原貌；东敦台和东陵墙现存 7 米多高，上存覆盆式石柱础和原始台面，为研究和复原陵门上面高大的城楼建筑等提供了难得的原始资料。

第三，黑龙门的门道基础建筑做法独特，即在规整的石地栿上面置木地栿，木地栿上开卯口，上插排叉柱。这与汉唐宋诸朝的门址模式既有联系又有不同，开启了辽代特有的建筑规制。

第四，黑龙门门道南面的五面坡慢道独具特色，为我们认识《营造法式》中的"五瓣蝉翅慢道"提供了难得的资料。

第五，四号建筑基址保存较为完好，建筑布局独特，为研究辽代献殿类建筑基址提供了实例，具有重要的学术价值。

简报认为，本次考古发掘的成果，可以说是辽代考古的最重要发现之一。

282.内蒙古巴林左旗辽代祖陵龟趺山建筑基址

作　者：中国社会科学院考古研究所内蒙古第二工作队、内蒙古文物考古研究
　　　　所　董新林、塔　拉、康立君等

出　处：《考古》2011年第8期

2007年夏，考古人员对龟趺山建筑基址进行了发掘。基址由台基、主体建筑和两侧登山路等组成。主体建筑面阔和进深各三间。中央有一幢石龟趺碑座。发现刻有契丹大字和汉字的石碑残片。据汉字碑文可知，碑上刻有耶律阿保机的历史功绩。该基址为"辽太祖纪功碑楼"。

简报分为：一、工作缘起和概况，二、龟趺山建筑基址，三、结语，共三个部分。有彩照、拓片等。这一发现对于研究辽代历史有着重要意义。

283.内蒙古林西县刘家大院辽墓发掘简报

作　者：内蒙古自治区文物考古研究所　李少兵、索秀芬

出　处：《北方文物》2011年第1期

1991年5月，考古人员抢救发掘了刘家大院墓地，共清理墓葬11座。墓葬形制有竖穴土坑墓、土洞墓、石室墓、石室木椁墓、土坑木椁墓、土坑木棺墓六种形制。随葬品不多，有瓷器、陶器、骨器、铁器等，其中黄釉鸡冠壶上饰迦陵频伽图案，图案精美，是辽代釉陶精品。墓地延续时间较长，从辽代早期到辽代晚期。简报分为：一、地理位置，二、墓葬形制，三、随葬品，四、结语，共四个部分。有照片、手绘图。

据介绍，刘家大院辽代墓地位于内蒙古自治区林西县大川乡刘家大院村西北侧，该墓的时代，简报推断为辽代中期，最晚可到辽代晚期。

284.内蒙古巴林左旗哈拉海场辽代壁画墓清理简报

作　者：辽上京博物馆　王青煜
出　处：《文物》2014 年第 4 期

2009 年 10 月，在第三次全国文物普查中，内蒙古自治区赤峰市巴林左旗文物普查队在富河镇富河沟村哈拉海场屯北沟发现被盗墓葬。经勘察，共发现被盗墓葬 3 座（M1 ~ M3），清理了 1 座墓葬（M1），并成功揭取了墓中仅存的 5 幅壁画，壁画修复后藏于辽上京博物馆。

哈拉海场屯南距巴林左旗辽上京遗址 74 公里。从 3 座墓的排列形式看，应为家族墓地。M1 发掘情况，简报分为：一、墓葬形制，二、壁画内容，三、结语，共三个部分。有彩照、手绘图。

据介绍，此墓内随葬器物因早年被盗已不存。此次只对有壁画的天井与天井前的一段墓道进行了发掘，对前室及前室甬道做了简单清理，对墓室只作了勘察。根据墓葬形制和壁画，简报推断 M1 为辽代墓葬。

通辽市

285.科左后旗呼斯淖契丹墓

作　者：张柏忠
出　处：《文物》1983 年第 9 期

1977 年 7 月下旬，在科左后旗呼斯淖公社所在地以北沙丘中，发现一座古墓。据介绍，为土坑竖穴墓，无葬具，仰身直肢葬。死者为一 25 至 30 岁男性。出土遗物有铁剑、铣镞等武器及鞍马具、罐壶等。应为契丹人。简报认为是契丹建国之前墓，相当于唐晚期。

286.内蒙古哲里木盟发现的几座契丹墓

作　者：哲里木盟博物馆　张柏忠
出　处：《考古》1984 年第 2 期

近年来，分别在通辽县、扎鲁特旗和库伦旗发现了几座比较简陋的古墓。墓中出土的器物与辽代篦纹陶器相似，惟形制与风格均较辽代篦纹陶原始，在哲里木盟地区比较少见。简报分为：一、乌斯吐火葬墓，二、乌日根塔拉土坑竖穴墓，三、荷叶哈达石棺墓，四、秦家沟出土的陶器，共四个部分。有照片。

据介绍，上述4座墓葬，虽然有火葬、土坑葬、石棺之别，但它们的随葬品和葬式都很简单，而且随葬品的形制与组合也基本相似。除乌日根塔拉无夹砂陶罐之外，以夹砂大口并有三四层凸弦纹口沿的陶罐和细泥质的盘口瓜棱腹陶壶为基本组合。

与这种文化类型相同的文化遗存，20世纪50年代在昭乌达盟就已经发现，辽阳市三道壕和北票柳条沟也曾发现这种文化的墓葬。1957年哲里木盟文物普查时，整个哲里木盟都曾发现过这种文化的遗存。乌日根塔拉和荷叶哈达的陶瓶，在辽代虽沿用了很长的时间，但辽代的陶瓶变得瘦长。简报推断这4座墓的时代可能早于辽代，为契丹时期的墓葬，其下限或许晚到契丹建国之初。

287.内蒙古霍林河矿区金代界壕边堡发掘报告

作 者：哲里木盟博物馆　邵清隆
出 处：《考古》1984年第2期

霍林河煤田是国家近年来投资兴建的大型露天煤矿，位列北方四大新兴煤田之首。为配合矿区建设，哲盟博物馆于1981年夏季，对矿区范围内的金代界壕边堡进行了勘测调查和发掘清理。发掘工作自6月23日始至8月23日止，历时两个月。这是对金代界壕边堡的首次发掘，为研究金代界壕边堡构筑和守边戍兵生活提供了许多有价值的材料。

简报分为：一、地理位置，二、建筑遗迹，三、出土遗物，四、结语，共四个部分。有手绘图、照片。

据介绍，界壕总的趋势是东北、西南走向，多建在高山脚下或山腰间，如遇浅山平原则蜿伏其上。大体是山岗处修得较低矮，平原处修得较高大且筑马面，正当山口处尤显高大并修附壕小堡。壕堑在外，堤墙在内，以壕土筑墙，皆无夯打痕迹，其坚硬想必是因随挖掘随踏实所致。平原、山口处等高大段落界壕，修有护坡石，保证了壕墙的坚固经久。简报指出，《金史》载：修一"堡日用工三百，计一月可毕"。如一座边堡按周长800米计算，修800米可用工四百五十。这样矿区段12.5公里界壕、2座边堡、3座附壕小堡，须用8万余工。显然这是比较保守的估计，就按这保守的估计去计算，全线绵延数千里界壕、数百座边堡，其用工量当是非常惊人的，可见它牵动了全国的人力、财力。小堡虽远在边陲，但与内地的联系却是非常紧密的，简报认为出土物中大量的瓷器、钱币就是证明。

据《金史》记载，防守临潢一线界壕的戍兵是各族混杂居住的，有契丹、奚、女真、乌古等部族,其中大概以契丹、奚人居多。勘察发掘中所见到的,城门方位的东南向、居址的东南向、居址中的房屋、帐篷台基、地炕与火炕以及出土物中的棋盘等,都为研究守边戍兵的族属、生活及习俗提供了有价值的材料。

288.内蒙古通辽县二林场辽墓

作　者:张柏忠
出　处:《文物》1985年第3期

1978年8月,通辽县第二机械林场工人在场部西南3公里的沙丘中发现一座辽墓。考古人员对此墓进行了清理。简报分为:一、地理形势与墓葬形制,二、出土遗物,三、有关问题,共三个部分。有剖面图、照片和手绘图。

据介绍,墓葬坐落于大片沙丘中,西北距钱家店公社约6公里,南面7公里有教来河由西向东流过,约7公里后入红领巾水库,又向东15公里过大突尔基山折向东北汇入西辽河。墓室中已充满沙土。在墓室西部发现腐朽的木屋棺罩和木棺床遗迹,从木屋棺罩的木构件残块看,其形制与辽宁法库叶茂台辽墓所出较为相似。墓内大部分随葬品位置混乱,可能与鼠类活动有关。出土遗物有铜器、骨器、铁器、银饰、玛瑙牌饰等。简报推断,墓主是一位辽代贵族或官员,此墓为辽墓无疑。

289.内蒙古库伦旗七、八号辽墓

作　者:内蒙古文物考古研究所、哲里木盟博物馆　　　齐晓光等
出　处:《文物》1987年第7期

库伦旗七、八号辽墓位于内蒙古自治区库伦旗奈林稿乡前勿布力格村附近。前勿布力格村西北距库伦旗政府所在地80公里,村东约1公里即为新开河,对岸为辽宁省阜新县。村西南1.5公里处有一座土岗,当地称为王坟梁,梁上分布着数十座大中型辽墓。1972年,考古人员首次在王坟梁上发掘了一座大型墓葬,当时编为一号辽墓。1974年,又在此地发掘了二、三、四号辽墓。1980～1981年,考古人员在这里对五、六号辽墓进行了发掘。1985年5～7月,考古人员在这里发掘了两座大型墓葬,将其编为七、八号辽墓。简报分为:一、七号墓,二、八号墓,三、结语,共三个部分。有彩照、手绘图。

据介绍,根据以往的多次调查、发掘和研究,库伦旗这处规模较大的契丹贵族墓地,地处辽圣宗之女越国公主的私城懿州境内,应为其丈夫萧孝忠族系的墓地。七号墓墓主肖氏应为族系中的晚辈。八号墓在墓地中位置适中,且在迄今发掘的墓

葬中规模最大。从墓地布局看，似早于年代稍早的六号墓。此墓规模宏大，壁画中仪仗亦较其他墓多，墓主人应是封为王爵的契丹显贵，可能是此墓地中下葬的第一人，甚至有可能就是萧孝忠本人。

简报认为，壁画是这次发掘的重要收获。七号墓壁画线条清晰，色彩鲜明，规模较大。墓道两侧绘墓主人及侍从出行归来图，其安排与其他辽墓墓道壁画相似，除人物外一边有马，一边有骆驼，但人物均面向墓室，似乎均为归来时的情景。天井壁画题材为山林走兽，似与辽庆陵壁画反映之四时捺钵相近，显示出作为契丹贵族之墓主人爱好田猎的习尚。墓门过洞壁画则为仆从在恭候主人归来。七号墓壁画布局安排得当，人物、动物形象逼真，线条流畅。尤其是人物，通过对不同服饰、动作，特别是面部表情和眼神的细致描绘，每个人物的神情、意态跃然壁上，生动传神。而山石林木的绘制就不如人物那样细致，而是用粗线勾勒，一挥而就。尽管七号墓壁画个别地方不够细致，比例上也略有疏忽（如马的头部与身体比例不够协调），但总的来说仍不失为辽画中的佳作。

八号墓壁画规模更为宏大，可惜已遭到破坏，难以看到全貌。墓道两侧残留壁画中的仪仗排列整齐，人物众多，仅南壁一侧就有十个戴幞头的仪仗人物，其中有执伞、执骨朵者各二，执剑者四，还有执交椅等物的，北壁还画有鼓和鼓架。这些都渲染衬托出墓主人位高权重的显赫地位和威势。墓门外画迦陵频伽和门神。迦陵频伽为佛教传说中象征吉祥的妙音鸟，在辽代佛塔的门两侧多塑有其形象，但在辽墓墓门两侧壁画中出现则极为罕见。而且此墓所画已经拟人化，除有双翼双爪外，完全为一盛装女子，这种画法明显是受到佛教壁画中飞天的影响。所画门神也明显地反映出受到中原地区文化的影响。八号墓壁画人物形象刻划细致入微，栩栩如生，着色亦协调明快。此墓形制及壁画规模巨大，墓主人为契丹贵族上层人物，作画者一定是当时高手，艺术水平高于七号墓壁画作者，或仅在辽庆陵壁画作者之下。此画的发现，也为研究契丹贵族的仪仗、车舆制度提供了一定的依据。

简报指出，库伦旗七、八号辽墓的形制以及精美的壁画，为研究契丹的生活、服饰、仪仗、丧葬制度和绘画艺术，为研究辽代萧孝忠家族墓地，都提供或积累了新的材料，有比较重要的意义。

290.辽陈国公主驸马合葬墓发掘简报

作　者：内蒙古文物考古研究所　孙建华、张　郁等
出　处：《文物》1987 年第 11 期

1985 年 7 月，内蒙古哲里木盟奈曼旗青龙山镇修建大苹果基地水库时，发现一

处辽代墓地。1986 年 6 ～ 8 月间，考古人员对已暴露的墓葬进行了清理发掘，其中第 3 号墓为辽陈国公主与驸马萧绍矩合葬墓。简报分为：一、墓制，二、壁画，三、葬制，四、随葬品，五、结语，共五个部分。有彩照、拓片、手绘图。

据介绍，此墓位于青龙山镇东北约 10 公里处，在斯布格图村北庙山的南坡上。原有高约 3 米的封土，在兴建水库工程中被推土机削去露出了墓室。墓为砖砌多室墓，由前室、东耳室、西耳室和后室组成，墓门外有天井和墓道，全长 16 米。墓道等处有壁画和彩绘。出土有墓志，简报录有志文全文。

简报称，陈国公主，在《辽史》中没有记载。根据墓志，她死于开泰七年(1018 年)，时年 18 岁。因此推知其生年应为辽统和十九年(1001 年)。墓志记载，公主为景宗皇帝的孙女，秦晋国王、圣宗皇太弟之女。秦晋国王是圣宗的同母弟，名耶律隆庆，在《辽史·皇族表》《契丹国志·孝文皇太弟传》中均有记载。他在圣宗时期既是亲贵重臣，又屡建战功，深得圣宗的器重。生前屡次加封，死后又追封为皇太弟。据《辽史·皇族表》，陈国公主的几个兄弟也深受皇帝恩宠，纷纷封王。据墓志记载，公主本人也曾"自太平进封越国公主"，屡受加封。在她病重期间，"圣上亲临顾问，愈切抚怜，诏太医以选灵方"，表明圣宗对她的关心，也反映出陈国公主家世地位的高贵显赫。陈国公主的驸马萧绍矩，《辽史》没有记载。墓志说，驸马都尉萧绍矩即皇后之兄。为泰宁军节度使、检校太师。简报认为，志文所称皇后，应为仁德皇后。萧绍矩应为仁德皇后之兄，萧隗因之子。墓志未记萧绍矩的年龄，但根据其妹仁德皇后的年龄可作出大致的推断。《辽史·兴宗纪》记载，仁德皇后死于重熙二年(1033 年)，而《辽史·仁德皇后传》有"后已崩，年五十"的记载。可知仁德皇后生于 984 年，即统和二年，开泰七年时年三十五岁。作为其兄的萧绍矩如活到开泰七年，年龄应在三十五岁以上。志文中可补史书之缺处还有多处。

简报指出，陈国公主驸马合葬墓是迄今为止发现的保存最完整、出土文物最丰富的契丹大贵族墓葬。随葬的大量物品，许多是用贵重材料制作的，是极为罕见的珍贵艺术品。如仅戒指一项，公主十指戴有 11 枚戒指，此墓共出土 17 枚戒指。过去在辽墓中曾发现过一些银或铜质的面具、铜丝网络等，但都规格较低或不够完整。此墓中发现的两套由金花银枕、鎏金银冠、金面具、银丝网络、金花银靴组成的殓葬服饰，完整地体现了契丹大贵族的殡葬习俗。以往在一些辽墓中出土的带铸和马具，多数难以恢复原状。此墓中出土的用银片制作的马具，则完好地保持了原状。尽管是明器，但可以肯定是仿照实物制作的，为我们了解辽代的马具提供了可靠的依据。另外，陈国公主夫妇的服饰也很有研究价值。《文物》1987 年第 11 期载有张郁先生《辽陈国公主夫妇服饰小记》一文，可参阅。

291.内蒙古乌兰哈达阿贵山洞壁题记和大黑山摩崖刻石的发现

作　者：李居正

出　处：《考古》1988年第7期

　　阿贵山洞坐落于扎鲁特旗乌兰哈达公社四家子大队屯西北约300米处的阿贵山山腰，距地面40米左右，洞宽6米、径深12米，山下是一片东西走向的山谷，十分平坦，周围群山起伏，山谷中有山泉流过，是个风景秀丽的地方。

　　洞内的东西壁上有汉文、蒙文、契丹文、藏文等墨书题记，共21处，其中：汉文一处最为清晰，写明了时间、地点、人物等。根据汉文题记中提到"乾统七年"来推断，此洞壁题记当在1107年前后至二三百年前，屡屡有人游览、题记，如果从乾统（辽天祚帝年号）七年算起，距今已有877年的历史，汉文题记中提到的赵、刘、张均为汉姓，这说明在契丹贵族统治的辽代，有不少汉族官吏在其政府中任职，与《辽史》《契丹国志》等文献记载相吻合。简报配以题记摹本予以介绍。

　　据介绍，墨书题记是我国中原文化的特点之一，汉、唐、宋均十分盛行。阿贵山洞的发现，为我们研究祖国各民族文化交流与民族关系提供了可贵的文字资料。

　　摩崖刻石坐落在乌努其牧场北1.5公里大黑山山腰，距山脚200米，位于一组岩石画之顶端，南向。摩崖刻石高0.82米、宽0.64米，刻石上文下图，阴刻在粗面赤褐色之岩石上。简报初步断定大黑山摩崖刻石为辽代所刻。

292.内蒙古通辽县余粮堡辽墓

作　者：哲里木盟博物馆　希木德

出　处：《北方文物》1988年第1期

　　1982年春，通辽县余粮堡镇农民赵强在自家院内修筑养鱼池时发现一座古墓。此墓发现后，考古人员随即前往进行清理发掘。

　　简报分为：一、地理形势，二、墓葬形制和结构，三、随葬品，四、结语，共四个部分。有手绘图。

　　据介绍，余粮堡镇位于内蒙古通辽市西南约30公里，镇北是自西向东流过的西辽河。此墓为长方形砖室墓，随葬器物有陶器、石器、铜器等。余粮堡辽墓出土的陶鸡冠壶，具有十分鲜明的契丹陶器特点，其形态较为原始，故简报推断该墓的年代可能属于辽代早期，墓主为契丹人。另外，墓中出土的铜器，基本与吉林双辽骆驼岭辽墓出土的铜器相似。

293.内蒙古霍林郭勒市辽墓清理简报

作　者：哲里木盟博物馆　孙衷然、张秀杰
出　处：《北方文物》1988 年第 2 期

1986 年 9 月 22 日，霍林郭勒市拖修厂工人在挖菜窖时偶然发现一座古墓，但已遭到破坏。考古人员对古墓进行了清理。简报配以手绘图予以介绍。

据介绍，此墓位于霍林郭勒市达来胡硕办事处三委、卫星差转站西南三面环山的阳坡，南临市区公路和霍林河。此墓为竖穴土坑墓，死者男性，年龄大约 30 ~ 40 岁之间。随葬品主要有铁器、铜器以及骨器、木器等，简报推论：此墓当与后刘东屯辽墓的年代相当，很可能是辽代早期墓葬。从此墓规模、形制及随葬品看，墓主生前并不富有，可能是猎人或一般武士。简报称，墓中发现的桦树皮箭囊在哲里木盟尚属首次发现，应当引起重视。

294.扎鲁特旗封山屯契丹墓清理简报

作　者：扎鲁特旗文物管理所
出　处：《北方文物》1990 年第 3 期

1989 年 3 月，扎鲁特旗罕山乡封山屯村民报告，有一座古墓被破坏，考古人员对此墓进行了抢救性清理。简报分为：一、地理位置及墓葬形制，二、画像砖与出土器物，三、结束语，共三个部分。有手绘图、拓片。

据介绍，墓葬位于大兴安岭东麓余脉的一条山沟里，该沟为一端向西南开口的盲沟，长约 0.5 公里，西距罕山乡封山屯 0.5 公里余，西南 2.5 公里为罕山。根据该墓葬的形制和随葬器物，简报推断此墓的时代当在唐代晚期，下限可能到辽初。

从墓葬的形制、规模、壁画、画像砖、雕花彩绘描金的石棺和随葬品分析，墓主人的身份较高，该墓可能是一位契丹部落大人的墓葬。简报称，此墓的发现，为认识契丹早期社会经济、文化提供了宝贵的资料。

295.内蒙古库伦旗发现辽代灵安州城址

作　者：贲鹤龄
出　处：《考古》1991 年第 6 期

1988 年 5 月，在哲盟文物普查时，对哲盟库伦旗境内的黑城子古城进行了调查，并发现辽代"灵安州刺史印"一方，进而得知黑城子即是辽代的灵安州。简报分为：一、位置及自然环境，二、城址形制与布局，三、文化遗物，四、结语，共四个部分。有手绘图、拓片。

据介绍，古城位于内蒙古自治区哲里木盟库伦旗西部与奈曼旗交界地带，行政区划属库伦旗扣河子镇黑城子村。城址东北距库伦旗库伦镇 54 公里，东南距扣河子镇 8 公里，是一处宜农宜牧之地。东南 6 公里酒局子村亦有一座辽代古城址，南北长 500 米，东西宽 300 米。城内中部有三处建筑台基。灵安州西南 5 公里奈曼旗白音昌乡半拉城子村亦有一座辽代古城，规模略小于酒局子古城址。灵安州西南 8 公里奈曼旗青龙山镇斯布格图村，则为辽陈国公主与驸马合葬墓所在地。古城建于群山环抱的盆地之中，平面略呈方形，略呈南北向。城墙上筑有马面，东、南、北各辟一门，保存较好的城墙残高十几米。城内建筑基址密布，城外西南面的官山上下各有一处寺庙址。城内出土大量建筑材料，其中辽代莲花瓦当、兽面瓦当及布纹板瓦、筒瓦、青砖居多。建筑材料还有金代的花纹瓦当和元代三角形滴水。出土瓷器中有辽瓷、宋瓷，亦有金元铁花瓷，同时出土许多宋代铜钱。古城的规模形制和大批的出土遗物，反映此城是一座比较重要的古城。简报称，从古城中出土大批的辽代遗物推断，此城建于辽代，金沿用。

简报称，早在 1975 年文物普查时已基本认定为辽代州级城，但究竟为何州，一直未有定论。灵安州刺史印在古城中的出土，即可断定此城为灵安州。灵安州，《辽史》失载，《金史》《宋史》也均无载。此印的发现，填补了《辽史》《金史》及《宋史》对灵安州失载的空白，为进一步研究辽代历史地理提供了新资料。

296.内蒙古库伦旗后柜金元时期墓葬

作　者：于宝东

出　处：《北方文物》1992 年第 2 期

1977 年春，库伦旗水泉乡后柜村村民李成海等人在田间犁地时，发现了一座石砌墓葬，村民从墓顶掘开缺口进入墓室，扰乱了骨架及部分随葬器物，并拿走了部分随葬品。考古人员赶赴现场进行调查并追回被村民拿走的随葬品。简报分为：一、地理位置及墓葬形制，二、随葬品，三、结语，共三个部分。有手绘图、照片。

据介绍，库伦旗水泉乡位于哲里木盟东南部，后柜村在水泉乡西约 10 公里处。墓葬坐落于村西南约 1 公里的黄土坡地上。墓葬为竖穴单室墓，由大块青石叠砌而成。除顶部塌陷外，墓室基本保存完好。墓顶距地表约 0.4 米，墓室略呈长方形，无墓道。

东西长 2.4 米、南北宽 2 米、高 2.25 米，穹隆顶。墓室已被扰乱，填满积土，清理时未发现棺床棺木痕迹。据李成海等人介绍，墓室内曾并排摆放两具骨架，骨架肢体基本完好，均头北脚南，仰身直肢。现经鉴定这两具骨架系一男一女，年龄均在40 岁左右，此墓当为夫妻合葬墓。玉壶春瓶、铜镜等置于头部上端，其余生活用具、鞍马饰件等置于下方。玻璃珠、贝壳等分布零散。简报推断该墓为金元时墓。简报指出，库伦旗水泉乡后柜村这样规模的金元墓葬，在内蒙古哲盟一带尚属首次发现，为哲盟地区的考古提供了宝贵的资料。

297.内蒙古翁牛特旗梧桐花元代壁画墓

作　者：项春松、贾洪恩
出　处：《北方文物》1992 年第 3 期

1988 年 5 月，翁牛特旗梧桐花乡发现一座元代壁画墓。在国内元墓发掘数量不多的情况下，可谓弥足珍贵。简报分为：一、墓葬形制，二、随葬品，三、壁画，四、结语，共四个部分。有手绘图。

据介绍，梧桐花元墓位于该乡上洼村，距元代名臣张应瑞墓地东南 4 公里，俗称喇嘛沟桶子地。四周地势较高。墓筑于低洼地。地表现存一碑座，碑身下落不明。乡民们呼其地为石碑座子山。墓葬地表有不高的封土。墓室石砌，甚为坚实。室内平面为方形，穹隆形券顶，清理时墓顶已塌陷。正顶盖一大石，内侧凿平，正中央有一圆形浅龛，中凿一孔，龛径 29 厘米、深 1 厘米，可以确定是镶嵌铜镜之处，整个墓不大但构筑坚固。墓内葬一男一女，人骨架保存不好。因曾被盗，仅出土铜钱 5 枚、螺钿器 1 件、铁锁 1 件及石碑额 1 件等少量随葬品。墓内有壁画，图画内容有八宝瑞祥、山水人物、生活用品、斗拱装饰等，据残碑额上"大元"两字知该墓为元墓无疑。出土物品中青花瓷器等较为珍贵。

298.内蒙古通辽市半截店辽代火葬墓群

作　者：哲里木盟博物馆　郝维彬
出　处：《考古》1994 年第 11 期

1988 年内蒙古哲里木盟文物普查队对集（宁）通（辽）铁路沿线哲盟段进行文物普查，于通辽市半截店牧场场部北发现一群火葬墓。1990 年 10 月下旬，为配合集通铁路开工，考古人员前往墓地，对墓群进行了发掘清理。

简报分为：一、地理位置与一进环境，二、墓葬形制，三、葬具，四、随葬遗物，

五、结语，共五个部分。有手绘图、拓片。

据介绍，半截店牧场位于哲里木盟中部，西辽河北岸，南距西辽河约 14 公里，东南距通辽市约 20 公里，东北 10 公里处是通辽发电总厂。墓葬就在半截店牧场场部北 100 米处。墓群均是陶罐内盛骨灰葬。整个墓群由若干个这样内盛骨灰的陶罐群组成。因墓群西部和中部全遭破坏，陶罐群数量不详。这次共发掘清理了三个陶罐群。编号为 M1、M2、M3。此墓的葬具是陶罐及其封盖、陶盆、瓷碗、瓷盘等。该墓群共出土这种葬具 70 余组，其中，较完整者 43 组，陶盆、瓷碗、瓷盘大都被填土压碎。此墓除葬具外，只出土一把骨梳和 12 枚铜钱。简报推断，该墓葬群年代的上限要比 1023 年早，可上溯到辽穆宗或景宗时期，其年代的下限可能要比 1023 年晚，甚至延续到辽末。墓葬的族属，简报推断为汉族人墓葬。

299.内蒙古科左中旗小努日木辽墓

作　者：通辽市博物馆　武亚芹、王瑞青
出　处：《北方文物》2000 年第 3 期

1982 年 8 月中旬，哲里木盟科左中旗架马吐公社小努日木村村民，在挖渠取土时发现一座墓葬。考古人员赶到现场对墓葬进行了清理、调查，并收回散失的部分文物。

简报分为：一、地理位置，二、墓葬形制，三、出土器物，四、结语，共四个部分。有手绘图。

据介绍，墓葬位于内蒙古哲里木盟科左中旗架马吐公社小努日木村西北约 1 华里的缓坡上。墓葬为砖筑，穹隆顶，圆形，墓顶距地表 1.2 米左右，墓室直径 3.6 米、高 3.8 米。墓壁用长 36 厘米、宽 17 厘米、厚 6 厘米的长方形砖加白灰泥一横一顺砌筑，异常坚固。墓底用 42 厘米方砖加白灰泥平铺而成。墓室西北处有一具砖筑棺床。因墓葬盗掘损毁严重，墓内葬具及随葬品均已无存。据目击者介绍，棺床上有一长方形木棺，木棺内葬男女二人，为夫妻合葬，头东北向，仰身直肢，骨骼朽粉严重，年龄不清。两位墓主身裹多重丝织衣物，腰系玉带，头戴鎏金冠。简报推断为辽中晚期墓。从出土文物分析，此墓主人应为契丹中等以上贵族。出土物中有鎏金凤冠、金手镯、金耳坠、玉带饰及工艺考究的丝织品等，都充分显示了墓主人的政治地位和经济实力。出土物中的金耳坠、契丹文铜镜、握手、蹀躞带等都强烈体现了契丹民族风尚。

简报称，这一带还发现过别的辽墓，或为一处辽代墓群所在地。

300.内蒙古扎鲁特旗哲北辽代墓葬群

作　者：贾鹤龄、王崇存、哈日呼
出　处：《北方文物》2002 年第 4 期

为配合 304 国道的扩建施工，2001 年 9 月，考古人员对 304 国道 210 公里处在工程建设中暴露出的墓葬群其中的 4 座进行了抢救性清理发掘。简报分为：一、地理位置，二、墓葬结构，三、随葬品，共三个部分。有手绘图。

据介绍，墓群位于内蒙古通辽市扎鲁特旗哲北农场场部东约 4 公里处的草原阳坡之上，南距扎鲁特旗政府所在地鲁北镇 45 公里。墓群共有墓葬 20 余座，304 国道在墓群中穿过，墓群中间有一条东西走向的雨水冲刷沟，深约 80 厘米。整个墓群大部分已被破坏，这次共清理 4 座（M1～M4）。均为石砌单室墓，M1、M3 为双人合葬墓。因被盗，随葬品仅有瓷碗、铜钱、玛瑙珠等。简报称，死者口中含有铜钱，这在本地以往发现清理的辽墓中尚属首次。该墓群应属辽代中期一般贵族的墓葬。此墓群的发现，为研究契丹民族的葬式和葬俗及契丹民族与中原的交往史提供了新资料。

301.内蒙古扎鲁特旗浩特花辽代壁画墓

作　者：中国社会科学院考古研究所内蒙古工作队、内蒙古文物考古研究所
出　处：《考古》2003 年第 1 期

扎鲁特旗地处大兴安岭南端，隶属于内蒙古自治区通辽市。为了抢救发掘被盗的辽代墓葬，1999 年 4 月开始，考古人员进行了为期 5 年的辽金考古联合研究。同年 6～9 月，在内蒙古自治区通辽市扎鲁特旗进行了一系列的考古发掘，取得了较为重要的收获，其中以浩特花墓地最为重要。

浩特花墓地位于扎鲁特旗乌力吉木仁苏木所在地东北约 13 公里处的浩特花牧铺北、屯特格尔山西北的簸箕形坡地上，该墓地共有 3 座大型墓葬和 2 座小型墓葬。需要指出的是：在墓地西南约 0.5 公里处有 1 处居住址，在墓地东南约 2 公里处的浩特花牧铺附近有 1 座辽代小型城址。此 2 处遗存可能均与墓地有关。浩特花 1 号墓是该墓地规模最大的一座壁画墓，壁画面积大，内容较为丰富，有内外双层，颇具特色。简报分为：一、墓葬形制，二、人骨和葬具，三、壁画，四、出土遗物，五、初步认识，共五个部分。有手绘图。

据介绍，浩特花墓地的 3 座大墓，形制、结构各不相同。1 号墓为长方形砖筑双室墓，前室两侧各有一耳室，叠涩券顶；2 号墓为八角形石筑单室墓，甬道两侧各有

一耳室；3 号墓为有木质护墙板的十角形砖石混筑双室墓。另外 2 座土坑竖穴墓，出土铁马镫和铜镜等，可能是大墓的陪葬墓。简报由此可知，辽代墓地墓葬排列方式：一是通常所知的由上至下排列，一是由下而上斜行排列。简报称浩特花墓地的发掘，丰富了辽代葬俗的研究资料。经过综合比较分析，简报初步推定此墓的年代应属于辽代中期，可能为辽圣宗时期。

302.内蒙古通辽市吐尔基山辽代墓葬

作　者：内蒙古文物考古研究所　塔　拉、张亚强等
出　处：《考古》2004 年第 7 期

2003 年 3 月，吐尔基山采石矿在采石过程中发现了一座墓葬，考古人员于 3 月 21 日对该墓葬进行正式发掘，5 月 16 日发掘结束。简报分为：一、发掘情况，二、葬具，三、随葬品，四、人骨鉴定及头像复原，五、结语，共五个部分。有彩照、手绘图。

据介绍，2003 年内蒙古文物考古研究所对科尔沁左翼后旗吐尔基山的一座辽墓进行了发掘。该墓葬由墓道、墓门、甬道、墓室及左右耳室组成，并葬有大量随葬品。简报推断为辽代早期墓葬，墓主人应为贵族，对人骨鉴定后得知墓主人应为 30～35 岁女性。

简报指出，吐尔基山辽墓出土了大量的珍贵文物，有漆器、木器、金银器、丝织品、铜器、瓷器、铁器以及玻璃器等。特别是彩绘木棺和棺床，在内蒙古自治区尚属首次完整发现。出土如此多的有精美图案的丝织品，在辽代考古中也是比较罕见的。吐尔基山辽墓中出土了大量的与艺术有关的文物，如鎏金铜铎、鎏金铜长铃、银角号等，在出土的鎏金铜牌饰中还有许多带有乐舞的图案，有击鼓、吹笛、吹笙、吹排萧、弹琵琶等，这么多与音乐、舞蹈等相关的文物，在辽代墓葬中也是很少见的。

简报认为，吐尔基山辽墓的发现，是内蒙古自治区自陈国公主墓、耶律羽之墓之后的又一次重要发现，它将极大地丰富我们对辽王朝的认识。它的发掘，也为辽代考古增添了新的内容和资料，对研究辽代的政治、经济、文化、艺术、服饰、生活习俗、丧葬制度等都有十分重要的意义。

303.库伦旗出土一方辽代墓志

作　者：武亚琴、孟祥昆
出　处：《北方文物》2005 年第 1 期

2001 年春季，在库伦旗平安乡五星村东北约 5 里处的南沟北坡第二台地上，暴

露出许多大块石头，农民在取石时挖出了一座石筑六角形墓葬，同时发现一方辽代墓志。简报配以拓片予以介绍。

据介绍，墓志为黑绿色石质，呈方形。底座方形，上宽下窄。墓志字迹清楚，字体端正，阴刻楷书竖排7行，全文108字。简报录有志文全文。据墓志记载，墓主人吕思支是大契丹国晋王府右都押衙银青崇禄大夫兼监察御史武骑尉，身故于重熙九年（1040年）。这里所提晋王应指兴宗皇帝的舅舅萧孝先。吕思支即为辽晋王府中一位从三品押旗官。其妻清河张氏，生有四男，其中一子官至正三品。

304.内蒙古通辽市腰伯吐古城调查

作　　者：李　鹏、邰新河
出　　处：《北方文物》2012年第4期

腰伯吐古城位于内蒙古自治区通辽市科尔沁左翼中旗花吐古拉镇腰伯吐嘎查北3.5公里处。本次调查采取地表调查的方式，运用GPS定位仪和激光测距仪等先进设备进行定位和勘测，并结合实时卫星地图进行研究。对地表遗物进行采集和分析后认为，腰伯吐古城始建时间应当在辽代，金、元、明一直沿用，纠正了1988年全国第二次文物普查确定为元代的认识。

简报分为：一、古城位置与周边地貌，二、城址遗址，三、城内遗物，四、几点认识，共四个部分。有手绘图、照片。

据介绍，腰伯吐古城位于内蒙古自治区通辽市科尔沁左翼中旗花吐古拉镇腰伯吐嘎查北3.5公里处，分外城和内城。外城早已荡然无存，内城保存较好。呈正方形，东城墙南北长262米，残高1.5米，基宽21米，上宽16米，无城门。南城墙长227米，残高3米，有城门。西城墙长273米，残高3米，无城门。护城河从内城西南角引入，环绕城址四周，再由东南角流出。北面和东面河道已经被农耕填平，西侧依稀可见，南侧保存完好，平均宽度26米，残存深度距地表约1.5米。1989年调查工作中，发现在内城北侧，有6处建筑遗迹，分南北两行排列，每排3座，1号土堆高达7～8米，其余高约5米，建筑规模较大。在每排建筑物的前面，各有东西街道与各建筑物间的南北街道相交，南街有路通往大门。在城的东南角有一个古井。本次调查，在城内仅发现两处高大的建筑废墟和一处建筑遗迹，其余均已夷为平地，变成农田，从地表已经无法辨别其他遗迹。但大体可以观察到房址在城内中部呈东西走向，分两行排列。简报称，此次发现的遗物主要为砖、瓦等建材，应属辽代遗存。琉璃瓦作为皇家建筑的专用建筑材料，充分体现了该城的规制之高。

鄂尔多斯市

305.内蒙古伊金霍洛旗发现西夏窖藏文物

作　者：高　毅、王志平

出　处：《考古》1987 年第 12 期

1985 年 9 月至 1986 年 10 月，在内蒙古伊金霍洛旗境内进行文物普查中，先后发现了几批西夏窖藏文物。这些窖藏文物，大多保存完好，其中有瓷器、铁器等共 40 余件。简报配以照片予以介绍。

简报重点介绍了白圪针窖藏。该窖藏位于伊金霍洛旗红庆河乡政府所在地西北约 1 公里处的白圪针村东沙梁内。出土器物有瓷器、铁器、石磨等。该窖藏位于伊金霍洛旗布尔台格乡巴图塔村瓦尔吐沟河的第二台地上，出土有瓷器、陶器、铁器共 13 件。其中羊首铁灯值得注意，这似乎表明西夏对羊的崇拜。

简报指出，几批窖藏中，出土的器物以铁器为多，在这些铁器中，农业生产工具又占有相当的比例，其种类有犁铧、锄、镰等，这充分证明西夏的经济除畜牧业外，还有农业经济也很发达。而且在这些窖藏中出土的生产工具与中原的农业生产工具十分接近，表明西夏与中原文化有十分密切的关系。简报称，西夏政权时期，其疆域在鄂尔多斯地区，南与宋王朝毗邻，东北与辽、金接壤。西夏屡屡向南对宋，向东、北对辽、金发动进攻，侵夺土地，劫掠财物，发展自己的势力，而宋、辽、金也经常对西夏进行袭击，特别是西夏后期多次遭受蒙古军队大规模的侵略。这些对于西夏社会的农业和畜牧经济的发展无疑有不利的影响，而在鄂尔多斯及相邻地区发现的这些西夏窖藏大多与当时频繁的战争有关。

呼伦贝尔市

306.内蒙古突泉县发现辽代文物

作　者：李逸友

出　处：《考古》1959 年第 4 期

内蒙古呼伦贝尔盟突泉县修建双城子水库时，考古人员发现有双城子古城遗址及大量古墓，简报配以手绘图予以介绍。

据介绍，古城呈"冒"字形，双城子东北沟内发现有 10 座辽墓。其中一座较大，出土有白瓷、铜腰带等。简报认为，古城应为辽代遗迹。

307.呼伦贝尔发现元代"祥州站印"

作　者：程道宏
出　处：《文物》1984 年第 9 期

1981 年 4 月，在内蒙古呼伦贝尔盟新巴尔虎左旗吉木胡朗图公社乌尔逊河河口东侧的河漫滩上，出土一方元代铜印。印呈正方形，边长 5.6 厘米，柱状纽，通高 6 厘米。简报配以照片予以介绍。

据介绍，印呈正方形，印文为八思巴文，印背镌刻汉字楷书，右侧为"祥州站印"，左侧为"中书礼部造　皇庆元年九月日"。皇庆系元仁宗年号，元年当公元 1312 年。据了解此印原放置在一铜盒中，出土时盒已槽杇，现残留一角。在出土地点发掘到磁州窑瓷片、铜锅残片及铁车钏一件，桦皮鱼漂、骨网坠、石网坠若干。

简报称，铜印出土地点距甘珠尔花镇约 2 公里。甘珠尔花为辽、元时古城。祥州站印的出土，为我们研究甘珠尔花古城和呼伦贝尔地区的交通史，研究元代辽阳行省通往岭北草原的交通等历史地理问题，提供了有价值的实物资料。

308.内蒙古牙克石市莫拐农场发现鸾兽葡萄纹铜镜

作　者：王　成
出　处：《北方文物》1996 年第 12 期

1979 年 9 月，内蒙古自治区牙克石市莫拐农场工人王喜庆，在家中院内距地表 0.5 米深的土层中，挖出一面古代铜镜。

据介绍，这面铜镜为圆形，直径 10.8 厘米、边厚 0.8 厘米。镜面微鼓，镜背正中有一兽形纽，边缘内斜。镜背图案分三重，中间有一突出的环棱，环棱内兽形钮的四周分布四只海兽，另有葡萄等纹饰掺杂其间；环棱外为第二重，有形态各异的飞鸟、昆虫及葡萄等花纹；边缘为水波纹图案。这种纹饰的铜镜，最早出现于唐代，辽金时期的东北地区多有仿制。此镜即为仿制品。

今有刘淑娟先生《辽代铜镜研究》（沈阳出版社 1997 年版）一书，可参阅。

309.内蒙古鄂温克族自治旗发现契丹大字铜牌

作　者：呼伦贝尔盟文物管理站　王　成
出　处：《考古》1999 年第 6 期

1980 年 7 月，内蒙古呼伦贝尔盟文物管理站在文物普查中征集到一件两面铸有文字的铜牌，简报配以拓片予以介绍。

据调查，铜牌发现于鄂温克族自治旗伊敏车站附近的河谷平原沙地上，铜牌为紫红色、长方形，长 4.9 厘米、宽 2 厘米、厚 0.35 厘米，重 17.6 克。管理站曾将铜牌照片先后送给杨虎先生、刘凤翥先生鉴定，认为牌上所铸文字为契丹大字，具体内容尚待解读。

巴彦淖尔市

310.内蒙古乌拉特后旗岩画调查简报

作　者：中国人民大学历史学院　王晓琨、魏　坚
出　处：《考古与文物》2009 年第 4 期

2007 年 3 月 25 日至 4 月 2 日，考古人员对乌拉特后旗境内的重要历史文化遗存，进行了为期一周的野外考古调查，获得了一批重要的考古资料。特别是在宝尔汗山、巴嘎毛都、滴水沟三个地点，新发现了近 20 幅岩画。简报分为四个部分予以介绍，有手绘图等。

据介绍，中国是世界上岩画保存最丰富的国家之一，而内蒙古发现的岩画在全国更占有重要的地位。此次考察的宝尔汗山岩画、滴水沟岩画和巴嘎毛都岩画，属于内蒙古三大岩画群之一的阴山岩画群（另两处是乌兰察布岩画群和巴丹吉林岩画群）。阴山地区是我国的岩画宝库，岩画分布广，数量多，延续时间长。但以前发现与公布的材料多来自位于阴山西段的狼山地区，在东西长达 300 多公里，南北宽 30 ~ 70 公里的调查范围内，发现岩画地点一百余处，而此次发现的岩画位于阴山北部，时代除巴嘎毛都岩画应为元代以后外，其他两处待考。

今有盖山林先生《草原寻梦：内蒙古岩画考察纪实》（山东画报出版社 1999 年版）一书，可参阅。

乌兰察布市

311.元代集宁路遗址清理记

作　　者：内蒙古自治区文物工作队　张　郁
出　　处：《文物》1961 年第 9 期

元代集宁路古城，在集宁市东南 25 公里乌兰察布盟察右前旗巴音塔拉乡的土城村。1958 年考古人员进行了清理发掘。自 5 月下旬至 7 月中旬，发现墓葬 27 座。除关于墓葬的清理另有报导外，简报分为：一、古城位置及自然环境，二、清理发掘简况，三、出土文物，四、古城情况的分析，共四个部分，配以照片、手绘图，先行介绍了古城发掘情况。

据介绍，集宁路遗址在土城子村后，南墙已不见痕迹，北墙保护较好，南墙外西侧，立有"集宁文宣王庙学碑"，为研究这座古城提供了珍贵资料。城中部发现有"内府官物"漆盘等百余件窖藏，或与官府有关。还发现有手工业区、商业区、居住区遗址、遗物。

据皇庆元年（1312 年）"集宁文宣王庙学碑"，古城是元代集宁路总管府所在地，金为抚州集宁县，元初已升为路，可以想见它在当时政治、经济上有重要地位。

312.乌兰察布盟察右前旗古墓清理记

作　　者：内蒙古自治区文物工作队　张　郁
出　　处：《文物》1961 年第 9 期

1958 年 7 月间，考古人员为配合集张铁路建筑工程，在乌兰察布盟察右前旗巴音塔拉乡清理元集宁路古城时，在施工范围内发现古墓约 40 座，重点清理了其中 27 座。古墓在古城西面壕沟附近。简报分为：一、墓葬形制和葬式，二、随葬品，三、墓葬年代的推断，共三个部分。有照片、手绘图。

据介绍，在 27 个墓葬中，有砖墓 2 个、石板墓 3 个、砖石结构墓 1 个、土坑墓 9 个、瓮罐墓 12 个。随葬品共计 141 件。

简报推断砖墓的年代在金、元之交。砖石结构墓的年代似为元初，石板墓的年代为元代中早期。瓮罐墓从金、元之交至元末都有。

313.元集宁路故城与建筑遗物

作　者：张驭寰

出　处：《考古》1962年第11期

集宁路故城在内蒙古自治区察哈尔右翼前旗巴音塔拉乡土城子村，是元代的一座路城遗址。1958年秋，考古人员曾经对该城址作过一次勘察。现在着重介绍一下集宁路故城规划与建筑遗物。简报配以手绘图予以介绍。

据介绍，集宁路故城附近地势平坦，城东为莫子山，向北遥望则有远峦重叠，当山之近端有小丘陵作起伏之势。近城之北端1公里处有东西绵亘的边墙，根据其形状与位置分析可能是金代界壕。莫子山河自东北流向东南，紧邻城的东侧。故城作正方形，分设里、内、外三城，各城布局整齐。建筑遗址、建筑物颇多，有文庙址、住宅址、砖、瓦、石、石刻、石碑，即城内大成至圣文宣王庙学碑，阳书以正体文字，碑文简报有节录。由碑文可证明土城是元代集宁路故城，并且是集宁路总管府所在地。

简报称，对集宁路故城的勘察，可知元代路城的规模、平面布局、建筑分布位置与规制等。从建筑遗物来观察，则知元代腹地中等以上城市建筑，基本上还是仿效中原地区。集宁路故城的建设工人有的是来自山西云中，充分说明这一问题。

314.元集宁路故城出土的窖藏丝织物及其他

作　者：潘行荣

出　处：《文物》1979年第8期

元代集宁路故城，位于内蒙古自治区集宁市东南30公里的察右前旗巴音塔拉公社土城子村。它初建于金章宗明昌三年（1192年），元时在金集宁县基础上扩建，分里、内、外三城。简报分为四个部分，介绍了此城出土的两批窖藏，有照片。

据介绍，1976年11月在元碑西南150米处发现窖藏，内有丝织品等。发现的丝织文物，装在大瓮中，全属蚕丝织物。伴出的有漆碗、瓷碗、银饰、玉饰等。1977年9月在元碑东南280米处又发现一批窖藏瓷器，也盛放在一件大瓮内，出土时大瓮已损坏，瓮口上掩盖着一件铜铛，内有瓷器、铜镜、铜权等文物。

从窖藏织品、漆碗上的题字看，当为元代遗物。

315.察右前旗豪欠营第六号辽墓清理简报

作　者：乌兰察布盟文物工作站　陆思贤、杜承武
出　处：《文物》1983 年第 9 期

1981 年 10 月，考古人员在察哈尔右翼前旗豪欠营大队湾子山清理辽代墓葬 3 座，编号 M2、M3、M6。墓地位于集宁市西南 20 余公里、旗府所在地土贵乌拉镇西北约 35 公里。经初步勘察有 10 座墓，其中 7 座在 1972 年遭到破坏。每座墓葬的地面都有一个长"凸"字形的石砌边框，宽处在西，下为墓室；窄处在东，下为墓道。M6 在墓地最南边，墓顶有盗坑。发掘工作在 10 月中旬进行，出土以铜丝网络、鎏金铜面具为特殊葬服的完整女尸一具，以及瓷器等随葬品。简报分为：一、墓葬形制，二、女尸，三、遗物，四、结语，共四个部分。有照片、手绘图。

据介绍，M6 是一座不规则八边形、叠涩攒尖式石构墓，由墓道、甬道、墓门、墓室四部分组成。无棺椁，尸体就陈放在尸床上，出土时向左侧身直肢。考古人员认为葬式原为仰身直肢，因历年雨水下渗，尸体漂浮侧转。此地应为辽代契丹族的一处家族墓地。M6 的年代，简报推断为辽中晚期。发现的保存完整的女尸及其葬服、发式均有研究价值。

316.内蒙古乌盟南部发现的青铜器和铜印

作　者：盖山林
出　处：《考古》1986 年第 2 期

内蒙古自治区乌兰察布盟南部托克托县和凉城县出土了一些青铜器和铜印等遗物。简报配以拓片予以介绍。

据介绍，一、凉城县崞县夭公社出土的青铜。1967 年，凉城县崞县夭公社前德胜大队社员发现铜壶、牌饰、当卢各一件，已送交内蒙古文物工作队保存。

二、托克托县新忽拉圪乞出土的青铜器。1965 年 10 月，距托克托县北 9 公里的五十家子公社忽拉圪乞大队新忽拉圪乞村的农民，在该村南约 1 公里的沙滩处掘出汉代的青铜盘、钫、熏炉各一件，已上交文物单位。

三、凉城县出土的四方铜印。1971 年底凉城县三苏木公社五苏木大队小学发现一方铜印，另三方出土于凉城县天成公社。这几方铜印中，有两方有纪年，一为"大安三年"，辽、金均有大安年号，辽道宗大安三年为 1087 年，金卫绍王大安三年为 1211 年。另一方为贞祐四年，是金宣宗年号，四年为 1216 年。其他两方，从印文和形制看来，简报认为也应是金代的官印。简报称，除了以上的铜器和铜印外，还在和林格尔县新店子汉墓采集到两种汉代方砖。

317.内蒙古察右前旗发现辽代碑刻

作　者：乌兰察布盟文物工作站
出　处：《考古》1986 年第 11 期

1984 年 9 月初，考古人员在乌兰察布盟察哈尔右前旗礼拜寺乡北面的阿布洞山的山顶上发现立着一座辽代的碑刻，当即把碑移往盟文物站收藏。碑高（连同原先埋入土中的部分）110 厘米。石质为褐色砂岩，仅正面刻字 6 行，多已漫漶。第一行为汉文"□辽大安二年□月六日之碑文"。大安二年为 1086 年。其他 5 行不易辨认，认出几字也难以连缀成句，照汉文字面颇费解。所有认出的字都在契丹大字中出现过。在碑的周围，有很多辽代的残砖碎瓦和瓷片。简报推测山顶原有寺庙之类的建筑，碑石的内容或与这些建筑有联系。

318.内蒙古兴和县发现窖藏铜币

作　者：崔利明
出　处：《考古》1988 年第 12 期

1983 年 10 月初，兴和县南湾子乡农民李友刨地时，挖至距地面约 73 厘米深处，发现一个白釉瓷瓮。瓮内装满铜币。铜币保存完好，字迹清晰可见。这批铜币出土时重 153.5 公斤，现存铜币 19 公斤，其余铜币李友卖到县废品收购站。简报配以拓片予以介绍。

据介绍，全部铜钱共 18 种 47 式，篆、隶、真、行各体皆备。西汉、新莽、唐、五代、北宋、南宋、金各代均有。铜钱中年代最晚的为"正隆元宝"，铸于金代海陵王年间（1149～1161 年），这批铜钱应系公元 1161 年后的私人储藏，白釉瓷瓮从质、釉及器型看是金代瓷器。

319.内蒙古兴和尖山辽墓发掘简报

作　者：乌兰察布盟文物工作站　陈棠栋、李兴盛
出　处：《北方文物》1988 年第 4 期

1985 年 6 月，乌盟文物站对所属兴和县进行文物普查时，在兴和县二台乡尖山村西北发现一座被老乡破坏的古墓，并进行了抢救性的清理。简报分为：一、地理环境，二、工作经过，三、墓葬形制与结构，四、遗物，五、结语，共五个部分。有手绘图。

据介绍，古墓位于内蒙古乌兰察布盟兴和县南约 20 公里的尖山村，村北为山谷丘陵，古墓就在村西北约 1 公里的山梁南坡上。清理工作于 1985 年 6 月 20 日至 7 月 2 日。砖砌墓室作八角仿木穹隆顶，前有甬道，外接墓道。随葬品有瓷器 3 件、骨器 2 件、铜丝网络。从墓葬的结构来看，其仿木结构的形式也具有辽代中晚期的特征，斗拱的形式同豪欠营辽墓三号墓中的斗拱相似，简报推断该墓的时代应为辽代中晚期。

320.内蒙古武川县乌兰窑子金墓清理简报

作　者：乌兰察布盟文物工作站　李兴盛、邢黄河
出　处：《考古》1989 年第 8 期

1985 年 9 月中旬，考古人员在乌兰察布盟武川县东土城乡进行文物普查时，于乌兰窑子村南发现一处古墓地。1984 年该村农民前往盗掘，并准备进行彻底破坏。考古人员对这两座古墓做了抢救性清理。简报分为：一、墓葬形制，二、出土器物，三、结语，共三个部分。有手绘图、拓片。

据介绍，M1 为圆形砖室墓，顶部全部破坏。直径东西 2.3 米、南北长 2.42 米。残存高度 5.5 ~ 120 厘米（15 层砖厚），墓向 174°。由墓室、墓门、甬道三部分组成。出土器物有天目碗、鸡脚坛、骨钗、铜镜、盘等。根据遗物的特征来看，简报推断乌兰窑子古墓应为金代古墓。

简报称，乌兰窑子金代古墓的发现，在内蒙古地区考古发现中尚属少见。它为认识内蒙古地区的金代文化面貌提供了可靠的实物资料。

321.内蒙古凉城县后德胜元墓清理简报

作　者：内蒙古自治区文化厅文物处、乌兰察布盟文物工作站　王大方
　　　　李兴盛等
出　处：《文物》1994 年第 4 期

后德胜元代墓地位于内蒙古自治区乌兰察布盟凉城县崞县窑乡后德胜村东北 1.5 公里的山谷之中，该墓地距凉城县政府所在地西北约 37 公里。1990 年秋，后德胜村连遭暴雨，致使山沟断崖北坡 6 座古墓被洪水冲出（编号为 M1 ~ M6）。1991 年 7 月，考古人员进行了抢救性清理。1991 年 7 ~ 10 月，共清理壁画墓、砖室墓各 1 座，土洞墓 4 座。简报分为：一、壁画墓（M1），二、砖室墓（M2），三、土洞墓（M3 ~ M6），四、出土遗物，五、对墓葬的几点认识，共五个部分。有照片、拓片、手绘图。

据介绍，M1 受损严重，壁画应出自民间画师之手。内容主要为"墓主人家居图""二十四孝行图"等。简报推断此处应为一元代家族墓葬区。M1 的墓主人应为元代蒙古贵族。壁画及 M3 所出铁农具较为珍贵。

322.内蒙古凉城县水泉辽代墓葬

作　者：内蒙古文物考古研究所　曹建恩、党　郁、孙金松、张闯辉等
出　处：《考古》2011 年第 8 期

水泉墓地位于内蒙古乌兰察布市凉城县永兴镇水泉村北约 1.5 公里的山坡上，面积约 1 万平方米。墓地北依蛮汗山支脉，东临一南北向的大型冲沟，南坡向下地势开阔，可远眺永兴湖，西侧约 500 米处为一条南北向的季节性河流，当地人称蒙古哈达河。墓地原为耕地，现已退耕还草。

2008 年 5～8 月，考古人员对该墓地进行了发掘。共发掘墓葬 29 座，其中 2 座为辽代墓葬，分别编号为 M26 和 M27，其余 27 座属战国中晚期墓葬。简报分为：一、M26，二、M27，三、结语，共三个部分，介绍了这两座辽墓的发掘情况。

据介绍，两座墓葬位于墓地的最北部，相距仅约 1 米，有可能是夫妻异穴合葬墓。墓葬呈东西向并列埋葬，M26 位于西侧。两座墓葬内人骨、随葬品等保存完整，形制接近，随葬品丰富，且均存在殉牲现象。出土的辽代蹀躞带及马鞍等，对研究辽代生活很有帮助。至于年代，简报判断为辽代早期。

简报称，这两座辽墓墓主人应不是一般平民，从带有北方少数民族风格的随葬品看，简报认为这两座墓的墓主人，应是辽代早期受契丹文化影响较深的突厥遗民。

兴安盟

323.内蒙古科右前旗白辛屯古墓古城的调查

作　者：潘行荣
出　处：《考古》1965 年第 7 期

白辛屯位于呼伦贝尔盟乌兰浩特市西约 50 公里。白辛屯的四周群山环抱，形成一个小盆地。盆地的东西两边沿山根各有一条长年流水的小溪，蜿蜒南流，于白辛屯南约 2 公里处汇合，流入突泉县境内。1962 年春天，当地农民在白辛屯北约 1 公

里处的山根下发现一座墓葬。简报配以拓片和手绘图予以介绍。

据介绍，墓葬由墓室、墓道构成。墓室平面略呈正方形，用白灰色和青灰色长形岩石砌成。墓内的砂土淤积很厚，葬具散乱，随葬品在发现时已被取出，原来的位置不明。随葬品多放在石板前的地面上，木板上也放置部分小器皿。墓室内未见尸骨或骨灰。随葬品有瓷器、铜器、铁器等27件。简报推断这是一座辽墓。

简报称，白辛屯古城内的遗物少而单纯，从少量的遗物看，可能为辽代的古城。

324.吐列毛杜古城调查试掘报告——兼论金代东北路界壕

作　者：张柏忠

出　处：《文物》1982年第7期

吐列毛杜古城坐落于科右中旗西北部，大兴安岭东侧，霍林河之阳，其西北为金代界壕。1978年考古人员对吐列毛杜古城进行了调查与试掘。

简报分为：一、古城的位置和地理形势，二、古城的形制与时代，三、几个问题的讨论，共三个部分。有手绘图、照片。

据介绍，吐列毛杜古城位于哲里木盟科尔沁右冀中旗西北部吐列毛杜公社，东南距旗所在地白音胡硕100公里。霍林河从城西流来，至古城南1公里许与西南流来的昆都伦河汇合，东流15公里，转向东南。河湾处北岸有一长方形古城，周长1320米。城墙为砾石与沙土混筑。城内散布辽金时期遗物。此城位于科右中旗巴扎拉嘎公社和平大队胡林生产队，故名胡林古城。通过调查，简报初步认为：吐列毛杜古城建于金代，元废。地属泰州。城前的霍林河即是金代临潢府、泰州的分界河——鹤午河。古城与其北的界坡构成一套边疆防御体系，是金代北部的军事重镇。古城一带是乌古、敌烈部族活动的主要地区。吐列毛杜古城可能是乌古敌烈统军司治所。

据调查，吐列毛杜古城分为东西两座，相距160米。西城（一号）较大，东城（二号）较小。一号古城周长2382米，二号古城周长1410米。从遗物看古城有效利用时间并不长。两座古城中，尤其是一号古城，金代遗物比较丰富，其他时代的遗物则未发现，说明两城都建于金代，而废于元。二号古城遗物甚少，更没有第二次修建的迹象，表明其使用时间很短，可能是为建筑一号古城前修建的临时性的城，以居戍人。及一号古城建妥，二号古城遂废。吐列毛杜古城西北不远即是金代界壕，故此城当为与界壕一起构成防御体系的边防城。

吐列毛杜古城地处军事交通要地，形势险要，是金时北部边疆的军事重镇之一。

325.科尔沁右翼中旗出土金元银铤

作　者：科右中旗文化局
出　处：《文物》1982 年第 8 期

1980 年 10 月，铁道兵某部在通霍铁路施工中发现银铤三笏。银铤出土地点在科尔沁右翼中旗所在地白音胡硕南 4 公里，前德门山南约半公里处。简报配以照片予以介绍。

简报指出，同时出土铜钱 114 枚，22 种。最早的是唐代开元通宝，最晚的是金代正隆元宝。还出有铜镜、铁锁等。此三笏银铤没有明确纪年，简报推断此三笏银铤的时代当在金元时期。

326.内蒙古科右前旗、突泉县辽金城址调查

作　者：吉林省文物考古研究所　　柳　岚
出　处：《考古》1987 年第 1 期

1975 年上半年，考古人员对哲里木盟（包括科右前旗和突泉县）进行了一次大规模的文物普查工作。对科右前旗和突泉县进行了历时两个多月（4 月 25 日至 6 月 30 日）的文物普查。

科右前旗和突泉县位于大兴安岭南麓，今属内蒙古自治区管辖，紧邻吉林省的西北部。蛟流河、归流河、洮儿河横贯两旗县。这里伴存的辽金时期遗迹特别多，有界壕、边堡、古城、关隘、遗址和墓葬，还有墨书题记。仅古城就发现大小共 37 座。这次普查的科右前旗和突泉县境内的辽金古城简报分为：一、城址的分布和形制，二、洮儿河流域，三、归流河流域，四、蛟流河流域，五、初步认识，共五个方面进行综合报告。有手绘图，附有洮儿河、归流河、蛟流河流域古城一览表。

据介绍，从古城分布的地理环境和大量遗物来看，这里不但是一处军事重地，同时也是辽金时期人民生活、生产、游牧的一个重要区域。古城在战时是军事重镇，而和平时期是政治、经济、文化的中心。

37 座古城均集中分布在横穿一旗一县的三条河流两岸冲击平原和山坡上，人们可利用水路、陆路相互接触和交往，进行物质文化交流。而三条河流以外，则古城极少，甚至没有。蛟流河位于突泉县境内，是此县文化交流和交通运输必经之路，洮儿河、归流河亦是如此，适应于辽金时期人民往来和统治者利用水、陆同泰州、长春州相联系以加强对人民和边陲的统治及防务。简报推断，此三条水系是生活在这里的历代人民重要的交通要道。

简报指出，古城分布密集，大量的生产工具和建筑材料的出现，反映当时农业的发展。铜钱的使用，证明当时经济、贸易的繁荣。大量的白瓷、仿定瓷片的出现，也证明了这一点。古城结构复杂，城内建筑宏伟，标志辽金时期戍边屯田的成效及对东北的开发，留下了不可磨灭的伟大功绩。

327.内蒙古兴安盟代钦塔拉辽墓出土丝绸服饰

作　者：内蒙古博物馆、内蒙古兴安盟文物工作站、中国丝绸博物馆
　　　　赵　丰、其木格、葛丽敏等
出　处：《文物》2002 年第 4 期

1991 年 9 月，内蒙古兴安盟科右中旗代钦塔拉苏木一辽墓群被盗，其中 M3 未被全盗，考古人员获得不少有价值的辽代文物，其中最为精彩的是 6 包保存基本完整的丝绸服饰。这 6 包丝织品于 1993 年移交内蒙古博物馆，经馆内技术人员精心处理，丝织品已经全部打开，并清洗、平整完毕，色彩基本完好，质地未受大损失。

简报分为：一、织物种类，二、服装款式，三、相关问题，共三个部分。有照片、手绘图。

据介绍，出土织物有棉等，更主要的收获为服装部分，辽代服装出土甚少，若有出土，也总是保存不佳。而这批辽代服饰的出土可谓是迄今为止最为完整的一次，出土近 20 件衣服中外套、内衣均有，长短夹单全齐，而各种料子很全，对研究辽代服装甚至是相近时期的服装都有极为重要的意义。如雁衔绶带锦袍，不仅是辽代早期赐服的典型代表，而且还是唐代晚期赐服形式的遗存。做一件这样的锦袍约需锦料 10 米，非常奢侈。再如衬衣一类，代钦塔拉墓中出土的衬衣大多极薄，一般极难保存，但在此处可以完整地看清楚，它们一般是直襟和无扣，无扣说明可以任意地左衽或右衽，这也说明为什么在壁画中可以看到内衣有时为右衽的形式。此外，墓中还出土了一些带有明显北方民族风格的裤子，如将袜子与裤腿相连的吊敦，它出现在这一时期的这一地带。还有三角形的内裤也是非常有趣的，这或许是目前所知最早的完整短裤的出土。

该墓的年代，简报推断为辽代早期。后附表格，详列了出土服装的名称、款式及衣长等数据。

锡林郭勒盟

328.元上都调查报告

作　者：内蒙古大学历史系　贾洲杰
出　处：《文物》1977 年第 5 期

上都城是元王朝的陪都，在当时是一个政治、经济、军事和文化上具有重要地位的城市。上都所在地，金代属桓州管辖，元宪宗五年（1255 年）赐封给忽必烈，次年忽必烈命刘秉忠选地"建城郭"，用了 3 年时间建成，命名开平府。中统元年（1260 年）忽必烈在此继位，遂成为临时首都。以后大都城建成，中统四年（1263 年）将开平府改名为上都，亦称上京、滦京等。明洪武二年（1369 年）复名为开平府，不久废府为卫，宣德五年（1430 年）迁开平府至独石口后，这个城市就进一步废弃了。到了清代，这里是正蓝旗察哈尔部驻牧地。这座历史名城在正蓝旗革委会东约 20 公里闪电河（即滦河）北岸，当地人用蒙古语称"兆乃曼苏默"，汉语是一百零八个庙的意思。城址遗迹至今仍较好地保留在地面上。简报分为：一、外城，二、皇城，三、宫城，四、关和城郊，五、结语，共五个部分。有照片、拓片、手绘图。

据介绍，从遗址来看，元上都是由外城、皇城和关郊部分组成一整体。外城在皇城西、北两面，其南、东两面修建城墙，与皇城东、南墙连接。有护城河、院落遗址。皇城位于外城东南角，方形，每边长约 1400 米，共 6 门。宫城在皇城中部偏北，东西长约 570 米，南北长约 620 米。

简报称，元上都是粮食、布匹与当地皮毛、牲口等产品集散地，又是元朝一处政治中心。元末红巾军于元顺帝至正十八年（1358 年）十二月及二十三年春曾两度攻破这个砖城石甕的上都城，并捣毁了为农民所痛恨的统治者的安乐窝——上都的宫殿建筑。

329.元上都城址东南砧子山西区墓葬发掘简报

作　者：内蒙古文物考古研究所、吉林大学考古学系　吕　军、魏　坚等
出　处：《文物》2001 年第 9 期

元上都位于内蒙古东南部锡林郭勒盟正蓝旗境内，1256 年由忽必烈创建，1260

年忽必烈正是在元上都登基，继承了蒙古汗位。元代末年（1358～1363年）被红巾军攻破，遂废弃。1998～1999年，考古工作者在元上都东南的砧子山发掘、清理了33座墓茔、73座墓葬。

简报分为：一、地理位置及墓葬分布，二、墓葬形制，三、随葬器物，四、结语，共四个部分。有照片、手绘图。

据介绍，砧子山墓地位于多伦县西北，距元上都城址约9公里。墓茔均有方形石砌围墙，内有1～7座墓葬。墓葬分为砖室墓、石板木椁墓、土坑竖穴墓，均使用木质葬具装殓尸体或存放骨灰，随葬品丰富。简报认为，砧子山墓地是元代一处以汉族居民为主体的墓葬区，与元上都的兴衰相始终。

简报指出，砧子山墓地是内蒙古境内截至简报发表时发现的规模最大的一处元代丛葬区。其中有许多有待深入研究之处。如不同宗教信仰葬于一处，又如不同人种葬于一处。砧子山西区墓葬的发掘，为研究元代历史特别是元上都古城提供了珍贵的实物资料。

330.内蒙古锡林郭勒元上都城址阙式宫殿基址发掘简报

作　者：内蒙古师范大学、内蒙古文物考古研究所、内蒙古文物保护中心
　　　　杨星宇

出　处：《文物》2014年第4期

元上都位于内蒙古锡林郭勒盟正蓝旗上都河镇东北23公里处的金莲川草原上，城址由宫城、皇城和外城三重城垣组成，占地面积48.4万平方米。2009年，考古人员对城内一处大型阙式宫殿基址进行了考古发掘，重点清理了阙式建筑三个部位，即西阙台基址东侧、西慢道、东阙台基址顶部台面。

简报分为：一、阙式宫殿基址，二、基址发掘，三、出土遗物，四、结语，共四个部分。有彩照、手绘图。

据介绍，本次发掘的阙式建筑是元上都遗址中保存最为完整、格局最为独特、体形最为高大的地表遗迹，也是历年来元上都考古发掘中重大的发现之一。简报推断，该阙式建筑兴建年代应为1256～1258年，为忽必烈即汗位之前的早期建筑之一。

简报称，元上都遗址所特有的文化因素，为研究草原文化与中原文化的相互碰撞与融合，探知北方草原地区古代城址建设的承继脉络，为深入了解元代早期的建筑方法与特点，提供了较为珍贵的实物资料。

阿拉善盟

331.黑城新出土的一批元代文书

作　者：陈炳应

出　处：《考古与文物》1983 年第 1 期

　　黑城遗址位于今内蒙古自治区额济纳旗。20 世纪初，以科兹洛夫和斯坦因为首的俄、英等国家的"探险队"，先后在这里盗掘了大量的西夏文献和其他民族古文献的珍贵资料，一时中外轰动。当额济纳旗还属甘肃建制时，1972 ～ 1976 年间，甘肃省文物部门组织考古队进行调查，1978、1979 年又有所发现。简报配以照片、手绘图介绍了这两年的收获。

　　据介绍，这一批元代文书共有 24 件，发现于三个地点。T1 在城西门内北侧，正当东西大街的北边；T2 在城中部一座大寺庙遗址的南边；T3 位于城东门北侧。此外，T4、T5、T6 也发现一些汉文和西夏文碎纸片，因太破碎，就不再一一介绍。简报选择了若干典型文书重点介绍，可知其涉及建置、社会组织、驿路交通、公文制度、代用币等，史料价值颇高。

332.内蒙古额济纳旗出土元代纸币

作　者：普·那生德力格尔

出　处：《考古》1990 年第 8 期

　　1985 年 4 月，额济纳旗吉日嘎郎图苏木牧民苏日特拉图，在寻找骆驼途中发现被风所刮出的元代纸币多张。发现地点在西距额济纳旗人民政府所在地（达赍湖波镇）约 40 公里的红柳沙丘之中。考古人员前去现场调查，但没发现任何遗物及遗址。三种面额的纸币，简报配以照片予以介绍。

　　据介绍，额济纳旗出土这批纸钞中，只有三种面额，至元壹贯一张，至正伍佰文三张，其他钞则全为至元贰贯钞。三张至正伍佰文加一张至元壹贯，等于贰贯至正新钞，也是四贯至元钞。面额与价值这样吻合，则进一步确立了"一贯新钞合至元两贯"的论点。这几种纸币的磨损程度也基本相同。没有发现小钞。壹贯钞背面没有特别任命官员的具名及盖章。简报认为发行时间为元惠宗至正十年至二十八年

（1350～1368 年）。

简报称，额济纳旗出土这批元朝纸币，既没有包装，近处又未发现遗址，说明这批钞已变为废纸，毫无货币的价值，其中部分贰贯钞缺少千字文。

辽宁省

333.辽宁省建平、新民的三座辽墓

作　者：冯永谦

出　处：《考古》1960 年第 2 期

这里所报导的建平、新民两县的 3 座辽墓，是 1956 年夏先后因为老乡们取土而发现的。简报分为：一、前言，二、建平张家营子辽墓，三、建平硃碌科辽墓，四、新民巴图营子辽墓，五、结语，共五个部分。

据介绍，建平张家营子、硃碌科两座辽墓为辽代初期墓，新民巴图营子墓则较晚。出土遗物中银碟、匙上的契丹文字、鎏金铜面具和铜丝手足络套，上有"官"字及"新官"两字的瓷器等，均十分珍贵。

沈阳市

334.辽宁新民县前当铺金元遗址

作　者：王增新

出　处：《考古》1960 年第 2 期

大民屯区前当铺乡位于新民县城东南约 25 公里的辽河左岸冲积平原上，距河 8 公里，遗址分布在村南约 1.5 公里的蒲河西岸田地中，是 1957 年 5 月筑堤取土时发现的，6 月中旬考古人员前往调查。简报配以照片予以介绍。

据介绍，遗址分布在土堤两侧，集中在东侧，有密集的灰坑，房舍院落的迹象已模糊不清。全部出土遗物共 1021 件，主要为铁器、陶瓷器、货币、装饰品，也有不少牛、马、猪、狗等骨骼。东侧还出土有一堆辽砖和几个金、元时期的骨灰罐。

简报称，这处遗址埋藏丰富，出土遗物中金元时期的遗物占绝对多数，辽代的少些，汉代的更少。这批遗物是了解当时辽河平原上农业生产情况的好材料。

335.沈阳地区新出土的两方铜印

作　者：郑　明
出　处：《考古》1964 年第 7 期

考古人员在铁岭和法库县发现两方出土铜印，简报配图予以介绍。这两方铜印是：

一、"辽海卫中千户所百户印"，出于铁岭县龙首山下，现藏沈阳故宫博物院。印为铜铸，正方形，印面铸九叠篆文三行"辽海卫中千户所百户印"，背刻"辽海卫中千户所百户印""礼部造洪武二十三年二月"，侧刻"海字二十六号"边款。

二、"左卫阿速亲军百户印"，出于法库公主屯，保存于法库县文化馆。印呈正方形，印面铸巴思巴文，背刻"左卫阿速亲军百户印""中书礼部造元统三年九月□日"。元统三年（1335 年）为元顺帝时，是年十一月改元"至元"，印铸于九月，当是元统年号的最末一批铜印了。

336.法库叶茂台辽墓记略

作　者：辽宁省博物馆、辽宁铁岭地区文物组发掘小组
出　处：《文物》1975 年第 12 期

1974 年春，考古人员在辽宁法库叶茂台公社叶茂台大队发掘了一座辽代砖墓。简报分为：一、基本情况，二、小木作结构的棺室和雕绘石棺，三、丝织品、服制和葬俗，四、绘画，五、瓷器与漆器，六、墓葬的年代及其他，共六个部分予以介绍，有照片、手绘图。

据介绍，此墓距地表深约半米。墓全长约 16.7 米，其中墓道存长 9.7 米，有 17 级台阶；墓室由一个主室、一个前室和两个耳室构成。各室都是方形，上有高券顶。各室之间皆有船篷式券门相通。全墓连墓道在内，平面如一个"古"字形。主室后部安置一架木结构"小帐"式的棺室，内东西横置宽大的石棺一具。棺内为一具老年妇女的骨架，身上穿裹着十余件丝织品袍衫和裙裳，佩戴有装饰品水晶珠、玛瑙管、金丝球、琥珀雕饰等，上面覆有织金刻丝尸被。棺室内的东西板壁上原挂有两轴绢画，棺上有一只较大的漆奁盒。棺前有石供桌，上有瓷碗等。此墓共出土各类遗物 300 多件，其中瓷器 36 件，同刊同期有冯永谦先生《叶茂台辽墓出土的陶瓷器》一文可参阅。知其中不乏定窑白瓷、景德镇影青瓷、耀州窑系青瓷等名窑作品，也包括了本地辽瓷 17 件。漆木双陆一副，系国内首次出土。双陆，是一种"博戏"，始于隋唐以前，在古代文献中多有记述。宋元时期的《谱双》《事林广记》和《文献通考》等记载更为详细，有的且附有图样和对博图，是一种带有赌博性质的游戏。辽代妇女随葬

双陆，可见受中原文化影响之深。此墓的时代应是辽代前期，其上限可能略晚于公元 959 年赤峰驸马墓，其下限一般不晚于 986 年的耶律延宁墓，最晚也不会晚到辽圣宗耶律隆绪统和后期。墓主人应为契丹贵族妇女。

337.辽宁省法库叶茂台出土契丹民族铜丝网罩

作　者：法库县文化馆　温丽和
出　处：《文物》1981 年第 12 期

叶茂台位于辽河平原中部，是个丘陵地带，这一带应是契丹上层贵族的墓地。1976 年 10 月，在这个地区的一座墓葬中发现铜丝网罩。因该墓早期被盗，文物已空。墓壁石头又被搬走，墓的形制已不清楚。墓底有素面石棺一口，棺中有男女骨架各一具，应为夫妻合葬。女尸全身罩有铜丝网。除面罩外其余尚完整。简报配以照片予以介绍。

据介绍，铜丝网罩由肩至足，在清理时又发现网罩内壁有少量布屑，这个铜丝网罩可能是罩在尸体的内衣外面的。网罩由头（面罩）、胸、胳膊、手、腿、足十个部分合成。胸部又分上下两片，从腋下缝合。两胳膊各用网片卷成筒缝合，再将手套连在腕下。手套的拇指单独分开，其余四指合在一起。腿、脚网罩的罩法和胳膊、手相同，再分别连在胸罩上成了一体。

简报称，这个较完整的全身铜网罩，是罕见葬物，可以作为研究契丹民族习俗的重要的实物资料。

338.辽宁法库前山辽肖袍鲁墓

作　者：冯永谦
出　处：《考古》1983 年第 7 期

1965 年 6 月，在辽宁省法库县柏家沟公社前山大队发现一座大型辽代砖墓。从6 月 12 日开始，至 7 月 3 日结束，前后历时 20 天，出土文物 48 件，包括墓志一合。发掘结束后，在法库县举办了出土文物展览。简报分为四个部分予以介绍，有手绘图。

据介绍，墓葬位于法库镇东北 15 公里的前山大队。从法库镇东北行，沿法（库镇）大（明镇）公路至东头台子，折而北行 2.5 公里即是前山大队。地表已无建筑，此墓建筑规模宏伟，全部砖构，是较为少见的大型辽墓之一。墓室建造十分坚固，至今并未塌毁。墓门仿木构建筑装饰、雕刻和墓内排水设施，制作规矩，结构严谨，反映了当时的一般土木工程特点，为我们了解辽代晚期的建筑技术水平提供了宝贵的实物资料。墓葬虽在早期被盗，但仍遗留许多随葬品。墓中出土的瓷器均很精美，定窑白瓷和景德镇青白瓷更为突出。墓中出土的完整狗骨架、牛骨、马牙等，表明仍保留有草原民族的一些葬俗。

简报称，这座墓由于出土了墓志，因此有确切年代可考，入葬时间为大安六年（1090年），下距辽亡仅有35年，是辽代晚期的一座墓葬。墓主人肖袍鲁的先人，可以说是辽代后期最为显赫的人物。肖家是所谓"文武奕代，将相盈门"的契丹贵族。简报录有志文全文。

339.辽宁康平县后刘东屯辽墓

作　者：康平县文化馆文物组　张少青
出　处：《考古》1986年第10期

康平县小城子公社四间房大队后刘东屯农民韩忠林、王立新，于1982年8月在后坨子内发现一座辽墓。二人将墓内文物挖掘出来，于月末送交文物馆。考古人员即去后刘东屯墓地调查。在这次调查中，又发现7座墓。这当是一处墓群，其中3座已被破坏。对已取出文物的辽墓进行了清理。简报分为：一、地理位置，二、墓室结构，三、随葬遗物，共三个部分。有手绘图。

据介绍，后刘东屯位于康平县城北小城子公社西北4公里，与内蒙古毗连。这座墓在后刘东屯北1公里。该墓为砖筑单室，后方前圆，呈马蹄形。墓门、墓顶已掘毁，形制不清。墓门外有天然碎石叠砌现象。墓内未见骨架，仅在地面上发现一块头盖骨。据挖墓农民讲，墓顶覆盖铜泡钉木板，或是墓门倒移，现都不好确指。墓内遗物共162件，已被取出，位置不清。据农民讲，在墓左侧后角为金耳饰、鎏金铜镯，中部为铜器，前角为马具。右侧后角为铁灯、铁熨斗，中部是铁斧、铁刀、铁凿等，前角为鸡冠壶、陶壶。墓中部为铜镜，已碎。简报称，该辽墓虽未经正式发掘，但遗物未遭损失，仍给我们提供一批研究资料。

340.辽宁法库县发现金代铜镜

作　者：许志国
出　处：《考古》1988年第7期

1981年6月，法库县孟家乡凤岐堡村农民在村东约500米的土山子南坡锄地时，发现菱花形宝相花纹镜一面。镜为青铜质，呈青绿色泛灰，作八出菱花形，边圆组，面微鼓，镜背为宝相花纹。镜边缘侧面刻有"乐安县验记官"，画押。从该镜的铸造风格和在镜边缘验记錾字的特点，简报推断为金代遗物。简报配以拓片予以介绍。

简报介绍，金代战争频繁，金属缺乏，铜禁极严，规定凡铜镜、铜钱等一律官铸，不得私营。还规定铜镜上必须加刻官府的验记，方可出售，违者处以刑徒。此镜的边款和画押，说明它是经过乐安县验记官检验的。宋金以来，虽然铜镜的主题花纹题材十分丰富，仍然有很多仿汉唐的作品，法库县出土的这面菱花形宝相花纹镜，简报认为就是一件仿唐作品，是金代铸造的。

341.辽宁康平县后刘东屯二号辽墓

作　者：铁岭市文物办公室、康平县文物管理所　张少青
出　处：《考古》1988 年第 9 期

1982 年 8 月，康平县小城子乡后刘东屯村北 1 公里处的坨坑内，发现一座砖筑马蹬形单室辽墓，该墓已为村民所毁。9 月，考古人员对这座辽墓进行了清理，编号为一号辽墓。同时，在该墓附近进行了调查。又发现 7 座墓葬，亦多被掘毁。由于自然风沙与人为破坏严重，于 1985 年 8 月 13 日至 9 月 2 日，对一号辽墓北侧的一座墓葬进行了抢救性清理，编号为二号辽墓。

后刘东屯位于小城子乡西北 4 公里，墓地在村北 1 公里处的沙丘中，周围白沙丘岭纵横不断。墓地东有林带，相距 250 米；西南为后刘西屯，相距 1700 米。

二号辽墓在一号辽墓北侧 30 米处的黑沙坨岗上，较一号辽墓地面高 10 米。黑沙坨岗上有四堆碎砖，南、北及中间三堆呈一线排列，东侧一堆，各堆相距均为 5 米余。考古人员分别清理了 4 堆碎砖：东侧碎砖下发现牛骨，下挖 1.5 米，未见遗物和异常现象；北侧碎砖下挖 1.5 米，未见遗物；南侧碎砖下 3 米深处仍有整砖与碎砖，在距地表 0.8～1 米的土层中，发现绿釉鸡冠壶、陶壶碎片，鸡冠壶碎片与地面采集的绿釉鸡冠壶碎片是一器之物；中间碎砖下即为二号辽墓，墓底距地表 10 米。据此情况分析，南侧碎砖当是墓道门上建筑物遗存，东、北两堆碎砖是地面建筑物遗存。墓西侧被雨水冲刷成沟，未见碎砖。这种现象为以往发现的辽墓所少见。简报分为：一、墓葬结构，二、出土器物，三、结语，共三个部分。

据介绍，二号辽墓为砖筑方形券顶单室墓，系夫妇合葬墓，由墓道、甬道、墓室三部分组成。该墓出土瓷器 11 件，铁器 65 件，铜器 164 件，银器、石器、角器各 1 件，釉陶器 2 件，计 245 件。根据该墓形制、葬式以及出土文物，简报推断后刘东屯二号辽墓应为辽代早期偏晚的墓葬，是辽代贵族夫妇的合葬墓。

简报称，后刘东屯二号辽墓的葬制和出土文物，为研究契丹文化诸问题提供了新的实物资料。

342.辽宁法库县叶茂台辽肖义墓

作　者：温丽和
出　处：《考古》1989 年第 4 期

1976 年 4 月，在辽宁省法库县叶茂台西山，发现一座大型辽代砖墓。由于墓葬较大，墓室积土很多加上处理壁画工作，发掘时间很长，由 4 月 13 日开始，至 9 月 7 日结束，前后历时 148 天。出土文物有石棺、墓志、大型壁画、铁锁、铁门鼻等，其中墓志与壁画是重要发现。发掘情况及墓志、壁画情况，简报分为：一、墓葬形制，二、出土遗物，三、壁画，共三个部分予以介绍。

据介绍，墓葬位于法库县城西南 45 公里的叶茂台西山南坡向阳处。1949 年后在叶茂台北山和西山发现墓葬数十座，经过清理发掘的 20 座，是辽代墓葬群。

据介绍，墓葬有墓道、墓门、前室、耳室、主室和排水道。出土遗物尚存大型石棺、墓志、铁锁、铁门鼻等；肖义墓志一方，阴刻楷书，只有 1745 字，记述了辽朝北宰相肖义的生平事迹，简报录有志文全文。墓道、甬道、墓门的两侧均有壁画。

343.辽宁康平县发现辽代铜镜

作　者：康平县文物管理所　张少青
出　处：《考古》1996 年第 2 期

1986 年夏，康平县西关屯乡边台子村小学教师在村北锄地时捡到一面铜镜，后上交康平县文管所，简报配以照片予以介绍。

简报介绍，边台子村位于县城西南 45 公里。村北为一处辽金时期的遗址。1978 年 7 月，曾在村南发现一批金代窖藏铜钱。此镜作圆形，青铜铸制，体小而厚重，铸制精良。素面宽平缘。重 118.5 克。外表呈灰黑泛绿色，有光泽。鼻形纽，草节纹纽座。简报推测该镜当为辽代铸制的铜镜，而且时代也不会太晚，应是辽朝政治、经济与文化发展到一定程度的产物，是不可多得的艺术佳作。它的出土，对研究辽北地区或我国北方文化艺术史特别是戏剧史，具有重要的资料价值。

344.辽宁法库县叶茂台 8、9 号辽墓

作　者：辽宁大学历史系考古教研室　何贤武、张星德
出　处：《考古》1996 年第 8 期

辽宁省法库县叶茂台发现辽代墓葬，简报分为：一、墓葬形制，二、随葬器物，

三、结语，共三个部分，介绍了其中 8、9 号两墓，有手绘图。

据介绍，8 号墓有前后两个墓室，前室两侧有耳室，后室后半部横向砌有长方形尸床，具有一般契丹贵族墓葬的特征；在墓门及前室又发现铜丝网络残片，说明墓主人人葬时是罩有铜丝网络的；该墓虽然早期被盗，尸骨四分五裂，然而残存的随葬品种类还是较多的，质量亦颇精，可以断定墓主应属契丹贵族。此墓主人亦可能是辽代后族——肖氏家族中的一员。该墓年代简报推断为辽代中期，至晚为中期之末，晚期之初。

9 号墓虽然规模不大，形制亦较简单，且为石块垒砌墓室，然从葬具及随葬品等考察，亦可算作契丹贵族墓葬。此墓葬具由内外两层构成，对此种葬具的称谓，可称为棺椁，也可称为带座木棺。随葬品虽不多，但都较精美，如 9 个白瓷小碗，当为北宋产品。金耳坠、鎏金铜狮、琥珀小熊均十分精致。此墓主人也应属辽代早期一个地位不太高的契丹贵族。

345.法库叶茂台第 22 号辽墓清理简报

作　者：铁岭市博物馆、法库县文管所　许志国、魏春光
出　处：《北方文物》2000 年第 1 期

1988 年 6 月，法库县叶茂台镇村民在镇北约 2 公里的唐房山东南坡修筑环山公路时，发现一座用石块垒砌的墓葬，考古人员进行了清理。该墓所在地区曾多次发现辽代墓，包括高等级墓。此墓依序编号为 22 号墓。简报分为：一、地理位置和墓葬情况，二、出土遗物，三、结语，共三个部分。有手绘图。

据介绍，此墓为石筑八角形多室墓，主室顶部距地表深 30 厘米，墓室用石块砌成，墓壁以上逐渐内收成券顶，墓门朝南，有墓道。主室八角形，南北宽 3.6 米、东西长 4 米。墓有左右两耳室，略呈圆形。主室内木棺已朽，人骨已朽，但尚可辨认出为仰身直肢葬，男性。墓中共出土遗物 18 件，均为瓷器、釉陶器。除了辽代常见瓷器外，出土的哥窑小碗、景德镇青瓷碗、青白瓷盏托等南方瓷器，除反映墓主人的身份外，亦说明汉文化习俗对契丹贵族的影响较大。简报推测墓主人当为萧氏家族成员。

346.法库李贝堡辽墓

作　者：林茂雨、伦峻岩
出　处：《北方文物》2001 年第 3 期

1999 年 8 月 20 日晚 7 时许，法库县县城南大孤家子地区有一座古墓被盗。考古

人员赶到现场时，发现地表散有较多的绳纹砖，封土已被挖掉，墓门已暴露拱顶部位。在墓门北侧的主室东北角有一个近 1.5 米见方的盗洞，盗洞已至墓底。收回当地村民在盗洞里拾到的铜泡钉、玛瑙管和松石坠。抢救清理工作从 8 月 21 日开始至 8 月 31 日结束。清理过程中发现该墓主室顶部早已塌落，墓室皆为扰乱的回填土，挖至墓底，见有两根燃剩半截的白色蜡烛和烟蒂，说明盗期很近。另外，墓门里面的甬道及东、西耳室里面也堆满了早期盗墓后的填土，估计大量的随葬品已被盗走，现所剩遗物寥寥无几。简报分为：一、墓葬的地理位置，二、墓葬形制结构，三、出土遗物，四、结语，共四个部分。有拓片、手绘图。

据介绍，墓葬位于法库县城南约 20 公里处的大孤家子镇李贝堡村北，当地人称之为北山的南坡地上。此墓葬在文物普查时并未发现，史料也无记载。墓葬是一座由墓道、墓门、天井、东西耳室、甬道和主室组成的砖室方形穹隆顶墓，墓门南偏东 35°，主室穹隆顶已坍塌，东西耳室保存完好，顶部仍存。东西耳室较为特殊，形制相同，但大小有别，东耳室明显大于西耳室且南北略长并有甬道。因该墓曾多次被盗，大部分随葬品可能已被盗走，所剩遗物不多且大部都出土于主室及天井部位的填土中，原位随葬品甚少。完整瓷器仅一件，余者皆残缺损坏，但可辨器形有碗、盘口瓶、壶盖、盒等，品种有青瓷、白瓷、绿釉瓷。另有陶器、铜器、铁器、骨器，以及玛瑙管、石印等。简报推断，该墓的下限不会晚于辽圣宗开泰七年（1018 年）。

347.沈阳新民辽滨塔塔宫清理简报

作　者： 沈阳市文物考古研究所　李晓钟等
出　处：《文物》2006 年第 4 期

1993 年 7 ～ 10 月，为配合辽滨塔抢救维修工程，考古人员对辽滨塔进行了勘察及抢救清理。辽滨塔位于辽宁省沈阳市新民市西北 27 公里处的公主屯镇辽滨塔村。塔东侧有辽代的古城址。简报分为：一、塔宫，二、遗物，三、结语，共三个部分。有照片、手绘图。

据介绍，辽滨塔为密檐十三层仿木结构砖塔，塔所处位置地势稍高于四周。塔因年久失修，残损风化严重。经实测，该塔现存高度由塔基底部至刹杆顶端，残高 31.4 米。清理中发现塔由下至上有三处存藏佛教舍利等文物的塔宫，分别为下宫、中宫和天宫。下宫位于塔基部须弥座内中部。中宫位于一层塔身内中下部，其宫室甬道位于塔身正南面佛龛后。天宫位于塔的上部。下宫、中宫、天宫共出土遗物 108 件（组），共发现舍利子和金银器、铜器、瓷器、丝织品、珍珠制品、砖雕、石碑等器物 108 件（组）。天宫发现的一件石碑铭文有辽乾统十年（1110 年）和天庆四年（1114 年）纪年。

简报指出，该塔是辽代所筑，反映了辽代晚期古塔建筑、佛教艺术的风格。在舍利瘗藏方式上，下宫所出为木函、银函、木塔三重，中宫为木函、铜函、银函、金函四重。或是下宫与中宫在等级上存在一定的差别。铜、银、金三重罐式相套置的舍利函形式，为研究辽代晚期舍利装藏形式与制度增添了新的例证。出土的分铸铆接的铜狮盖莲花炉、银龙首珍珠蟠更是罕见的辽代佛教艺术珍品。铁丝编海棠形盏托、木供桌反映出辽代民间手工艺的又一个方面。铜净水瓶的造型富有西亚风格。底款"段家合子记"影青瓷盒，为北宋时期湖田窑所产。天宫碑记所见人名，辽、金史均无记载。从天宫石碑可知，辽滨塔建筑年代为辽乾统十年，即公元 1110 年，至天庆四年，即 1114 年，历时 5 年，也可证辽滨塔古城确为辽代的辽州。

348.沈阳市小北街金代墓葬发掘简报

作　者：沈阳市文物考古研究所　李晓钟等
出　处：《考古》2006 年第 11 期

1986 年 5 月 21 日，沈阳市大东区自来水公司在改造供水工程时，在小北街取义里的路面之下发现一座古墓。在施工过程中，将此墓的东北角部分破坏，并取出了墓中的 4 件随葬器物。当地公安派出所闻讯后，对现场进行保护，收回出土文物，同时报告了有关文物部门。5 月 23 日，考古人员对这座墓葬进行抢救性发掘，墓葬编号简称 M1。后来，又在此墓西侧 15 米处发现并清理了另一座同时代的墓葬，编号简称 M2。这两座墓葬位于沈阳市老城区（即盛京古城）的北侧约 800 米处，都是比较典型的金代墓葬。

简报分为：一、墓葬形制，二、随葬器物，三、结语，共三个部分。有彩照、手绘图。

据介绍，两墓均为砖圹或木棺墓，共出土随葬品 50 件，另有铜钱若干。两墓应属同一墓地，但两墓的关系目前无法判定。

简报称，带有砖圹的木棺葬，在沈阳地区的金代墓葬中是首次发现。墓中出土的瓷器，如黑褐釉葫芦形瓶、黑褐釉铁锈斑纹碗、黄褐釉盘等，都属于金代磁州窑系的典型产品。金代禁铜，因此金代的铜镜上多有官署押记。M2 出土的龙虎纹镜具有东汉时期的特征，应是一面汉镜，从铭文可知为杜氏所造，而杜氏镜所见不多。发现的金耳饰具有浓厚的北方民族风格。金牌饰与金刚杵的制作工艺相似，尤其金刚杵属于藏传佛教中的法器，反映出藏传佛教在东北地区的传播状况。

349.辽宁法库县叶茂台 23 号辽墓发掘简报

作　者：辽宁省文物考古研究所、沈阳市文物考古研究所　李龙彬、沈彤林等
出　处：《考古》2010 年第 1 期

　　叶茂台镇辽墓群位于辽宁省法库县西南约 50 公里的叶茂台西北山岗上，属全国重点文物保护单位。此墓群早在 1953 年即被发现。此后陆续又有辽墓发现。1973 年春，考古人员在此调查发现了 6 座辽墓。1974 年 4 月，考古人员又发掘了保存完整的 7 号墓，出土了一大批精美遗物，是我国辽代考古一次十分重要的发现。之后，辽宁省博物馆与辽宁大学合作清理了 8 号及 9 号两座墓。1976 年春，考古人员发掘清理了 16 号墓，出土一方墓志，墓主为卒于辽天庆二年（1112 年）的北府宰相萧义，始知这是一处重要的辽代后族萧氏的家族墓地。1998 年 6 月，该地唐房山东南坡修筑环山公路时，又发现一座石砌辽墓，考古人员及时对其进行了清理发掘，编号为 22 号墓。2004 年 8 月，位于该墓群中部区域的老虎窝山坡上一座辽墓又遭盗掘破坏。同年 10 月 26 日至 11 月 30 日，考古人员对该墓进行了抢救性发掘，编号为 23 号墓。

　　简报分为：一、墓葬形制，二、人骨和葬具，三、壁画，四、出土遗物，五、结语，共五个部分。有彩照、手绘图。

　　据介绍，23 号辽墓是辽代晚期一座砖石混筑的多室墓，由墓道、天井、墓门、甬道、左右耳室、前室和主室七部分组成。出土瓷器 80 余件，其他有陶器、金器、银器、铜器、铁器、骨器、石器、玉器和契丹小字墓志残块等。

　　简报称，据《辽史》记载，辽太祖耶律阿保机于神册三年（918 年）"诏建孔子庙、佛寺、道观"，可见契丹统治者在契丹建国之初就对儒、佛、道三教采取了兼容并蓄的态度。辽代中期圣宗皇帝笃信道教，所以道教在辽代有较大的发展，反映在辽代中晚期的墓葬里，有关道教内容的壁画与遗物就十分盛行。23 号辽墓壁画所反映的道教内容以及出土的一件银箔鎏金火焰珠饰件、有道教内容的阴阳鱼，可能与墓主人的身份相关联。初步观察墓室出土人骨的颅骨、盆骨为女性体质特征，结合随葬的骨簪、玛瑙珠、青白瓷三联盒分析，墓主人可能是一位中年女性，可能是崇信道教的与辽代后族萧氏有关的成员。依据刘凤翥先生对出土的残墓志部分契丹小字的初步解读，其具体身份似与宰相涅里衮第六女有关。

大连市

350.旅大市发现金元时期文物

作　者：许明纲

出　处：《考古》1966 年第 2 期

1957 年以来，在旅大市的金县、旅顺和甘井子等地，陆续发现了许多金元时期的文物。简报分为：一、金县地区，二、甘井子地区，三、旅顺口地区，共三个部分。有照片、手绘图。

据介绍，出土遗物有大铜釜、白釉褐花大碗碟、青瓷器、铜钱、铁器等，均有明确的出土地点。时代定为金、元时期。

351.大连寺沟元墓

作　者：旅顺博物馆　刘俊勇

出　处：《文物》1983 年第 5 期

1972 年，农民在寺沟施工时发现一座古墓。1973 年 6 月，考古人员进行了清理。简报配以照片予以介绍。

据介绍，寺沟位于旅顺水师营公社西约 3 公里处，为长方形单室砖墓。单人葬，仰身直肢，男性，木棺已朽。随葬品有白釉褐花瓷罐（磁州窑产品）、青釉瓷碗、铁矛共 3 件。简报推断该墓年代为元代。

352.大连市出土金代官印

作　者：许明纲

出　处：《考古》1983 年第 8 期

简报配以照片介绍了在大连市庄河县和复县出土的金代铜官印 5 方。

据介绍，这 5 方官印为：一是 1970 年冬，庄河县三架山公社耿庙大队元海小队东莹盘发现"都统所印"和"勾当公事印"两方印。二是 1976 年，庄河县荷花山公社姜屯大队后小队发现"副统之印"一方。三是 1980 年 7 月，复县得利寺公社龙口大队龙后小队在山坡上发现"万户之印"一方。四是 1982 年 4 月，复县邓屯公社偏坡大队四队在盖房子挖地基时，发现"行军总押之印"一方。

353.大连地区出土元代铜、铁权

作　　者：许明纲

出　　处：《考古》1987年第11期

简报配以照片、拓片，介绍了在大连地区的金县、新金县、瓦房店市和旅顺口区等地先后出土的几件元代铜权和铁权，共计7件：

一是1970年，旅顺口区铁山镇韭菜房村出土铜权一件。正面阴文"较同"，右侧有一个"九"字，背面阴文"延祐五年"。通高9.1厘米。

二是1972年，旅顺口区长城镇李家沟出土铜权一件。正面阴文"大都路较同一十五斤"，背面阴文"至大三年□号"。通高10厘米。

三是1975年春，新金县元台乡二陶村栾家茔出土铜权一件。一面阴文"总管府造"，一面阴文"皇庆元年"，汉文旁有八思巴文，右侧有"千"字。通高10厘米。

四是1977年，金县石河乡供销社收购铜权一件。一面有阴文"大德三年大都路造"，一面阴文"二十五斤称"，旁边还有八思巴文。通高10厘米。

五是1981年秋，瓦房店市赵屯乡郭店山咀出土铜权一件。正面阴文"至正四年"。通高8厘米。

六是1984年3月，瓦房店市镇郊八里北沟出土铜权、铁权各一件。铜权正面阴文"致和元年"，背面阴文"益都路造"。

354.大连市新金县发现金代摩崖造像

作　　者：许明纲

出　　处：《考古》1988年第1期

1980年5月19日，根据当地人提供的线索，考古人员在新金县双塔镇西部山区，马屯西北栗寺沟南，和尚帽山南坡石崖上发现17尊摩崖造像。

在石崖东南约20米处有一座古庙残址，据《复县志略》记载："望海寺，明正德年间修建。"庙和造像相呼应，可知在明正德年间之前就应该有古刹。题刻中提到僧义选，说明造像是驻庙僧修建凿刻的。简报配以照片予以介绍。

据介绍，这组摩崖造像所处的石崖，高约5米、长7.26米。原为18尊造像，其中一尊是在龛内立像，被百姓砸碎，剩下的17尊都是在龛内浮雕，大部保存完好。造像大小不一，最高为70厘米，最小的残高18厘米。

这组造像一尊无龛，一尊龛为桃形，其余15尊龛均为下方顶圆弧形，有两个龛相连在一起。这组摩崖造像，面部圆润丰满，高鼻大耳，衣纹采用阴阳线浅刻的于法，显得粗犷有力，古朴大方。从造像风格、技法观察，这 17 尊造像雕刻的时间不会相差太远，简报认为当在金代大定年间雕凿。

简报称，这组有题刻纪年的造像，在大连市是首次发现，也是东北地区少见的金代造像，对研究金代佛教传播和造像艺术都有重要价值。

355.辽宁大连出土官府验记铜镜

作　者：旅顺博物馆　许明纲
出　处：《北方文物》1989 年第 2 期

大连地区，在金代属于复州和盖州岫岩县辖区。在大连地区曾发现过金代的铜官印、货币、铁制工具、瓷器和铜镜等文物，这些出土文物充分反映了金代政治、经济和文化之一斑。这里要介绍的仅是出土的金代铜镜中錾刻有官记花押的 3 面铜镜。简报配以照片予以介绍。

据介绍，一、犀牛望月镜，1975 年在新金县元台乡后元台村出土。简报推断此镜为南宋时期成都府茂州官验记花押，后来传入金代东京路复州辖地之今新金县元台乡一带，埋入地下流传至今。

二、缠枝纹铜镜，1984 年在金县金州城内挖房基时，于距地表约 2 米处发现。简报推断此镜当为盖州建安县官验记花押后，准予销售，并传入当时复州化成县（今金州城）内，以后埋入地下流传至今。

三、桃形素面湖州镜，1974 年在新金县元台乡后元台村出土。镜背右侧铸有"湖州石十五郎真炼铜照子"，左下方阴刻"都右院官正"。这面南宋时期的湖州铜镜，为何流入金代辖地（今新金县元台），简报推断可能是金代商人从南宋贩卖过来的。

鞍山市

356.辽宁鞍山市汪家峪辽画像石墓

作　者：鞍山市文化局、辽宁省博物馆　许玉林
出　处：《考古》1981 年第 3 期

1972 年 9 月，辽宁省鞍山市千山公社汪家峪大队发现一座辽代画像石墓。考古人员对该墓进行了清理。简报分为：一、墓室结构，二、画像石，三、结语，共三

个部分。有照片、手绘图。

据介绍，该墓位于汪家峪大队西沟小队后山坡的山脚下。由于多年雨水冲刷和人工取土，地面已不见封土，墓顶接近地表。墓室平面呈八角形，单室墓。画像石内容多为孝子义妇及宴饮、歌舞、出行归来等。该墓的年代，应在辽代晚期太平三年（1023）以后。墓主人应为契丹贵族。

357.辽宁岫岩出土一批金代窖藏铜钱

作　者：杨永芳、刘兆田、田甲辰
出　处：《北方文物》1986 年第 1 期

1984 年 6 月，辽宁省岫岩县杨家堡乡柏家堡子村，有 4 名石匠在附近石场采石时发现一批古铜钱。这批铜钱藏在山下岩石缝里。铜钱用麻绳串连着，绳已朽烂。铜钱总重量为 88 公斤，计 19315 枚。

据介绍，这批窖藏铜钱，年代最早的为西汉"半两"钱，最晚的为金代"大定通宝"钱。其中数量最多的是北宋钱币，几乎包括了北宋所有的年号钱。从年代最晚的"大定通宝"可知，这批铜钱是在金世宗大定十八年（1178 年）以后掩埋的。简报称，出土铜钱不仅保存完好，而且内容丰富，品种繁多，涉及的时代久远，在辽东地区实属罕见，无疑为研究这一地区的历史和社会经济提供了实物资料。

358.辽宁鞍山市羊耳峪辽代画像石墓

作　者：张喜荣
出　处：《考古》1993 年第 3 期

羊耳峪村位于鞍山市南 5 公里的千山脚下。1990 年 5 月 24 日，该村工人董宝忠在村西石棚山开荒时发现一座辽代画像石墓。考古人员前去清理。简报分为：一、墓室结构，二、出土遗物，三、画像石内容，四、结语，共四个部分。有照片。

据介绍，墓位于石棚山南半山坡上，背山面水，环境幽美。该墓由于多年雨水冲刷和人为的破坏，已不见封土和墓顶，只剩残缺不全的墓室，已填满沙土。填土中夹杂石块、白灰、辽代白瓷片、木炭和少量的兽骨。墓室内填满淤土，出土遗物不多，大都破损，主要有铁器 6 件和瓷器 1 件。未见葬具及人骨架。甬道画像石内容为牛拉车形象。墓室周壁画像石全部为孝子、义妇故事。简报推断此墓为辽代契丹贵族墓。

359.辽宁岫岩发现金代铁鏊

作　　者：卜常益

出　　处：《北方文物》1997 年第 3 期

1996 年 8 月 14 日，辽宁省岫岩满族自治县烟叶公司一工人在东洋河大桥下河床内发现铁鏊一件，现已献交县文物管理所收藏。简报配以手绘图予以介绍。

据介绍，该铁鏊上为平面，中间凸起，呈圆鼓状，背面刻有一朵九瓣荷花，表面锈蚀严重。4 对足，均残，每对足中间有一圆孔。铁鏊直径 49 厘米、通高 13.5 厘米、边高 9.5 厘米，重 20 公斤。应属金代铁制炊具。

简报称，《金史·地理志》载："辽之大宁镇，金之秀岩县。"辽天庆五年（1115 年）岫岩境内设大宁镇，金明昌四年（1193 年）升为秀岩县，即今岫岩县。又据文献资料记载，大宁镇位于岫岩城东的城东沟或兴隆沟一带。该铁鏊的发现，为研究、确定大宁镇遗址具体方位和金代女真人在岫岩的活动情况提供了实物资料。

360.辽宁岫岩县长兴辽金遗址发掘简报

作　　者：辽宁省文物考古研究所、岫岩满族博物馆　卜常益

出　　处：《考古》1999 年第 6 期

长兴遗址位于辽宁省岫岩满族自治县岫岩镇北部，地处辽东丘陵中部，大洋河自其东侧向南流去。1988 年 10 月，在配合基建的文物勘探中，在岫岩镇北部长兴胡同北侧发现该遗址，并于 1990 年春进行了试掘，发掘面积 80 平方米，编号为 CXST1 ～ CXST5（以下简称 ST1 ～ ST5）。在试掘的基础上，又于同年 9 月，对该遗址进行了较大规模的发掘，发掘面积 500 平方米，编号为 CXT1 ～ CXT20（以下简称 T1 ～ T20）。两次发掘情况，简报分为：一、地层堆积与遗迹，二、遗物，三、结语，共三个部分。有手绘图、拓片。

据介绍，长兴遗址出土遗物以陶器和瓷器为主。在陶器中，以罐、盆、甑等生活用具为大宗，还有部分建筑构件等；瓷器则以盘、碗为主。从器物胎质、形制观察和碳十四实验室测定，其年代为距今 1140±55 年（公元 850±55 年），与契丹国在公元 908 年开始统一辽东地区的史实大致相符。简报从长兴遗址出土的器物组合分析，认为这些器物也体现了多民族文化融合的特征。经过近年的文物勘探和考证，加之秀岩县即今岫岩镇所在地，简报推测，岫岩镇北部的辽金遗址，可能即是辽代的"大宁镇"，金代的"秀岩县"。

361.辽宁岫岩县出土的金代窖藏铜钱

作　者：岫岩满族博物馆　杨永芳、田甲辰
出　处：《考古》2001 年第 5 期

自 1979 年以来，辽宁省岫岩县先后多次出土了金代窖藏铜钱。1979 年苏子沟镇古洞村出土铜钱 100 公斤，1985 年朝阳乡荒地堡出土铜钱 198 公斤，1985 年汤沟乡东兴村出土铜钱 90 公斤，1987 年杨家堡乡团山村出土铜钱 100 公斤，1989 年岭沟乡碾盘村出土铜钱 20 公斤，总计为 508 余公斤，103200 枚。

1994 年 2 月，岫岩满族博物馆对上述窖藏铜钱进行了检选清理，简报配以拓片予以介绍。

据介绍，通过检选发现，这些窖藏铜钱十分丰富，其中以宋朝钱为最多（北宋钱占绝大部分），西汉、新莽、北朝、五代十国、唐及辽金时代的铜钱也均有发现。钱币的形制、大小分为平钱、折二钱、折三钱、当十钱等。钱文书体为楷、草、行、隶、篆和瘦金体，按铸造时间，简报作了先后分述。

简报称，通过清理查选，岫岩出土的窖藏铜钱提供了两点启示：一是北宋年间铁钱使用有着严格的区域限定；二是这些窖藏铜钱的发现，为进一步研究当时的经济、文化等社会状况和地方经济史、货币史提供了实物依据。

362.辽宁岫岩镇辽金遗址

作　者：鞍山市岫岩满族博物馆　卜常益
出　处：《北方文物》2004 年第 3 期

1985 年以来，考古人员在配合旧城改造的文物考古勘探、试掘与发掘中，在岫岩镇内发现约 36 万平方米的辽金居住址。据析，该遗址当为辽代之大宁镇，金代之秀（岫）岩县。

简报分为：一、邮电小区，二、中医院楼基建工地（简称北区），"结语"，共三个部分。有手绘图。

据介绍，在两处基建工地清理出大量辽金时期陶器、瓷器、铜钱、铁器等。时代据简报推断，上限当为辽代中期之前，下限为金代末期。据史书记载，辽天显三年（928 年），辽将女真"强宗大户数千人，移居辽阳以南，以分其势"。岫岩镇辽金遗存之多，在辽东地区是少见的，这正是这一段历史的真实反映。

抚顺市

363.辽宁清原县二道沟出土定窑系统瓷器

作　者：清原县文化局　王运至
出　处：《文物》1980 年第 10 期

1975 年 10 月中旬，清原县北三家公社二道沟生产队在村东南山根平整土地，在 1 米深处发现一黑釉瓷缸，缸上盖一石板，缸内重叠堆放着瓷器。缸被打碎，绝大部分瓷器已毁。县文化局闻讯后派考古人员赴现场调查。简报配以照片予以介绍。据介绍，这批窑藏瓷器百余件。以盘、碟居多，盈、杯较少，大部分是印花的，也有雕花的或素白的。收回瓷器 14 件。

简报称，这批瓷器，从造型、花纹、釉色和装饰风格来看，都具有定窑系统的特征。

364.辽宁新宾县木家村发现梵文银杯

作　者：徐家国
出　处：《文物》1986 年第 5 期

1979 年 5 月，辽宁新宾县木奇公社木家村农民在村边距地表 0.3 米深处发现一件褐釉罐，内藏金银器皿、琥珀珠等共 29 件，其中有 1 件银杯较为珍贵。

杯口长 8.3 厘米、宽 7.6 厘米、高 2.5 厘米，重 31.25 克。杯上有五道凸棱，使银杯外观形似小瓜。杯底有压印凸起的图案。简报推断该银杯为元代遗物。

365.辽宁抚顺土口子村元墓

作　者：徐家国
出　处：《考古》1994 年第 5 期

1972 年 6 月，抚顺市肉联厂农场工人在该场大田铲地时，于垄沟深 20 厘米处发现一座墓葬。简报配以照片予以介绍。

据介绍，墓葬位于抚顺县章党乡土口子村南山沟市肉联厂农场，地处抚顺县东部山区。墓为长方形砖室，石板封顶。葬具及人骨已朽，葬式不详。出土器物 13 件。

该墓出土的 5 件青白瓷在抚顺地区尚属首见，简报断为元代景德镇枢府窑烧造。

366.辽宁抚顺千金乡唐力村金代遗址发掘简报

作　者：抚顺市博物馆　王维臣、温秀荣
出　处：《北方文物》2000 年第 4 期

1998 年 4 月 23 日，抚顺市水利局在顺城区千金乡唐力村大林冲沟修水库筑坝时，发现一罐古钱币。考古人员经实地勘察确认此处为一处金代遗址。5 月 3 日至 6 月 3 日，对该遗址进行了抢救性发掘。简报分为：一、地理位置和遗址概况，二、地层堆积，三、遗迹，四、遗物，五、结语，共五个部分。有手绘图。

据介绍，遗址位于抚顺市南部，北距抚顺市区约 13 公里，东北距唐力村 1.5 公里，南为海拔 404.7 米的大岭台山。整个遗址三面环山、一面临河。唐力村遗址面积较大，尽管遭到一定程度的破坏，仍保留了许多遗迹、遗物，有房址、灰坑、灶址、墙基、窖藏及红烧土残迹等。当时的住宅应不是十分稠密，不过十几户的村落。遗址中出土有各种类型的生活器皿、建筑材料、交通工具、碳化谷物、牛马骨骼及大量的货币等，为该遗址构成村落增加了佐证。出土遗物分为生活用具、生产工具等种类。日用器皿中瓷器的数量较大，不但有当地窑场生产的产品，亦有远地运来的商品。出土的钱币均已失落，仅回收的就有 212 枚，计 26 种。另外还有妇女使用的装饰品和儿童玩具等。上述遗迹、遗物展示了金代晚期一个村落的居室结构，反映了该村落的经济面貌。

本溪市

367.辽宁省本溪市二道沟村金代窖藏文物调查整理简报

作　者：本溪市博物馆考古队　陈德辉
出　处：《北方文物》2002 年第 2 期

辽宁省本溪满族自治县草河掌镇二道沟村发现的金代窖藏文物是目前东北地区十分罕见的。不仅数量多，而且种类齐全。在这批文物中有大量的木工工具和铁工工具，反映了当时已有木工作坊和铁工作坊。这批窖藏文物的出土，对研究金代历史有重要的资料价值。简报配以手绘图予以介绍。

据介绍，1996 年 6 月至 1997 年 3 月，本溪市本溪满族自治县草河掌镇胡家堡村村民王洪军在二道沟村山崖下采石，在一处乱石中先后发现两批金代窖藏文物，并将文物全部捐献给本溪市博物馆收藏。这两批金代窖藏文物种类有铁器、锡器、铜器、陶器和瓷器，共计 54 件，保存较好。瓷器应为金代民用粗瓷，铁锹已有大、中、小之分，反映出手工业产品的多样化。简报认为这批窖藏的背景和原因应与金代末期的蒙金战争和民族起义有密切关联。这批窖藏文物为我们研究金末女真族的生产生活提供了可贵的实物资料。

丹东市

368.辽宁凤城县发现金代刻铭铜镜

作　者：辽宁省博物馆、凤城县文化局　许玉林、崔玉宽
出　处：《文物》1983 年第 4 期

1980 年 3 月，凤城县凤山公社新民大队农民打井时，于距地表 4 米深处，发现刻铭带柄铜镜一件。镜圆形，面较平，镜背浮雕人物风景，素边宽平。柄右竖刻铭文"泰和四年十一月日　汾州录事司官"，后有画押。简报配以照片予以介绍。

据介绍，"泰和"是金章宗完颜璟的年号，泰和四年是公元 1204 年。"汾州"，据《金史·地理志》记载，属河东北路，户八万七千一百二十七，县五，镇二，可见是当时河东北路重要州城（现为山西省汾阳县）。"录事司"，官署名。金代于诸府及节度州设置主管司法、狱讼的称"录事司"，主官为"录事"。

简报称，金代战争频繁，金属缺乏，铜禁极严，规定铜镜、铜钱等一律官铸，不得私营。如《金史·食货三》记载："正隆二年，初禁铜越外界。""正隆十一年二月，禁私铸铜镜，旧有铜器悉送官，给其直之半。"章宗明昌二年，又采取"敕减卖镜价，防私铸销钱也。"还规定，铸镜要经过官方审查，由当地检验官加刻边款及画押，违犯者处以徒刑。此镜刻有边款和画押，说明它是经过汾州录事司官检验的。

369.丹东地区出土的一批古代官印

作　者：王连春、许玉林
出　处：《黑龙江文物丛刊》1983 年第 3 期

辽宁省丹东地区所属的凤城县、宽甸县、岫岩县、振安区等地，历年来陆续出

土了一批古代官印，这些官印是研究古代官职、地方史以及东北地区民族史的重要新资料。简报配以照片、拓片予以介绍。

据介绍，计有汉"关内侯"印 1 枚，辽契丹文铜印 4 枚，金代"劝农副使之印" 1 枚、"行军总押之印" 1 枚，元代"沿海巡防百户印" 1 枚，明代"岫岩管粮通判关防" 1 枚。

370.丹东地区发现金末耶律留哥大辽政权铜印

作　　者：许玉材
出　　处：《文物》1985 年第 5 期

金崇庆元年（1212 年）在东北地区爆发了以契丹人耶律留哥为首的民族大起义。耶律留哥是辽遗族，仕为金北边千户。金末，迫于女真族统治者实行民族高压政策，据隆安（今农安县）、韩州一带起兵反金。耶律留哥及其余部起义军所进行的反金斗争前后持续 8 年之久，威震辽东，是金末东北地区一支重要的反金力量。耶律留哥，《元史》有传，但记载简略。丹东地区陆续发现有关耶律留哥建立大辽政权的三方铜印，是研究耶律留哥及其抗金斗争的重要资料。简报配以照片予以介绍。

简报介绍，发现的三方铜印为：一、大辽尚书吏部之印，二、克剌阿邻猛安所之印，三、萌夺果大猛安合里太谋克印。

简报称，铜印应是耶律留哥及其余部的。耶律留哥于癸酉（1213 年）春改元，乙亥（1215 年）十一月降蒙古，称王三年，这三年与铜印中印文"天统三年"相符。而耶律留哥称王时间均不足三年，因此，"天统三年四月"的铜印，简报推断应是耶律留哥称王的最后一年降蒙古前所铸造的。

371.辽宁凤城发现一方金代铜印

作　　者：王德柱
出　　处：《北方文物》1987 年第 4 期

1986 年 5 月，辽宁省凤城县赛马乡红石村村民在采石时发现一方铜印，遂即送交文物部门，现藏凤城县文管所。简报配以拓片予以介绍。

据介绍，印为铜质，印面呈长方形，长方梯形纽。印面长 6.8 厘米，宽 6.5 厘米，通高 4.5 厘米，边厚 1.3 厘米，重 675 克。阴刻汉字九重叠篆书，印文为"提控所弹压印"。纽上端阴刻一个"上"字，以示用印方向。"提控"是金代军职。此职宋代已设置，金代已十分普遍。各类提控印在我国北方各省多有发现，但此方

"提控所弹压印"还是首次发现。弹压乃含镇压、强令之意，为金末所设的一种军职，目的是强化治安、镇压农民起义和士兵哗变，本意在预防不测。该印的使用时间可能是在贞祐元年至金亡这二十一年内。

锦州市

372.义县清河门辽墓发掘报告

作　者：东北博物馆　李文信
出　处：《考古学报》第 8 册

清河门南距义县 72 里，西山村在清河门西北约 6 里。1949 年 8 月，因大雨西山村西沟露出古墓地下建筑，村民自行开挖并使用了炸药，取出金器、银器等。简报分为六个部分并配以照片予以介绍，目次如下：

一、序言
（一）清河门的地理情况及古墓位置
（二）阜新和义县内辽代遗迹及古墓
（三）萧氏族墓的发现及清理
（四）墓群状态
二、第一号墓
（一）位置及外形
（二）发掘经过
（三）坟墓构造
（四）遗物分布状态
（五）出土遗物
三、第二号墓（壁画墓）
四、第三号墓（白玉冠饰墓）
五、第四号墓（嵩德宫铜铫墓）
六、结语

据介绍，一号墓肖相公死于辽重熙十三年（1044 年）以前。二号墓墓志为契丹文，尚未全部释读，只知墓志可能是辽清宁三年（1057 年）刻制的。三号墓、四号墓也应在 11 世纪下葬。此 4 墓的墓主人尚不能确认，只知是辽代肖慎微的祖墓。

373.锦西大卧铺辽金时代画像石墓

作　者：雁　羽

出　处：《考古》1960年第2期

1958年5月下旬，考古人员前去锦西大卧铺村清理了两座墓葬，于6月8日开始正式清理，9日结束。简报分为：第一号墓，第二号墓，结语，共三个部分。有照片、手绘图。

据介绍，大卧铺村位于锦西县城西北45公里，属三家子乡，从葬区距村约500米。画像石墓共发现两座，形制相同，东西并列，相距7米。西面一座墓室结构基本上保存完整（编为一号），东面一座墓室略微小些，墓顶不存，唯画像石壁仍很完整（编为二号）。清理工作结束后，将两墓重新封土，以利于壁画的长期保存。

简报称，过去辽画像石墓的发现，只限于鞍山苗圃、千山、辽阳隆昌州一带，大部分都在1949年前被日本人盗掘破坏了，日本人对墓室的结构、画像石的布局，不但弄不清楚，而且弄错了，在研究上也多穿凿附会，不能使人了解真相。这两座八角形的画像石墓，从墓室结构、画像内容、出土遗物，都提供了明确的资料，丰富了我们对辽代画像石墓的认识，而且在地区上也是一个新的分布点。

374.锦西西孤山辽萧孝忠墓清理简报

作　者：雁　羽

出　处：《考古》1960年第2期

锦西西孤山辽萧孝忠墓过去曾有过调查和了解。考古人员于1954年10月去过西孤山，并运回该墓所出的大安五年墓志一合。1957年11月，又前去调查一次。该墓早在日寇占领东北初期即已被破坏。1958年5月，进行正式清理。简报分为：一、墓室结构，二、葬式及遗物，三、结语，共三个部分。有照片。

据介绍，西孤山村位于锦西县城西偏北处，相距45公里，属江（音刚）家屯乡。辽墓位置即在接近山顶的东南坡上，山北坡下面就是西孤山村落，距墓地有300米左右。墓为砖筑，是券顶圆形单室墓，葬式亦无法考察，可能是火葬。出土遗物有铜丝套绢片、银饰品残片、棋子、陶器、铁马蹬等；墓志铭一合，志盖刻有汉字志文12行。

简报称，此墓是在岩石层里开凿圹以筑室，相当坚固。据墓志，知墓主人（萧孝忠）是辽道宗（耶律弘基）大安五年（1089年）十二月二十五日葬入的。墓志同时刻着契丹文字和汉文字，这给研究契丹民族历史和文字增添了新的材料。此墓有绝对年代，也就为辽墓分期及辽瓷分期问题，尤其是辽三彩釉器、绿釉长戏瓶等的流行时间，提供了可以进行断代的明确资料。

375.义县奉国寺大雄殿调查报告

作　者：杜仙洲

出　处：《文物》1961 年第 2 期

奉国寺位于辽宁省义县城内东北隅，自辽开泰九年（1020 年）创建距今已近千年。辽末、金元之际、1949 年以后都曾修葺。简报分为：一、寺史，二、大雄殿，三、附属艺术，四、结语，共四个部分。有照片。

据介绍，寺内大雄殿为辽代建筑，殿内有 7 座佛像、壁画、彩画，均十分珍贵，是我国保存至今的辽代早期建筑之一。简报对大雄殿的台基、大殿平面、柱与柱础、材梨、斗拱、梁架、大木用材、屋顶、墙垣、地面、门窗装修等，均一一叙及。

376.辽宁锦州市张扛村辽墓发掘报告

作　者：刘　谦

出　处：《考古》1984 年第 11 期

张扛村位于锦州市锦县沈家台公社张扛村。墓葬区西临小凌河，东接起伏的丘陵。1960 年春该村的生产队在墓葬区一带开山种植果树，发现了墓葬。考古人员进行清理发掘，第一批墓葬计四座，于 8 月初开始，至 8 月 14 日结束。简报分为：一、一号墓，二、二号墓，三、三号墓，四、四号墓，五、结束语，共五个部分。有手绘图、照片、拓片。

据介绍，张扛村辽墓不但提供了完整的墓葬形制，而且还出土一批富有特征的随葬器物如出土的马镫壶，出土的瓷器中有较早的短嘴水壶，都与五代时期的同类器物相似，为研究辽代墓葬分期提供了依据。墓内出土了铁骨朵，它既可作刑杖，又可以作兵器，从形制上看也属于辽代早期的。另外，还发现了许多不同类型的铁制生产工具。用铁器作殉葬物以此为最。除兵器外，还发现了一套加工木器工具，如圆凿、斜刃、直刃凿子，还有铁斧等。这一方面说明了当时手工业的发展，另一方面也说明辽代社会对铁的充分利用。

关于墓主人的身份。出土了一套完整的带銙，为 12 枚，带銙的多少表示一定的官阶与身份。辽代的服饰制度仿唐制。唐显庆（高宗李治）以后的制度是"以紫为三品之服，金玉带銙十三；绯为四品之服，金玉带銙十一"。因此，简报认为墓主人生前可能是一位品级较高的上层人物。

简报称，通过对 4 座墓葬形制、葬具特点、出土遗物的分析，简报推断其年代属于辽代早期，相当于中原五代时期。

377.辽宁北镇县发现辽代铜犁范

作　者：刘　鲡
出　处：《考古》1984 年第 11 期

1972 年 11 月，北镇县大市公社东沟大队农民在前园子打井时发现一件铜犁范。考古人员于 1973 年 4 月调查，在该地除了发现铜犁范外，还发现有铁镰、铁斧、皇宋通宝铜钱一枚以及辽代的砖、瓦和瓷碗残片等。

据介绍，镜，也叫犁镜、犁镜、犁耳、犁碗、瓦徽等，它是耕犁系统部件之一，它居于犁铧的上部，是翻土、碎土的用具。简报推断这个犁范的年代可定为辽代。

378.辽宁义县出土的一批瓷器

作　者：李红军、马云洪
出　处：《考古》1988 年第 2 期

1985 年端午节前后，辽宁省义县水泥厂于刘家院内挖排水井时发现了一批瓷器，并于 7 月下旬送交辽宁省博物馆收藏。

据介绍，出土地点位于义县义州镇东北隅，即义县城内中心十字街东北，南距义州镇东西街 500 米，距义县奉国寺北墙约 200 米，北距大凌河一里许，西距义州镇南北街约 300 米，东距东城墙约一里许。

排水井为直径 1.2 米的圆坑，在距地表约 2 米处发现一口铁锅。锅的底部朝上倒置，周围绕以白釉褐花和白釉小碟数个，锅下扣着龙泉青瓷盘、黑釉兔毫碗和白釉褐花及白釉小碟。黑釉兔毫碗碗口朝上叠置于正中，四周叠置龙泉青瓷盘，盘、碗上叠置白釉和白釉褐花小碟。计出土铁锅 1 件，龙泉青瓷盘 22 件，白釉素面小碟 7 件，白釉褐花小碟 11 件，黑釉兔毫碗 4 件，共计 45 件。除铁锅已朽坏，2 件白釉小碟出土时伤残外，余者皆完整。简报配以手绘图予以介绍。

据介绍，义县出土的这批器物尽管时间上有早有晚，但从全部器物都无任何使用或磨损的痕迹来看，以及对器物本身各方面的观察，简报认为是基本属于同一时代的产品。这批瓷器和铁锅的时代基本是一致的，简报推断除铁锅的时代上限可至金代末期外，其他都可以认为是元代中前期的产品。因此，这批器物的埋藏时间大约应在元代中期以后。

379.义县文物保管所收藏一枚金代铜印

作　者：刘　剑
出　处：《北方文物》1999 年第 1 期

辽宁省义县文物保管所收藏一枚铜印。此印是 1983 年 9 月 10 日，义县冷家沟乡二道沟村民陈一心，在放羊时于医巫闾山的牛角寺山岩石缝中发现的。简报配以拓片予以介绍。

据介绍，该印铜质，重 785 克，方形。印纽为长方形，顶作弧状，纽高 3.5 厘米。印文为汉字阳文九叠篆"都统府印"。印背右侧竖行镌刻"天赐二年五月"，左侧竖行阴刻"都统印"。刻款的刀迹较浅，字体均为不甚规整的单线楷书小字。"天赐二年"即公元 1215 年，属金代末期。义县发现的这方铜印，简报认为应是金末刘永昌起义军所用之印。这方铜印的发现，为研究和印证金代军政机构设置等问题提供了重要的实物依据。

380.辽宁省北宁市鲍家乡桃园村大平滩辽墓

作　者：辽宁省文物考古研究所　杨荣昌、赵　杰、周大力
出　处：《北方文物》2002 年第 1 期

大平滩辽墓位于辽宁省北宁市鲍家乡桃园村东北医巫闾山东麓一阳坡处，早年曾数次被盗。该墓系砖筑单室，由墓道、墓门、主室三部分组成。主室平面呈八角形，每相对两边长相等。出土遗物主要包括玉环、玉带饰、鎏金铜带扣等。年代当在辽代中晚期。简报分为：一、地理位置，二、墓葬结构，三、遗物，四、结语，共四个部分。有手绘图。

据介绍，大平滩辽墓最早发现于 1982 年文物普查。20 世纪 60 年代初，当地一村民在墓旁挖土筑房，封土被挖大半，又打井寻找水源，故而墓道及墓室部位多次被破坏。1999 年 7 月，当地村民再次盗掘该墓，从墓内掘出柏木枋等。1999 年 9 ~ 10 月进行了抢救性发掘。发掘文物有玉环 8 只、玉带饰 18 个、鎏金铜带扣 2 个、鎏金铜带箍 1 个、马蹬一副（残）、白瓷小碗 2 个（残）、黄釉大碗 1 个（残）。这些遗物均出土于墓葬的西北近底部淤泥中，原位置不详。在墓葬扰土中还出土了琥珀珠 3 枚、铜钱 1 枚。另据当年打井的村民讲，当时打井发现有口部像鸡冠

状的绿釉坛类器物，简报怀疑是凤首瓶。墓葬中没有发现人骨。从大平滩辽墓所处的地理位置，以及出土了标志墓主人身份地位的玉带等遗物看，大平滩辽墓应属于乾陵之陪葬墓。但墓葬中没有发现墓志铭，墓葬结构也与上述几墓有明显差别。简报说，这种情况只能理解为墓葬等级的差别，似乎与年代的早晚没有多大关联。

381.锦州市发现古钱纹铜镜

作　者：鲁宝林、张仲华
出　处：《北方文物》2006 年第 1 期

2002 年 6 月，义县头道河乡村民张宏斌在锦州市内石化公司红星楼附近施工工地拾得铜镜一面，交与锦州市博物馆。考古人员前往出土地调查，发现楼基已砌出地面，其他遗物不可见，初步断定该铜镜为墓葬出土。简报配以拓片予以介绍。

据介绍，铜镜为圆形，桥状纽，环列古钱纹几何图案，直径 13.3 厘米、厚 0.2 厘米。镜面有残缺。缘上錾刻"锦州永乐记官"六字及押记。这面古钱纹铜镜是迄今为止在辽西走廊地区的首次发现，为研究金代的社会经济及锦州的历史地理提供了重要的佐证。

382.辽宁义县头台乡亮甲山辽墓清理简报

作　者：义县文物保管所　刘　剑
出　处：《北方文物》2007 年第 3 期

1999 年 5 月初，辽宁义县头台乡王油匠沟村亮甲山村民邹庆贺等人，在种地时发现砖室墓一座，遂擅自将墓破坏，人骨扰乱。2000 年 4 月 4 日，考古人员对此墓进行了抢救性清理。简报分为：一、地理位置，二、墓葬结构，三、出土遗物，四、结论，共四个部分。有手绘图。

据介绍，墓葬位于义县头台乡王油匠沟村亮甲山西 2 公里缓坡上，距县城 25 公里，北靠海拔约 400 米高的亮甲山，东西两面环山，南部出口处大凌河由西北向东南流过，整个地势呈"椅子圈"形。此墓为单室砖筑圆形券顶，由墓道、墓门、甬道、墓室四部分组成，应为单人墓，墓中有壁画。随葬品有灰陶盆 1 件、青釉瓷片 1 件、鎏金铜带饰 3 件、鎏金铜饰残片 1 件、桃形带扣 1 件、铜铃 1 件。简报推断为辽代中期墓。

383.辽宁凌海市郑家窝铺发现辽代画像石墓

作　者：锦州市文物考古研究所　吴　鹏、白　彬、佟　强
出　处：《考古》2012年第6期

2005年6月30日，辽宁凌海市沈家台发现被盗墓葬。考古人员经过现场勘察后确定为一处辽代墓群，并于8月25日对被盗辽墓进行抢救性清理。M3发掘情况，简报分为：一、墓形葬制，二、画像石，三、结语，共三个部分。有彩照、手绘图。

据介绍，M3因多次被盗，出土遗物很少，共5件铁器，有铃铛、马镫、镞、马鞍饰件等，均残，锈蚀严重。简报推断M3应是一处辽代晚期的贵族墓地。简报称，郑家窝铺画像石墓是辽宁锦州地区近年较为重要的考古发现，对研究辽代民俗具有重要意义。

营口市

阜新市

384.辽宁清河门辽肖氏墓地发现的水井

作　者：金德宣
出　处：《考古》1962年第4期

辽宁省阜新市清河门村西1公里西山东麓的台地上，有辽代肖氏墓园，1950年在这里清理了4座砖室墓。1961年，在原第二号墓址东南30米与原第四号墓址东北6米交接的地点，又露出来人工堆砌的石块多方。同年11月进行了试掘，判明这里是一眼水井和一引水沟。简报配以手绘图予以介绍。

据介绍，水井为圆筒形，井体比较完好，但东壁多已颓破，用大小不同的天然石块环叠筑成。引水沟为砖石所筑，沟洞断面为扁方形，全长不明。筑有铁箅子一道，由五根锻造铁条组成，用石灰加固。直径约1厘米，高20厘米。全沟的底部，用长方灰砖顺砌，沟盖用不规则的大小石板覆盖。洞壁分别用砖石砌成，在螭首与铁箅间的两壁都用长方砖平砌两行，从铁箅到现已掘出部分的两壁则用石板砌成。简报初步认定此水井和引水沟，应是辽代肖氏墓园建筑的一部分。它既不同于居民点的饮用水井，从石雕螭首看，又不是建筑工程上使用的临时水井，为我们研究当时墓园布置方面提供了资料。

385.辽宁阜新县白玉都辽墓

作　者：阜新蒙古族自治县文化馆　袁海波
出　处：《考古》1985 年第 10 期

1980 年 3 月，辽宁省阜新蒙古族自治县他本扎兰公社白玉都大队的农民，在集体造肥中发现一座辽代砖石室墓。考古人员前往清理，历时 4 天，出土文物 42 件。简报分为"墓葬形制""出土器物""小结"，共三个部分。有手绘图。

据介绍，墓葬位于阜新县城东北 20 公里的白玉都大队村东南的丘陵山南坡，西北距北骆驼山 2 公里。东面是早年的干河套，西面是季节河。墓葬为砖石券顶砖石室墓，室内因淤泥很多，骨骼已腐烂，只在东北部发现几片头骨，其他骨骼未见。随葬器物有陶器，均灰陶；瓷器，大部分是白釉、白瓷，少量是黄白釉；铜器，大部分通体鎏金；铁器，锈蚀严重。虽墓葬内未发现刻文纪年，出土遗物上也无铭文可考，但从墓的结构看，该墓的年代应为辽代中前期。

386.辽宁阜新辽萧仅墓

作　者：辽宁省博物馆　李宇峰、袁海波
出　处：《北方文物》1988 年第 2 期

1981 年 1 月 20 日，辽宁省阜新县八家子乡果树村农民发现一座辽代砖室墓，遂即上报。考古人员进行了清理。

萧仅墓位于阜新县八家子乡西北 3 公里的乌兰木图山南坡，东距果树村约 1500 米。墓就坐落在乌兰木图山南坡下，坐北朝南，山坡平缓，四周较为开阔。简报分为：一、墓的形制，二、出土遗物，三、墓志考释，共三个部分。有手绘图。

据介绍，墓为砖筑，由主室、甬道、左右耳室、墓门及墓道组成。该墓曾被盗掘，随葬品已被洗劫一空，唯有 1 件铁斧及 1 合墓志幸免。墓志为楷书，共 603 字，简报录有全文并考释，墓的上面中心阴刻篆书"兰陵萧公墓志铭"1 行 7 字。

387.辽宁阜新县发现一方金代乣军铜印

作　者：李宇峰
出　处：《北方文物》1989 年第 3 期

辽宁省阜新市文化局文物组收藏一方金代天赐年款的乣军铜印，简报配以拓片予以介绍。

据介绍，该印于 1972 年在阜新县七家子乡出土。印呈方形，边长 5.1 厘米、厚 1.1 厘米。长方梯形纽高 2.1 厘米。纽顶上阴刻一"上"字。重 400 克。印面阳文汉字九叠篆字"蒲杨县尉之印"六字。印背阴刻两行錾字，左为"蒲阳县尉令"，右为"天赐二年六月"。根据该印形制，简报推断应为金代铜印。而天赐年款的錾字又与金代乣军"署其年曰天赐"相吻合，可知天赐年款的金代铜印并非官印，而应为乣军之印。简报对印略有考释。

388.辽宁阜新市发现元代铜权

作　者：赵振生

出　处：《考古》1990 年第 2 期

1981 ~ 1983 年文物普查中，在阜新蒙古族自治县发现 3 件很完整、锈蚀不重的铜权。简报配以照片予以介绍。

据介绍，1982 年春，阜新蒙古族自治县塔营子乡一位农民在古城内地下半米深处挖出一件用红铜铸造的铜权，重 500 克。铜权正面阴铸"懿州路造""同二十五斤"，背面阴铸"至正六年""校勘相同"等铭文。

1982 年阜新蒙古族自治县于寺乡一位农民，在河岸拉土时在 1.5 米深土层里，发现一件用红铜合范铸砀铜权，为至顺元年（公元 1330 年）所铸。"南京"为今北京，元世祖至元九年（1272 年）定现在北京为首都，称大都；扩建新城，在城内分"皇城""宫城"等，"皇甫"之意应为皇城之内的部门所造。

1983 年在阜新蒙古族自治县废品收购站获取一件铜权，重 1400 克。权上阴铸"至元三年"铭文。

389.辽宁阜新海棠山发现契丹小字造像碑

作　者：吕振奎、袁海波

出　处：《考古》1992 年第 8 期

1991 年秋，辽宁省阜新蒙古族自治县城建局罗显明先生在大板乡海棠山拍摄摩崖造像时，发现了一块契丹小字造像碑，他立即向市、县文物部门做了汇报，并将洗好的照片送交县文物管理所。

1992 年 2 月，考古人员去海棠山碑址考察后，简报分为：一、地理位置和碑的形制，二、契丹文化考释和墓志时代，共两部分。有照片。

据介绍，文字造像碑位于阜新县城东南 17.5 公里的海棠山支脉萨本山东坡的台地上。从调查结果分析，海棠山寺庙从辽代开始一直沿袭到清代。碑刻应属于萨本山中普安寺或朝阳寺中某一寺庙所有。残碑实际是一块墓志残石。石质为花岗岩的变种片麻岩。原来应为正方形，现已残去右半边，仅存左半边而呈长方形。中间阴刻契丹小字墓志铭，现存 13 行，300 余字。简报有碑文摹本。造像和背面文字走向不是平行的，而是垂直的。这说明二者很可能不是同时刻的。可能先刻了契丹文墓志，后来把墓志裁开，改刻了佛像。简报断定，墓志的时代为辽朝晚期。墓主人与耶律斡特剌为同代人并有某种联系。

390.辽宁阜新市出土四方金代官印

作　　者：赵振生
出　　处：《考古》1994 年第 4 期

辽宁省阜新市 1971 ～ 1984 年共出土 4 方金代铜质官印，现存阜新市文化局。简报配以照片予以介绍。

蒲阳县尉之印。1971 年秋，阜新蒙古族自治县七家子乡一位农民在距地表 20 米处发现一方铜印。重 500 克。印面汉书阳文九叠篆 6 字，据铭文，似应为金末刘永昌纪年，为公元 1215 年。简报推断此印时代在金末。

都统府印。1984 年秋，阜新蒙古族自治县平安地乡上押京村，一位农民在村旁一座古城址外沟崖旁，拾到一方铜印，印纽顶端有一被凿刻的残迹。有铭文，简报推断此为都统的官署用印。

提控所印。1977 年春，阜新蒙古族自治县旧庙乡他不郎村一位农民在山坡一古城内种地时，于地表 30 厘米处发现一方铜印。有铭文，知金代末年铸印机构有宣抚司。

副统所印。1975 年阜新蒙古族自治县他本扎兰乡一位农民在村旁山坡拉土时，于距地表 50 厘米处发现一方铜印。有铭文。

以上 4 方金代铜官印，从印文篆书风格及印背铸造时间，简报推断应定在金代晚期至金朝即将灭亡之时。

391.辽宁阜新县契丹辽墓的清理

作　　者：阜新市博物馆筹备处　赵振生、白　杰
出　　处：《考古》1995 年第 11 期

由于农田基本建设和建筑施工，以及雨水冲刷，致使一些古墓葬封土剥蚀、砖石裸露而被发现。简报分为：一、水泉沟契丹石椁墓，二、七家子辽墓，三、五家

子辽墓，四、结语，共四个部分。介绍了三座契丹时期和辽代墓葬清理情况，有照片、手绘图。

据介绍，水泉沟契丹石椁墓构筑简陋，随葬陶器有鲜卑文化风格，"真子飞霜"铜镜产自扬州，瓷器出自定窑。该墓的年代，简报推断为唐末、五代初年。七家子辽墓的时代为辽穆宗时期，五家子辽墓的时代为辽代末期道宗时期。

392.阜新程沟辽墓清理简报

作　者：阜新市文物工作队、彰武县文物管理所、阜新市博物馆　胡　健、
　　　　刘俊玉、刘小鸿

出　处：《北方文物》1998 年第 2 期

1982 年，阜新市满堂红乡程沟村一村民在砌自家院墙时，于距地表 0.5 米处发现一墓葬，并将该墓的迎风墙顶部挖出。当时考古人员做了回填处理，后因雨水偏多，1996 年 10 月进行了抢救性发掘。简报分为：一、地理位置，二、墓葬形制，三、出土遗物，"小结"，共四个部分。有手绘图。

据介绍，程沟辽墓位于辽宁省阜新市彰武县满堂红乡程沟村东约 3 公里处。墓南约 10 米处为一条季节河，墓为长方形，砖结构，单室，由墓道、墓门、甬道和墓室组成。此墓经现场清理没发现被盗痕迹。在距墓门约 1.3 米的墓道地面上出土一羊头骨，墓室内棺床上有一骨架保存完整，颈上饰件基本保持原位，周身铜丝网络。依据人骨分析墓主为女性，葬式为仰身直肢。在骨架的里侧发现一堆火化后的骨灰及骨灰匣的板灰。另外，墓室出土有少量的随葬器物，有白釉钵、瓷碗等。墓主人应为辽代晚期契丹族中小贵族。

393.辽宁彰武的三座辽墓

作　者：辽宁省文物考古研究所、阜新市文物管理委员会办公室、彰武县文物
　　　　管理所　万　欣、孙　杰、张春宇、王久贵

出　处：《考古与文物》1999 年第 6 期

1993 年秋，考古人员在市、县有关单位和乡政府的配合协助下，于彰武县发掘了 3 座辽墓。简报分为：一、发现情况和诸墓结构，二、随葬器物，三、结语，共三个部分。有照片。

据介绍，大沙力土辽墓（沙 M1）位于彰武县前福地乡大沙力土村东约 200 米处的一块台地上，单室穹隆顶，双骨同穴，应属夫妻合葬，随葬物品大多出自该墓。

简报推断沙 M1 为相对年代约当辽兴宗时期的中等贵族墓葬。

马家一号辽墓位于平安乡马家村西北约 300 米处，为八角形砖筑单室墓，此墓于 1992 年夏当地村民在山上植树时发现并予掘毁。该墓"双层壁画"在内蒙古辽墓中也曾有发现，马 M1 实用磨砖的出土是一次弥补缺憾的发现。简报推断马 M1 属于辽代晚期的墓葬。

394.辽宁彰武县东平村辽墓发掘简报

作　者：彰武县文物管理所　刘俊玉、孙　刚
出　处：《北方文物》1999 年第 1 期

1989 年 8 月，彰武县后新秋镇东平村村民打石头时发现一座古墓，考古人员对此墓进行了抢救性清理。简报分为：一、地理位置，二、墓室结构，三、葬式，四、出土器物，五、结论，共五个部分。有手绘图。

据介绍，墓葬位于彰武县东北部的后新秋镇东平村，距县城 35 公里，此墓置于东平村北 1 华里山的漫坡上。此墓在发掘时距地表 0.3 米是封土痕迹。墓葬为圆形砖室券顶单室墓，由墓道、墓门、甬道、墓室四部分组成。墓室顶部正北有一早期盗洞，淤土从盗洞口流入墓室。清理后发现，在墓室西北部有骨架两具，横置于墓室内，头北足南，仰身直肢。两骨架为一男一女，位置是男左女右，女性骨架较男性完整，骨架上残存有铜丝网络残段，分析应为夫妇二次合葬墓。尽管被盗，该墓仍出有陶器、瓷器、铜器、铁器、玉器等共 103 件。简报推断该墓为辽代中期一般贵族墓。

395.辽宁阜新发现一座金代墓葬

作　者：阜新市博物馆　梁姝丹、赵振生等
出　处：《考古》2004 年第 9 期

1998 年 6 月，在距阜新市 45 公里的清河门区河西乡西山屯，一农民在村北山上耕地时于地表下 1.3 米处发现因雨季山水冲蚀形成的陷洞，暴露出青砖，继而发现了这座墓葬。墓葬随即遭到破坏，随葬品也被村民取出送至阜新市博物馆，考古人员随后赴现场进行了调查和清理。简报分为：一、墓葬形制，二、随葬器物，三、结语，共三个部分。有手绘图、拓片。

据介绍，此墓在发现后遭到严重毁坏，形制已不清楚。下面仅根据调查和清理的情况略加介绍。建墓时先由地面向下挖出一个方形土圹，宽 3.2 米、深 3.2 米，然后紧贴土圹周壁用青砖加白灰砌筑墓室。墓为单室，平面呈圆形，直径 2.7 米。

周壁基底处以两块砖并列横铺，向上则紧贴砌单层立砖，每砖皆宽面相对，两端窄面朝向圹壁和墓室内。墓壁砌至四层高 1.5 米后，逐渐向内曲收成叠涩顶，墓顶正中则平置一石块封盖。在墓室内西北侧有一用砖平铺的尸床，其上有一具早已腐朽散落的人骨。墓室南偏东处有一砖砌券门，略呈梯形；墓门下部用一块高 0.6 米、厚 0.35 米的方形石块封堵，之上又用三层砖封实。在墓门外 0.35 米处，相对的圹壁上开一台阶式墓道，共五级，长 6.5 米、宽 0.7 米。此墓共出随葬器物 5 件，据调查原来应放置在尸床东南侧，均为瓷器，包括碗 2 件、碟 3 件。所出 5 件瓷器均为钧窑系产品。出土墓志铭一合，简报未录志文。只是说据墓志铭，墓主人为僧人。

简报称，从志文所记生平看，墓主人是一位有德高僧，共入法界 69 年，获赐为"紫衣宝严大德"，系北京北净修院的第四代主持，此人生于金熙宗皇统七年（1147 年），俗姓李；4 岁时（金海陵王天德二年，即 1150 年）进入净修院，拜本院主持为师，法名"智辩"；18 岁受戒，开始学习经文，20 岁即讲授华严经并入义学，37 岁时获赐"临坛妙净大德"，57 岁时成为"临坛首座"并改授"诠□大德"，63 岁时又改授"紫衣宝严大德"，直至 87 岁时逝去。墓主人去世时是在 1233 年，当时阜新地区已属太宗窝阔台新建立的蒙古国统辖，这与志文结尾记下葬年代时称"蒙古国内"正相符合。

396.辽宁阜新梯子庙二、三号辽墓发掘简报

作　者：辽宁省文物考古研究所、阜新市文物管理办公室　梁振晶、王　毅、崔　富

出　处：《北方文物》2004 年第 1 期

1977 年秋，在辽宁省阜新县八家子乡果树村梯子庙屯北部乌兰木图山开发区，发掘了两座辽墓。出土了一批随葬品，其中有金银器、瓷器和铁器，以及合金、鎏金制品。初步考证该墓地应为辽代贵族萧氏家族墓地。简报分为：一、地理位置及墓葬形制，二、尸骨状况及随葬品位置，三、随葬品，四、结语，共四个部分。有照片、手绘图。

据介绍，该墓地是当地建停车场时施工中发现的。共有 3 座墓，其中一号墓由于一些客观原因暂时尚未清理。两墓大体均由墓道、墓门、甬道、前室、耳室、主室等组成，墓室上圆下方。二号墓上于三号墓。由于早期被盗，二、三号墓的骨骼保存很不好。二号墓不见葬具，只见棺钉，骨骼散乱不全，发育尚不成熟，从性别上看可能为一未成年女性。三号墓骨髓保存更不好，仅剩一截股骨，从发育程度上看可能为一成年男性。这两座墓虽然出土的随葬品不多，但种类比较齐全，有金、银、

铜、铁、石、骨制品及陶瓷七大类。

二号墓的墓主人为未成年女性，不见墓志，该墓在被盗后尚出土有4枚小金戒指、一串绿松石饰物、银簪、合金小刀等，皆制作精美。所复原的几件实用瓷器造型精美，别致有加，推断为墓主人生前的生活用品。而墓门石砌半封闭，再以木门加锁、加顶门杠封闭墓门，这体现了对未成年少女的保护之意。这些都说明该墓主人的家庭地位很高。特别是那把精致的合金小刀，更非寻常人能得到，所以二号墓主人应该为契丹重臣之女。三号墓亦不见墓志，但在被盗后尚发现有大型镶嵌金戒指，合金铜风铃10枚之多，及双耳三足铁釜、铁勺、铁小刀等生活用具出土。另外从墓葬规模来看，该墓主人是身份很高的契丹贵族。该墓地与萧仅、萧旻墓相距约500米，仅一道山梁之隔，简报认为该墓地亦可能为萧氏家族墓地。

397.阜新辽萧和墓发掘简报

作　　者：辽宁省文物考古研究所　万雄飞、郭天刚、海　勇等
出　　处：《文物》2005年第1期

2000年11月，辽宁省阜新蒙古族自治县关山种畜场王坟沟内有两座砖室墓被盗，考古人员前往现场调查，从其中一座墓内发现了一合辽代墓志。考古人员对这两座墓进行发掘，同时在周邻地区进行调查和勘探，结果在王坟沟内又发现一座墓葬，在王坟沟西北面的马掌洼内发现6座墓葬。通过连续两年的工作，9座墓葬全部发掘完毕，其中王坟沟内3座墓编号为M1～M3，马掌洼内6座墓编号为M4～M9。9座墓中，M1～M3、M6、M8为单室砖墓，主室平面呈八角形。M4、M5、M7、M9为多室墓，除M7主室、前室和左右耳室平面皆为方形外，其余三座墓主室皆八角形，耳室六角或八角形。据出土的墓志可知，9座墓皆属于辽代中晚期最显赫的外戚萧和家族。本次发掘的M4即为萧和墓，它是此墓地中规模最大的一座，出土了一方墓志及40余件瓷器和铜器、铁器等，墓道及墓门处有保存完好而且绘制精美的壁画。简报分为：一、墓葬形制，二、出土遗物，三、壁画，四、结语，共四个部分。有彩照、手绘图。

据介绍，四号墓是一座砖石混筑的多室墓，全长30米、宽12米，距地表最深达12米，由墓道、天井、墓门、甬道、左右耳室和主室六个部分组成。在墓道、天井及墓门处有保存完好而且绘制精美的壁画，内容以出行场面为主，有众多人物和鞍马与驼车等。该墓曾被盗，出土的随葬器物有劫余的瓷器及铜器、铁器等40余件。有墓志，简报未录志文。同刊同期发表有万雄飞《辽秦国太妃晋国王妃墓志考》一文，可参阅。

简报称，壁画中有些内容值得重视。如墓道一侧绘契丹人，另一侧绘汉人，契

丹人大多骑马，汉人则全为步行，这在辽墓壁画中为首次发现，是辽朝"以国制治契丹，以汉制待汉人"的分俗而治政策的直接体现。又如墓道北壁契丹人出行图第二组五人背后皆背一鼓，使人联想起辽代的"旗鼓"制度，如果此五人所负确属"旗鼓"之鼓，那么第一组很可能是五人五旗。虽然第一组画面剥落严重，但最后一人手中所持长杆可见，可能就是旗杆。这种负于骑手背后的小鼓在辽墓壁画中为首次发现。小鼓，古代称为"鼙"，是军队所用的战鼓。"旗鼓"制度来源于军队作战用的令旗和战鼓。或许这种负于背后的小鼓更接近于"旗鼓"的原始面目。

简报指出，全墓共发现盗洞两个：一个在北侧耳室顶部，是近期盗洞，地面上还留有盗坑；另一个从天井直通墓门，为早期盗洞，综合墓内的情况分析，早期盗洞当为辽末金人所为。依据有二：一是墓室内有明显的着火痕迹。墓门过洞及甬道两壁都被烟火熏黑，主室内还发现带灰烬的柏木板。这说明墓内曾经燃起大火。只有足够的空气进入，墓内才能着起大火，这表明当时盗洞很大。只有金人才能这样明目张胆地进行盗掘，并且恣意放火劫掠。二是南侧耳室拱门及石板砌的立壁被人为大规模地破坏，几乎坍塌；北侧耳室出土的瓷器中，有明显用锐器故意砸毁的痕迹。砸毁瓷器、破坏墓室是金人的报复行为，普通盗贼不可能这样去做。《契丹国志·天祚皇帝中》载："（天庆九年）夏，金人攻陷上京路，祖州则太祖之天膳堂，怀州则太宗德光之崇元殿，庆州则望仙、望圣、神仪三殿，并先破乾、显等州如凝神殿、安元圣母殿、木叶山之世祖殿、诸陵并皇妃子弟影堂，焚烧略尽，发掘金银珠玉。"又《金史·太宗本纪》载："（天会二年）诏有盗发辽诸陵者，罪死。"这些记载都说明辽末金初，金人盗掘辽陵、辽墓之风很盛。本次发掘的四号墓正是这样一个实例。

398.辽宁阜新县辽代平原公主墓与梯子庙4号墓

作　者：辽宁省文物考古研究所、阜新市考古队　李龙彬、樊圣英、崔　富等
出　处：《考古》2011年第8期

乌兰木图山墓群位于辽宁阜新县八家子乡乌兰木图山南麓果树村的解家烧锅和梯子庙两个村民组村北。墓群东南距阜新市区约45公里，距八家子乡约6公里，县级公路宫八线直达山前。该墓群从发现至今，历经多次发掘。1981年1月，考古人员抢救性发掘了萧仅墓。据出土墓志，墓主萧仅卒于辽圣宗太平九年（1029年），官居辽宁远军节度使，始知该地为辽代后族萧氏的家族墓地。1996年7月，辽宁省文物考古研究所与阜新市文化局等发掘了萧旻墓。萧旻卒于辽道宗清宁四年（1058年），为驸马都尉之子。1997年9月，考古人员发掘了梯子庙2号墓和梯子庙3号墓。2007年、2009年该墓群中有墓葬被盗，考古人员于2010年10月10日至12月

20 日对该墓地进行了抢救性发掘。此外，对墓地还作了进一步的调查。此次共发掘了 2 座墓葬，编号为解家烧锅 3 号墓（XM3）和梯子庙 4 号墓（TM4）。其中 XM3 据出土墓志得知为辽平原公主墓。简报分为：一、墓群调查，二、平原公主墓（XM3），三、梯子庙 4 号墓（TM4），四、结语。共四个部分。有彩照、手绘图等。

据介绍，平原公主墓为砖筑双室墓，由墓道、墓门、前室、左右耳室和主室等组成，在墓门门洞的正上方和墓道两侧墙壁上绘有壁画。该墓多次被盗，但仍出土有瓷器、金银器、铁器、铜器、玻璃器、墓志等遗物，年代下限为辽兴宗末年。梯子庙 4 号墓为砖筑单室墓，由墓道、墓门和主室组成，出有陶器、瓷器、铜器、铁器等遗物，年代为辽代中期。

平原公主墓墓门上方壁画为一组火焰珠图案，并有祥云和仙鹤为衬托。这类与道教内容有关的壁画目前发现较多，反映出辽代皇室与后族萧氏崇信道教的虔诚程度。而在墓道西壁所绘一幅保存完整的驼车归来图，具有浓郁的草原游牧生活气息，在辽宁阜新及毗邻地区较为鲜见。据平原公主墓志记载，平原公主是辽圣宗皇帝长女，这在《辽史·公主表》中未见述录。其与《辽史·公主表》里的圣宗第六女钿匿、初封为平原郡主、后进封为荆国公主并下嫁萧双古者，并非同一人，同样与《辽史·公主表》里所记的"圣宗十四女，其中燕哥第一，下嫁萧匹里"也非同一人，因为三人所嫁驸马姓名不同。平原公主墓志为辽代当朝文人所记，应为实录。平原公主才应是圣宗皇帝的长女，《辽史·公主表》失载，应当补入。至于平原公主的名字，其母亲是谁，目前因资料所限而不能妄断。平原公主墓志涉及辽代史实不多，但却极有价值。由于墓志主要记载的是驸马萧忠家世、子女及事略，结合已发表的萧仅、萧旻墓志，可以理清萧忠的先祖、家世及事略，详列自高祖萧撒刺起、至萧旻六世的家族谱系表，使在史海中湮没已久的这支国舅别部的家族世系得以理顺，可为《辽史外戚表补证》的续补。请参见简报作者李龙彬等于同期发表的《辽代平原公主墓志考释》一文。

辽阳市

399.辽宁辽阳县金厂辽画像石墓

作　者：王增新

出　处：《考古》1960 年第 2 期

1956 年秋季，在辽阳县金厂村杜立德宅后靠近北山根的菜地中，发现 3 座辽金画像石墓。1957 年 4 月考古人员前往清理，并将全部墓石运至辽宁省博物馆，复原保存。简报配以照片予以介绍。

据介绍，3 座墓墓室平面呈长方形，墓内有朱漆柏木棺 1 具。盖头略成弧线形，与现代木棺盖形式相同。棺内葬 1 人，葬式不明。随葬遗物有粗陶罐 1 件。在墓壁的 7 块板石和 5 根柱石上，分别雕有人物画像。从画像人物看，均作契丹装束，头戴毡帽，有的剃顶发，着长袍，筒袖，长靴，这与辽庆陵壁画人物装束基本相同，鞍山苗圃画像石墓中浮雕人物画像也作这种装束，简报肯定此墓也是辽时统治阶级的墓葬。从葬具木棺来看，简报推断其年代当在辽后期。

简报称，这批墓的发现为了解辽画像石墓的形制提供了新资料。

400.辽阳发现辽墓和金墓

作　者：辽阳市文物管理所
出　处：《文物》1977 年第 12 期

20 世纪 60 年代，辽宁省辽阳市郊南林子、北园等地，先后发现了一座辽墓和一座金墓。简报分为南林子辽墓、北园金墓两部分予以介绍，有照片。

据介绍，南林子辽墓在辽阳市南郊南林子。1972 年 10 月，市医药公司修理制药厂取土时发现。这是一座小型砖墓，方形。用灰色沟纹砖砌成四壁，东西两壁顶又用砖平砌，逐层内收起券，再上平铺两块板石为盖。前壁伸出墓门，南向，板石门楣，砖砌门槛，外用砖和石板封堵。清理时，在后壁砖台上残存骨灰。随葬器物剩有白瓷注壶 2 件、青瓷碟 3 件。

北园金墓，1971 年 9 月在辽阳市西北郊北园村北的铁路专用线旁施工时发现。此墓为砖石合筑长方形墓，墓底夯土，用素石灰长方砖平铺砌成四壁。上盖两块大石板。在砖石内有一木棺，已腐朽，只存铁棺钉。人骨架 1 具，仰身直肢。随葬器物有铜镜 1 件、铜盖碗 1 件、铜钵 1 件、青瓷粉盆 1 件、钧窑蓝瓷碟 1 件。

简报称，上述两墓都没有发现断代的文字资料。南林子墓虽没有出土辽代特有的器物，而单室方形墓，接近辽阳大林子辽寿昌二年王羁妻高氏石棺墓，随葬短直流注壶是辽早期的特征，应为辽墓。北园墓所出的钧窑瓷器，是金代的明证。瓷器中的镶嵌菊纹青瓷，在辽金墓中出土应属重要发现。

简报指出，铜器的制作有锻造、铆合和镟制。尤其是用机械镟制，同心度很强，纹理细密，器表十分平滑，胎又极薄，充分反映出我国古代工匠在金属加工、冶炼等技术方面已达到了相当的水平。

401.辽阳市发现金代《通慧圆明大师塔铭》

作　者：邹宝库

出　处：《考古》1984 年第 2 期

1981 年月，考古人员在文物普查时偶然在辽阳城南首山公社王家庄一姚姓农民家中发现了金世宗母亲李氏贞懿皇后《通慧圆明大师塔铭》刻石一块。简报录有塔铭全文。

据介绍，此石在 20 世纪 20 年代姚家从辽阳城北东干河子迁居时已有，此前发现于何时何地已不清楚。几十年来，此石在姚家作过猪圈挡门石、房前台阶、厕所挡门石。现存于辽阳市文管所。保存完好，刻于金正隆六年（1161 年），楷书间有行草，计 501 字。记述了贞懿皇后的名字，出身家世和籍贯，寡居后受戒为尼，营建佛寺，生卒年月、死后葬地，世宗建塔安葬其母。此外也涉及东京都城。内容十分丰富，其中不少为文献所漏记。

此塔原址简报判断应在今辽阳城西北白塔公园一带。

402.辽宁发现金代塔铭刻石

作　者：邹宝库

出　处：《文物》1995 年第 12 期

1985 年 10 月，辽阳传染病院建造宿舍楼时，建筑工人在施工场地的一口古井中发现一块金明昌元年《东京胜严寺禅师塔铭》刻石，今为辽阳市博物馆征收。简报配以拓片予以介绍。

据介绍，塔铭，青石质，长方形，已残。正文 22 行，楷书，尚存 598 字。塔铭刻石出土地点在今辽阳老城南郊，此地即金东京辽阳府城南郊、辽东丹王宫城所在地。胜严寺应建在该地。塔铭记载禅师为东京辽阳县渤海人，并提到"东京旧无渤海道院，遂改为禅刹"，因此它是研究东京辽阳和渤海遗民出家寺院的重要材料。并知该寺院为云门宗佛寺，为研究金代佛教提供了重要资料。

盘锦市

铁岭市

403.辽宁省昌图县发现辽代子母铜狮

作　者：昌图县文化馆　李矛利
出　处：《文物》1983 年第 12 期

1982 年 6 月，辽宁省昌图县傅家公社远大大队出土一件子母铜狮。简报配以照片予以介绍。

据介绍，子母铜狮狮子蹲在座上，高 12 厘米。母狮仰首，颈微斜，双目圆睁，怀抱小狮。小狮将一前爪搭于母狮胸前，造型别致。铜狮出土地点周围大都为辽代遗址或城址，尚未发现辽代以后的遗址遗物。简报推断这件子母铜狮应为辽代器物。

404.辽宁铁岭地区发现两方金代铜印

作　者：马洪路
出　处：《考古》1983 年第 9 期

1975 年 5 月，辽宁省法库县四家子公社四家子村村民挖土时，发现一颗铜印。简报配以拓片予以介绍。

据介绍，铜印净重 1.5 市斤。印文阳文九叠篆"宣差都提控印"六字，旁无款题。同年 8 月，昌图县大洼公社公安村村民在村西河沟旁挖土，也发现铜印一颗。印面阳刻九叠篆字为"都统之印"，其他形制、尺寸、重量等皆同法库的"宣差都提控印"。唯印背上阴刻"礼部造"三字，印周刻"都统之印"，并有"天兴二年闰七月"字款，应属金哀宗完颜守绪时期的官印。简报称，四家子村有辽金古城址，此印即发现于城址之中。

405.辽宁昌图古遗址和古城址调查记

作　者：段一平、孟庆忠
出　处：《北方文物》1986 年第 1 期

1984 年 11 月 16 ～ 20 日，考古人员调查了黑城子、双城子等古遗址和古城址。

简报配以手绘图予以介绍。

小塔子遗址，位于辽宁省铁岭地区昌图县境内，三江口乡四合大队小塔子村西约 300 米处。黑城子古城址，位于昌图县境内曲家店乡黑城子大队城里村南，该处地势平坦，城西 300 米处，即昭苏太河从北而南流过。城正东为八面城，两者相距约 15 公里，该城内因全部是黝黑的腐殖土，故称之为"黑城"。简报推断此城当是辽金时代的一座古城遗迹。东双城古城址，位于昌图县境内曲家店乡双城大队双城村西约 60 米处。此处地势高。古城位于东西向的一条漫岗上。在此古城向西约 1.5 公里处，还有一小城，当地称之为小坊城。因两城相距甚近，故名之为双城，又因此城在东，故名之为东双城古城。简报推断东双城古城为辽金时代城址，小双城城址位于东双城古城之西约 1.5 公里处。《昌图县文物档案》中 1982 年孟庆忠调查记录有叙述。

406.辽宁铁岭张楼子山城调查

作　者：周向永、王兆华

出　处：《北方文物》2001 年第 2 期

青龙山山城是辽北地区现存高句丽城址中保存较好的一座。城墙为土石混筑，城内遗物丰富，山城防御设施特点鲜明，并有许多其他高句丽山城所罕见的格局特征。城墙全长 2213 米。根据史载及实际地望，该城应为唐灭高丽后所设十四个羁縻州之一——延津州治。

简报分为：一、地理位置，二、山城形制，三、结语，共四个部分。有手绘图。

据介绍，张楼子山城位于铁岭县催阵堡乡张楼子村西南 1.5 公里处的泛河南岸，所在山名当地人称青龙山，故在以往的某些材料中，此城又称青龙山山城。城北墙距泛河 700 米，城址的东、北两面是平坦的泛河河谷平原，西部为辽河冲积平原。因此，张楼子山城也是辽北高句丽城址最西边的一处，地理位置十分重要。大致可分为东西两部分。整个山城有南、西、北 3 个城门，墙上现存 6 个豁口，并见瞭望台、"点将台"、蓄水池、城内盘道、"高丽坑"等遗迹。山城基本呈椭圆形，经实测，城墙全长 2213 米。简报认为，《辽史》所谓"延津故城"，指的应是张楼子山城。唐平高丽后，在辽东设羁縻州十四，延津州即其中之一，两《唐书》地理志均载其名。十四个羁縻州州名，均系高句丽原城名，唯"延津"于史载不见。

407.辽宁省调兵山市城子村两座辽墓清理

作　者：许志国

出　处：《北方文物》2008 年第 3 期

调兵山市位于辽宁省铁岭西 30 公里。1999 年 5 月，在调兵山市西南的城子村西北 2000 米的券坟沟，发现一座古墓被盗，考古人员进行了调查，确定是一座辽墓。2002 年 5 月，在距前一座被盗辽墓北偏西 30 多米处，又有一座辽墓被盗，盗出一块雕有人像的石板和一把铁剪。石板上浮雕一契丹武士持剑图像和残缺鸟羽。根据现场情况，考古人员对两座墓葬进行了编号，将 1999 年 5 月被盗的墓编为一号墓（M1），此次被盗的墓编为二号墓（M2）。其后于 2002 年 9 月下旬对二号墓进行了简单的清理。简报分为：一、一号墓，二、二号墓，三、结语，共三个部分。有手绘图。

据介绍，当地有古墓，当地人都是知道的。据当地人讲，20 世纪 70 年代知识青年返城后曾有一青年从沈阳来把一号墓挖了一遍，没挖到什么东西。所以一号墓已是残墓，只能推测是一座方形砖室墓，仅有青砖、石板等遗物。二号墓也为石室墓，墓顶已坍塌，遗物有石棺 1 具及铁器、陶器、瓷器等。石棺上刻有四神图像等。两墓均为辽代早期墓。从两座墓的埋葬位置看，二号墓位于一号墓之上，如果这是一处家族墓地的话，按照宗族关系，辈份高的家族成员应该在居上的位置，从埋葬位置的排序上，二号墓也应早于一号墓。二号墓的墓主人用雕刻精美的石棺为葬具，表明他拥有一定的身份和地位，而不会是一般的平民。从二号墓石棺盖石、底石的破坏残碎程度上看，不像一般的盗墓者所为，而更像是有意所为，很可能是金灭辽后，金人出于对辽统治者的民族仇恨而对辽人墓葬的毁墓行为。

408.辽宁昌图县塔东辽代遗址的发掘

作　者：辽宁省文物考古研究所、铁岭市博物馆、昌图县文管所　李龙彬、
　　　　　李海波、周向永等

出　处：《考古》2013 年第 2 期

塔东遗址位于辽宁省铁岭市昌图县泉头镇塔东村西北约 50 米处，在东北西南走向的后山上。地表堆积有大量砖瓦残片，为一处建筑遗址。塔东村与其西的塔西村仅一丘之隔。丘顶之上即为此次发掘的古塔塔基所在，村名应因此而得。2007 年 11 月，为配合哈尔滨至大连铁路客运专线建设，考古人员对该遗址进行了调查与勘探，2008 年 4、5 月又对铁路穿越遗址的区域进行了抢救性发掘。发现清理房址 1 座、墙

基址 2 段、塔基及地宫 1 座、灰坑 21 个、灰沟 3 条。出土了鎏金铜造像、铁造像、石雕像、铜钱、陶塑像残件及陶质建筑构件等。简报分为：一、地层堆积，二、遗迹，三、出土遗物，四、结语，共四个部分予以介绍，有彩照、手绘图。简报认为泉头古寺建造年代大致可推测为辽代，上限为辽代道宗咸雍年间。

简报说，塔基位于周边地势最高处，东、北两面有山水环绕，明代这里成为辽东重镇开原以北的重要防御关隘。明嘉靖年间成书的《开原图说·青阳堡图》绘有古塔图形，指此处的古塔及塔下交汇的河流，证明此塔在明时仍存，塔及寺庙何时毁弃，明代以后文献无任何记载，无从考证。

409.辽宁铁岭市歪石砬子辽金遗址发掘简报

作　者：辽宁省文物考古研究所、铁岭市博物馆　许志国
出　处：《考古》2012 年第 2 期

歪石砬子辽金遗址位于辽宁铁岭市镇西堡乡歪石砬子村北 1 公里的坡地上。1993 年 5 月，考古队对其进行了发掘，实际发掘面积 326 平方米。简报分为：一、地层堆积，二、遗迹，三、遗物，四、结语，共四个部分。有彩照、拓片、手绘图。

据介绍，此次发掘发现了房址、灰坑、灶址等遗迹，出土了一定数量的陶器、瓷器、铁器等生活用具和生产工具。虽未见有完整的器物，但出土较多的小件器物。简报推断遗址下限应在金代晚期，是一处辽金时期的居住址。

朝阳市

410.辽宁朝阳金代壁画墓

作　者：辽宁省博物馆　陈大为
出　处：《考古》1962 年第 4 期

1961 年 10 月，在朝阳市发现一座金墓。该墓在朝阳旧城南约 1.5 公里的朝阳师范学院内。考古人员于 10 月 26 日前往清理。清理前，墓中石棺已被移出墓外，墓室券顶和部分墓壁也已拆除，其余部分大体保存完好。简报分为：一、墓室结构、葬式和葬具，二、壁画内容，三、出土文物，共三个部分予以介绍，有手绘图、照片。

据介绍，此墓是金大定二十四年，即南宋淳熙十一年（1184 年）埋的，从墨书题记看，知墓主人名马今。这座墓葬是砖筑方室，有横枋斗拱，有内容富丽的壁画，有石雕刻品，而且是夫妻火葬骨灰合葬，并墨书葬者姓氏、族望、官职。这些对金代建筑、雕刻、埋葬制度、服饰装束以及风俗习惯等方面的研究，也都有价值。墓内的壁画给我们增加了金代绘画艺术知识。

411.辽宁喀左县辽王悦墓

作　者：辽宁省博物馆文物工作队　李文信、朱　贵、李庆发
出　处：《考古》1962 年第 9 期

墓地属坤都营子公社钱杖子村，喀左县城（大城子镇）西 15 公里。1958 年春发现该墓，至同年 9 月在墓门内发现墓志铭一合，当即取出，1959 年将墓志运县保存。1961 年 11 月，进行了发掘。

简报分为：一、墓室结构，二、葬式葬具，三、出土遗物，共三个部分。有手绘图等。

据介绍，墓为砖筑圆形券顶单室墓。葬具、葬式已不清楚。墓内随葬品及其组合关系，因过去被盗掘已不能明确。现存遗物仅 11 件，且多为残器。以陶器为主，瓷器仅见 1 件。最重要的是墓志铭一合，志文长达 1004 字，楷书，可补《辽史》之处甚多。简报录有全文。由志文知墓主叫王悦，《辽史》不载，官阶不高，但考之史书，应为王处置之曾孙，祖父为辽代同政事门下平章事王郁。王处置，《旧唐书》有传。王郁，《辽史》有传。简报载有王氏族系表。

412.辽宁喀左县大城子元代石椁墓

作　者：徐英章
出　处：《考古》1964 年第 5 期

墓位于喀左县大城子镇西北约 250 米、大城子镇公社第四生产队队部房后，不远处即辽、金、元时期的利州故城址。1963 年 8 月 9 日，喀左县医院工人埋电线杆时发现。出土遗物计有陶瓷器、装饰品及丝织品残片等。简报配以照片予以介绍。

据介绍，该墓为长方形带壁龛的石椁木棺墓。木棺已朽，人骨为仰身直肢。出土遗物 13 件，其中几件钧窑碗是金、元墓中常见的遗物，豆青色的龙泉窑小碟和绿釉陶香炉却具有元代陶瓷的特点。

该墓年代，简报推断为元代。

413.辽宁北票水泉一号辽墓发掘简报

作　者：辽宁省博物馆文物队　许玉林
出　处：《文物》1977 年第 12 期

1971 年 8 月，在辽宁省北票县北四家公社水泉大队，发现了一座辽代砖室墓。经有关单位调查，又在村子附近发现不少辽墓遗迹，便将这座辽代砖室墓定名为水泉一号辽墓。简报分为三个部分予以介绍，有照片、手绘图。

据介绍，水泉一号辽墓位于村北黄土坑沟的西坡。坐北向南，由墓道、墓门、墓室组成。棺床前左右分别出土一批青、白瓷器和一套鎏金银鞍饰，以及铁马具等。瓷器如龙鱼形青瓷水盂、白瓷雕花盖罐、"官"字款大碗都是珍品。还出土一件罕见的鎏金云水双龙鱼逐珠纹银饰板。该墓早期被盗，室内淤泥很厚，随葬器物已凌乱不全。简报推断此墓的年代为辽代早期，墓主人应是一个富有者或契丹贵族。

简报称，这座辽墓出土了不少属于定窑系统的精美的白瓷器，还有景德镇青白瓷器、辽釉陶器等。尤其是出土的龙鱼形青瓷水盂，胎质洁白细腻，釉色晶莹，造型生动，刻划细致，栩栩如生。值得注意的是，这件龙鱼形青瓷水盂的胎质、釉色、烧造技术与装饰风格，均与同时期的汝窑、耀州窑、龙泉窑等青瓷作品迥然不同，它究竟属于哪个窑系，还需要进一步探讨。

414.辽代耶律延宁墓发掘简报

作　者：辽宁省博物馆文物工作队
出　处：《文物》1980 年第 7 期

1964 年冬季，辽宁省朝阳县西五家公社石片大队柏树沟村西北柏木山的山坡下，发现古墓一座。考古人员进行了清理发掘。墓内出土了一合汉文与契丹文合刻的墓志，墓主耶律延宁葬于辽统和四年（986 年），曾出任过羽厥里节度使。墓志为我们研究辽代早期我国北方的疆域以及契丹民族的文字，提供了重要的实物资料。简报配以照片、拓片、手绘图予以介绍。

据介绍，墓室分墓门、前室、左右耳室、主室四部分。砖筑，圆形券顶。墓顶上距地表 3.5 米。该墓曾被盗，出土遗物有玉器、白瓷器、铁铲、铁锁等不多的几种。但幸运的是墓志一合还在，该墓志上半部刻 19 行契丹字，下半部刻 24 行汉字。简报录有汉文部分全文。

耶律延宁，《辽史》无传，据志文中记载曾被授予保义奉节功臣，出任过羽厥里节度使，威镇极北之疆境。统和三年（985年）因疮疾死于任上。统和四年（986年）归葬白崖山中，年39岁。所谓"羽厥里"，当指辽统治下的北方少数民族之一，时降时叛。

415.辽宁朝阳辽赵氏族墓

作　者：邓宝学、孙国平、李宇峰

出　处：《文物》1983年第9期

卢龙赵氏，唐朝以来就颇为知名。自五代及辽初的赵思温始，更是家世显赫，成为辽代汉族"勋阀富盛"的韩、刘、马、赵四姓之一，历金、元而不衰。赵氏家族的一支，辽时久居建州（今朝阳县境内），死后即葬于建州附近。1972、1977、1979年，在辽宁朝阳县先后发现3座辽代赵氏墓葬，即商家沟1号墓、赵匡禹墓、赵为干墓。据志文所载，赵为干是赵匡禹第五子，3墓墓主皆为卢龙赵思温的后裔。

简报分为：一、商家沟1号墓，二、赵匡禹墓，三、赵为干墓，四、墓志考释，共四个部分。有照片、手绘图。

据介绍，商家沟1号墓位于朝阳西南35公里的大凌河南岸、馒头营子公社商家沟村东南0.5公里的山谷北坡上。赵匡禹墓位于朝阳县台子公社牟杖子大队山嘴村南柏山西麓的白道子山下，东北隔山与商家沟1号墓相距6.5公里。赵为干墓位于赵匡禹墓东北10米的山坡上，赵为干墓曾被盗，随葬品荡然无存。

3墓均出土有墓志。商家沟1号墓志文为楷书，计500多字，已漫漶难辨。赵匡禹墓墓志、赵为干墓墓志保存尚好，简报均未录志文全文。据墓志，赵匡禹为赵思温之孙。赵思温在辽代有显赫战功，《辽史》有传，也见于《旧五代史》及《契丹国志》，其官爵、事略多与墓志文吻合；其后世子孙屡居辽朝显位，官至使相者多至百余人。元人王恽《卢龙赵氏家传》记载颇详。而墓志所述与之多有歧义，志文所记职官、地望可补《辽史·百官志》《辽史·地理志》处甚多。

简报指出，这3座辽墓均有墓志出土，年代明确。商家沟1号墓的下葬时间在统和二十年（1002年）左右。赵匡禹死于开泰八年（1019年），墓志为清宁六年（1060年）迁葬时补撰。赵为干死于重熙八年（1039年）。三墓皆为圆形单室墓，有石棺。葬俗都为火葬。商家沟1号墓出土瓷器较多。其中两件绿釉扁体皮囊壶形制比较少见。

416.辽宁朝阳县发现辽代张让墓志

作　者：李宇峰

出　处：《考古》1984 年第 5 期

1974 年秋，朝阳县大平房公社黄花滩大队马家房框子发现一座圆形砖室墓。现在仅存一合墓志，余均遭破坏。简报配以照片予以介绍。

据介绍，墓志为青绿砂岩质。盖呈盝顶式，素面无字。志盖与志石之间，四角各垫一枚铜钱。志文楷书 10 行，行 11 字，共 110 字。简报未录全文。

简报指出，张让其人，《辽史》不见记载。志文记载了张让生前所任官职，其中广德军是辽乾州军名，而崇禄大夫、检校太傅、上柱国等散官、加官、勋官之名，虽不见于《辽史·百官志》，却是辽代墓志铭中屡见不鲜的。至于凝神、崇圣殿都部署应是守护辽代皇帝陵寝的职官名称，但只有凝神殿一名在《辽史》的"地理志"和"圣宗纪"中有记载。崇圣殿之名，《辽史》和《契丹国志》中均不见提及，在已发现的辽代墓志中也是第一次出现。据张让志文分析，其一生主要在辽乾州居官，崇圣殿可能是守护辽景宗乾陵的另一殿名。

简报称，张让墓是一座有明确纪年（乾统五年即 1105 年）的辽代晚期小型砖室夫妇合葬墓，墓室及志石都较简陋。志文仅记张让及夫人韩氏的原籍、官职、封爵、食邑及合葬时辰，记载简略，这在已发现的辽代墓志中不多见。

417.辽王氏二方墓志考

作　者：向　南

出　处：《考古与文物》1984 年第 3 期

陈述先生《全辽文》中收录了过去从未发现过的王裕墓志、王瓒墓志。王裕墓志系 1949 年前出土于辽宁省喀左县甘招公社羊草沟门大队沟里小队。王瓒墓志系 1976 年出土于王裕墓北 50 米处。

据介绍，二志文字拙劣，人名错乱，但经仔细辨读，弄清了五代时重要人物王处直以下四代世系，简报绘出了王氏世系表，弥补了《辽史·王郁传》的缺略，为研究辽契丹族统治者对中原汉族官僚地主的政策等，提供了颇有价值的史料。

今有罗春政先生《辽代书法与墓志》（万卷出版公司 2002 年版）一书，可参阅。

418.凌源富家屯元墓

作　者：辽宁省博物馆、凌源县文化馆　冯永谦、韩宝兴等

出　处：《文物》1985年第6期

1969年10月，辽宁省凌源县三家子乡老宫杖子村富家屯居民，在庭院中挖菜窖时发现一座保存完好的元代壁画墓。由于当时处于"文化大革命"期间，此事无人过问，一些村民进入墓内，致使部分壁画遭到损坏。随后居民将该墓封闭。1983年4月，考古人员对这座辽宁省初次发现的元代壁画墓进行了清理并发掘了附近的两座元墓。简报分为：一、地理位置，二、墓葬概况，三、出土遗物，四、壁画，五、结语，共五个部分。有手绘图、照片。

据介绍，富家屯位于凌源县城正南方，距县城85公里。村西山谷中还有辽代墓葬，附近地区遗存丰富。

简报介绍，这次发掘的3座墓共出土遗物18件。1号墓绘有壁画，墓外绘于额墙及翼墙上，墓内绘于四壁及券顶。二、三号墓中置涂色砾石，简报认为在元墓中少见。由富家屯元墓中殉狗，简报推知墓主为蒙古族。根据这几座墓的形制、出土遗物以及一号墓壁画的内容判断，这里应为一处元代墓葬。一号墓壁画所绘游乐图与赤峰元宝山元代壁画墓所绘墓主人对坐图中的墓主人形象及构图基本一致，两墓时代相差不会很远。此墓所出的钧窑碗属于钧窑较早期产品，墓室结构也还保持着辽金时期墓葬的某些特点。故这几座墓的年代，简报推断约为元代早中期。

419.辽宁朝阳发现元"柳城耆老"碑

作　者：李宇峰

出　处：《考古》1985年第3期

1979年7月，朝阳县十二台公社四家子大队农民戴成交给文物部门一块元碑，是1958年在其房东侧3米、地表以下1米深处发现的。简报配以拓片予以介绍。

据介绍，石碑系灰色泥板岩刻制。长方形，左上角及下部残缺。碑面正中阴刻楷书两行十二字"柳城耆老阎公济甫刘氏之墓"。其左、右各有一行小字，右边小字已残，为"长男虎□□贤友长女大姐二姐"。左边小字刻"至正十八年仲春"，其下有十余字模糊不清，最后一字为"立"。据碑身下部残处尚存文字可知，原碑下部还有石文，现仅能辨识出"次""四"等字。

简报称，碑文中的"柳城"是唐代地名，唐代朝阳为营州柳城郡地。据《元史·地理志》，元代朝阳为兴中州。碑文不称兴中州，而称柳城，这种沿用古代地名的做

法在历代碑志中是较为常见的。碑文中的"耆老"是当时社会上对有资历和名望的老者的尊称。此碑应是阎济甫的儿女们在至正十八年（1358 年）为其母亲所立的墓碑。这种形式的、有明确纪年的元碑在辽宁省尚属少见。

420.辽宁朝阳县出土一方金代乣军铜印

作　者：李宇峰
出　处：《北方文物》1985 年第 3 期

1976 年 6 月 21 日，朝阳县大平房公社大平房大队农民王忠生在铲地时发现一方古代铜印，后送交文物部门，由朝阳地区博物馆收藏。简报配以照片予以介绍。

据介绍，印为铜质，正方形，边长 6.3 厘米、边高 1.2 厘米、通高 4.1 厘米。长方梯形纽。印面篆刻九叠阳文"都统府弹压印"六字，印背右侧阴刻"天赐二年"年款，左侧阴刻"弹压"二字。都统府弹压印，过去很少发现。迄今为止，仅金毓黻先生在《东北古印钩沉》里收录一方，印文亦为"都统府弹压印"，背文年款为"天赐二年造"，发现于辽西，亦为金代铜印。这次朝阳县出土的铜印，无论形制、印文、年款均与金先生收录的一方相同，亦为金代铜印。"天赐"是金代乣军的纪年，此印当为金代乣军铜印。

421.朝阳市发现元代窖藏瓷器

作　者：朝阳市博物馆　燕　石等
出　处：《文物》1986 年第 1 期

1982 年秋，辽宁省朝阳市自来水公司在施工中，发现元代瓷器 21 件。考古人员进行了调查清理。简报配以照片予以介绍。

据介绍，瓷器出土地点在朝阳老城区南，大凌河西约 150 米的两条公路交汇处。据在场工人说：发现时白釉黑花大罐上坐放一酱紫釉缸胎碗，其上又覆放一黑釉缸胎碗，罐内没有发现遗物；大罐北侧扣放两摞青瓷碗，每摞 5 件；罐碗西侧成排立着 8 件高足青瓷杯。遗物摆放有序，无其他相关遗迹，简报推测这里应是一处窖藏。窖藏瓷器有青花碗 10 件、青瓷高足杯 8 件、酱紫釉缸胎碗 1 件。窖藏的年代，简报推断为元代。

简报称，朝阳市在元代为兴中州的治所。这批窖藏瓷器的发现，为研究元代的商业、交通及朝阳的历史提供了线索。

422.辽宁朝阳市辽刘承嗣族墓

作　者：王成生

出　处：《考古》1987年第2期

朝阳市西南7.5公里，西大营子乡西涝村，有一山谷地，俗称"西山洼"。1970年，农民整地时发现3座墓葬，出土两方墓志，后入藏朝阳地区博物馆。1979年，考古人员前往调查，发掘了两座墓。1980年，考古人员去墓地核实材料，又发掘一座小墓。该墓地前后共发现6座墓葬。简报分为六个部分予以介绍，有照片、拓片、手绘图。

据介绍，西山洼地势北高南低，三面环山，北面高山连绵，东、西两侧有山岗拱围，南面缓坡直下，可远望大凌河水。六座墓均分布在洼地中部，分别编号为M1～M6，其中M1出土刘承嗣墓志，M3出土刘日泳墓志，M4出土刘宇杰墓志，简报均附有三志全文。

简报介绍，该墓地共发现6座墓，出土3块墓志，得知该墓地是辽代较早的刘氏家族墓地。墓葬中出土一些随葬品，为辽代考古提供了重要参考资料。刘氏祖孙几代仕辽，反映了当时的一些社会关系。墓志明确了3座墓的年代和祖孙三人的关系，即M1刘承嗣墓，为应历十七年（967年），M4刘宇杰墓，为统和十八年（1000年），M3刘日泳墓为重熙十五年（1046年）。另外3座墓的年代及相互关系不明，有待分辨。刘氏祖孙三代官阶不高，正史无载，简报据志文整理出刘氏家族世系表如下：

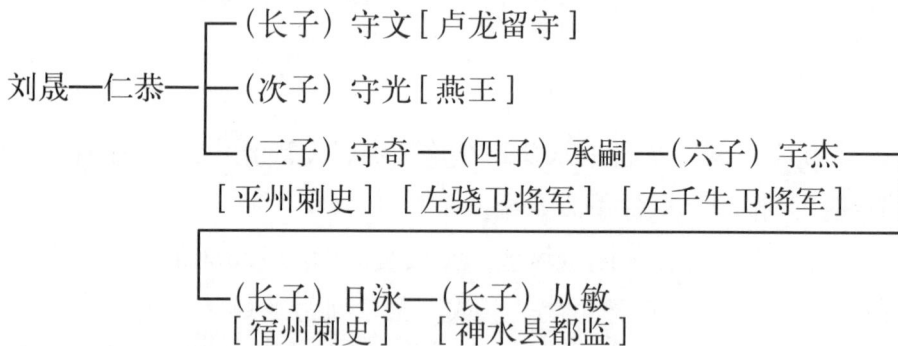

```
                  ┌── (长子) 守文 [卢龙留守]
                  │
刘晟──仁恭─────┤── (次子) 守光 [燕王]
                  │
                  └── (三子) 守奇 ──(四子) 承嗣 ──(六子) 宇杰 ──┐
                     [平州刺史]   [左骁卫将军]   [左千牛卫将军]  │
                  ┌──────────────────────────────────────────┘
                  └── (长子) 日泳 ──(长子) 从敏
                     [宿州刺史]     [神水县都监]
```

简报称，五代时期，刘仁恭父子"始兴隆于燕谷"，割据幽州，建都称王，至乾化四年（914年），哈家三口被晋王李存勖所执，刘守奇及其子孙是幸存的一支，因而三墓志的一些记叙，可补五代史之不足。简报又指出，辽代初期与刘氏燕国毗邻，相互多有攻战，刘承嗣及其子孙几代仕辽，表明辽王朝在政治上不仅是招来汉人做官，甚至对于敌对的上层人物及其后裔也能捐弃前嫌，好以待之。这是辽王朝之所以能统治中国北半部达二百余年之久的重要原因之一。

423.辽宁喀左县兴隆沟辽墓

作　者：喀左县博物馆　傅宗德
出　处：《考古》1988 年第 4 期

1985 年秋，喀喇沁左翼蒙古族自治县（简称喀左县）老爷庙乡兴隆沟村农民在房东侧翻地瓜时，发现地里有石块。入冬后起石头，挖至 3 米深处发现一段围墙，挖至 4.5 米深时发现砖砌地和一个陶罐。12 月 22 日，考古人员前往进行抢救性清理。

兴隆沟距喀左县人民政府所在地大城子镇东南 17 公里，坐落在东西走向的土梁阳坡上，处于东山、南山、楼子山、转子山环抱之中，西端靠河，梁北是一片开阔地，墓葬就在村东约 100 米处。当赶到现场时，墓顶已被掘开约 4 平方米，露出近 0.7 平方米的砖砌地面。掘出石头有 15 方，石质为黄色细砂岩、黑褐色乳页岩、脉石英三种，皆为毛石。简报分为：一、墓葬结构，二、出土器物，三、结语，共三个部分。有手绘图。

据介绍，该墓为穹隆式单室墓。人骨架已腐朽，仅存颅骨一个、颅片一块、股骨一根、肱骨两段。有土红色粉末及红色漆片的棺木痕迹。出土器物有陶器、瓷器、铜钱，简报推断喀左兴隆沟墓应为辽代初期墓。

424.辽宁喀左县出土辽代鸡冠壶

作　者：喀左县博物馆　傅宗德
出　处：《考古》1988 年第 9 期

辽宁省喀喇沁左翼蒙古族自治县（简称喀左县）博物馆藏有辽代鸡冠壶 7 件，分三式。简报配以照片予以介绍。

据介绍，单孔扁腹式 2 件。一件为 1977 年出土于平房子公社平房子大队。陶质，施淡绿色釉，有光泽。一件为 1978 年 12 月出土于山嘴子公社小道虎沟。陶质，施黑绿色釉。

提梁扁腹式 2 件。1976 年 8 月出土于平房子公社猪场。陶质，施土绿色釉，釉不及底。2 件尺寸相同。

提梁鼓腹式 3 件。一件为 1979 年出土于山嘴子公社大杖子大队。陶质，施翠绿色釉，色泽鲜艳。

简报称，从大部分已知年代的辽墓看，双孔扁腹式鸡冠壶多为辽代早期之物；单孔扁腹式鸡冠壶虽没有相对的比较，但从其形制看，应比双孔扁腹式早，可能是契丹游牧生活时期的遗物；简报推断提梁鼓腹式鸡冠壶应为辽代中晚期之物，那件口颈前倾、高足外撇的鸡冠壶似应更晚些。

425.辽宁省朝阳市发现辽代龚祥墓

作　者：尚晓波
出　处：《北方文物》1989 年第 4 期

1980 年 6 月间，朝阳县毛纺织厂在挖厂房地基时发现一座古墓葬，市博物馆闻讯后，派考古人员前往现场，对该墓进行了清理。此墓位于朝阳市区西部市西梁东坡下，东距沈承铁路约 150 米，北距长江路约 100 米，现朝阳县毛纺织厂院内。简报分为：一、墓葬形制，二、随葬品，三、几点看法，共三个部分。有手绘图。

据介绍，墓为一座六角形叠涩顶单室砖墓，该墓曾经被盗，墓室内遗物被严重扰乱，一部分随葬品已被混置于淤积土中。墓内出土的随葬品有陶冥器、铁锁、铜钱、墓志及石经幢等。墓志一合，志文楷书，共 403 字，简报录有志文全文。据墓志文载，墓主为"大辽国兴中府柳城郡武陵龚祥者，乃邑人也"，此人卒于辽乾统四年（1104年）。从志文内容看，龚祥乃龚玉之四子。

简报称，此墓的发现，为进一步了解辽代中晚期社会发展状况及其他方面的问题，提供了一些新的线索。

426.辽宁喀喇沁左翼自治县元墓

作　者：傅宗德
出　处：《考古》1990 年第 2 期

1987 年 6 月 23 日，辽宁省喀喇沁左翼蒙古族自治县（喀左县）国营砖厂在院内建浴池挖地槽时，破坏土坑竖穴墓一座。考古人员前往调查，将大部分遗物收集起来，共征集到铜钱 7 枚，铜镜、瓷器、陶器等 8 件；发现人骨数块，臼齿 1 枚，青砖 5 块。简报配以照片予以介绍。

据介绍，出土铜钱皆为宋元两代的。兰釉大碗与酱釉小碗与 1986 年在喀左县弧山子收集的窖藏瓷碗如出一窑（元代），铜镜的形制与纹饰也突出地显示了宋元的风格。简报推断此墓应为元代晚期安葬。天兰釉大碗是仿钧窑在本地民窑所烧，兔毫纹小碗比较精致，具有一定的做胎与烧制施釉水平。从形制、质地、釉色分析应为宋吉州窑产品，两件瓷盘与撇口大碗据初步鉴定应为元磁窑堡瓷窑产品。

427.辽宁喀左元代道士康泰真墓碑调查记

作　者：李宇峰

出　处：《北方文物》1990 年第 2 期

元代道士康泰真墓碑碑文在《塔子沟纪略》《满洲金石志外编》中均有著录，内容相同，但文字上有许多谬误遗漏之处，并仅限于介绍碑文，未做详细阐述。考古人员曾于 1988 年 6 月赴现场实地考察，而后喀左县博物馆馆长刘新民提供了经校识的墓碑碑文。经与上述文献著录反复对照，发现出入较多，现将经过校识的碑文附于文末。现场调查结果报告，简报配以照片予以介绍。

据介绍，辽宁喀左县大城子镇洞上村西北约 0.5 公里有一道南北走向的山脉，当地人称为长寿山。其东麓中间半山腰有一个自然石洞，墓碑位于石洞下方东北约 50 余米处，坐西朝东，龟趺座，碑额已缺。碑身四周有人工凿损之痕迹。因此，两侧碑文部分缺字，碑阴刻有募捐者姓名（略），正面碑文计 1918 字。

在石洞下前方 30 余米处有一处平台基址，上面遍布辽代滴水、兽面瓦当、碎砖残瓦等。另在距石狮下前方不远处有辽代大石碾 1 件。根据对上述遗迹和遗物的调查分析，简报认为寿山石窟附近，在辽代时应有一处寺庙建筑，可能至金代时已毁，而家居利州花务村的道教大师康泰真相中此处环境，遂常住石窟，潜心修道以至终生，死后被弟子埋葬在附近，并立墓碑以示纪念。

康泰真，《元史》无传，其他文献里亦未提及。据碑文记载，其原籍为利州花务村人，此利州系指辽代利州，故址即在今喀左县城所在地大城子镇，镇内现有一座辽代密檐式砖塔。按康泰真享年 92 岁，卒于元宪宗蒙哥六年（1256 年），向上推算，应生于金世宗完颜雍大定四年（1164 年），是一位生活在金末元初的著名道教大师。简报录有康泰真墓碑全文。

428.辽宁建平县两处辽墓清理简报

作　者：辽宁省文物考古研究所　辛　岩、华玉冰

出　处：《北方文物》1991 年第 3 期

1988 ～ 1989 年初，建平县沙海乡马杖子村大西沟辽代墓地及北二十家子镇大地村炮手营子屯辽代墓地先后被盗掘。1989 年 5 ～ 6 月，考古人员对被盗墓葬情况作了全面调查并迅速进行了抢救性清理发掘。两处墓地各有 2 座辽墓被盗，发掘编号为：JSM1、JSM2，JRM1、JRM2。其中 JSM2 是一座砖砌圆形单室墓，JRM2 是一座石筑六角形单室墓，已经多次被盗，仅存不全的尸骨及残碎铜丝网络。JSM1、JRM1

保存了一批有价值的文物。此二墓清理情况，简报分为：一、沙海乡大西沟 JSM1，二、北二十家子镇炮手营厂 JRM1，三、结语，共三个部分。有手绘图。

据介绍，上述两座辽墓，均为石筑单室墓，叠涩攒尖，墓门用大石块封堵。不同之处只是墓葬形制有所变化。两座墓均未发现任何有明确纪年的文物。从墓葬形制和随葬品来比较分析，简报推断：JRM1 年代的上限，不会早于辽圣宗统和十年（992年），JSM1 的年代要比 JRM1 稍早些；墓主应是契丹贵族。

429.辽宁喀左老爷庙石室墓发掘简报

作 者：李国学、万 欣
出 处：《北方文物》1993 年第 1 期

老爷庙石室墓位于喀左县城东南约 12.5 公里处，南距老爷庙村约 200 米，东侧即是通往县城的公路。1985 年 10 月 27 日，当地村民在翻地瓜时发现此墓，考古人员随即进行了抢救性发掘。简报分为：一、形制，二、随葬器物，三、小结，共三个部分。有手绘图。

据介绍，墓系以黄白色砂岩质的石板和石条构筑的长方形双室墓，平面为两个相邻的"口"字。封顶石为 8 块长 1 ~ 1.3 米、宽 0.5 ~ 0.8 米的厚大石板，呈南北向两排并列，每排 4 块，下以不规则的小石片铺底，墓底距地表 2 米。墓室周壁以较规则的长方形石板竖砌而成，东西两壁间有一道隔墙，将墓室分为东、西两室。墓内西室淤土中尚存少量木屑，但无棺钉发现。人骨已散乱不全，葬式不详。但从下颌骨和下肢骨等的相对位置来看，原葬应为头北足南。清理结果表明，此墓并未经盗扰。随葬品仅有陶瓮 1 件、陶罐 2 件、器座 1 件。简报推断该墓为辽墓。

430.辽宁喀左发现辽金官印

作 者：柴贵民
出 处：《考古》1995 年第 5 期

辽宁省喀左县博物馆收集到三方辽金官印，均有出土地点，简报配以拓片予以介绍。

据介绍，一为"惠州监之纳印"一方。北公营子镇土城子村出土。铜质，正方形印面，近长方形印柄。阳刻篆书"惠州监之纳印"六字。《辽史·地理志》载："惠州，本唐归义州地。太祖俘汉民数百户兔麛山下，创城居之，置惠州。"金初废。二为"阜俗县印"一方。1973 年 12 月水泉乡马营子村出土。铜质，正方形印面，近长方形印柄。印文为阳刻篆书"阜俗县印"四字。《辽史·地理志》载："阜俗县，唐末契丹渐炽，役使奚人，迁居琵琶川，统和四年（986年）置县。"金因之，元代省废。三为"都弹压所之印"。六官营子乡六官营子村出土。铜质，正方形印面，近长方形印柄。印文为阳刻篆书"都弹压所之印"六字。印背面左方刻有"服字号"三字，右方刻有"都弹压所"四字。此印应是金印。

431.辽宁朝阳孙家湾辽墓

作　者：孙国平、杜守昌、张丽丹
出　处：《文物》1992年第6期

1988年3月，辽宁省朝阳县孙家湾乡平房店村一村民在院中取土时，发现一座古墓，取出了随葬器物。考古人员赴现场调查，并收回了文物。简报分为：一、墓葬概况，二、出土遗物，三、结语，共三个部分。有照片、拓片、手绘图。

据介绍，平房店村位于朝阳市东南18公里处，大凌河的支流蒙古营子河由南向北从村东流过，古墓坐落在村西缓坡山地中。在村南端、墓地以南约300米处，有一处辽代遗址，长宽均在500米以上。其中北侧113被村庄所叠压。遗址地表散布有辽代陶、瓷器残片和砖瓦残块。遗址断面暴露有灰层，深约1米。在遗址东侧、河的东岸，有辽代庙址一处，地表现存砖、瓦残片和建筑构件残块。遗址、庙址、墓葬三者应有联系。此墓为石构圆形单室墓。墓门以石块封堵。出土有石俑6件、瓷器、陶器、铁矛等。简报认为墓主人是辽代早期一男性军人。

简报称，唐朝灭亡后，今朝阳地区为契丹控制，并已成为辽政权的中心地区。此墓出土6件石俑中的2件"伏听"，为研究辽代葬仪制度及古代墓葬中"明器神煞"的沿革变化提供了重要材料。3块反映乐舞内容的画像石，也有助于对辽代早期散乐进行研究。这些石俑和画像石，雕刻精细，反映了当时雕塑艺术的水平；所展示的发式和服饰，又是研究辽代生活习俗特别是服饰史的重要资料。

432.辽宁朝阳北塔天宫地宫清理简报

作　者：朝阳北塔考古勘察队　董　高、张洪波等
出　处：《文物》1992年第7期

朝阳位于辽宁省西部，市内原有呈鼎立之势的3座方形砖塔，依其方位，俗称东塔（清初颓毁，今存塔基）、南塔、北塔。北塔年久失修，破损严重，从1984年开始，国家拨款对其进行修缮加固。为配合维修工程，考古人员于1986年春，在塔

周围进行钻探发掘，同年 11 月发现并清理了辽代地宫。1988 年 11 月上旬，拆除塔顶第十三层檐后发现了辽代天宫，出土了舍利金塔、鎏金银塔、宝盖、玻璃瓶等大批稀世珍宝。因发现文物数量较大，种类较多，而室内修复、整理、深入研究工作尚未结束。简报分为：一、天宫，二、地宫，三、结语，共三个部分。配以彩照、拓片、手绘图，先行介绍天宫和地宫的清理情况及部分主要文物。

据介绍，"天宫"位于塔心室顶盖上面，辽代修砌的第十层檐中部，平面呈"中"字形，由门道、甬道、宫室三部分组成。宫室内有一个用 6 块绿砂岩石板筑成的大石函。地宫位于塔基及塔基之下。天宫、地宫，均为辽代重熙年间重砌。简报称，此塔属密宗寺院辽代延昌寺，密教在辽代朝野的影响，当不可低估。此次出土的密宗五轮宝塔，以及密宗特有的法器金刚杵等，均为填补我国佛教空白的珍贵文物。另外，天宫石函东壁及门外刻石上记载的从州刺史到县令等不同官职及人名，可补史书之缺。题记中对民间佛教团体邑社记载颇详，也是研究佛教史的第一手资料。

433.辽宁朝阳木头城子辽代壁画墓

作　者：辽宁省文物考古研究所、朝阳县文物管理所　张克举、孙国平
出　处：《北方文物》1995 年第 2 期

木头城子辽代壁画墓是 1987 年 8 月当地村民丛树勤在自家院内撤院土时发现的。8 月 24 日考古人员前去现场处理，建议暂时封存，11 月 6 日进行正式清理发掘工作。

木头城子乡距朝阳市区约 4 公里，壁画墓位于木头城子乡东北约 2 公里的十家村村民丛树勤院中，附近地势较为平坦。该墓保存完好，墓中的壁画原来保存相当完整，但当地村民为了寻找宝物，在四周墙壁上乱捅，故将画面破坏多处，但壁画的内容基本还是可以看清楚的。简报分为"遗物""壁画""结语"几个部分予以介绍，有手绘图、照片。

据介绍，墓为砖筑圆形，规模较小，由墓道、墓门、甬道、墓室四部分组成，墓道为斜坡形。在墓室前部原放置有一张小木桌，上边摆放瓷器，因年久木桌已朽，瓷器散倒在墓室前面的地上。桌前原放置一茶末釉鸡腿坛。瓷器已散倒在地上，这些随葬品又被村民拿出，故原来摆放的位置不清。值得注意的是在木桌上原放置有一木表，上面墨书死者生平，可惜大部分字被发现者擦掉，现仅依稀可辨认出"……检校国子监祭酒，兼监察御使，武骑尉"几字，可能是墓主人生前曾任的官职。木表为圭形，宽 12.7 厘米、高 24.3 厘米、厚 2.6 厘米。墓内有石棺、木棺各一，共有骨灰罐 6 个，中均有骨灰。壁画内容有男女立侍、家居、宴饮、庭院等。其中春

水秋山图少见。

简报称,从出土的遗物与壁画内容来看,该墓应属辽代晚期的墓葬。但该墓共葬八人,棺床上石、木棺可能为夫妻,而地面上的6个骨灰罐则应是其子女,似为家庭合葬墓,这种现象在以往发现的辽墓中还是少见的。

434.辽宁喀左县辽代利州城址的调查

作　　者:喀左县博物馆　于长江、傅宗德
出　　处:《考古》1996年第8期

利州城址位于辽宁省喀喇沁左翼蒙古族自治县大城子镇东部,东北距朝阳市约150公里。城南800米处是一条由西向东流的大凌河支流。大凌河沿岸自古就是辽西地区通往关内的交通要道,利州城依山抱水,气候宜人,交通便利,地理位置极为有利。利州城址为正方形,长宽各约500米,其南、西、北三面有护城河。城内四角有土台,可能是角楼,台残高丈余,近圆形。城南北有门,宽度不详,城墙也破坏殆尽。城内堆积较厚,高出周围地面约1米。20世纪60年代初期城址的轮廓还明显可见,近年由于城镇不断扩建,其原貌被破坏,故城内设施与布局已不很清楚。在历年城镇建设中除了发现大量的残砖碎瓦外,还出土了一些陶、瓷、铜、铁等类器物,其中大部分被文物管理所收集。据1989年统计,共计收集完整器39件,包括铁器2件、铜器6件、陶器6件、瓷器25件,均为日常生活用器。时代分别属于辽、金、元三个时期。简报分为:一、辽代遗物,二、金代遗物,三、元代遗物,四、结语,共四个部分。有手绘图等。

据介绍,该城址由于遭到严重破坏,仅从地面调查无法取得具体翔实的资料。从城址出土器物看,铁器与陶器较少,铜器与瓷器稍多。瓷器中大多数为均窑、定窑产品,少数为磁州窑和龙泉窑的产品。据《辽史·地理志》,利州城始建于辽统和四年(986年),明永乐元年(1403年)撤销利州,大宁都指挥司移至保定,利州遂衰落。从兴到衰,历时约400年。

435.辽宁朝阳县联合乡金墓

作　　者:辽宁省朝阳县文物管理所　邱金辉
出　　处:《华夏考古》1996年第3期

1992年7月,辽宁省朝阳县联合乡大三家子村在山区建设时发现一座墓葬。考古人员到现场勘察,并进行了抢救性清理。简报分为:一、地理位置与墓葬形制,二、随葬品，三、结语，共三个部分。有手绘图等。

据介绍，联合乡大三家子村位于朝阳县西南 50 公里，周围地势平坦，远处群山环抱。此墓为土坑竖穴盝顶石函墓，火葬。发现石函 1 个，经幢 1 个。经幢函内放置骨灰、铜钱、玉环。石函及经幢被发现时，已呈倒塌散乱之势。简报认为此墓的年代应为金代中晚期。又根据出土的石经幢分析，墓主当为是时的佛教信徒。这座墓葬的发现，为我们研究金代的历史提供了新的考古资料。

436.辽宁省朝阳市南大街辽代铜铁器窖藏

作　者：朝阳市博物馆　尚晓波
出　处：《文物》1997 年第 11 期

1994 年 12 月，朝阳市人事局基建办在市区南大街东侧施工地段，发现了埋藏的文物，市博物馆闻讯后，即刻派考古人员前往发现地点，将已被掘出的部分文物收回。次日，又派考古人员对该地点遗存进行了抢救性清理，确认此遗存为一处辽代窖藏。

简报分为：一、地理位置及遗迹状况，二、出土遗物，共两部分。有照片。

据介绍，窖藏地点位于朝阳市区南大街北端东侧，西距市青少年宫约 50 米，东距大凌河西岸约 150 米，北距新华路约 60 米。此处为地势呈北高南低的漫坡，属朝阳古城范围之内。窖藏地点文化堆积较厚，一般可达 5 米左右。窖藏坑距地表约 2 米，其上部堆积可划分为三层。窖藏坑开口于三层下，为圆形筒状。坑内埋入一口大缸，所有遗物均置于缸内。遗物较多，其中铜器 14 件、铁器 57 件、绿釉大缸 1 件。

简报称，朝阳市地处辽代契丹文化分布中心区，与内蒙古自治区宁城县辽中京都城故地相距仅 95 公里左右，辽王朝曾在朝阳设兴中府。朝阳市辽代遗迹十分丰富，但以往发现多为墓葬和建筑遗迹，出土遗物大都是釉陶器、瓷器及小件铜饰等物，较大的青铜器皿十分少见。

简报指出，此次发现的窖藏青铜器和铁器，不仅数量大，形制多样，而且在朝阳市尚属首次发现，因此具有重要意义。

437.辽代常遵化墓出土的围棋子

作　者：朝阳市博物馆　刘桂馨
出　处：《文物》1997 年第 11 期

1967 年 5 月，在朝阳市纺织厂大门南约 40 米处发现一座辽墓。墓内除出土一批随葬器物和一件墓志外，在一件陶钵内还保存着一副完整的围棋子。简报配以拓片、照片予以介绍。

据介绍，这座辽墓为圆形砖室墓。墓门朝南，残墓壁高0.8～1.3米，单砖横砌，墓顶砖缝用小石片加固。棺床在墓室北半部，占据墓室的一半，棺床上有一具残朽的男性骨架，年龄约60岁。据墓志记载，墓主人常遵化，曾任辽西州刺史、监察御史等官职。墓中随葬器物有白瓷大碗、盆、五曲花式口盘以及陶唾盂、鼎、豆、盆、盘、碗、盏托、壶、双系罐、井和铁灯盏等。另外在随葬的陶钵内盛有372粒实用围棋子。棋子共分黑白两色，每种颜色分别为186粒。简报录有墓志全文。

简报称，经鉴定，棋子为玛瑙石磨制而成。其表面光滑明洁，子粒匀称，色彩鲜明，是我国目前出土的围棋子中保存较好的。该文物已被确定为一级品。

438.辽宁朝阳东五家子王坟沟辽墓清理简报

作　者：辽宁朝阳县文物管理所　孙玉铁
出　处：《北方文物》1998年第1期

1994年10月27日，朝阳县文物管理所接到东五家子乡文化干部发现古墓被盗的报告后，进行了抢救性清理工作。

简报分为：一、地理位置，二、墓室结构与葬式，三、随葬器物；四、小结，共四个部分。有手绘图。

据介绍，该墓位于辽宁省朝阳县东五家子乡刘家店村东2.5里的王坟沟山中部。东、西、北三面群山环抱，墓地山势呈太师椅状，坐北朝南，山下是一条季节河。该墓为不规则六边形石砌券顶木椁单室墓，白灰铺地，墓门朝南，墓顶距地表1.1米。木椁为柏木枋构筑，木枋已朽，残留于墓室东侧，其他三面也有朽木残存痕迹。墓室内残留木枋5根。墓室的砌法是从地基用石块平砌，至1.6米处逐渐内收，叠涩穹隆形顶，中心有一孔，用一直径为60厘米的石块盖着。室内木棺已朽，只发现头骨、肢骨、骨盆等残留部分。葬式为仰身直肢，头北足南。随葬器物有铁器、铜器、瓷器等。简报推断该墓为辽代中下层人士墓。

439.辽宁建平县古山子辽墓

作　者：建平县文物保护管理所　杨东昕
出　处：《考古》2001年第5期

1994年9月，建平县文物保护管理所对已遭破坏的建平镇古山子村东营子西北的两座墓葬进行了抢救性清理发掘，清理工作从1994年9月6日开始至9月15日结束。

清理情况简报配以手绘图予以介绍。

据介绍，根据墓葬结构和随葬遗物以及葬式分析，简报推断这两座墓应为辽代早期墓葬。辽代早期的墓葬多流行单人葬，合葬极少见。简报称，这次发掘的 M1 夫妻合葬墓为研究辽代早期合葬墓提供了较有价值的资料。

440.辽宁北票市下瓦房沟发现一座辽墓

作　者：陈金梅

出　处：《北方文物》2002 年第 4 期

1993 年 11 月，辽宁省北票市南八家乡红村下瓦房沟村民发现一座古墓。考古人员进行了调查。墓已被破坏，但据当地村民讲，墓为砖砌圆形单室。墓中随葬品被村民哄抢，后经追缴收回文物 10 件。简报配以拓片、手绘图予以介绍。

据介绍，计有白瓷罐 1 件、白瓷碗 1 件、陶罐 4 件、长颈壶 1 件、铜镜 1 件、玛瑙饰件 1 件、石球 1 件。简报推断该墓的时代为辽代早期。

441.辽宁北票坤头波罗村发现一辽代石棺

作　者：陈金梅

出　处：《北方文物》2003 年第 2 期

1997 年 7 月 23 日，辽宁省北票市姜家窝铺乡坤头波罗村村民发现一石棺，已被北票市文物管理所征集并收藏。简报配以拓片、照片予以介绍。

据介绍，该棺为略呈红白色的火石质，由棺身和棺盖两部分组成。棺身通体为一块大石凿刻而成，中空，截面大体呈梯形，为前大后小、上窄下宽的形状，长为 72 ~ 80 厘米，宽为 58 ~ 66 厘米，四壁厚 9 厘米。棺身的左、右及后壁内外均无纹饰，只留有凿刻的痕迹。棺身前壁外部雕刻一男一女两侍俑图。男侍俑位于棺的右侧，头戴椭圆形冠饰，上插一簪，圆形脸，高颧骨，大眼宽眉高鼻。女侍俑位于棺的左侧，头部也戴有冠饰，圆形脸，大眼高鼻，嘴角微朝下撇，表情作极其痛苦状，女俑右手握拐杖拄地，由于用力，杖已渐弯曲，左手放于腹部，两乳突出，似一即将临盆的孕妇形象。两侍俑均呈立姿，赤身裸体，五官清晰，形象生动，高约 30 厘米。两侍之间刻有近似方形的框。棺盖为庑殿顶式，即刻有 1 条正脊、4 条斜背和 4 个斜面。简报认为此棺应为辽代高级官员用来盛骨灰的。

442.辽宁朝阳召都巴辽壁画墓

作　者：朝阳市博物馆、朝阳市龙城区博物馆
出　处：《北方文物》2004 年第 2 期

2000 年 5 月，在朝阳市龙城区召都巴镇东北约 2 公里的山坡上，一家采石场用推土机平整场地时发现了一座古墓。考古人员进行了清理发掘。召都巴镇位于朝阳市区北约 15 公里。简报分为：一、墓葬结构，二、壁画，三、随葬品，四、小结，共四个部分。有手绘图。

据介绍，该墓为圆形券顶单室墓。由墓室、甬道、墓门、墓道组成。壁画分布于墓室、甬道、墓门、墓道各处。随葬品有陶壶 1 件、瓷盘 1 件、瓷碗 1 件、瓷罐 1 件、瓷器底 1 件、开元通宝 1 枚、铁锁 1 把。从壁画上看，墓主人应为辽初一位比较富裕的汉族人。

据《北方文物》2003 年第 4 期报道，1994 年和 1999 年，朝阳重型机器厂在兴建厂房和职工住宅楼时各发现一座古墓葬，考古人员对其进行了发掘清理。据介绍，两墓均不大，其方形墓室、石函火葬、随葬鸡腿坛等表明是辽金时墓。其中 M1 应为辽代中期以后墓葬，墓主人身份不详。M2 应为金代中晚期墓葬，墓主人应为一平民。在 M1 中出土的画花瓷盘、梅瓶、香炉等随葬品，造型精巧别致，尤其是陶香炉，更具有其制作的独到之处，在朝阳发现的墓葬中尚属首次，具有很高的研究价值。而与之同出的另一件随葬品——不明用途陶器，推测应是一件器座。

443.辽宁朝阳县石匠山辽、金、元时期的摩崖石刻

作　者：辽宁省文物考古研究所、朝阳市博物馆、朝阳县文物管理所　万欣、
　　　　华玉冰、杜守昌等
出　处：《考古》2004 年第 11 期

现存于辽宁省朝阳县南双庙乡境内的摩崖石刻，是一处不多见的辽、金、元时期的石刻遗迹，位于蒙古营子村东石匠山上，距地表相对高度约 80 米。其西部不远处为朝阳至建昌公路。1986 年春发现后，考古人员曾于当年 6 月对这处石刻遗址进行了一次初步调查，并对遮掩石刻的石渣进行了范围有限的清理。由暴露出的采石面可知，石匠山的山石为浅绿色砂岩，材质较好，且覆土薄，无植被，适于大面积开采。因近期采石，采石面已同打落下来的石渣堆积近平。暴露出的石刻内容自西向东分别为龙、佛、虎逐兽、飞鸟和奔鹿及附近的题刻、年款等，显然属全部幸存石刻的一部分。简报分为：一、发现经过及石刻现状；二、石刻内容；三、结语，

共三个部分，有手绘图等。

简报指出，根据当地历史沿革，今朝阳县在辽代时为中京道兴中府辖境，金、元两代因之。市区东 10 公里左右的凤凰山一带很早就是行围狩猎的理想场所。其崖上石刻以写实手法表现的飞禽走兽和由此反映出的习猎好狩的民俗等印证了史志中的相关记载。然而，该石刻所在山崖是否与《元一统志》所记的"香麝崖"有关呢？简报认为石匠山摩崖石刻与辽皇猎麝似并无直接联系，不过倘若将其作为凤凰山余脉的一部分，石匠山及附近山岭则可能同与"麝香崖"一道命名的"驻龙峪"有关。

据简报介绍，摩崖石刻上共有年款 18 处，计有乾统、大定、至元、大德 4 个年号。其中，辽代乾统年款最多，达 11 处（包括诗刻年款 2 处），金代年款 4 处，元代年款 3 处。各代年款的分布纷杂无序。推测随着时间的推移，采石面逐渐降低，年款大致也从上至下自早至晚布列。如大定、至元年款刻位一般皆低于乾统年款，最晚的大德年款又位在至元年款之下。仅在岩画中部有一处"乾统七年"款刻位较低，此属例外。所存全部年款中最早者为辽乾统三年（1103 年），最晚者为元大德三年（1299 年），时间跨度为 196 年。

石刻内容较为丰富，所刻图像包括佛、龙、马、鹿、人物、禽等近 50 处，构成了一个较为庞杂的图像群，同时它在一定程度上也反映出辽、金、元三代民间不同画风和以崇佛、尚龙、祈猎为主的社会意识倾向。简报有"石匠山辽、金、元时间石刻内容一览表"可以参阅。

至于石刻遗址的性质，简报认为石匠山石刻遗址为一处古代采石场。据调查，在已被凿去的石壁上半部原见有辽代于此地采石外运的刻记，其中还有标明某石材用于建某桥、某塔者。今距南双庙乡政府南约 5 公里处的槐树洞山腰处尚存一座古石塔，构筑该塔的浅绿色砂岩与石匠山石材质地完全相同。实际上对这种砂岩质石材的使用尚不限于辽、金、元三代。在当地发现的上自汉、魏、晋石椁墓，下至现存的清代寺庙的建筑材料中均见有这类砂岩。现虽不能确定这些墓葬、寺庙所用石材皆为石匠山所产，但这类石材开采、利用应有很长的历史。应该看到，石匠山石刻中的一些动植物也曾是辽西地区同时期墓葬内石刻的常见题材。如石刻中的马、鹿、飞禽等同锦西大卧铺辽金墓葬中画像石上的同类图像很相似，而前者所刻之鱼的用意大概与后者所表现的"王祥卧冰求鲤"故事中之"鲤"也不无关系。龙、虎、牡丹则是常见于辽墓志盖和石棺侧壁上的主要图案。如将石匠山石刻中的龙、花分别同辽代重熙年间的赵为干墓中石棺板上剔底阴刻之龙以及开泰年间的赵匡禹墓墓志盖上的牡丹花纹相比较就不难窥见两者在刻绘风格、表现手法上所具有的某种相似性。

简报指出此次清理所揭露的石刻当然只是原有全部石刻中的一部分。在现场可看到随着逐年开采和新辟采石面的不断降低,已在现存石刻壁面的进深方向上(即北面)形成了一个新的高达 5～6 米的石壁面。据此可推知原石刻壁面至少已有数米高的部分石刻被毁。尽管如此,幸存石刻所提供给我们的有关当时社会生活、民俗等方面的图像资料还是较为丰富的,它无疑为辽、金、元三代石刻的研究提供了重要资料。

444.辽宁朝阳南塔街出土的金代窖藏文物

作　者:朝阳市博物馆　于俊玉
出　处:《北方文物》2005 年第 2 期

1995 年 5 月,朝阳市机关房产处工人在朝阳市南塔街一处居民区挖煤气管沟时发现一批文物。考古人员赶到现场,发现遗址已经遭到破坏,只得一面调查,一面追缴已经散失的文物,同时对该遗址进行清理。根据遗物和现场清理的情况,初步断定这是一处金代窖藏。简报配以拓片、照片、手绘图予以介绍。

据介绍,该窖藏位于朝阳南塔街西南 150 米处,东西长 2 米、南北宽 1.5 米,窖口距地表约 1 米,呈不规则的椭圆形。根据判断,附近很可能是一处古代居住址。该窖藏共出土遗物 96 件。其中陶瓷器 9 件,大部分残损;石器 13 件;铜器 73 件,其中铜钱 70 枚;骨器 1 件。简报推断为金代遗存。

简报称,朝阳历史悠久,在十六国时期,就是三燕(前燕、后燕、北燕)故都——龙城,历经隋唐、五代,同为营州城,辽代为中京道兴中府,金代沿袭辽制。这次出土的窖藏文物,正位于老城区内。1994 年在这里曾发现了老城西墙遗迹,1995 年又在老城西墙遗迹东 50 米处发现了这批窖藏文物。这批文物的出土,为金代朝阳的政治、经济、文化的研究提供了重要的实物资料。

445.辽宁北票黑城子城址及出土的部分文物

作　者:辽宁省文物考古研究所　陆　尊
出　处:《北方文物》2005 年第 2 期

黑城子城址位于北票市黑城子乡东北 80 里处的一个宽阔的河谷地带。辽初曾在此设宜民县,辽后期将原设在南八家乡四角板村(原咸康县境)的川州治所迁至这里。金初仍袭之,辖宜民、同昌二县。大定六年(1166 年)降为宜民县,隶惠州。承安二年(1197 年)复置川州。元代仍沿用川州之名,明废,整个川州境内遂变为牧场。至清代因其"瓦砾成堆,墙垣尽废,遥望一片黑影",故呼为"黑城子"。黑城子古城为方形，每面城墙长约 2 里，四面各设一门，城墙四隅均设敌楼。南城墙大部坍塌，仅为一条隆起的土脊。它三面城墙保存较完好，存高 3~4 米，基高 15 米，顶宽 4 米。在黑城子古城址内曾出土大量文物，部分入藏朝阳市博物馆。简报配以手绘图予以介绍。

据介绍，计有辽代黑陶长颈壶 1 件、辽代酱釉小口长腹瓶 1 件、金代白釉瓷碟 1 件、金代磁州窑产白釉铁锈黑花罐 1 件、金代白釉黑花罐 1 件、金代人物飞鸟纹铜镜 1 件、金代元帅府合扎都提控铜印 1 件。简报称，该城址出土的各类文物足可说明其在北方女真族与中原汉族文化交流史上所占的重要地位。

446.辽宁朝阳召都巴金墓

作　者：朝阳市博物馆、朝阳市龙城区博物馆　蔡　强、李道新
出　处：《北方文物》2005 年第 3 期

2001 年 5 月，辽宁省朝阳市龙城区召都巴镇刘小杖子村发现一座金墓。墓室平面呈圆形，彩仿木结构的建筑形式。随葬品丰富，陶器、瓷器、铜器、铁器、木器等种类齐全，是近年来朝阳地区发现的比较典型的金代墓葬。简报分为：一、墓葬结构，二、随葬品，三、结语，共三个部分。有手绘图。

据介绍，此墓为有墓道的砖砌仿木穹隆顶单室墓，由墓道、墓门、甬道、墓室组成。墓道未作清理。墓室平面呈圆形，直径 3.06 米。未见葬具，从散见人骨看，应为夫妻合葬墓。这座墓出土的随葬品丰富，陶器、瓷器、铜器、铁器、漆器、木器、骨器等种类齐全，特别是陶器，均为生活用品类，其组合为罐、壶、碗、盏托、执壶、镔斗、盆形鼎、釜、鳌、盆等，有一方砖似为纪年方砖，可惜字迹全无。简报推断为金代初期墓葬。从出土的鎏金狮纹铜带看，墓主人应有官品。

447.辽宁省凌源出土金元时期铁器

作　者：辽宁省朝阳市博物馆　杨铁男
出　处：《农业考古》2007 年第 4 期

在 1972 年 10 月底，在辽宁省西部地区的凌源县老锅火车站东南侧的山坡上出土了一些铁器，随后朝阳市博物馆与当地文物部门对此进行了简单的清理，除这些铁器外，还有零星的碎陶片、瓷片，据此简报断定这批铁器为金元时期一处窖藏遗址，此批文物移交朝阳市博物馆收藏。铁器分为农具、生产工具、生活用具、马具和刑具等。简报分为：一、铁器出土的地理位置，二、出土的铁器种类，三、对出土铁器的几点看法，共三个部分。有照片。

据介绍，铁器出土地点距离凌源老锅火车站只有一二百米的距离，此地点当时行政隶属该县刘杖子公社，是当地农民在山坡修整梯田时发现。此次出土的农具等为范铸及锻造而成，范铸的比较工整，而锻造的在某些方面做工略粗一点。简报认为：这批铁器应属官宦人家的窖藏，至于为什么窖藏，也可能由当时的战乱所致，因为金元时期为少数民族统治，据史料记载，统治者为了巩固自己，禁止民间拥有兵器，对民间使用的铜铁加以限制，更不允许金属外流，特别是在元代蒙古贵族利用政治权势采取各种手段对汉族地主的土地进行兼并，所以这批铁器有可能是在逃离战乱时，为防止落入敌兵之手而匆匆掩埋的。简报称，它的发现为研究当地金元时期的农业生产及生活相关问题提供了实物资料。

448.辽宁朝阳发现两座辽墓

作　者：辽西博物馆
出　处：《北方文物》2008 年第 3 期

2001 年 9 月和 2003 年 3 月，辽宁省朝阳市在进行市区道路维修和大凌河堤坝修整过程中发现了两座古墓（编号为 M1 和 M2）。考古人员进行了抢救性发掘。简报配以手绘图予以介绍。

据介绍，M1 为砖砌单室墓，有盗洞。M2 为仿木结构墓。两墓的时代，简报推断为辽代中期。出土遗物有陶器、瓷器、铜钱、木棺板等。值得一提的是 M2 出土的残乱木棺板，木棺应为前高后低形，残存图案有黑彩绘制的莲花、卷云、朱雀、侍童等。

449.辽宁北票白家窝铺辽代墓葬

作　者：辽西博物馆、北票市博物馆　陈金梅
出　处：《北方文物》2008 年第 4 期

1981 年 9 月，辽宁省北票县巴图营公社古家子大队白家窝铺生产队在劳动中发现一座辽代墓葬，考古人员对此墓进行了发掘。简报分为：一、地理位置，二、墓葬结构及特点，三、壁画与泥塑，四、随葬品，五、结语，共五个部分。有手绘图。

据介绍，墓葬位于北票市城区南部约 55 公里处，北距辽代早期川州古城址（今辽宁省朝阳市）约 55 公里。墓葬坐落于白家窝铺村西山的漫坡上。墓为青砖砌筑的双室券顶墓，由墓道、墓门、前后两甬道、前室和主室等组成。墓道未发掘，长度、坡度不详。木棺已朽，人骨有人为摆放痕迹，应为夫妻合葬墓，应属于拣骨二次迁葬。前甬道有残存壁画，紧贴壁画的铺地砖上有两个泥俑。二者结合，构成一幅已残缺

的车马图。该墓出土的随葬品均出自墓的下层铺地砖面上，共计225件。其中有铜器126件、铁器93件、玛瑙器1套21枚、银带饰3件，瓷器、陶器各1件。随葬品多发现于主室的西部、北部及前室的东部和西部。简报推断为辽代中期墓。同一墓室上下两层的修筑方式很独特，极为罕见。墓主人应为契丹贵族。

450.辽宁朝阳西三家辽代遗址发掘简报

作　者：辽宁省文物考古研究所　徐韶钢
出　处：《北方文物》2009年第1期

2006年4~5月，考古人员为配合公路建设，抢救性发掘了朝阳市西三家辽代遗址。共发现6座房址，13个灰坑，出土了陶器、瓷器、铁器、铜器、骨器、石器等遗物。此遗址属于辽代晚期的一处小型村落遗址。简报分为：一、位置及堆积，二、遗址，三、遗物，四、结语，共四个部分。有手绘图。

据介绍，西三家辽代遗址位于辽宁省朝阳市七道泉子镇上河首村西三家村民组村北慢丘南坡台地上。遗址东西50米、南北100米，面积近5000平方米，东部被一条由北向南的冲沟破坏。房址均为半地穴式建筑，平面形状为长方形或近似长方形。房址内的炕、灶、烟囱遗迹尚存，门道多南向，坑多为东西向，烟道均为曲尺形，灶一般位于炕的南部偏西或偏东（偏西2座，偏东2座）；仅有1座房址的炕为南北向，灶位于炕的西部偏南处。此遗址中出土的遗物数量较少，按类别有陶器、瓷器、铁器、铜器、骨器、石器。陶器有纺轮、盆、罐、陶饼、板瓦，瓷器有碗、罐、盘、器盖、棋子，铁器有钉、镞、环，铜器有铜簪，骨器有骨簪，石器有石杵。瓷器及陶器均为轮制，大多数器物制作较规整。这一辽代晚期的小型村落遗址，为我们了解辽代建筑的布局和生活习惯提供了一批比较重要的研究资料。

451.朝阳市开发区仁济药材工地元代墓群发掘简报

作　者：朝阳市博物馆　李国学、寇玉峰、张云峰
出　处：《北方文物》2009年第1期

2006年9月，仁济药材公司征地时考古人员勘探并发掘了8座元代墓葬。这几座墓葬除M1外，均为石筑，墓向相同。构筑形制大致相同，均以大石板封顶，棺为前大后小的梯形，墓主人头南足北，出土器物为实用器，特别是钧窑瓷碗、三足香炉、玉饰件等制作精美。简报分为：一、墓葬形制，二、出土器物，三、结语，共三个部分。有照片、手绘图。

据介绍，这9座墓葬共计出土203件器物，按质地分为瓷器、陶器、铜器、铁器、骨器、玛瑙、玉石杂器等，均为实用器。简报推断为元代墓葬。

452.辽宁朝阳新华路辽代石宫发掘简报

作　者：辽宁省文物考古研究所　白宝玉、吴　鹏等

出　处：《文物》2010年第11期

2004年10月，辽宁省朝阳市在对老城区进行改造施工的过程中发现了一座辽代石宫，考古工作人员到达现场时，石宫的北侧已被破坏，经抢救性发掘，清理出石函、石佛舍利铭记和瓷器、玻璃器、银器等，石宫的编号简称SG1。简报分为：一、石宫位置与形制，二、出土器物，三、铭记考释，四、结语，共四个部分。有彩照、拓片、手绘图。

据介绍，石宫为土圹，砖石混砌，圹口距地表约3米。石室内放石函和石佛舍利铭记。该石宫出土有瓷器、玻璃器、银器、漆器、木器、石函、石佛舍利铭记等，出土器物制作精巧，为研究朝阳地区佛教文化的发展与传播提供了珍贵的实物资料。从石佛舍利铭记的记载可知，该石宫修造于辽统和二年（984年）四月十一日，修造人为姚汉英。该石宫的发掘对于研究朝阳老城在辽代的布局具有重要的意义。

453.辽宁朝阳市姑营子辽代耿氏家族3、4号墓发掘简报

作　者：朝阳博物馆、朝阳市城区博物馆　韩国祥等

出　处：《考古》2011年第8期

耿氏家族墓地位于辽宁朝阳市西北15公里的朝阳市龙城区边杖子乡姑营子村后一座小山的南坡，山坡坡势较缓。即迄今为止，在朝阳辽代耿氏家族墓地已发现清理4座墓葬。其中1975年、1976年，朝阳地区博物馆（现朝阳博物馆）曾在该处发掘过2座规模较大的辽代纪年墓，出土一批精美文物，包括3合墓志。从墓志可知2座墓葬分别为耿知新墓（1号墓）、耿延毅及其夫人耶律氏的合葬墓（2号墓）。据墓志所记，该处为有"户人万口"的汉姓贵族、辽代"武功开国"的皇亲国戚之一耿氏家族的"祖茔"地。

1997年9月初，当地村民在村后小山发现1座砖砌墓葬，并打破封门砖进入墓室取出部分遗物。龙城区文物管理所闻讯后，追回被取出的遗物。同年9月5日，考古人员对墓葬进行了清理，确定该墓为辽代汉姓贵族耿氏家族成员墓。2002年，该处又有1座砖砌墓葬被盗掘。11月5日，对其进行了清理。该墓规模较大，有前

后双室。墓室内遗物几近盗空，在前室发现 1 合被砸坏的墓志。据墓志，该墓为辽代初期曾出任节度使的通事耿崇美及夫人"卫国夫人耶律氏"合葬墓。为保持耿氏家族墓葬资料的完整性和延续性，将 1997 年、2002 年发现的 2 座墓分别编号为 3、4 号墓。简报分为：一、3 号墓，二、4 号墓，三、结语，共三个部分。有彩照、手绘图等。

简报称，到目前为止，在辽代耿氏家族墓地已经发掘 4 座墓葬，出土 4 合墓志。自耿崇美始葬于此，至其重孙耿知新，历经四代人，而耿崇美子侄辈成员的墓葬尚不明确。耿氏家族墓及耿崇美墓志、耿延毅及夫人墓志、耿知新墓志以及内蒙古哲里木盟哲北农场 2 号墓"耿淑仪"墓志的出土，对研究辽代的丧葬习俗、耿氏家族的兴衰、辽代兴中府其他汉姓贵族的家族史，以及补证《辽史》的缺略和谬误具有重要的意义。通过对墓志的考释及相关资料等，可知在辽代，萧、韩、耿、刘等家族互相联姻，关系密切，形成一股强大的政治力量，左右辽代的政治、军事。在景、圣两朝，这几大家族在联姻的基础上构成了一个强大的政治集团。

据介绍，墓葬为开山凿岩而筑，工程浩大，使用建筑材料多样，且建筑形式复杂，非豪门大族而不能为。另外，墓葬中出土多件北宋时期的名窑瓷器，以及一套 11 銙带突厥风格的鎏金铜带具。墓葬中所出玛瑙带饰，亦表明墓主之身份地位与豪华奢侈。据介绍，3 号墓墓主为辽代贵族耿氏家族之成员。从墓葬位置排列看，3 号墓墓主应为 4 号墓墓主耿崇美的晚辈。但其与耿延毅、耿知新的辈分关系目前尚无法确定。墓葬的确切年代应与 1、2 号墓相当。这 2 座墓葬为了解辽代历史及该地区民族文化的融合等提供了重要资料。

454.朝阳市林四家子辽墓发掘简报

作　者：辽宁省文物考古研究所　万雄飞、孙　烨等
出　处：《北方文物》2013 年第 2 期

朝阳市区东北 15 公里有一山谷，属双塔区桃花吐镇林四家子村西营子屯，当地人俗称"王坟山"，即墓群所在地。锦承铁路线从墓地南穿过，金沟火车站距此 1 公里。"王坟山"地势北高南低，三面环丘，山谷出口面朝西南，谷口以南 800 米为大凌河，自西向东蜿蜒流过，再往南为凤凰山，与墓地遥遥相望。墓葬均埋在山谷内向阳的平缓坡地。2008 年春，墓地突遭盗掘，数座古墓惨遭洗劫。得到讯息，考古人员对墓地进行了勘探和发掘。清理、发掘 9 座辽代墓葬，按发掘顺序编号为 M1 ～ M9。简报分为：一、墓葬，二、墓地出土的石刻资料，三、结语，共三个部分。有彩照、拓片和手绘图。

此次发掘最大收获在石刻史料，墓地采集到一块残断的石函盖，四阿顶式，背面磨平有刻字。纵向排列成三组，分别记录一个家族三代人的名号。

简报结合《新唐书·刘仁恭传》卷二一二、《旧五代史·刘守光传》卷一三五、《新五代史·刘守光传》卷三九对刘氏家族史实进行了详尽的考证。指出志文先述刘宇一的曾祖、祖、父（母）三代之名位，然后详细记述刘宇一近50年的仕宦履历，最后简介其妻及子嗣。经研究可知，刘宇一与朝阳县西涝村刘承嗣、刘宇杰、刘日泳家族墓地，朝阳县半拉山镇朝阳电力修造厂刘从信墓以及开原县老城镇后三台子村金代刘元德墓同属一个族系，都是唐末幽州卢龙军节度使刘仁恭之后。

据出土墓志，该墓地为刘宇一家族墓地，发掘的M1～M9墓主应都是刘氏家族成员。5座砖室墓中，M1墓室面积最大，棺床上有大石棺，墓室内绘有壁画，应是等级最高的一座。4座土坑函墓，形制简陋，几无随葬品，墓主的身份应当更低下。很可能是无官职者。

至于年代，只有M1、M2、M4有讨论价值。简报认为M1、M2、M4均属辽圣宗中后期墓葬，其中M2年代不早于统和十六年，M4年代不早于统和八年。

林四家子辽墓群，绝大多数墓葬采用了火葬。火葬，佛教中称为"荼毗礼"，荼毗为梵文音译，意为焚烧，原为古代印度的葬俗，传入中土后荼毗礼广泛行于佛教徒之间。火葬本来与汉人儒家传统"死必归土"的观念相悖，但是在辽代境内汉人墓葬突出的一个特点就是火葬盛行。学者普遍认为一是由于佛教的影响，二是辽境内的汉人较少受到传统观念的束缚。

简报还指出，林四家子M2和M4皆有泥俑随葬，这种现象在辽代即使是汉人墓葬中也十分少见，应是唐代汉地葬俗的延续。另外，两墓中均出土了具有典型契丹风格的大口罐和长颈瓶，特别是M2出土的陶明器仅此两件，表明辽国境内的汉人逐渐在向契丹文化靠拢。

455.辽宁朝阳杜杖子辽代墓葬发掘简报

作　者：朝阳市博物馆、朝阳市龙城区博物馆　李道新、孙　航、赵海杰、李松海
出　处：《文物》2014年第3期

2013年5～6月，考古人员对辽宁省朝阳市龙城区七道泉子镇杜杖子村民组的一座辽代砖室墓（编号M1）进行了抢救性发掘。此墓保存较好，出土器物丰富。简报分为：一、墓葬形制，二、随葬器物，三、结语，共三个部分。有彩照、手绘图。

据介绍，墓葬为仿木结构的弧边方形单室穹隆顶砖室墓。此墓未经盗扰，出土陶器、瓷器、铜器、铁器等随葬器物。根据墓葬形制及出土器物，简报推断：墓葬

的时代应为辽代早中期，且墓主应有一定的身份地位，可能是地方官吏或家境殷实的士绅。

456.辽宁朝阳市金代纪年墓葬的发掘

作　者：朝阳博物馆　韩国祥

出　处：《考古》2012 年第 3 期

1998 年 9 月中旬，北方航空公司朝阳飞行大队在基建施工过程中，发现一座古墓葬。考古人员到现场调查，追回被取出的器物，并对该墓葬进行了抢救性发掘。简报分为：一、墓葬形制，二、出土遗物，三、结语，共三个部分。有彩照、拓片、手绘图。

据介绍，M1 为砖筑仿木结构的六边形单室墓，出土的遗物包括陶器、瓷器、金属器、铜钱，以及一块铭文砖和数块木器残件。其中铭文砖铭文共 120 字，简报录有铭文全文。根据铭文砖记载，简报推断此墓为金代皇统九年（1149 年）迁葬所建，墓主翟氏之夫李翰为"兴中府南城住人"，"兴中府"地望在今天朝阳市。

葫芦岛市

457.辽宁绥中县城后村金元遗址

作　者：王增新

出　处：《考古》1960 年第 2 期

城后村金元遗址，位于绥中县城东北约 1 ～ 1.5 公里，是一片河岸旁的冲积沙土平地，是 1957 年 7 月间开始修补六股河右岸大堤取土时发现的，考古人员进行了调查。简报配以照片予以介绍。

据介绍，从已暴露的文化遗迹看，遗址分布面积很大，但因遗物多分散在各处，可能是互不密接的农家遗址。遗址上散布着大量的砖石碎瓦和陶器残片，也有臼、磨、柱础等物，遗址的南部还有一处金元骨灰葬墓地。出土遗物共 290 余件，大部分属金元时期，但也有少量的汉代或其他时代的遗物。简报推断，这处遗址的年代，约当在辽金元时期。

简报称，在调查金元遗址的同时，又调查了绥中城北 4 公里的汉晋古城址。城址位于龙王山前方，六股河西岸。土城平面呈方形，文化层堆积很厚，出土遗物有五铢钱、铜箭头、圆底大陶瓮、陶豆及绳纹陶片等。城外龙王山西坡还发现有用绳纹砖砌成的古墓。

根据遗物，简报推断，城址的年代当为汉至西晋时代。这是辽宁省境内保存较好的一座汉晋古城。

458.辽宁建昌龟山一号辽墓

作　　者：靳枫毅、徐　基
出　　处：《文物》1985 年第 3 期

1971 年 11 月，辽宁省建昌县喇嘛洞公社下五家子大队农民于村西北约 300 米的龟山南坡，发现辽代砖室墓一座。考古人员对此墓进行了调查与发掘，编号为龟山一号辽墓。经调查，下五家子龟山是一处辽代墓地，在一号辽墓附近，还分布有其他四五座辽代砖墓。

简报分为：一、墓室结构，二、出土遗物，三、结语，共三个部分。

据介绍，龟山是一座海拔约 150 米的缓坡丘陵，辽墓位于半山腰，大体坐北向南，下五家子村坐落在山下。龟山一号辽墓墓顶早年已经自然坍塌，未遭盗扰，墓主人系火葬。简报推测此墓可能为一座夫妻合葬墓，墓主可能是契丹人。此墓由墓道、墓门、甬道、东西耳室和主室五部分组成。随葬器物未被扰乱，所出银器、瓷器、铜器、漆器、铁器等计有百数十件之多，同时还有石刻和年号丰富的铜钱等。

简报推断，龟山一号辽墓的年代，上限不会早于宋徽宗建中靖国元年，即辽天祚帝耶律延禧乾统元年（1101 年），下限不至晚于宋大观（1107～1110 年）年间，有可能是在崇宁年间，即辽乾统二年至六年（1102～1106 年）埋葬的。

吉林省

459.吉林省前郭、扶余、德惠考古调查

作　者：吉林省文物管理委员会　李健才、张满庭
出　处：《考古》1961年第1期

1959年10月14日至11月15日，考古人员对沿松花江流域的前郭、扶余、德惠三县进行了考古调查。调查工作由前郭旗开始，沿松花江到达扶余县，最后去德惠。总计发现遗址23处，其中新石器时代文化遗址3处、辽金时代古城址8处、居住址12处，共获得文化遗物140余件。简报分为：一、新石器时代遗址，二、辽金遗址，三、辽金古城址，共三个部分。有手绘图、拓片、照片。

据介绍，由这一次普查了解了前郭、扶余和德惠三地的古文化遗址的基本面貌，辽金城址、村落址的发现，简报认为也是很重要的。因为在历史沿革上，德惠辽属黄龙府、扶余辽为达卢古部族所在地，耶律阿保机灭渤海以后，始属于辽，但是这个地区历史文献记载都不多，正是因为这样，那么所发现的这许多古城、村落址，无疑地对于这一地区以及对辽金历史整体的研究是有极大的好处。城址、村落址看来都不太大，遗物以筒瓦、板瓦、灰色篦纹陶、白瓷片、铜钱等较普遍，乳白色的粗瓷，大概为地方窑所烧造，铡刀、铁锅也为一般辽金遗址所习见。简报指出，这个地区应该通过发掘，把辽金时代这个统称分开，确认辽与金的准确编年。

长春市

460.吉林九台上河湾考古调查

作　者：吉林省文化局群众文化处　康家兴
出　处：《考古》1961年第3期

上河湾人民公社在吉林省九台县北80公里，为九台县之北境，与德惠县毗连。1959年8月考古人员去上河湾人民公社进行农村文化工作调查和整顿工作的同时，

又同县、社文化馆作了一次调查。共经 7 天，调查了山城 7 座，城址 2 座，古遗址 5 处，"高丽王子坟" 3 座和石羊 2 个。简报分为：一、山城址和遗迹，二、城址与古遗址，共两部分。有手绘图、照片。

据介绍，从遗物看来，城中遗物大致为辽金时代，而金代的遗物极为丰富。遗址中的遗物较城中遗物丰富，它不仅包括城中的所有遗物，而且还有新石器时代、高句丽时代遗物，但最多的为金代遗物，并在耕地中发现过"洪武"（明太祖，1369～1398 年）、"常平"（朝鲜李仁祖十一年，1633 年）等字样的圆钱。简报推断这两座城址的时代应为金代。而遗址堆积则早到新石器时代，又经金代、明代，遗址废弃当在明末清初。

461.吉林农安出土金代"济州县令贾"铜镜

作　　者：刘红宇

出　　处：《文物》1982 年第 12 期

1982 年春，长春市文管会在农安县普查文物时，从万金塔公社邵家生产队农民手中征集到一面八瓣菱花形金代铜镜。它是农民在耕地时发现的。

简报介绍，铜镜直径 11.5 厘米、厚 0.5 厘米，镜纽呈乳钉状，主题花纹是双凤和缠枝花草，边缘也饰花草。外侧镜刻"济州县令贾"五个汉字，汉字下有官府押记。镌刻汉字的金代铜镜多有出土，这面铜镜刻有"济州"字样，恰与史料记载农安金代属上京道济州相印证。

462.吉林德惠县出土金代官印

作　　者：邹世魁

出　　处：《考古》1983 年第 8 期

德惠县大房身公社梨树园子大队的城子下古城内外，最近出土大、中、小三方金代铜质官印。简报配以拓片予以介绍。

据介绍，大印为正方形，边长为 6.5 厘米，厚为 1.8 厘米，印纽通高 4.1 厘米，印纽高为 2.8 厘米，纽呈梯形柱状。印纽左右两边，刻有阴文楷书为"正隆元年十一月，内少府监造"十二个字，柄端有一"上"字，印文为阴文汉书九叠篆"拽挞懒河猛安之印"八个字。中印为正方形，边长为 6.1 厘米。印文是汉书阳文九叠篆"应辨所印"四个字。没有"边款"。小印为正方形，边长为 5.8 厘米，柄端刻有一"上"字，印文汉书阳文九叠篆"盉烈可乌主谋克之印"九个字，并在印右边阴刻楷书"盉烈可乌主谋克印"。简报称，今德惠县大房身公社梨树园子大队的城子下古城址，是历史上金代上京路会宁府隆州所辖，这三方铜印很可能是城子下古城址的金代遗物，为金代猛安谋克制度的研究提供了极好的资料。

463.吉林九台卡伦金代窖藏铜钱

作　者：谷　潜
出　处：《文物》1985 年第 1 期

1982 年 6 月底，吉林九台县卡伦公社十里生产大队农民在翻地时，发现一批金代窖藏铜钱。考古人员进行了考察，并将这批铜钱入藏。简报配以照片予以介绍。

简报介绍，这批铜钱总重 160 余公斤，31180 枚。铜钱保存较好，字迹清晰，内涵丰富，是吉林省博物馆历年入藏出土古钱中较好的一批。

简报推断，这批金代窖藏铜钱以"大定通宝"的时代为最晚，其埋藏时间可能就在金大定二十九年（1189 年）前后，距今已近 800 年。

简报称，这批铜钱有广穿"宋元通宝"和折二"靖康元宝"两枚钱币史上少见的古钱，不仅丰富了馆藏，而且为研究中国货币史和宋金贸易等提供了实物例证。

464.吉林省德惠县天台乡出土"都提控印"

作　者：邹世魁
出　处：《考古》1985 年第 11 期

吉林省德惠县天台乡附近的天台古城址内外，散布着不少金代的布纹瓦、乳白釉瓷片和灰色大卷沿陶器口沿等残片。近年来，由于农民在这座古城内种地，发现一枚金代的"都提控印"。此印为汉文篆刻。略呈正方形。纽呈梯形柱状，无边款。"都提控印"为金代统兵之武职官印。简报配以拓片予以介绍。

据介绍，今德惠县天台乡的天台古城址，在历史上隶属金代上京路会宁府隆州，简报推断这方铜印很可能是天台古城址的金代遗物，它为研究金代"都提控印"提供了实物依据。

465.吉林省德惠县发现辽金时期银质符牌

作　者：长春市文管会　邹世魁
出　处：《文物》1986 年第 5 期

德惠县大房身乡梨树园村有一处辽金时期的古城遗址，占地约 18 万平方米，出土过新石器时期的陶器。1980年，在这里出土了一块辽金时期的银质符牌。简报配以照片予以介绍。

据介绍，银质符牌呈扁长条形，四角圆弧，牌面有污锈，呈亮黑色。长21.5厘米、宽6.4厘米、厚0.2厘米，重384克。上部有一突起的圆孔，外径2.2厘米、内径1厘米、深1.4厘米。穿孔之下牌面上有双勾阴刻女真或契丹文字三字。

简报称，这种银质符牌上的文字为女真或契丹字。这件符牌可能是宋人周辉和范成大记述的金代金银牌，或是《辽史》记载的契丹银牌。

466.吉林农安金代窖藏文物

作　者：吉林省博物馆、农安县文管所　张　英、王　则、樊远生、费晓军等
出　处：《文物》1988年第7期

1985年10月，吉林省农安县城建部门在北城施工时，在地表下2米处发现一处金代窖藏。出土遗物包括瓷器、陶器、玉器、铁器、铜器及钱币共130余件，主要置于一个瓷瓮和4个瓷罐中，部分遗物堆放在瓮、罐周围。简报配以照片予以说明。

据介绍，此处窖藏中的精品为白釉瓷器37件，应为金代定窑出品。简报称，这说明在经历了北宋末年的衰落后，至金世宗时定窑似乎又有一定恢复。此窖藏形成的年代，简报推断当在1178年之后，可能已进入金代末期。金末，蒙古南侵，辽东呈现封建割据局面，推想这一窖藏的形成与当时社会动乱有关。

467.长春市郊完颜娄室墓地考古新收获

作　者：刘红宇
出　处：《北方文物》1990年第4期

长春市郊三道镇丰产村石碑岭上的金代左副元帅、金源郡壮义王完颜娄室家族墓地，1912年曾被日本人盗掘，以后多有日本学者到此考察，并有文章发表。近年来，考古人员在墓地及附近的刘家炉、石头坑、后石碑岭一带进行了详细的考古调查。1988年6月对墓地作了清理发掘，发现了碑亭、被盗墓坑、石碑残块、墓前石雕残骸等一批遗迹、遗物。在旅顺博物馆及日本考古学杂志中查到了一批墓中随葬品。

简报分为：一、碑亭，二、亭址内遗物，三、石龟趺及其他石刻，四、墓葬及随葬品，共四个部分。有手绘图、拓片。

据介绍，墓地现残存石龟趺2尊，碑亭位于两侧大龟趺周围，龟趺附近还发现

大量石碑残块。简报推断，该亭址即为完颜娄室神道的碑亭。亭内发现有神道碑残块、建筑物件，在碑亭东北 45 米处，发现长方形土高竖穴墓 1 座。简报认为，此墓即为被日本人盗掘的完颜娄室墓，日本人从墓中盗得的陈列品曾在旅顺陈列，共计 32 件。

468.长春市石碑岭金代墓地发掘简报

作　者：长春市文物管理委员会办公室　刘红宇、安文荣
出　处：《考古》1991 年第 4 期

石碑岭位于长春市区东面 10 余公里，现属郊区三道镇丰产村刘家炉屯。岭南坡为金代左副元帅、金源郡壮义王完颜娄室家族墓地。1988 年 6 月 3 日至 17 日，为配合旅游部门对该墓地的修复工作，考古人员进行了清理发掘。

简报分为：一、地层与遗迹，二、随葬器物，三、结语，共三个部分。有拓片、手绘图。

据介绍，发现有碑亭遗迹，石碑仅存残块。此碑碑文被抄录在《柳边纪略》一书中，全文约 4000 字，详尽程度大大超过《金史》本传。据记载，完颜娄室墓地于清康熙年间在长春石碑岭被发现。当时墓地曾立有"完颜娄室神道碑"，并有石人、石羊、石虎、望柱等石雕。石碑早在清代后期就已不见，一尊石人在 20 世纪 30 年代曾被挪放于大连图书馆，其他石雕现均不知失落何处。墓葬于 1912 年被日本人盗掘，墓中盗得文物有银毛拔、银帽冠、玉柄铁刀、狮形装饰、荷花玉佩、骨带具等 12 件，现在旅顺博物馆收藏，另有金花饰、金银、金钳等 30 余件随葬品已不知去向。1912年日本人盗掘完颜娄室墓葬后，没有留下任何记录，关于墓葬形制、葬具、葬法、葬式等情况，后人一无所知。

简报称，通过此次发掘，了解到金代贵族墓的一些情况，即土坑竖穴，内有大块石板搭起的石椁，不用砖瓦砌筑等。对整个墓地的布局，墓葬、神道、碑亭的相对方向、距离等也都有所了解。

完颜娄室（1077～1130 年），字翰里衍，是金朝开国功臣，女真族著名将领，关于其人的生平，《金史·娄室传》中有记载。在灭辽、征宋等战争中，此人屡建战功，曾为黄龙府万户，并亲自率军俘获辽主天祚帝，攻山西、战河南、进陕西，在太原、凤翔、延安、富平等几次战役中，攻必克，战必胜，金睿宗称赞他"虽古名将何以加也"。金天会八年（1130 年）病死于军旅之中，金皇统六年（1146 年）被追封为莘王，后改赠金源郡壮义王。

469.吉林省德惠县后城子金代古城发掘

作　者：吉林省文物考古研究所、长春市文物管理委员会办公室
出　处：《考古》1993 年第 8 期

后城子古城位于德惠县布海乡后城子屯西北约 0.5 公里，古城周围地势较为平坦，东面有饮马河自南向北蜿蜒流过，西部是较为开阔的沼泽地。1987 年 5～6 月，考古人员在此进行了发掘。简报分为五个部分予以介绍，有手绘图。

据介绍，古城平面略呈方形，东墙长 240 米、南墙长 228 米、西墙长 235 米、北墙长 223 米，周长 926 米，是个小城。城墙为夯土筑成，残存高度 3～5 米，宽 6～8 米。城墙四角各设一角楼，虽已遭破坏，大致轮廓依稀可辨，直径约 24 米。南墙偏东置一门，门宽为 14 米。城外四周有一道护城壕，壕宽 6～8 米。城内已垦为耕地，其中东部地势较高，西部较为平坦，地表散布零星的砖、瓦、瓷片，多集中于东部，这里可能是当时人们活动的主要场所。古城址内出土的大批遗物可分为瓷器、铁器、铜器、石器和骨器。简报推断为金代古城。

470.长春市郊南阳堡金代村落址发掘

作　者：吉林省文物考古研究所　庞志国
出　处：《北方文物》1998 年第 4 期

南阳堡金代村落址位于吉林省长春市区西南约 15 公里的大屯镇南阳堡屯与刘家屯之间。遗址地处高出地表 5～7 米、呈东北走向的漫岗上，漫岗面积约 1500 平方米。地表散布许多金代瓦砾及陶、瓷残片。岗地周围是平坦的耕地。1994 年 5 月，为配合高速公路建设进行了发掘。简报分为：一、遗迹，二、遗物，三、结语，共三个部分。有照片、手绘图。

据介绍，面积 800 平方米，发掘出房址 4 座，灰坑 6 个。出土器物有陶器、瓷器、铁器、石器、骨器等 200 余件。

据介绍，南阳堡村落址遗物丰富，是研究金代女真人经济状态的重要资料。遗址中出土的石臼、石磨是加工粮食的工具，铁镞是征战的武器，也是猎取动物的重要工具。从出土的猪骨、牛骨、鹿骨、狍骨看，当时应以农业为主要经济并有一定饲养业和渔猎业。从发掘的情况看，该遗址房址密集，排列有序，房址结构复杂，火炕形状已固定。这反映出女真人在房屋的建筑上，已初步形成了具有本民族特点的建筑风格。房址大小不一，从 20 平方米至 60 平方米不等，显示出贫富、贵贱的不同。遍及房址周围的灰坑及大量的生活用具，说明当时人们已长期居住，形成村落。南阳堡金代村落址整个面积应有几千平方米，是以往发现的金代遗址中面积较大的。遗址的地表到

处是经火烧过的红烧土、木炭、陶片、瓷片、瓦砾，有些器物明显看出是人为故意毁坏的。不难看出，此遗址曾遭到一次人为的浩劫或者毁于一场战争。

471.吉林德惠市城岗子金代古城发掘简报

作　者：吉林省文物考古研究所　刘景文、何　明
出　处：《北方文物》2000 年第 3 期

为配合长春至榆树高速公路建设，1998 年 10 ~ 11 月初，考古人员对城岗子古城进行了抢救性发掘。城岗子古城位于德惠镇东北 26 公里的菜园子镇菜园子村北 0.7 公里的一条东西走向的漫岗上。简报分为：一、遗迹，二、遗物，三、结语，共三个部分。有手绘图。

据介绍，该城保存状况很差，东城墙基本无存，其他三面城墙也仅存高约 1 米、宽 3 ~ 7 米的一道土棱，城门、城墙上的设施及城内的遗迹分布已无法辨识。仅大致测得：城址略呈不规则长方形，南墙长 236 米、西墙长 236 米、北墙长 210 米、东墙长 210 米、墙基宽 9 米。遗迹有建筑遗迹 1 处、灰坑 11 个。这次发掘共出土石器、陶器、瓷器、铁器、银器等 50 余件遗物。从出土的诸如石磨、石臼、陶瓮、陶罐、陶壶、陶塑、陶饰、铁锅、铁凿、铁刀、铁镰、铁锥、银钗等众多的生活用具、生产工具、工艺品等，以及出土的钱币和牛、马、猪、狗等多种动物骨骼看，这里当时生活着密集的人群，他们从事着农业、手工业、家庭饲养业等生产劳动。以出土较多的铁镰及城址的地理位置看，这应是金代为加强沿江防御而设置的小城。

472.吉林德惠市揽头窝堡遗址六号房址的发掘

作　者：吉林省揽头窝堡遗址考古队　宋玉彬、傅佳欣
出　处：《考古》2003 年第 8 期

揽头窝堡遗址位于吉林省德惠市边岗乡丹城子村揽头窝堡屯。该遗址地处松花江的两条支流伊通河与饮马河之间的一道狭长漫岗上，1983 年吉林省开展全省文物普查期间，发现并确认揽头窝堡遗址是一处以金代遗存为主的古代遗址，面积约 3 万平方米。为配合工程建设，考古人员于 1998 年 10 ~ 11 月、1999 年 4 ~ 7 月对该遗址进行了两期总计 4200 余平方米的发掘。1998 年度第一发掘区内清理的六号房址（编号为 98DLF6，下文简称为 F6）情况，简报分为：一、遗址地层堆积，二、F6形状与结构，三、F6 部分出土遗物，四、结语，共四个部分。有手绘图。

据介绍，文物普查时界定揽头窝堡遗址是以金代遗存为主的遗址，主要是根据

从遗址中获取的瓷器及其残片多呈金代风格和鲜见辽代特点而加以确认的。揽头窝堡遗址是一处同一时期单一文化堆积的遗址。在所揭露的房址中，其建筑用砖多为二次利用的残损旧砖。鉴于揽头窝堡遗址的东北部直接毗邻双城子城址，简报推测这些旧砖源自废弃后的双城子城址，年代上应相对晚于该城址。F6 是一座结构比较完整、出土遗物较多的房址，在一定程度上体现了揽头窝堡遗址的文化内涵。

F6 房址的结构及出土遗物的形制显现出诸多金代特点，结合正在整理中的揽头窝堡遗址其他资料，简报初步推断，该遗址年代为金代晚期。

简报称，根据 F6 的规模与出土遗物情况，简报推测此建筑非普通民居，其性质有待于进一步研究。

473.吉林省德惠市朱城子七队遗址发掘简报

作　者：吉林省文物考古研究所、德惠市文物管理所　李　丹、张　哲、佟有波、
　　　　高秀华

出　处：《北方文物》2009 年第 3 期

德惠朱城子七队遗址位于德惠市西南的朱城子镇万发店村七队，为配合哈（尔滨）大（连）高速铁路建设，2008 年 8 月 30 日，考古人员对其进行为期一个月的抢救性发掘，发掘面积 500 平方米，清理出灰坑、灰沟及灶址等 19 处遗迹，其中灰坑 10 个、灰沟 7 条、灶 2 个，出土文物 38 件，经研究确定该遗址为一处性质单一的金代遗存。简报分为：一、遗迹，二、遗物，三、结语，共三个部分。有手绘图。

据介绍，此次发掘范围基于铁路建设，不是遗迹最为集中的区域，发掘出土的陶器多为残片，可辨认的器型为瓮、罐、盆类的盛储器。从残片看，以泥质灰陶为主，陶片以素面为主，占总数的 70%。当时居民的日常生活用具应以陶器为主。从遗址的灰坑、灰沟中出土的动物骨骼分析，种属有家养的猪、羊、马、牛等中型哺乳动物，其中猪是主要饲养的动物。简报认为，虽说受发掘范围限制未见房址，但仍可肯定此处是金代一处普通居住点遗址。房址应该就在发掘地点附近。

474.吉林省德惠市李春江遗址发掘报告

作　者：吉林省文物考古研究所、德惠市文物管理所　梁会丽、孙东文、于　丹、
　　　　杨　春、张　哲

出　处：《北方文物》2009 年第 3 期

李春江遗址位于吉林省德惠市米沙子镇李春江屯，时代在金代中期前后。遗址

内发现有房址、灰坑等各类遗迹 40 余处，出土石器、陶器、瓷器、铁器、骨器、铜钱等各类遗物 300 余件。房址均为带有取暖设施火炕的长方形建筑。灰坑形制各异，坑内包含物较少，往往夹杂大量红烧土颗粒。此外，遗址内还见有大量牛、马、猪、狗等家养动物骨骼遗存。简报分为：一、地层堆积，二、遗迹，三、遗物，四、结语，共四个部分。有手绘图。

据介绍，李春江遗址位于吉林省德惠市米沙子镇西南的李春江屯，东北距德惠市 50 公里。遗址出土陶瓷器完整器较少，多为残片，陶器以形体较大的罐、盆、瓿等生活用具为大宗，为典型的辽金时代器型。遗址出土大量不同形制及功能的铁器，这些铁制品既有铸铁件，也有锻铁件，种类和数量都比较丰富。出土的铜钱中除见有极少量汉、唐、后周钱币外，绝大多数为北宋铜钱。该遗址内房址规模不大，但比较集中，由于保存状况较差，已无法确知其具体建筑形态，从残存的地下部分来看，均为带有较为成熟取暖系统的土质建筑，这是定居村落出现的反映，但同时还发现了较多的露炊遗迹，又反映出他们还保留有一定的随地而炊的习俗。从大量碳化粟、黍等农作物遗存以及出土的臼、件、磨盘等石器判断，该地区农业已有所发展，但极少发现用于农业生产的铁质工具，这又反映出该地区农业发展水平的局限性，农业是否已成为其主要的经济形态尚不能确定。遗址中出土大量牛、猪、狗、马、羊等家畜骨骼，且以牛与猪数量为大宗，可见畜牧业在当时已较为成熟，可能是其主体经济形态。由于牛与猪的移动性较差，它们的大量饲养也反映出该地区畜牧业的游动性较小，这同样也是他们处于定居状态的反映。此外遗址中还见有相当数量的鱼骨、蚌壳、螺壳等水生动物遗存，说明渔业在当时的经济形态中也起到了一定的补充作用。简报推断，此处应为金代中期前后一处平民居住遗址。

475.吉林省农安草房王遗址发掘简报

作　者：吉林省文物考古研究所、农安县文物管理所、德惠市文物管理所
　　　　徐　坤、聂　勇、吴铁军、邢春光、刘全乐
出　处：《北方文物》2009 年第 4 期

草房王遗址是吉林省农安地区较为重要的一处辽金时期遗址，北距农安县城（辽代黄龙府，金代济州后改隆州）仅 10 余公里，2007 年 5～6 月，为配合公路、水利工程，考古人员进行了抢救性发掘，发掘范围处于遗址堆积的边缘区域，通过发掘可以认定该遗址主要体现出金代的典型文化面貌，在很大程度上还存在辽代文化的影响，不排除在遗址中心区域发现辽代文化堆积的可能。简报配以手绘图予以介绍。

据介绍，草房王遗址堆积较为丰富，出土器物多为残片，遗址内出土的瓷器以本地烧制的白瓷为主，器物施釉不及底，内底部可见支钉痕迹，具有典型金代瓷器的特点。从出土的大量器物残片可以看出，其生产生活水平较高，遗址出土的遗物以陶器、瓷器、农具、网坠等生活、生产用具为主，建筑材料以布纹瓦为主，不见高等级的建筑构件。简报推测该遗址为金代一处普通平民的居住址。

476.吉林省德惠市迎新遗址考古发掘报告

作　者：吉林省文物考古研究所、德惠市文物管理所　王志刚、夏　勇、徐　坤、刘浩宇、刘全乐
出　处：《北方文物》2009 年第 4 期

德惠市迎新遗址位于德惠市区西约 1.5 公里处，是哈大高速铁路工程建设项目用地，2008 年 7～10 月考古人员对其进行了发掘。发掘面积 1422 平方米，清理灰坑、灰沟、灶址等遗迹 17 个，出土陶器、瓷器、铜器、铁器、石器、骨器等各类遗物 114 件。经发掘确认，遗址为一处单纯的金代居住遗址。遗址出土的双鱼水草圈带镜，是近年来吉林省经考古发掘获得金代遗物中罕见的精品。简报分为：一、布方情况和地层堆积，二、遗迹，三、出土遗物，四、结语，共四个部分。有照片、手绘图等。

此次发掘共出土陶器、瓷器、铜器、铁器、石器、骨器等各类遗物 114 件。其中以陶器数量最多，共收集 52 件，依功用可分三类：日用陶器，砖、瓦类建筑构件，陶质工具。其次为铁器，其余器类数量较少。遗址发掘范围内遗迹稀疏，仅见灰坑、灰沟、灶址，未见房址，可见发掘区内并非当时人类活动的中心区域。遗址出土遗物数量较少，且多残损严重，大量遗物棱角圆缓，堆积混乱，可能与后天自然力的风蚀、水流作用有关。

吉林市

477.吉林永吉县出土金代双鲤铜镜

作　者：董学增
出　处：《文物》1979 年第 8 期

1978 年春，永吉县黄榆公社大半截河四队农民在耕地时发现一件铜镜，由吉林

市博物馆入藏。

这件铜镜为黄铜质地，镜面磨光。镜边篆刻"上京巡院正"铭文。另外，还有"金成县晉"刻文，笔迹潦草，似为当年保存者所刻。

从这件铜镜的铭文、花纹和形制看，简报推断当为金代之物。金是女真人建立的国家（1115 ～ 1234 年）。"上京"即会宁府。会宁府在今黑龙江省阿城县南。今吉林市在金上京路会宁府的南境。"巡院"与"警巡、市令、录事、司候"等皆为"厘务官"。"金成县"当为"金城县"，是金代西京路德兴府应州下属的一个县，故城原在山西应县。"晉"为保存者的押号。

478.吉林市郊发现的金代窖藏文物

作　者：吉林市博物馆　董学增
出　处：《文物》1982 年第 1 期

1975 年 7 月，在吉林市郊江南公社荣光大队出土一对扣置的大铜锅。锅中装有大量铜铁器物。这批文物已由市博物馆收藏。简报分为：一、窖藏情况，二、出土文物，三、几点认识，共三个部分。有拓片和照片。

据介绍，窖藏地点在江南公社松花江北岸的冲积平原上，北距市中心区约 5 公里，南距松花江 300 米。1949 年前，沿江一带还有一段几十米长、数米宽的土墙基，墙基附近还有两处建筑遗址，至今尚存数块础石。据当地群众反映，在窖藏四周 1 公里左右范围内，1949 前曾出土过数百枚宋代铜钱，十几个骨灰罐，以及锄刀、铠甲、铁刀、马健等。1949 年后，在窖藏西面的水沟里，还拣到一些铜钱。这次考古人员实地勘察，在窖藏东南也拣到一枚北宋"元丰通宝"。窖藏出土文物共 56 件，分为铜器、铁器两大类。铜炊器底多数有黑烧灰，大铜锅上有铭文，简报判断这件铜锅是天辅三年（1119 年）以后铸造的。这批文物的铸造和使用年代当在大定十一年（1171年）之前。

简报称，这批文物反映了金初吉林省中部地区女真人的生产和生活状况，证明了汉族文化对女真族的影响。

479.吉林蛟河发现元八思巴文铜印

作　者：吉林市博物馆　董学增
出　处：《文物》1982 年第 3 期

1976 年，蛟河县天岗公社前进大队农民在农田中发现元代八思巴文铜印。铜印现藏吉林市博物馆。简报配以照片予以介绍。

简报介绍，铜印正方形，印正面刻八思巴字篆书五行。印背右侧刻有与印文一致的汉字："海西辽东道宣慰使司都元帅府照磨印"，印背左侧刻"中书礼部造至正元年十月"。简报称，铜印印文"海西辽东道宣慰使司"一称，不见于《元史·百官志》。而《元史·地理二》中"山北辽东道肃政廉访司"之下则有开元路、咸平府俱"隶辽东宣慰司"的记载。据此，简报认为"辽东宣慰司"可能就是至元二十年所立之"海西辽东提刑按察司"，亦即印文"海西辽东道宣慰使司"的简称。

简报称，蛟河县旧称额穆县，元代位于开元路与海兰路的交界处。当时张才岭以东属海兰路，岭西属开元路，发现铜印的天岗公社恰在岭西蛟河至吉林之间。

480.吉林桦甸出土金代窖藏铜钱

作　者：吉林市博物馆　张立明
出　处：《文物》1985 年第 1 期

1982 年春，桦甸县木其河公社四道沟大队农民在獾子洞沟自留地平整土地时发现铜钱一百余公斤。其中最早的为西汉"五铢"，最晚的是金"大定通宝"。铜钱原盛在一个长方形木箱里，用麻绳串联着。麻绳和木箱已朽烂。简报配以照片予以介绍。

简报称，在这批铜钱中，以北宋钱为多，占 90% 左右。由于在这批铜钱里尚未见到明昌以后的钱，简报推断埋藏时间应在金章宗明昌五年（1194 年）之后不久。

481.吉林省饮马河沿岸古文化遗存调查简报

作　者：长春市文物管理委员会　刘红宇
出　处：《考古》1986 年第 9 期

饮马河源于吉林省盘石县呼兰岭，经双阳、永吉、九台、德惠等县，至农安县靠山屯汇入松花江。1980～1984 年，考古人员对饮马河的德惠、九台、双阳段进行了较为详细的考古调查，发现了新石器时代至辽金时代的古文化遗存多处。七处具有代表性的文化遗存简报分为：一、上游地区，二、中游地区，三、下游地区，四、结语，共四个部分。其他处遗存列表于后，有手绘图。

据介绍，以上几个遗址、墓葬大致可以划分为四种文化类型，代表着饮马河沿岸辽金时代以前不同阶段的几种主要文化面貌。

482.吉林舒兰县古界壕、烽台与城堡

作　者：景　爱、董学增
出　处：《考古》1987年第2期

1984年春夏，吉林地区文物普查队舒兰分队，在舒兰县西部地区发现古界壕一条、烽火台两个、堡寨三座、城址两座。简报配以照片、手绘图予以介绍。

据介绍，界壕分布在第二松花江右岸的溪河乡，呈东南—西北走向。它的起止是：从溪河乡双印通古城起，经敖花东山头、孔屯与二道村中间的山岭，到溪河与二道乡交界处止，全长计12公里许。现在这条界壕的西半部（约6公里）已被夷为耕地，只有东半部（约6公里）因建造在山上，保存尚好。据当地雷老介绍，西半部界壕遗迹在1954年前还清晰可见，其具体走向是：由敖花东山头往西，通过双印通村南，再往西北约1公里许到张家莹（坟地），再往西北约0.5公里，从徐家坟和马家坟中间穿过，跨过吉榆公路到双印通古城的东北角截止。烽台即烽火台，在舒兰县境内共两个，与界壕分布在一条线上，均为辽国防御女真人的戍边设施。附近的五台山堡寨、小城子山堡寨、黄鱼圈珠山堡寨、双印通古城和嘎呀河古城，当是在辽圣宗时代所筑的边防城堡，分布在溪河界壕沿线上。平时士兵屯于城内，或到界壕中防御，必要时在烽火台上燃起狼烟，可使远近戍卒百倍警惕来犯之敌。后来金人又曾延用这些设施。

483.吉林桦甸出土金代刻款铜镜

作　者：董学增、高素心
出　处：《文物》1988年第7期

1982年4月，在吉林省桦甸县常山西大顶子农田中，出土一面铭文神兽加刻款铜镜，现由吉林市博物馆收藏。简报配以拓片予以介绍。

据介绍，这面铜镜为正圆形，呈铅灰色。镜面微鼓，背面中心为半球形纽，纽外浮雕神兽图案。神兽头上有角，身上有鳞，尾端有毛，似在水中遨游。其外是一周铭文带："青盖做竟四夷服，多贺国家人民息，胡虏殄灭天下德，风雨时节五谷熟，常保二亲得天力。"再外饰一周栉齿纹。外区花纹为锯齿纹和水波纹。镜面左侧边缘阴刻"济州禄事完颜迅"七字，前六字为行书，后一字似为"通"字。

此镜的形制、花纹有东汉特征，但铭文模糊，花纹草率，似为后代仿制。

镜面"济州禄事完颜通"是金代加刻的官家签押。签押上的"济州"当指现在的吉林省农安县，这里辽代称黄龙府，金天眷二年（1139年）改称济州，至大定

二十九年（1189 年）因与山东路济州同名，又改名为隆州。"录事"为金代诸府节镇下所设录事司的正八品官，职掌与诸京警巡使同。"完颜"为金代女真族姓氏之一。最后一字似为押记，但与姓氏连在一起，作名字解释可能更为妥当。简报推断铜镜当在大定十一年（1171 年）之后，二十九年（1189 年）济州改称隆州之前。

484.吉林永吉县出土窖藏铜币

作　者：尹郁山
出　处：《考古》1988 年第 2 期

1984 年 10 月，永吉县乌拉街满族自治乡大郑村农民康成印挖菜窖时，在距地表 0.5 米许处发现一件六耳铁锅，内盛铜钱 65 公斤。县文物管理所闻讯后，派考古人员前去调查和征集。对其中 15 公斤进行了整理，共 2480 枚。简报配以拓片予以介绍。

据介绍，经过整理，汉代货币 5 枚。其中"五铢"钱 5 枚，可分三式。此外，尚有新莽时期的货泉 1 枚，唐代货币 76 枚，其中开元通宝 68 枚，可分五式；乾元重宝 8 枚。五代十国货币 26 枚，其中唐国通宝 15 枚，后周的周元通宝 11 枚。宋代货币 2366 枚。太宗时期的太平通宝 82 枚，淳化元宝 70 枚，至道元宝 80 枚；南宋货币 257 枚。金代的货币有海陵王时期的正隆元宝 7 枚。

简报称，这批钱币的铸造时间，上起汉代中期，中经唐、五代十国，直至宋、金，从年代来看既久远而又连贯。其钱型多达 40 余种，60 余式。其中一显著特征，系宋代货币居多。尤其是两宋货币中几种造型别具一格的花形内廓钱极为少见，堪称精品。其钱文真、草、隶、行、篆几种书体，也较为全备。这批铜钱较以往出土的同类窖藏，也较为丰富。

依据储藏工具特征和所窖藏钱中最晚者综合分析，简报推断这批铜钱当属金海陵王时期当地屯驻的女真人私藏品。

485.吉林永吉旧站金代墓调查简报

作　者：永吉县文管所　尹郁山
出　处：《北方文物》1989 年第 1 期

1987 年 10 月 13 日，吉林省永吉县乌拉街满族镇旧站村村民，在村后松花江畔挖浆石时，发现一座古墓并获得随葬品 11 件。考古人员曾两次派人进行调查和征集，确定系金代墓葬。有关情况简报配以手绘图予以介绍。

据介绍，旧站古墓紧依江畔，附近东至东北、东南至南四面，金代城址计 7 座，这些城址除旧街"乌拉古城"属于金代行宫庙址外，余者均为金代猛安谋克制度下的产物。在古墓左近的高屯、大常、西杨木等地，曾出土过大量的金代铁制生产工具、铁兵器以及货币等，简报认为由此表明女真人在此地已过着定居生活，而旧站古墓墓主的族属当是女真人无疑。他们可能是镇守松花江流域，并过着"亦兵亦农"生活的披甲士卒。简报称，面积约3000平方米的旧站金代墓群的发现，为研究东北地区女真族的初期社会形态等诸方面问题，提供了宝贵的实物资料。

486.辽阳等处打捕鹰房红花总管府印

作　者：董学增、董朝权

出　处：《文物》1993年第3期

1988年5月，吉林省蛟河市青背乡东升村黄地沟屯一农民在水田中拾得一方元印。后由蛟河市文物管理所征集并提供给吉林市博物馆入藏。简报配照片予以介绍。

据介绍，此印为黄铜质。印面呈正方形，边长7.5厘米、印厚1.5厘米。代纽，高6厘米。印面为八思巴字阳文篆书"辽阳等处打捕鹰房红花总管府印"14字。印背有较深的沙眼，磨光后在纽两侧刻阴文行书汉字；右侧款为印文的汉字对文，左侧款为"中书礼部造""至顺二年四月　日"。纽顶镌刻汉文"上"字。

简报称，放鹰捕猎是蒙古族统治者喜爱的活动。从中央到地方都置有专门的行政机构——"打捕鹰房总管府"，各鹰房都统辖一定的官捕户。《元史·兵志》"鹰房捕猎"条有详细的记载。据此条所记，打捕鹰房依其归属可分三类：御位下的打捕鹰房，其官多世袭，鹰房多设在大都等腹里之地；诸王位下的打捕鹰房，实际只有汝宁王和普赛因大王位下有设置；路、府、州、县所设鹰房，遍布全国。此外，"宣徽院管辖淮东淮西屯田打捕总管府司属打捕衙门"也辖有捕户。所谓"红花总管府"，或为"达鲁花赤总管府"的简称或别称。"达鲁花赤"系官名，元时多数行政机关及路、府、州、县均设达鲁花赤，主要由蒙古人充任，亦常参用色目人，以掌印办事，把握实权。

"辽阳"当指辽阳路，其辖境约当今辽宁省辽河下游以东、太子河以南和阜新、彰武、新民等市县。辽阳、大宁同属辽阳行中书省。"至顺"为元文宗图帖睦尔年号，至顺二年为1331年。

简报称，蛟河市地处元辽阳行中书省开元路咸平府东北，此印在这里发现，可能是明军攻陷辽东地区后，辽阳路官吏逃跑时携带至此。

487.吉林市郊红旗果树场遗址发掘简报

作　者：吉林省文物考古研究所　庞志国
出　处：《北方文物》2001 年第 3 期

为了配合吉林市外环公路建设，考古人员于 1999 年 6 月 1 日至 7 月 20 日对吉林市西南 4 公里处正在修建的外环公路穿越地段的红旗果树场内的遗址进行了考古发掘。发掘面积达 600 平方米，发掘西团山文化类型房址 1 座，金代墓葬 1 座。简报分为：一、地理位置，二、房址及遗物，三、墓葬，四、初步认识，共四个部分。有手绘图。

据介绍，红旗果树场遗址位于吉林市西南 4 公里一个南北走向的山岗上，山岗东 1.5 公里为松花江。房址为半地穴式，圆角长方形，南北长 6.8 米、东西宽 4.2 米。未见门与柱洞。距房址东墙不远处发现了用于保存火种的两个火塘，由 4 块齐整的石块摆放而成，呈长方形。在房址内出土了陶高、陶罐、石斧、石刀、石镞、石球等遗物。金代墓葬为两个对扣陶盆，内有骨灰。

简报推断，此次发现的西团山遗存应属西团山文化中晚期，大致相当于中原地区战国晚期。金代墓葬无任何随葬品，应为金代晚期贫民墓葬。

四平市

488.吉林梨树县偏脸古城复查记

作　者：吉林省文物管理委员会　段静修
出　处：《考古》1963 年第 11 期

1956 年吉林省文物管理委员会对古城进行过一次调查，从 11 月 15 日开始到 21 日结束。简报分为：一、古城概况，二、遗物，三、结语，共三个部分。有手绘图。

据介绍，偏脸古城位于四平市西北约 22 公里。乘汽车到梨树县，出县城向北，即可望到一条东西向的山岗。山岗东起青石岭，西到大夫岭，绵亘 10 余公里，岗之南北两面为开阔的平原。再步行约 4 公里，有一条由东向西流的小河，即招苏太河。过河后不远即到偏脸古城。偏脸城四墙全长 4318 米，除南墙外大部保存完好。墙一般高 5～6 米，最高达 7 米以上，全部为夯筑。遗物有瓷片、砖瓦、铜人、铜鱼、铜鸡、铜钱等。大部属金代遗物。简报怀疑此城为辽金时的招苏城，又怀疑是金的韩州城。该城似被焚毁，元代已废弃，明清时又有人来重新开发。此时全城已毁，只剩四墙遗迹，城内已成耕地。

489.吉林怀德秦家屯古城调查记

作　者：陈相伟

出　处：《考古》1964年第2期

1962年，考古人员对秦家屯古城进行了调查。简报分为：一、位置与形制，二、遗物，共两个部分。有手绘图。

据介绍，秦家屯在1949年前名新集城，位于怀德县（今公主岭）西北部，距离县城约45公里，古城即在秦家屯东南约0.25公里处，是金代由北宋京城出使金上京会宁府（今黑龙江阿城县之白城）陆路上的必经之地。古城大体呈一长方形，城垣除西墙南段有228米已遭到破坏外，其他三面保存尚好。根据实测结果：东墙长1028米、西墙长1007米、南墙长672米、北墙长673米，全城垣总计周长为3380米。四面各开一门，门外均有瓮城，四角均有角楼。

秦家屯古城的遗物是丰富的。1949年前城内常出土铜钱、铁箭头、铁甲片等。在1957年、1958年两年之间，更有大量的文物出土，有象牙筷子、石磨、石狮、铁刀和瓷器等。在城内大土包东北约50余米的地方，还曾经挖出过两大缸铜钱。此次发现大量瓷器、铜器、铜造像等。此古城的年代，简报推断为辽金时期。

490.吉林双辽县发现两座辽墓

作　者：王　建

出　处：《考古》1983年第8期

双辽农场西南距双辽县城45公里，其东北5公里处是大哈拉巴山。山的东南麓有一采石场，古墓地就坐落在采石场南约200米的地方，再往南50米为一条东西向的公路。两座墓葬并排排列，一东一西，相距10.5米。1980年5月中旬，采石场搬运石料时压陷了地面，发现了古墓。考古人员对两座顶部已塌的古墓进行了调查清理。可是，两座墓葬的墓室已经被当地百姓扰乱了。依清理的先后顺序，其编号西侧为M1，东侧为M2。简报配以拓片、手绘图予以介绍。

据介绍，两墓均为砖室墓。M1未见葬具，只有一具人骨架及陶罐、瓷碗、骨器等4件随葬品。M2也未见葬具，只有一具人骨架，头骨在尸床的东侧，整个骨架都已被扰乱，因而葬式不明。随葬品也被扰乱了位置，出土有陶罐、骨刷、骨簪、铜钱等6件随葬品。简报称，此两墓应为辽代晚期小型砖室墓。宋人沈括《梦溪笔谈》记载，"契丹坟墓，皆在山之东南麓"。上述的两座墓葬，就皆在山之东南向阳坡地上。

491.吉林双辽县高力戈辽墓群

作　者：吉林省文物考古研究所
出　处：《考古》1986年第2期

1982年4月11日，在双辽县王奔公社光明大队高力戈屯西南0.5公里修建砖厂取土时，在距地表60厘米处发现古墓。开始误认为是近代无主墓，当意识到是古代墓葬时，已破坏了16座。经调查证实，这是一群辽代小型墓葬。考古人员进行了抢救性的清理。从4月13日开始至20日结束，历时8天，共清理古墓15座，出土随葬品32件。简报分为：一、地理环境与墓葬分布，二、墓的形制与结构，三、随葬品，四、结语。共四个部分予以介绍，有手绘图等。

据介绍，这次清理的15座辽墓，可分为两大类：一类是砖室墓，一类为土坑墓。其中砖室墓仅5座，余10座为土坑墓，均为辽墓，应是辽代一家族墓地。土坑墓，坑穴都比较浅小，几乎无随葬品，只有祭祀用的小陶罐，或身边随葬一把木柄小铁刀。砖室墓也同样，虽然墓室以砖砌造，但墓室矮小，随葬品也较少。所以，从其规模小、随葬品不多来看，应是平民的墓葬。M1比其他墓大，而且讲究些，墓主应是这一家族墓地中地位比较高的人。从土坑和砖室的夫妻合葬与母子合葬墓中，可以看出妻死从夫，夫右妻左，夫妻合葬；子死从母，子右母左。总而言之，男右女左，以右为大。M11为一男性单人土坑墓，从其墓坑的大小和死者安葬上可以看出，在作墓穴时，就准备葬夫妻，而夫先死，葬之右面，左面留给妻子安葬，结果左边空留呈一个二层台状。M4与M8未见骨架，但有祭祀的陶罐，参照上述现象，推测应为迁葬墓，很可能为女性的土坑墓，在夫死后迁出与夫合葬。这种夫妻合葬的形式，在辽代中晚期普遍存在。

492.吉林双辽电厂贮灰场辽金遗址发掘简报

作　者：吉林省文物考古研究所、四平市文管会办公室、四平市博物馆
　　　　刘景文、王　青、赵殿坤、李矛利
出　处：《考古》1995年第4期

双辽电厂贮灰场位于双辽县城西南约11公里，那木乡的乌兰吉与种马场（道班）两个自然屯之间，其东2公里为双辽通往哲盟的公路。为了配合国家重点工程双辽电厂的建设，考古人员于1992年、1993年连续对贮灰场内两处保存较好的遗址进行了较大规模的发掘。考古人员将这两处遗址分别定为第Ⅰ地点和第Ⅱ地点。第Ⅰ地点位于贮灰场西北部一条大沙岗的东南坡地上，第Ⅱ地点位于贮灰场东南部一条大沙

岗的东南坡，两地点相距约 2 公里。共清理房址 8 座，露炊遗迹 2 处，灰坑 11 个，灰沟 2 条。出土器物 400 余件。

简报分为：一、地理位置及工作概况，二、地层堆积和遗迹，三、遗物，四、结语，共四个部分。有手绘图。

据介绍，8 座房址，大的 110 余平方米，一般为 30 ～ 40 平方米，不甚坚固，墙无地基。可能是一种临时建筑，上以蒙古包式帐篷为"屋顶"。但室内有火炕。简报推断该遗址为辽金时代遗址。

简报称，从房址看，规模较大，房址中设置灶台、火炕、烟囱等，这说明辽金时期契丹、女真人虽为游牧民族，但随着历史的发展，中原汉民族的生活器具如瓷器、钱币乃至生活习俗不断传入，从不甚坚固的墙基及露天炊灶遗迹看，又反映出这个民族仍保留着随地为炊的习俗，特别是在温暖的季节，而且也反映出其定居的短暂性、迁徙的经常性。从遗址中出土较多的牛、马、羊、猪、狗、狍遗骸及陶网坠分析，畜牧业和渔猎业应是当时的主要经济活动。值得注意的是，在 93HF3 室内外均出土完整的家犬头骨，说明狗在主人的生活中占有相当重要的地位而成为其心目中的宠物。至于石杵等农业用具的发现，固然说明农业的存在，但似不占经济的主要地位。简报指出，这批资料对于辽金经济、文化的发展和建筑技术的研究都具有重要意义。

493.吉林省公主岭市永青辽墓清理报告

作　者：吉林省文物考古研究所、公主岭市文物管理所　李　东
出　处：《北方文物》2006 年第 3 期

吉林省公主岭市永青辽墓地处吉林省公主岭市桑树台乡永青七队，其西与双辽市双山乡鸭厂为邻，距鸭厂马队村约 50 米，处于一片杨树林地边缘。由于是当地村民挖坑积粪时发现，故已遭到人为破坏。考古人员于 2004 年 6 月进行了抢救性发掘，清理出砖室墓 1 座。

简报分为：一、地层堆积，二、墓葬的形状和结构，三、出土遗物，四、结语，共四个部分。有手绘图、照片。

据介绍，墓葬为土坑砖室墓，即先挖好土坑后，再在土坑内砌筑砖室墓穴而成。土坑平面呈"凸"字形，突出部分是在正方形的土坑东侧挖有一条长方形的墓道。正方形土坑边长为 3.3 米，可分为墓室、甬道、门楼三个部分。墓室为圆形券顶结构，其顶部穹隆已遭破坏。未见葬具，人骨散乱，因被盗仅见一件灰陶壶。该墓的年代，简报推断为辽代早期。

494.吉林省梨树县八棵树金代遗址发掘报告

作　者：吉林省文物考古研究所、四平市文管办、梨树县文管所　李　东、解　峰、
　　　　曲清海、姜文武

出　处：《北方文物》2009 年第 4 期

为了配合哈尔滨至大连高速铁路的建设，考古人员于 2008 年 7 月 22 日至 9 月 4 日期间对梨树县十家堡镇八棵树三队高铁线路涉及的古代遗址进行了正式考古发掘，共发现房址 1 座、防护沟 3 条、窖穴 3 个。简报分为：一、地层堆积，二、遗迹，三、遗物，四、结语，共四个部分。有手绘图。

据介绍，发掘中 F1 的"U"字形火炕形制与吉林德惠揽头窝堡金代遗址的 F6 中的"U"字形火炕如出一辙，可以充分说明史料记载中女真人"环屋做炕"的习俗。值得注意的是，八棵树遗址位于北高南低的岗上，在房址的东、北、西三面设有三道防护沟壕，顺应地势，可以在雨雪天气充分起到保护房屋基址的作用，东、西防护沟壕的南端是很深的渗坑，可以比较清楚地看到这样的特点。同时，这些沟壕也可以作为生活垃圾的堆放场地，改善居住环境。这在金代遗址中应该很有代表性。另外，八棵树遗址是一处新发现的遗址。而此次发掘在 F1 的东侧，还发现了一处灶址和 3 条烟道，因为征地条件的限制，无法具体发掘。但可以断定，在 F1 的东侧还有类似的房址存在，表明这里不是单一的一处房址，而应该是一个聚落址的局部。出土的陶器（其中有棋子 1 件）、定窑白瓷、铜钱、铁器、玉器等也表明此处应是金代居住址。

495.吉林双辽骆驼岭辽墓清理简报

作　者：段一平

出　处：《考古与文物》1983 年第 6 期

1973 年发现，1974 年清理，为一小型砖室墓，墓主人为一青年男性。曾被盗，劫余有陶器、瓷器、马具等。应为辽代中期一位小贵族的墓葬。

496.四平市石岭子城子山山城调查报告

作　者：梁会丽、隽成军、田永兵、魏佳明

出　处：《北方文物》2014 年第 1 期

石岭子城子山山城位于四平市东部的石岭子镇姜家洼子村后李家屯西北。为确

认该山城的结构和时代，自 2005 年起，考古人员多次对城子山山城结构进行实地调查，并于地表采集了大量遗物。2009 年，考古人员对其进行了重点复查，对该城进行了重新测量。此次测量结果与当地文物志所载出入较大。多次调查结果，简报分为：一、地理位置与自然环境，二、城墙结构与保存现状，三、城址内外现存状况，四、城内采集遗物，五、石岭子城子山山城性质、年代及历史价值，共五个部分予以介绍，有彩照、手绘图。

据介绍，四平市石岭子镇的城子山山城在 20 世纪 80 年代被发现后，一直被认为是渤海时期的城址。2005 ~ 2009 年，考古人员对该城址进行了多次调查和测量，明确了城址的基本形制。城内地表发现遗物较多，以瓦片、大型陶器残片和各类瓷器碎片为主，其中瓷器品类较多，以白地黑花瓷器及三彩和黑釉、酱釉瓷器为多。根据地表采集的遗物，简报推断该城址应为金元时期山城。

辽源市

497.吉林省辽源市出土一面辽代铜镜

作　　者：唐洪源
出　　处：《文物》1983 年第 8 期

1981 年，辽源市梨树公社农民在小城子古城内发现一面铜镜，简报配以照片予以介绍。

简报介绍，铜镜素面，半圆纽，有铭文"天庆十年五月记"及"高□"（后一字是姓高的铜匠铸镜后的戳记）。一侧边刻"朔州马邑县验记官"，另一侧边刻"□□验记官"。两侧边款"官"字下都刻有签押文字。天庆为辽末天祚帝的年号，天庆十年为公元 1120 年，距今已有八百多年。两侧的边款似为金代官方补刻。

498.吉林东辽县发现辽金文物

作　　者：辽源市文物管理所　唐洪源
出　　处：《考古》2001 年第 10 期

1993 年 4 月初，吉林省东辽县凌云乡三良村三组农民吴景文在大庙北沟小山包略低处耕地时，在黄土层中意外发现一批文物。考古人员对出土地点进行了调查。简报分为：（一）地貌及文物出土概况，（二）出土器物，（三）初步认识，共三个部分予以介绍，有手绘图。

据介绍，东辽发现的这几件器物，除铜匙具有较浓厚的契丹或女真族的文化特点外，其他均属金代遗物。鱼尾形长柄铜匙，其整体造型及鎏金纹饰均体现出东北地区少数民族的文化风格。简报认为这种较为精致的餐具目前所见极少，应为具有一定身份的契丹或女真贵族所有，其铸制的时间可能早至辽代，金代仍继续沿用。

简报称，东辽所发现的这几件较完整的文物，为进一步研究辽源地区辽金时代的文化特点增添了新的实物资料。

499.吉林东辽县尚志金代窑址的清理

作　者：辽源市文物管理所　唐洪源
出　处：《考古》2004 年第 6 期

1993 年 5 月，吉林省东辽县安石镇农民在春耕时发现一处古代窑址。考古人员前往该处进行调查，从现场和农民手中获取了已经被挖掘出来的几件完整陶器及一些残破陶器。6 月 29 ~ 30 日，对该窑址（编号为 Y1）进行了抢救性清理。简报分为：一、窑址结构，二、出土遗物，三、结语，共三个部分。有手绘图。

据介绍，窑址的规模较小，其顶部已经全部被破坏，窑内被破坏较严重，出土较多残陶器和土坯残块。窑内所出遗物全部为陶器。所有泥质陶罐胎中普遍含少量砂，烧造火候很高，质地坚硬。器表轮制痕迹明显。多数陶色较纯正，少数器表颜色深浅不一。有的胎色和器内的颜色与器表的颜色不同。主要器类有罐、灯、盆等。简报推断为金代晚期窑址。

通化市

500.吉林辑安县钟家村发现金代文物

作　者：吉林省博物馆辑安考古队、辑安县文物管理所
出　处：《考古》1963 年第 11 期

1961 年 5 月，辑安县城西北约 45 公里的清河公社农民犁地时，发现一口六耳大铁锅，锅内盛有大量的铁器和 2 件陶器。出土文物由辑安县文物管理所运回县城保管。

1962 年 5 月，考古人员前往出土地点进行调查。简报配以照片予以介绍。

据介绍，钟家村在辑安县清河公社东北的下三道葳子，村四周群山环抱，大苇沙河由南蜿蜒而来，环绕村东穿越北去。村西有一条往西北方向去的小路，直通一溪流峡谷，这条峡谷叫鹿圈子南岔沟，文物就出土在南岔沟南山坡下的耕地里。文物的放置位置出土时已被弄乱。据当地人讲，六耳大铁锅埋于距地表约 15 厘米的耕土中，锅内盛有铁制生产工具、生活用具及釉陶罐 1 件，罐内放置有盖陶壶 1 件和铜钱 5 枚（铜钱已遗失）。铁器有犁、锹、镰刀、斧、锛、凿、锯、刮刀等，简报推断为金代遗物。

白山市

松原市

501.吉林省扶余县的一座辽金墓

作　者：吉林省博物馆　匡　瑜
出　处：《考古》1963 年第 11 期

1958 年 7 月，吉林省扶余县东南 69 公里的西山下发现一座辽金墓。考古人员作了调查，并将出土的随葬品送到县里保管。1960 年夏天、1962 年 6 月，考古人员又作了调查并将县里保存的全部随葬品运送到省。简报配以手绘图予以介绍。

据介绍，该墓发现在离屯子东面断崖 200 米处，是一略高于地面的圆土包。封土呈锥形，葬具为石椁、木棺。石椁用花岗岩石板砌成，石灰勾缝。全椁共用 10 块石板，石椁内有木棺，已腐朽无存。椁内已淤有 38 ~ 45 厘米厚的泥沙土，死者骨骸及随葬品均被掩埋其中。此墓为单人葬，骨骸大部分腐烂，仅见头骨和 6 根肋骨、两根大腿骨。头侧向东，仰身直肢。随葬品比较丰富，在死者左肩侧有铁斧一、铁钳一、铁凿一、小铁锤一，在左手侧近木棺边沿有铁锅一、铁刀一及木杆铁箭、铁钩等，在肋骨稍下部位放有一枚"开元通宝"铜钱，在腰部有一金扣玉带和一对金环（已散乱），在腰部近右手处有一金装饰品。简报推断此墓为辽金时期墓葬。

502.吉林他虎城调查简记

作　　者：吉林省博物馆　李健才
出　　处：《考古》1964 年第 1 期

他虎城过去也叫塔虎城或塔呼城，坐落在吉林省前郭尔罗斯蒙古族自治县（简称前郭县）县城西北 50 公里的北上台子村，西北距大安县城（原大赉县城）10 公里。1958 年 4 月、1962 年，考古人员先后两次前往调查。简报介绍了相关的情况，有手绘图等。

他虎城保存比较完整，平面大致呈方形，正南北向，北墙长 1322 米、南墙长 1262 米、东墙长 1295 米、西墙长 1302 米，周长 5181 米。四壁为夯筑土墙，城墙现存高 6～6.5 米、基宽 24～31.5 米、上宽 1～3 米。城墙外壁每面有 16 个马面，在四壁正中都开有城门，门外均筑有圆形瓮城。现在仅西门的瓮城保存较完整，城门宽 7 米，城外有两道护城河。城内早在清代已成为耕地，仅发现 8 处建筑遗址，发现的遗物有铁器、铜钱、陶瓷器、砖瓦等。简报推断他虎城为辽、金时代古城。

503.吉林扶余县发现金代"利涉县印"

作　　者：刘景文
出　　处：《考古》1984 年第 11 期

1981 年 4 月，吉林省文物工作队在扶余县新城局公社双龙泉大队征集到一方铜印。据收藏者讲，此印是 1970 年 5 月，在双龙泉大队东约半公里的东岗屯东漫岗上捡到的。简报配以拓片予以介绍。

据介绍，铜印近似正方形。背面有一长方形柱状纽，纽的两个宽侧面微内凹。印的正面阳刻九叠篆书"利涉县印"四字。印背面，右刻"正隆二年正月"六字，由于磨损，其中"年"字左下部、"正月"二字的左下部已不甚清楚，印背左侧刻有"内少府监造"五字，印侧刻有"利涉县"三字，印纽上面近上端有一"上"字，这些刻款皆为不甚规整的楷书阴刻小字。从这方印的形制和刻款分析，简报推断应是金代初期金政权中央直接颁发的官印。

那么，此印所指的利涉县及其治所究竟在哪里呢？在铜印出土地西南 6 公里的新城局公社古城大队即有一座辽金古城——石头城子古城，现仅存西门。城内曾出土唐、宋铜钱和金代正隆元宝、大定通宝等铜钱。利涉县可能就在附近范围内。从地理位置和规模看，石头城子古城可能就是利涉县的治所。

简报称，"利涉县印"是吉林省出土的第一方有明确出土地点和纪年的金代县印。从已发表的资料看，金代县印亦不多见。特别是这方《金史》上有明确记载的县印的出土，对研究金代的历史、地理都会有一定的价值。

504.拉林河沿岸的辽金遗迹

作　者：庞志国、夏若英
出　处：《黑龙江文物丛刊》1984 年第 2 期

拉林河位于吉林省东部山地向西部平原过渡地带的山前洪积台地上，是松花江的一个支流，全长 356 公里。这条河流现在是吉林省和黑龙江省的一段天然交界线，其西南岸是吉林省的扶余和榆树两县，东北岸则是黑龙江省的双城和五常两县。辽金时代这条河称涞流水，是辽代女真族和契丹族的一条界水，金太祖完颜阿骨打就是在来流水北岸开始兴兵灭辽的。1981 年至 1983 年，考古人员分别对拉林河两岸的辽金遗迹进行了考古调查。1982 年在编写《扶余县文物志》过程中，对该县境内拉林河沿岸的徐家店、更新、拉林、弓棚、蔡家沟五个乡进行了全面的考古调查，新发现和复查的辽金遗址共 10 余处。其中具有代表性的有 4 处，简报配以手绘图予以介绍。

据介绍，具有代表性的 4 处遗址为"大金得胜陀颂"石碑、平房店遗址、房身遗址等。还介绍了拉林河北岸的古城 9 座。这些古城间距大致相等，形制基本相同，周长大都在 1000～1800 米，城四角有角楼，城垣上有马面，城外有一道护城河，每城又皆有一门，且都开于北墙，具有明显的军事性质。从形制和出土的遗物看，这些古城无疑应属辽金时代所建。这些古城具体应始建于何时呢？简报认为：应始建于辽末女真族领袖完颜阿骨打起兵反辽之初。这些古城正是在契丹与女真族接界的女真族一侧，皆具军事性质，城门又皆开在北墙，显然有防御其西南边之契丹族进攻的性质。阿骨打灭辽建立金国之后，这里由与辽对峙的前线变成了金政权的大后方，这些古城也自然失掉了它们的军事意义，因而也就逐渐被废弃。

505.吉林出土金代农牧官印和铜镜

作　者：吉林省博物馆　张绍维
出　处：《农业考古》1985 年第 1 期

金朝（1115～1234 年）是我国女真族在北方建立的一个政权，与南宋并存百余年。过去史籍记载女真人建国后，比较重视农业和畜牧业的生产，但所见出土文物，尤其是带有铭文的实物不多。简报配以照片介绍了吉林省出土的有关金代农牧历史的一方官印和一面带有铭文的铜镜。

据介绍，1974年，扶余县班德屯古城出土铜质官印一方。印呈正方形，边长6.5厘米、厚1.3厘米。有边栏。板状纽，纽高3.1厘米。印正面铸阳文九字，文为"上京隆安劝农副使印"，篆字。印侧刻双行正书阴文"上京隆安劝农副使印"。纽顶刻"正"字。1979年，汪清县罗子沟公社（镇）古城内出土一面背铸忍冬牡丹、绕以连珠纹饰之铜镜。边款铭"沤鲁抹官"四个汉字，尾附官府签押。金时铜禁极严。民铸铜镜皆必呈官府检验，借防民间私造。这面铜镜当是金代初期一位主管牧所的"沤鲁"官员签押造册后，方准执者使用的一件证物。

506.吉林前郭茅山辽墓

作　者：吉林省文物考古研究所　何　明、马　洪
出　处：《考古》1988年第7期

茅山位于前郭县镇郊乡单家围子村南，西北距县城5公里，东北8公里有松花江自东南向西北流去。山坡周围地势平坦，是一望无际的肥田沃野。1984年9月，当地村民在山坡取土时发现此墓，考古人员进行了清理。简报分为三个部分予以介绍，有手绘图。

据介绍，该墓为单室券顶砖墓，由墓道、墓门和墓室组成。人骨保存较完好，为一老年女性。该墓已被盗，于墓室后部有一圆形盗坑。墓中见有随葬品4件，均出于死者头部附近。茅山附近，过去曾出土过一些辽代遗物，估计这里可能为一处墓地。这次清理的墓葬，出土的随葬品在吉林省西部地区的辽墓中较为常见，墓葬的形制所见不多。就墓葬结构与随葬品来看，在辽代重熙年间较为流行，故简报推断此墓的时代为辽代中期。

507.吉林省前郭县金代窖藏瓷器

作　者：洪　峰、志　立
出　处：《北方文物》1991年第2期

1981年夏秋之际，吉林省前郭尔罗斯自治县王府乡三岔沟村后沟子屯的一居民在宅院中挖土打墙时，在距地表约50厘米处，发现了一处瓷器窖藏。吉林省文物工作队闻讯后，即派考古人员前往调查和征集。简报配以手绘图予以介绍。

据介绍，窖藏位于一处辽金时期村落遗址之中。这里地处松花江二级台地，是前郭境内较大的辽金遗址之一。三岔沟的这批窖藏瓷器，均为日常生活用具，造型

比较简单，做工也比较粗糙，多系民窑烧造，然而个别器物也堪称上乘佳品。简报推断：这批瓷器中个别可能为金代遗物，但绝大多数应是辽瓷；考虑到这些遗物中的金代因素和辽瓷的长期续用等因素，这批瓷器的埋入时间大致是在金代初年，至迟也不会晚于金代中期，其原因或与当时的战乱有关。

508.扶余市石桥欢迎砖场元墓清理简报

作　　者：扶余市博物馆　张　英、唐小轩、孙忠国、郑新成等
出　　处：《文物》1995年第4期

1993年8月，考古人员前往岱吉屯调查"至正年制"彩瓷碗的有关情况，在毗邻的欢迎村高家店、小围子两屯，从农民手中征集了一批砖场墓地出土的文物，其中有瓷器26件。1994年5月，扶余市博物馆为进一步弄清文化面貌，清理了墓葬2座。简报分为：一、地理环境，二、墓葬，三、征集文物，结语，共四个部分。有彩照、手绘图。

据介绍，砖场墓地位于贾津沟子河下游东岸的一个漫岗上，北临松花江1公里，东北距岱吉屯2公里，南离高家店、小围子屯0.5公里。这里为贾津沟子河与松花江汇合处，属松嫩冲积平原，地势平坦，视野开阔，牧草丰盛，水陆交通便利。贾津沟子古城内今已辟为农田。墓地范围约500平方米，经年水土流失，墓葬开口很浅，清理时基本已为人破坏殆尽。2座墓（M1、M2）均东西向，土圹竖穴，平面呈长方形。死者头西脚东，仰身直肢。出土有铜器、玉器、珠饰、玛瑙片、贝饰、琉璃器等。简报推断为元代墓葬。

509.吉林扶余岱吉屯墓第二次清理简报

作　　者：扶余市博物馆　张　英、孙忠国、郑新成等
出　　处：《文物》1996年第11期

1992年7月，扶余市石桥乡欢迎村（贾津沟子）岱吉屯农民在村中修路时发现一批瓷器，其中有"至正年制"款彩瓷碗一件。考古人员于翌年8月前往调查，在现场得知这批遗物分别出自3座墓葬（编号FS0M1、M2、M3），主要是瓷器。据介绍，岱吉屯位于扶余市东北45公里，濒依松花江东流段南岸，东北隔隔江距元代肇州古城（黑龙江肇东县四站乡）35公里，南距石桥乡5公里，西临贾津沟子河。岱吉屯周边地势平坦，水陆交通方便，史载自魏晋迄清，一直是内地通往东北边陲的要道。据村民介绍，3座墓葬均作东西向，南北平行排列，间距4米左右，为土坑竖穴，

内有木棺痕迹。死者头西脚东，仰身直肢，随葬品置头顶棺外。出土遗物中有瓷器18件，器种包括碗、杯、盘、碟、瓶、罐等。其中有的器物在随葬时已被损坏，或系由于"毁器"丧俗所致。简报推断墓主下葬时间当在元末，至晚不过北元。依照这个时间，简报认为以往认定是明代中晚期的釉上彩瓷和青瓷，年代显然应该提前。

为了进一步了解岱吉屯元墓的情况，1995年9月，考古人员对该地M1～M3地段西侧进行了清理，又发现了6座墓（M4～M9）。简报分为：一、4号墓（儿童墓）；二、5号墓；三、6号墓；四、7号墓；五、8号墓；六、9号墓；七、葬鹿坑；八、征集文物；九、几点认识；共九个部分予以介绍，有彩照、手绘图。

据介绍，此次清理的6座墓，与上次发现的3座墓，均属元末墓葬，下限不会超过北元（1388年）。简报认为这里应是一处部族公共墓地。出土的青花与五彩瓷器，应为元代晚期产品。简报还指出，明初瓷承袭了元末的款识制度。官窑称"大明"制，民窑称"大明"造。

510.吉林省扶余县西车家店金代遗址的发掘

作　者：吉林省文物考古研究所、扶余县博物馆　王　聪、刘玉成、王新春
出　处：《北方文物》2009年第3期

2008年8～11月，考古人员对扶余西车家店金代遗址进行了抢救性发掘，共发现房址3处、灰坑11个。出土了陶器、瓷器、铁器、铜器、骨器、石器等遗物。该遗址为金代中晚期一处居住址。简报分为四个部分并配以手绘图予以介绍。

西车家店遗址位于吉林省松原市扶余县西车家店村东约1公里处，北距拉林河约3公里。2007年为配合铁路建设勘探时发现，2008年发掘。该遗址是一处同一时期单一文化堆积的遗址。该遗址出土了"正隆元宝"铜钱，可知遗址的年代上限不会早于金代"正隆"年间（1156～1161年）。遗址内出土的瓷器以本地烧制的白瓷为主，器物施釉不及底，内底部可见支钉痕迹，具有典型金代瓷器的作风。所出陶器以泥质灰陶为主。遗址发现有房址，出土铁铧、石杵等与农业有关的遗物，发现一定数量的猪、牛、羊、狗等动物骨髓，可知当时的生业模式以定居农业为主兼有养殖业。同时，在该遗址还发现有大量的陶网坠及鱼骨，说明捕捞业在当时也占有相当大的比重。遗址出土的遗物以陶器、农具、网坠等生活、生产用具为主，建筑材料以布纹瓦、青砖等为主，不见高等级的建筑构件。简报推测该遗址为金代中晚期一处普通的居住址。

511.吉林省扶余县陶西林场遗址发掘简报

作　者：吉林省文物考古研究所、扶余县博物馆　刘玉成、王　聪、王新春
出　处：《北方文物》2009 年第 3 期

　　陶西林场遗址是为数不多的保存较好的大型金代遗址。此次发掘，仅仅是揭露了其中的一小部分，发现了众多的遗迹，出土了丰富的遗物。尤其檐瓦的纹饰种类更是在以往的发掘中少见。另外，在 F2 碌堆中出土的佛像残块，还向我们揭示了该遗址区域内或附近可能存在过寺庙。简报分为：一、地层堆积，二、遗迹与遗物，三、结语，共三个部分。有手绘图。

　　陶西林场遗址位于扶余县东南部陶赖昭镇陶西村西约 2.2 公里处。遗址所在地乃是一片开阔的岗地，处在松花江的二级台地上，其西南约 2.7 公里处即为松花江。该遗址不见于《扶余县文物志》的记载，是在哈（尔滨）大（连）高速铁路建设时经由文物勘察新发现的一处较为重要的辽金时代遗址。为配合工程建设，2008 年 7 ~ 9 月进行了抢救性发掘。共发现了 7 个灰坑、3 座房址、10 个灶址、1 座窑址以及尚不能构成房址的零散的碌堆 4 个。遗物有陶器、铜钱、铁器、建材构件等。简报说，值得一提的是，此次发掘面积虽然小，而且位置也偏离遗址中心区域，但仍发现这么好的遗迹现象，出土这么丰富的遗物，尤其檐瓦的纹饰种类更是在以往的发掘中少见。至于此遗址的性质，简报没有提及。

白城市

512.吉林通榆县团结屯辽墓

作　者：吉林省文物工作队　刘法祥、刘景文
出　处：《考古》1984 年第 9 期

　　1982 年 5 月，考古人员调查了通榆县团结屯辽代墓群，并对一座暴露的较大型墓葬进行了清理。

　　墓群位于开通镇西南 70 余公里，在向海公社团结屯东南角的沙丘中，沙丘高约 3 米。约 10 年前，沙丘中间逐渐被风吹开一个南北豁口，陆续剥露出数座小型墓葬，随即多遭破坏。据当地人介绍，多属小型券顶砖室墓，未出土任何遗物。墓砖的形制与辽代一般砖室墓用砖形制一致，因此这些小型墓可能都是辽代的墓葬。

　　1982 年 5 月初，又被春风剥露出一座较大的砖室墓。考古人员闻讯后即赶到现

场进行了调查和清理。此墓的简单情况，简报分为：一、墓葬形制，二、随葬器物，三、结语，共三个部分。有手绘图、拓片。

据介绍，此墓为砖室墓，全墓由墓道、墓门、甬道、墓室四部分构成。从墓内遗留的人骨看，应为二人合葬墓。随葬器物有陶器、瓷器、玉环、铜镜等。团结屯辽墓墓室为不规则的多边形，这种形制的辽墓为数不多。从遗物看，飞鸟云纹缠枝葡萄纹镜也是极为少见的。简报认为，这件器物为研究辽代墓葬的形制和器形提供了新的实物资料。从墓室较大、随葬品也较讲究看，不会是一般平民的墓葬。该墓年代，简报推断为辽代中晚期为宜。

513.吉林同发辽墓

作　者：吉林省文物工作队　刘景文
出　处：《考古》1985 年第 7 期

1982 年 11 月初，考古人员在通榆县同发畜牧场清理发掘了一座辽墓。简报分两个部分对清理情况予以介绍，有手绘图。

据介绍，墓葬位于通榆县同发畜牧场西南约 10 公里的沙丘东南坡下，东北约 1.5 公里为敖布嘎屯，西距内蒙古自治区约 1 公里，北距向海团结屯辽墓 15 公里。这里东北距辽代泰州故城——洮北城四家子古城约仅 80 公里，古应属泰州辖地。该墓是内蒙古科右中旗一名百姓发现的，考古人员赶到现场时，大部封土已被掘开。据挖掘者讲，墓顶原已塌毁。该墓为砖石混筑单室墓，由墓道、墓门、额墙、甬道、墓室五部分构成。仅存的器物有陶盆 2 件，铁锁、铁器各 1 件。从现有的辽代墓葬资料看，此墓形制较大，修筑亦较考究，简报认为似是贵族或富豪的墓葬。如此大墓却仅有 2 件陶器和几件残铁器，这与辽代的厚葬风俗不符，简报据此推测，此墓早年应严重被盗。简报推断同发辽墓的时代应为辽代早期或稍晚。

514.通榆出土金马牌饰

作　者：通榆县文管所　田广生
出　处：《文物》1987 年第 3 期

1986 年 6 月，吉林省通榆县新华乡桑树村后桑屯出土一件金马牌饰。简报配以照片予以介绍。

据介绍，牌饰系范铸，正面凸出，背面凹进，马呈俯卧状，身长 5.2 厘米、高 2.7 厘米，重 14.3 克。经检验含金量达 90% 以上。据有关人员初步鉴定，这件金马牌饰似为鲜卑族遗物。

515.吉林镇赉县黄家围子遗址发掘简报

作　　者：吉林省文物考古研究所　刘景文、程建民、王洪峰
出　　处：《考古》1988 年第 2 期

黄家围子遗址位于镇赉县坦途镇黄家围子屯西端的一处南北走向的沙岗上，西南距镇赉 50 公里，东距嫩江支流呼尔达河 30 公里。沙岗南北长约 100 米，东西宽约 60 米，高出地平面 2～3 米。其西部边沿暴露出大量的蚌壳、鱼骨、小动物骨骸，及少量细石器和陶片。

1985 年 5～6 月，考古人员在这里进行了发掘，面积 360 平方米。清理早期灰坑 3 个，发现柱洞 2 个，清理晚期墓葬 7 座。出土器物 50 余件（不包括几十件铁棺钉，采集细石器、石器等 10 余件。简报分为：一、地层堆积，二、早期遗迹与遗物，三、墓葬与随葬品，四、结语，共四个部分。有手绘图、照片。

据介绍，这次发掘的早期遗物中完整器不多，陶器中完整器更少。从陶片看，火候不高，手工制作工艺较为原始，器形也较简单，这些都是这一文化的原始性和地方性特征。简报推断，该墓群的年代似应为金代中期或偏晚一些。

简报称，黄家围子墓群中未见一件陶瓷器随葬，则是辽金代墓群中罕见的。

516.金"济州和家造"陶砚

作　　者：张明友
出　　处：《北方文物》1998 年第 4 期

"济州和家造"陶砚于十余年前出土于金上京故城白城（北城），系一农民犁地时所发现，现为民间收藏。

据介绍，此陶砚略残，青色，底部带有阴文"济州和家造"，系当时制作时阴刻文字后烧制而成。陶砚残长 10.6 厘米、宽 10.55 厘米、厚 1.76 厘米。有使用的痕迹，边缘墨迹依稀可见。济州即今之吉林省农安县。陶砚的发现，说明金初女真人云集上京，行中原文物制度，政令修举。此陶砚的出土或许可以证明有商业作坊，或是该砚制作于济州而被当时学人带至上京会宁府。

517.吉林镇赉县出土金代窖藏文物

作　者：镇赉县文物保护管理所　刘雪山
出　处：《考古》2000年第1期

1993年5月，吉林省镇赉县丹岱乡立新村一农民在宅院内挖土修墙时，于距地表0.4米深处发现一座金代窖藏。考古人员立即前往调查并进行了清理。有关情况简报配以手绘图予以介绍。

据介绍，窖藏位于立新村西，地处立新辽金遗址边缘。该遗址坐落在东西宽约200米、南北长约250米、高约5米的沙土岗上，其内出土文物共计12件，其中瓷器10件、铁器2件，相互叠压倒置于坑内。此外，在该窖藏坑底最下部，还出土了100余根涂朱红漆的竹签，竹签较细，长短相差不多，约为10厘米。

简报称，此次发现的金代窖藏，在镇赉县为首见。这些瓷器在烧制技术上，也具有磁州窑的风格特点；镇赉在辽金时期，隶属于泰州（旧址在今洮北区程四家子古城）管辖，是金代在东北的军事要地。金初，这一带战事频繁，这一窖藏或与当时的兵事战乱有一定的联系。

延边朝鲜族自治州

518.沤鲁抹铜镜

作　者：文　工
出　处：《文物》1982年第6期

1979年，吉林省汪清县罗子沟公社古城内出土一面镜背铸有忍冬菊花纹饰铜镜。边款镌刻"沤鲁抹官"四个汉字，下有官府签押。简报配以照片予以介绍。

据介绍，近年，在金代城址中出土镜刻金时官署或地名之铜镜，常见字下附此押记，简报推断该镜为金代遗物。

镜边刻之"沤鲁"，"沤"与"乌"字通假，读音相近，当为"乌鲁"二字。简报据《金史·百官志》所载，认为乌鲁应是金廷置群牧所中官员的一个通称。

镜边刻之"抹"字，简报按《金史·兵志》和《辽史·穆宗纪》所载，认为"抹"或"抹真"一词，今日蒙语谓牧所音译"玛拉乌恩""套布"，在其发音上大体吻合原意。

简报指出，金时铜禁极严，民铸镜皆呈官府检验，借防私造，这面铜镜当系曾经金代初期一位主管牧所的沤鲁官员检验签押后，方准执者使用的一件遗物。过去辽、金史书多载契丹、女真部落官民牧事，但相关实物知见极少。因此，这一金代铜镜是研究辽金时期畜牧制度不可多得的实物资料。

519.吉林珲春县出土东夏铜砝码

作　者：张　英、朴太元
出　处：《考古》1987 年第 2 期

1985 年 5 月，珲春县哈达门乡苗圃出土一枚身铭"大同"年号标准衡器铜砝码。这一发现为研究金末元初东夏国的历史提供了重要的实物资料。简报配以拓片予以介绍。

据介绍，砝码铜质，呈鼓状，高 3.5 厘米，径 7.8 厘米，重 1261.4 克。正面外缘上下分别刻荷叶、荷花，两边为忍冬草纹，上下和两侧作纵横向双勾，形如一个方格，格内自左四行，阴刻文"大同六年三月　日，少府监监造官王守道，作头罗力、田钗牛。雨字号"二十六字；背面外缘所施花纹图案与正面同，格内三行，刻"铜塌，大小壹拾柴件，重贰斤"十一字。在正背面间一圈阴刻花叶十株。

简报称，"大同"，是金末元初由蒲鲜万奴在我国吉林、黑龙江东部地区建立东夏国在中、后期所用的年号。史载蒲鲜万奴叛金建元"天泰"，无"大同"年号。此铜砝码上有"大同"年号，可证这是东夏继"天泰"后使用的又一年号。

简报指出，东夏国沿袭宋、金制度。这件衡量物品的标准器，是由"少府监"铸制。标准砝码的使用，是以每组计不同重量砝码 17 件，根据不同的权衡对象进行分合调换。这件砝码自铭"贰斤"，今实测定为 1261.4 克，折算每斤合 630.7 克，与宋、金制同。

520.吉林和龙出土的金代窖藏铜、铁器

作　者：朴润武
出　处：《北方文物》1990 年第 4 期

1974 年 10 月，吉林省和龙县头道镇龙新村农民在村北丘陵地带修筑梯田时，出土了一对口对口扣置的大铁锅，锅内装有铁器、铜器近 50 件。延边博物馆闻讯后，派考古人员前往现场进行了考古调查，并收藏了这批文物。

龙新村位于和龙县头道镇东 4 公里处，窖藏便发现于村北 0.5 公里许的丘陵向阳坡地上。这批窖藏文物，除了少数几件铜器外，绝大部分是铁器，按用途可分为

生产工具、车具、兵器、生活用具四大类，另有一部分用途不明的铜器、铁器。简报分为：一、出土遗物，二、遗物的年代及有关问题，共两个部分。有手绘图。

据介绍，龙新的这批窖藏铜、铁器，多属复合工具。种类很多，形式多样，结构进步，在一定程度上反映了当时属于这一文化的民族的手工业发展水平，简报推断龙新窖藏品绝大部分应属金代文物，贮藏的这些铜、铁器的2件铁锅，与上述器物的年代相同。

简报称，这批窖藏文物大部分有使用痕迹。它们可以帮助了解当时的生产活动内容和工艺水平，说明当时的社会生产力有了一定的发展，尤其是在手工业方面，不仅掌握了冶炼、锻造技术，而且铸造技术也达到了较高水平。

521.吉林敦化市敖东城遗址发掘简报

作　　者：吉林大学边疆考古研究中心、吉林省文物考古研究所　王培新、
　　　　　傅佳欣、彭善国、王晓明等
出　　处：《考古》2006年第9期

敦化市位于吉林省东部牡丹江上游地区。敖东城遗址发现得较早，有关该城址的调查记录虽然丰富，但也比较混乱。综合各时期的调查记录，可知该城的大致情况。敖东城平面呈长方形，分内外二城，呈回字形。外城周长约1200米，土筑，东西两墙各长约200米，南北两墙各长约400米。城墙基宽8～11米，残高1.5～2.5米。城墙外有护城河，南墙有瓮门。马面，南墙3面、北墙3面、西墙2面。内城呈正方形，周长320米，土筑，位于外城中部偏西处。内城西墙距外城西墙90米。内城所在位置的地势略高于外城。城墙外四周设有护城河。经长年自然和人为的破坏，敖东城已原貌全失。目前敖东城遗址仅能见到外城西墙的北段，外城的北墙已压在民居下面，南墙被道路覆盖，东墙和内城遗迹均已无存。2002年8～10月、2003年8月，考古人员对敖东城遗址进行了考古发掘。简报分为：一、地层堆积，二、遗迹，三、遗物，四、结语，共四个部分。有手绘图等。

据介绍，两次发掘共发现房址3座、灰坑7个、沟1条，解剖了外城西墙。出土遗物以铁制品为大宗，还有陶器、瓷器、骨角器、铜器及80余枚铜钱和大量的动物骨骼。简报推断为金代晚期遗存。

关于敖东城的性质，有人认为敖东城是渤海国早期都城，简报认为这一结论还有待进一步的工作，尚难断定。

522.吉林敦化市永胜金代遗址一号建筑基址

作　者：吉林大学边疆考古研究中心、吉林省文物考古研究所　王培新、
　　　　傅佳欣、彭善国、王晓明等

出　处：《考古》2007 年第 2 期

永胜遗址位于吉林省敦化市江南镇永胜村北约 1 公里的牡丹江东岸台地上。永胜遗址发现于 1974 年，之后曾有过多次地面调查。其中一号建筑基址，坐落于一个高于地表的土台上，东西长 30 米、南北宽 20 米，周围散布着残破的板瓦、筒瓦、瓦当、方砖、长砖、鸱吻等遗物，是遗址中最大的建造基址。遗址中还出土过"开元通宝"和"崇宁重宝"等铜钱。2002 年 7 ～ 9 月，考古人员对永胜遗址进行了调查，并对现存的一处建筑基址进行了考古发掘。简报分为：一、地层堆积，二、建筑基址的形状与结构，三、出土遗物，四、结语，共四个部分。有手绘图。

据介绍，永胜遗址一号建筑基址位于遗址的中部，由于遗址的北部和南部已经开辟为水田，地貌发生了较大的变化，《敦化市文物志》记录的 5 座建筑基址多已无存。共发掘建筑台基 1 座、房址 2 座、灰坑 11 个、沟 1 条，出土建筑材料、陶瓷器、铁器、铜器、铜钱、骨角器等大量遗物。永胜遗址一号建筑基址的年代，简报认为应属金代晚期。

永胜遗址一号建筑基址的性质，简报称从发掘及钻探的情况来看，为一座大型组合式地上建筑。一号建筑基址规模较大，屋顶用瓦并装饰陶塑脊饰，不应为普通民居。出土的瓦当均为猴面纹，与金代遗址中常见的兽面瓦当有所区别。猴与佛教关系密切。简报指出，在金朝统治中国北部的 120 年间，对各种宗教采取了兼收并蓄的策略。金代虽然时有抑佛之事，但是佛教仍然比较兴盛。金代佛教遗存在考古发掘中也不断有所发现。永胜遗址一号建筑基址也应为一座佛教建筑。

523.吉林敦化市江东、林胜"二十四块石"遗迹的调查和发掘

作　者：吉林省文物考古研究所、敦化市文物管理所　王志刚、张建宇、
　　　　杜运发等

出　处：《考古》2009 年第 6 期

2005 年 7 月 25 日至 8 月 10 日，为了配合敦化市江东立交桥的建设，考古人员对位于敦化市江东区一处"二十四块石"遗迹进行了发掘。2005 年 8 月 26 日，又对位于敦化市林胜乡的另一处保存相对较好的"二十四块石"遗迹进行了地面

调查和局部清理。简报将这两处遗迹的调查和发掘的情况分为：一、江东"二十四块石"遗迹，二、林胜"二十四块石"遗址，三、结语，共三个部分。有彩照、手绘图。

所谓"二十四块石"，通俗地说就是二十四块石头，依一定规则摆放。

在我国吉林省延边地区的敦化、图门，黑龙江省的宁安地区，以及朝鲜半岛，迄今已发现12处"二十四块石"遗迹。以往学术界一直对其时代和性质有较大争议。对其年代，学术界多认为渤海时期始建，辽金时期沿用；而对其性质和作用，主要有驿站、纪念性建筑、还葬停灵建筑等观点。简报认为这些看法尚不能完全确立，此次发掘的两处"二十四块石"遗迹，就不能确定是渤海国产物，应为辽金时期遗物。至于其用处，也有待进一步探讨。

524.吉林省安图县宝马城遗址试掘简报

作　者：吉林大学边疆考古研究中心、吉林省长白山宝马经济区管委会
　　　　赵俊杰、吴　敬、戴云杰、韩　洋等
出　处：《北方文物》2014年第4期

宝马城位于吉林省安图县二道白河镇西北4公里的丘陵南坡上，以往学界普遍认为其是渤海朝贡道上的重要节点，辽金时期加以沿用。2013年6～7月，考古人员对其进行了局部试掘，结果初步显示该城始建于金代，可能是一处重要的金代高等级建筑址。简报分为：一、地层堆积，二、遗迹，三、遗物，四、结语，共四个部分。有彩照、手绘图。

据介绍，此次试掘确认了两座建筑遗址，于城内东南部发现JZ2的土台，以往并没有著录。尽管此次试掘面积有限，但仍出土了多件包括鸱吻、神鸟、兽面瓦当等在内的制作精美的装饰类建筑构件，可见宝马城应当是继金上京刘秀屯遗址、白城永平遗址之后东北地区发现的又一处存在高等级建筑的金代遗址，尽管此类建筑的性质尚有待进一步解明，但显然绝非普通民居。简报称，此次试掘为研究东北地区金代建筑布局和装饰风格提供了不可多得的第一手资料，对探索金代对于长白山一带的经营具有重要的价值和意义。

黑龙江省

525.牡丹江中下游考古调查简报

作　者：黑龙江省博物馆　丹化沙、孙秀仁
出　处：《考古》1960 年第 4 期

黑龙江省博物馆为配合牡丹江的水利工程，于 1958 年 4 月派考古人员进行了牡丹江下游的考古调查工作。发现石器时代遗址 8 处、渤海石室墓群 5 处 150 余座、渤海城址 4 处、建筑址 1 处、金代城址 3 处。又于 1959 年 10 月进行了牡丹江中游的考古调查。牡丹江上、中游过去曾有人做过考古调查，但仅限于东京城一带和南北湖头地区。这次发现新石器时代遗址 5 处，复查了 2 处。新发现渤海城址 2 处，墓葬 2 处，堡垒、仓窖、桥梁遗址各 1 处，复查了桥梁遗址 2 处。简报分为：一、新石器时代遗址，二、渤海城址、墓葬及其他，三、金代城址。共分为三个部分用以介绍中、下游遗址，有手绘图、照片。

据介绍，新石器时代遗址有敖东、黑山、莺歌岭、乌斯浑大屯等。有地方特色。渤海城址为大牡丹城，位于宁安西南 20 公里处，该城最大特点是有套城。金代城址有林口县三道通城址、林口县乌斯浑河口城址、依兰县"土城子"城址。

526.金东北路界壕边堡调查

作　者：黑龙江省博物馆
出　处：《考古》1961 年第 5 期

金代界壕边堡是公元 12 ～ 13 世纪兴建的。1959 年 3 月和 1959 年 11 月已对一些地区做过调查，1960 年 9 月 7 日至 10 月 9 日，考古人员用了一个月零两天的时间调查了由嫩江右岸起点至诺敏河、诺敏河至阿伦河、麒麟河至济沁河三段壕堡和附近地带的有关遗迹。简报分为：一、前言，二、界壕的形制及分布规律，三、边堡、关隘、古城，四、文化遗物，五、结论。共五个部分予以介绍，有手绘图、照片。

据介绍，金东北路界壕边堡北段，建于大兴安岭东麓，与大兴安岭的走向相

平行。考古人员三次实地调查了长 200 余公里的一段金代界壕、边堡 14 座、边关隘口 2 处、古城址 3 处，查清了黑龙江省西陲的金东北路界壕北段的起点和界壕、边堡、古城及其配置情况，并在界壕内外、边堡、古城内地表采得一些遗物。简报附有"古城、边堡遗物表"。通过调查，简报对界壕边堡是金代的遗迹，更加确信不疑。

527.松花江地区一九八一年文物普查简报

作　者：松花江地区文物管理站　王禹浪
出　处：《黑龙江文物丛刊》1983 年第 1 期

1981 年 4～7 月，考古人员先后对双城、宾县、五常三县境内的松花江、拉林河、淘淇河、柳板河沿岸的部分地区以及其他重点区域进行了古城址、堡寨址的考古调查，共发现金代古城 10 座，古堡寨 3 座（其中不包括复查到的），还有 3 座山城址因为路途遥远、季节限制而没能前往勘察（即五常县八家子公社山城和沙河子公社磨盘山古城以及宾县三宝公社的黄大城子山古城）。简报分为：一、金代古城址，二、古堡寨遗址，三、问题的探讨，共三个部分。有手绘图。

据介绍，金代古城址重点介绍了双城县石家崴子古城、车家子古城、花园古城、唐家崴子古城、元宝古城、永胜古城、万斛古城、杏山古城、跃进古城及宾县仁和古城。古堡寨重点介绍了宾县城子山堡寨、城子沟堡寨、庆华堡寨等。

528.黑龙江省黑河地区发现的古城址

作　者：郝思德、张　鹏
出　处：《北方文物》1991 年第 1 期

黑河地区在近年开展的文物普查工作中，发现了许多古文化遗存，其中古城址的发现是较重要的考古收获。这些古城址对研究黑河地区的历史沿革及当时的经济、文化，具有一定的资料价值。发现的古城址，简报配以手绘图予以介绍。

据介绍，这些古城址有南山湾古城、四方城古城、何地营子山城、石砬子山城、繁荣古城、门鲁河古城、伊拉哈古城、小石砬子古城、兴安古城、庙台子古城、新兴山城，共 11 处。简报称，根据目前考古调查资料可知，在黑河地区发现的这些古城址中，除兴安城属于清代的外，从其余 10 座古城的形制特点和出土遗物来看，简报认定这些城址均应属金代遗迹。

529.镜泊湖附近莺歌岭等地考古调查报告

作　者：吕遵禄、孙秀仁
出　处：《北方文物》1991 年第 3 期

黑龙江省博物馆分别于 1958～1959 两年的春夏之交，对牡丹江中、下游地区进行了考古调查，之后写成《牡丹江中、下游考古调查简报》一文（见《考古》1960 年第 4 期）。但上两次调查中，于东京城至南湖头之间的工作尚嫌不足，为了彻底完成黑龙江省境内牡丹江沿岸的考古调查，做到基本上全面掌握这一地区的古代文化遗存及其分布，1960 年 3～4 月间黑龙江省博物馆等再次派考古人员重点调查镜泊湖附近地区及由南湖头至东京城之间的沿江、沿湖地带，历时 15 天，行程百余公里。因地理环境限制，调查侧重于滨湖的东南地带。简报分为：一、调查经过和主要发现，二、莺歌岭新石器时代遗址及遗物，三、镜泊湖周围地区（东、南岸）新石器时代遗址遗物综述，四、"渤海桥"新石器时代遗址和古城堡址，五、渤海国时期遗址、建筑址、墓葬、遗迹，六、古城遗址，结语，共七个部分予以介绍，有手绘图。

据介绍，经此次调查，简报初步判定属于渤海时期的有大朱屯墓群、上屯遗址、五峰楼北台子庙宇址、二十四块石遗迹等。而南湖头土城子古城址可能要更晚些，当是辽金时期遗存。

哈尔滨市

530.哈尔滨东郊的辽、金遗址和墓葬

作　者：黑龙江省博物馆　王永祥
出　处：《考古》1960 年第 4 期

1958 年 5 月中旬，哈尔滨工业大学"红五月劳动大队"在哈尔滨市东南郊修路工程中，挖到 1 米深左右时出土了一些遗物。考古人员前往调查，并对剩下的墓葬进行了清理。简报分为：一、遗址及出土遗物，二、墓葬及随葬品，共两个部分。有照片。

据介绍，遗址位于成高子车站东约 1 公里的庙台子沟北坡台地上，为一处金代遗址，出土有铁铲、铁镰、铁刀、铜锅等，或为金代驻军之处。墓葬位于遗址中部，出土有陶罐、三足铁锅、铁马蹬、银项圈等。墓葬因已遭破坏，故形制和葬式不明。简报据出土遗物推测，该墓早于遗址，可能为辽代墓葬。

531.黑龙江阿城县小岭地区金代冶铁遗址

作　者：黑龙江省博物馆　王永祥

出　处：《考古》1965 年第 3 期

1961 年 3～4 月间，考古人员在调查阿什河流域的古文化遗址时，知悉 1958 年和 1959 年曾在五道岭发现了古代矿坑和有关遗物。在同年 7～8 月间和 1962 年 5～10 月间，曾先后 4 次对五道岭的周围地区进行了比较细致的调查工作。经过调查，除发现五道岭古代铁矿和冶铁遗址外，又陆续发现了古代冶铁遗址 50 余处、建筑遗址 10 余处和古矿坑 1 处，1962 年进行了试掘。简报分为：一、调查经过，二、地理位置，三、五道岭附近的冶铁遗址，四、其他地区的冶铁遗址，五、建筑遗址，六、小结，共六个部分。有手绘图。

据介绍，小岭地区在哈尔滨东南，以小岭公社属内的五道岭古代矿坑等遗址为中心，西北到玉泉公社的长山屯，西南到五常县的道平岭、石咀沟，南到阿什河边的平山公社的泉阳河屯，东北直到小岭车站附近的山地中，最北到宾县的沈家窝堡、隋家店等广大地区，都分布有古代冶铁遗址。这个地区属于张广才岭的西麓，一般海拔在 500 米以上，山脉连绵不断。东、南、西三面的山脚下有环山绕岭的阿什河，山间平地为阿什河支流大、小石头河贯穿其间。古代冶铁遗址就散布在这些大山坡附近的黄土漫岗上，铁炼渣、木炭、冶炼用的铁矿石等遗物到处都是。

简报称，五道岭发现古矿坑一处，现残存有十余个古洞。据当地老人介绍，在 1958～1959 年也曾发现过十余个坑洞。据目测，洞深 40 米左右，最浅的有 7 米，坑洞是由山上往下旋转开凿的。当下降至 45 米深时，还陆续发现古洞，其洞为斜洞，坑道狭窄深长，呈螺旋式。还发现有炉址、半地下的窝堡。简报推测这种半地下建筑为当年采矿工人居住处，从规模看，至少有千余人之多。还发现有石庙，在小岭公社东川屯的东山顶上，还发现了一座"山城"，简报推测为当时的军事要塞。

简报指出，根据初步调查可以看到，冶铁遗址虽分布面广，但它是一个整体，以五道岭为中心，形成从开采、选矿到冶炼一连串生产过程的冶炼基地。在这 50 余处遗址中，尚未发现过铸铁范和成品，而只遗有大量的炼铁渣子、木炭和铁矿石等。这可能是当时冶铁和铸造工业有了分工，把冶炼作坊设在矿山附近，专门从事冶炼矿石，而炼成的铁则通过阿什河水路运往他处去进行铸造和加工生产。除五道岭以外，这次调查的其他冶铁遗址，所用来熔炼的铁矿石，都是从五道岭搬运来的。之所以这样做，简报认为主要是受燃料的限制，因炼铁需大量木炭。这次发现的冶铁炉址，一般分布在黄土岗上，这不仅是为了保温，更重要的也是黄土岗上生长着杂树，如柞、黄榆和根树等，可以利用来烧炭炼铁，就地取材，便于冶炼。而五道岭虽产铁很多，但附近老林已经伐空，必然往有林木之处扩展，继续进行冶炼。从五道岭古代矿坑开采规模之大来看，当是和这些冶炼遗址有密切关系的。

简报强调，根据以上分析，这些遗址是一个整体，故应属于同一时期，即金代（女真族）。

532.黑龙江阿城县半拉城子出的铜火铳

作　者：魏国忠

出　处：《文物》1973 年第 11 期

1970 年 7 月，在黑龙江省阿城县阿什河畔的半拉城子出土了一批铜器。有铜火铳、三足小铜锅、铜瓶咀、铃铛、铜镜和五铢钱各 1 件，铜质军马佩饰物 3 件。其中铜火铳 1 件，保存最为完好。简报配以照片予以介绍。

据介绍，阿城半拉城子铜火铳上刻"×"字记号，长 34 厘米，重 3.55 公斤。由前膛、药室和尾銎三部分构成。装上木柄可供手持，故又称手铳。简报称，出土地点为兵家必争之地，金、元曾在此激战。新发现的铜火铳等器物很可能是在这场战争中被遗弃在河傍的，后来河床改道，这些器物也就没在那里了。因此，这尊铜火铳铸造时间的下限可能不晚于 1290 年。简报指出，过去对金代上京地区出土的文物多笼统地认为是金代的作品，从这次出土的铜火铳等器物看来，其中不少应是元代遗物。

533.金上京故城内发现窖藏银器

作　者：阎井泉

出　处：《黑龙江文物丛刊》1981 年第 1 期

1978 年秋，在金上京城（今黑龙江省阿城县境内）北城南偏东处出土一批银器。这批银器是一百姓在古建筑址地下 60 厘米深处发现的，当即送交国家收藏。简报配以照片、拓片、手绘图予以介绍。

据介绍，这批银器中，包括银锭一件、撮形银器两件、六曲葵瓣式银碗一件等。同时出土的一件银盘上，有重"一十九两五分"墨书，今重 750 克，与银锭每两折算克数相一致。出土文物中，有两件是带有龙纹的，两龙造型十分相似。简报推测，保存这批银器的主人，当属白银的收藏者，而不是银器的最初使用者。银器的出土地点，很可能就是金上京城内金银店铺的所在地。

简报称，这批金代窖藏银器，多属饮食器皿，这一方面反映出金朝上层统治者追求奢侈生活，借以显示他们身份等级的高尚；另一方面也反映出金朝女真统治者深受汉族文化影响，把使用金银器皿和长生不老相联系，企图实现永久统治。

534.金上京出土铜坐龙

作　者：阿城县文管所　许子荣
出　处：《文物》1982 年第 6 期

1965 年，金上京故城（黑龙江省阿城县白城）西垣南段墙脚下发现一枚铜龙，1974 年由发现人送交县文管所。简报配以照片予以介绍。

据介绍，铜龙为紫铜质，浇铸后稍经人工雕镌而成，龙身除张开的口铸空外，皆实体。姿势如犬坐，尾部翘起，尾端外卷成旋，右前趾爪着地与后趾爪相接，左前趾爪抬起与后趾爪间有腾云相连，每趾皆三爪。头部微扬，张口如吟，全身矫夭劲健，形象生动，风格古朴，简报认为堪称金代铜铸艺术之珍品。简报据《金史》卷四十三《舆服志》所载，认为金上京故城出土的铜龙可能为金朝皇帝辇格上的饰物，它的名称应为"坐龙"。

简报指出，我国古代大辇上施坐龙，为北宋初建隆四年（963 年）翰林学士承旨陶榖为礼仪使时所创造。这枚铜坐龙在制作的工艺和风格上与已发现的金代其他铜铸器物相类似，它应是天眷三年(1140 年)金熙宗初备法驾卤簿，至大定二十五年(1185 年）金世宗远巡上京结束之前这段时间内留下的作品。这枚铜坐龙的出土，为研究金代的舆服制度、铜铸造型艺术以及金与中原文化的关系，提供了宝贵的实物资料。

535.阿城出土"大名府""上京"款金代银锭

作　者：阿城县文物管理所　张连峰
出　处：《文物》1982 年第 9 期

1978 年 4 月，在黑龙江省阿城县新乡公社团结三队深翻过的地里，发现金代银链一枚。简报配以照片予以介绍。

据介绍，银锭束腰，周缘泛水波纹，质地洁白。链上刻印互为倒正的两组錾文和戳记。简报有倒正两组錾文全文，根据錾文，简报认为此链为金代遗物，无庸置疑。

银锭上有"大名府张二郎""上京王二郎家"錾文。前者是银链的铸造地点，后者则表明此银链曾在上京流通。"大名府"是金国十四总管府之一，即今河北大名县城关镇，"上京"是金"五京"之一的上京会宁府，即今黑龙江阿城县白城。该锭为金代遗物，毋庸置疑。

简报称，银锭上的戳记，为官方对银链的检验标记，简报有戳记录文。简报指出，从银链上押印戳记看，可知该链在大名府检勘一次，在上京检勘三次。这是金代白银流通频繁，银链不断易主的反映。

536.五常县发现金代窖藏铁器

作　　者：姚　骞、穆·依凌阿
出　　处：《黑龙江文物丛刊》1982 年第 3 期

窖藏为 5 个大小不一的铁锅，内装 55 件铁器，有剪刀、铁锁、铁铧、鱼钩、斧、铲、钻等，发现地点在五常县沙河子公社先锋大队。铁器刃斧有的使用了加钢技术。简报推断为金代窖藏。

537.哈尔滨王岗华滨金墓

作　　者：景　爱
出　　处：《黑龙江文物丛刊》1984 年第 4 期

1974 年 5 月 12 日，哈尔滨市西郊王岗公社华滨大队（东杜家屯）百姓发现一座古墓，当即报告了黑龙江省博物馆。5 月 18 日，考古人员前往清理，历时三日结束。

据介绍，华滨大队北距松花江 9 公里，东距王岗火车站 1.5 公里，距哈尔滨市中心 12.5 公里。古墓位于华滨大队居民点以北 250 米的漫岗南坡上。古墓系方形券顶砖室墓，这座古墓已被扰动，清理时发现石棺盖已被移动。在墓室积土中发现有火烧痕迹的人骨碎片，可知是一座火葬墓。古墓中遗物不多，除石棺外，仅见有砖瓦、铁钉。根据该墓的形制、葬俗及出土物，简报推知华滨大队之石棺火葬墓当为金代墓葬。

538.黑龙江阿城巨源金代齐国王墓发掘简报

作　　者：黑龙江省文物考古研究所　郝思德、李砚铁、刘晓东等
出　　处：《文物》1989 年第 10 期

金代齐国王墓在黑龙江省阿城市巨源乡城子村。1988 年 5 月 16 日，城子村农民在村西推土建房时，发现了这座石椁木棺墓。5 月 19～22 日，考古人员对此墓进行了抢救性发掘清理，先将木棺整个取出，运回哈尔滨市后，在室内开棺，再剥离起取随葬遗物，并对取出的丝织品及时采取了临时性的药物处理措施。至 5 月 28 日，

此墓发掘清理工作基本结束。此墓保存完好，出土了一批珍贵文物，特别是出土了许多完整、精美的丝织品服饰，填补了中国服饰史研究中由于缺乏金代服饰文物而留下的空白。简报分为：一、墓葬概况，二、随葬遗物，三、小结，共三个部分。有彩照、手绘图。

据介绍，巨源乡城子村地处松花江南岸、阿什河右侧的二级台地上，东南距阿城市约 38 公里，北去松花江近 10 公里。村屯分布在一道西南东北走向的岗地上，其东有一座金代古城，因故得名城子村。此墓东距金代古城 330 米，东南距上京会宁府故城不远。墓葬地表北高南低，因建房推土，西半部山遭到一定破坏。据调查墓葬地表原无封土，也不见有石刻。此墓为竖穴土坑石梓木棺墓，墓圹平面呈"凸"字形。出土遗物达百余件，多为丝织品服饰。丝织品种类比较齐全，计有绢、缓、罗、绸、纱、锦等。纺织技术较高，大量使用织金技法，也有印金、描金等技法。丝织品花纹图案丰富多彩，主要有夔龙、鸾凤、飞鸟、云鹤、如意云、团花、忍冬、梅花、菊花等。服饰种类计有袍、衫、裙、裤、靴、鞋、袜等。袍、衫多为盘领、开裾，具有浓厚的北方民族特点。其他服饰款式也别具特色。墓内虽未发现墓志，但出土了"太尉仪同三司事齐国王"墨书木牌和"太尉开府仪同三司事齐国王"银质铭牌，这就为我们查证墓主人身份提供了一定的依据。初步研究认为墓主人为金代左丞相兼都元帅完颜晏的可能性较大。完颜晏，《金史》有传。大定二年（1162 年）死。

539. "金源故地"发现金齐国王墓

作　者：黑龙江省文物考古研究所　张　伟、金太顺、赵评春
出　处：《北方文物》1989 年第 1 期

金之上京会宁府亦称金源，为女真宗室贵族发祥兴王之地，金之旧土，今阿城地区在其内。1988 年 5 月 17 日至 22 日，考古人员在阿城市巨源乡城子村抢救发掘了一座金代大型贵族墓。它以保存完好，出土文物丰富珍贵，墓主人身份显赫，为我国金代考古所罕见，是我国考古工作中的又一次重大发现。简报配以照片予以介绍。

据介绍，这座墓葬坐落在松花江南岸、阿什河东侧的二级阶地上，南距金上京故城约 40 公里，北去松花江约 10 公里，东距城子村故城约 400 米。葬土圹呈"凸"字形，墓中出土遗物百余件，大部分是丝织品服饰。简报初步考证，墓主人应是完颜晏（完颜斡论），金代有"齐国王"封号者，史书只记载完颜晏曾"进拜太尉"。与出土木牌墨书所记相符。此外，完颜晏早年曾任都统，太宗初年曾率军北定乌底改部。海陵王南迁后，又留守上京 5 年。正隆年间致仕即"还居会宁"。

世宗即位初，任左丞相兼都元帅。大定二年（1162 年），进拜太尉，不久致仕"还居乡里"，同年即病逝，年龄在 60 岁左右，这与医学和体质人类学的骨骼测定 60 ± 2 年相当。

简报称，这座大墓系城子村村民建房时发现。文物考古工作者在抢救发掘过程中，采用了现场干冰（二氧化碳）降温、整体取棺、室内剥离起取、环氧乙烷消毒，以及绘图、摄影、录像同步进行的新方法，确保了文物的安全，使极易腐蚀的丝织品服饰安好无损。

540.双城县兰棱镇出土一批金代窖藏文物

作　者：陈家本
出　处：《北方文物》1990 年第 1 期

1987 年 8 月 17 日，双城县兰棱镇房身泡屯的农民许义在自家院内距地表 30 厘米长、宽约 50 厘米的坑内，发现了铜镜、瓷碗、瓷杯、小瓷罐、瓷碟、瓷瓶、灰陶罐、铁犁铧、铁车穿、剪刀、铁门扣、铁圈、铁锥子等，还有北宋"崇宁通宝""崇宁重宝"等文物，共计 22 件。简报配图予以介绍。

据介绍，房身泡屯位于双城县的县城西南 25 公里处的拉林河二级台地上。在房身泡屯内和附近的田野中，随处可见布纹瓦残片和青砖头等遗物，文物普查时已确认这里是一片金代遗址。文物出土地点位于房身泡屯的最南部，紧濒二级台地的边缘。简报称，通过这些文物，可以窥见金代拉林河沿岸的社会经济和生产、生活之一斑。

541.黑龙江省阿城市双城村金墓群出土文物整理报告

作　者：阎景全
出　处：《北方文物》1990 年第 2 期

1980 年，阿城县（今阿城市）阿什河乡双城村三队及四队农民在金上京故城（俗称白城）东 1.5 公里处挖沙时，各发现一处墓群。两墓群被现存的一条水沟分隔，南北相距约 200 米。墓群东 1 公里许为阿什河，南侧临近金代古城（俗称小城子），西侧为金代早期都城上京城。墓区地表为耕土，在其下面，为古代阿什河水冲积来的大量河沙。墓坑内，除人骨、马骨外，还有一些随葬品。所征集到的部分文物，按两墓群简报分为：三队墓区，四队墓区，几点认识。共三个部分予以介绍，有手绘图。

据介绍，三队墓区共征集随葬品 110 件，有铁器、陶器、瓷器、铜器、银器及其他质地器物；四队墓区征集随葬品 27 件，有铁器、陶器、铜器和银器。上述两个墓群的出土文物虽不完全相同，但却可以相互补充，足以证明为同一时期文物。因此，两墓群应为同一时期，简报推断双城村墓群当属金初墓葬群。

542.哈尔滨东郊和宾县发现的金代文物

作　　者：黑龙江省博物馆　刘丽萍、杨　敏
出　　处：《北方文物》1997 年第 1 期

简报分为：一、哈尔滨东郊出土的金代文物，二、宾县出土的金代文物，三、结语，共三个部分，介绍了哈尔滨东郊、宾县两地出土的金代文物，有手绘图。

据介绍，1995 年 4 月，哈尔滨东郊城高子镇黄河村农民在田间耕地时发现一批金代文物。6 月，发现者将出土文物全部送交黑龙江省博物馆。这批文物中包括铜器、铁器和瓷器，共计 8 件。计有三足铜锅 1 件、铁斧 2 件、六齿车辖 2 件、酱釉瓷盘 1 件、青釉瓷碗 1 件、祥符元宝 1 枚。1995 年秋，宾县三宝乡宝山村农民在自家院内挖土时，发现一批金代文物。文物出土时皆散置在距地表 1 米深的泥土里，发现者将大部分出土文物送交了黑龙江省博物馆。这批文物中包括陶器和铁器，共计 6 件。计有陶罐 2 件、铁镰 1 件、铁铲 1 件、尖状器 1 件、铁镢 1 件。其中尖状器罕见，用途不详。

简报称，城高子镇黄河村，位于哈尔滨东郊阿什河上游的右岸。南距金上京会宁府遗址约 30 公里，北距松花江约 37.5 公里。这处遗址附近多有金代遗址和墓葬，从地理位置看，当属金代上京会宁县辖境。宾县三宝乡宝山村，当年应属金上京路曲江县辖境。

543.黑龙江哈尔滨市郊发现元代瓷器窖藏

作　　者：黑龙江省博物馆　田　华、胡秀杰、李桂芹、贾凤致、王秀文
出　　处：《考古》1999 年第 5 期

1989 年 5 月，热电厂在哈尔滨市香坊区幸福乡水回村铺设管道施工时，发现窖藏瓷器。考古人员立即前往，惜现场已遭破坏，完整器皿踪影皆无，只见堆土中残留零星碎片。经鉴定，这些瓷器可分别归属为定窑、钧窑、白汝窑、耀州窑、磁州窑，还有仿定瓷器和高丽瓷，完整和可修复的共 88 件，简报配以手绘图予以介绍。

据介绍，这批窖藏瓷器跨越宋、金、元三个朝代。瓷器中，大量的器物生产于元代，如仿定窑瓷大碗、茶叶绿釉大碗、酱釉大碗，其器形是元代民用器皿的特征，折沿碟也与元代瓷碟造型相符；少数钧瓷采用红斑装饰，纹饰呆板。这些器物底部

均有右向轮制的痕迹,中心有突出点,即"鸡心点"。胎粗夹砂,呈火石红色。钧瓷釉厚堆脂,施釉不到底,有棕眼、开片,光泽差。这些都是元代瓷器的典型特征,所以这批瓷器窖藏的时间应是元代。

544."蒙古山寨"古城调查简报

作　者：木兰县文物管理所、哈尔滨市文物管理站、木兰县博物馆　李彦君、
　　　　　刘　展、姜占忠
出　处：《北方文物》2000 年第 4 期

蒙古山,又名蒙古尔山、蒙古鲁山,皆为蒙语之音转。蒙古山位于松花江中游左岸的木兰县西部,山区与巴彦县交界,东距木兰县城 35 公里。山势较险峻,主峰海拔 668 米,山区面积 75 平方公里。此山位于松嫩平原与小兴安岭接壤的边缘地带,南部距松花江近处约 5 公里。1997 年春,考古人员在调查蒙古山中一处古城遗址时,经反复调查,根据该城的形制及遗物初步推断,该城即是《明实录》中记载的"蒙古山寨"。简报配以手绘图予以介绍。

据介绍,古城依山势而建,呈不规则的圆形,保存较好。城垣为掘土堆筑,内有取土堆城形成的深约 0.5 米的堑壕,城垣周长 1150 米,上宽约 1 米,下宽约 3 米,残高 1～2 米。城门两个,一个开在正南,宽约 4 米,另一个开在正北,宽约 3 米。南门外建有瓮城。距城门约 80 米处又建城垣一道,长约 100 米。北门未发现瓮城,但距城门 70 米处的北部山坡下,又依山加筑城垣一道,与南门外加筑的城垣形制相同,呈对称形,如同双耳状。城内分布有半地穴式房址 200 余座,房址有方形、长方形,面积大小不等,大者约 30 平方米,小者约 16 平方米。房址皆为深坑状,深浅不一。从破坏的房址地表可采集到布纹板瓦残片、灰陶片、手制夹砂陶片、木炭、兽骨、铁镞等遗物。农民开荒时,曾发现过铁锅等。

简报称,"蒙古山寨"一词,最早见于《明实录·太祖实录》,另一史料见于屠寄的《黑龙江舆地图说》。修订于民国初年的黑龙江省第一本地方志——《呼兰府志》,曾描述阿骨打统一女真部落时,在平定腊醅、麻产叛乱中也提到蒙古山寨,时间为辽道宗大安八年(1092 年)。据此,该城当建于此事件之前。在史书中,蒙古山寨古城曾被几代叛乱者据守,无疑是一处军事性城堡。城内出土的军事性武器更说明了这一点。在房址地表常常可采集到甲片、铁镞等。在古城内发现既区别于辽金典型器物、又与之相关的遗物,说明该城址部落有着独立的生活习俗,正与几代叛乱者独占一方的社会生活方式相合。从历史记载来看,此城应使用至明代。农业工具及钱币的发现,证实该城的经济生活已达到相当水平。房址内出土四片一组的手摇石磨为罕见之物。观其形制,估计也与军事有关。薄小的磨片便于分散随军

携带。根据城内、城外居住址推测，古城居民可达1500多人。至于该城居民以及古城建筑的上限年代，还有待今后进一步的发掘。

545.黑龙江省双城市前对面古城的文物

作　者： 双城市文物管理站　姜　勇
出　处： 《北方文物》2002年第2期

前对面古城位于黑龙江省双城市境内。古城平面略呈长方形，周长1640米。城墙上有瓮门、角楼、马面，墙外有护城河。从其形制上看，该城应为金备战而建在拉林河沿岸的一系列城池中的一座。有学者考证，前对面古城即《金史》所载的寥晦城。该城出土文物较为丰富。简报配以拓片、手绘图予以介绍。

据介绍，计有泰州主簿镜1件、金城记镜1件、轮制素面灰陶罐1件、轮制戳印纹灰陶罐1件、陶印（残）1件、陶俑（残）1件，以及瓷器、铁马蹬等。简报称，这些文物均出自前对面古城，为研究金代该地区经济、文化的发展提供了实物资料。特别是铜镜和瓷器的出土，表明了当时金与中原及其他地区存在着密切交往。

546.阿城出土的金代小铜龙

作　者： 李　瑱
出　处： 《北方文物》2002年第3期

2001年，黑龙江省阿城市小城子遗址出土了一件金代微型铜龙。简报配以照片予以介绍。

据介绍，这件微小的铜龙系铸造而成，重约12克，出土时完整无损。龙的整体呈波浪状，其造型应属于龙一类。此铜龙，全身长仅4厘米，最宽处1.5厘米，最窄处0.1厘米。金代龙纹图像有很突出的特点。这一特点主要表现在龙的头部，就是金代龙的头和嘴的造型都特别长，犹如马的头部和嘴部。据著名金史学家许子荣先生对金代龙纹图像的研究，金代龙的头部特别长，阿城出土的金代龙纹图像都有这一特征。他认为，这是因为女真人耕作、交通、运输、征战都离不开马。这种龙头类似马头的形象，是女真人崇马、爱马心理在龙的艺术造型上的反映。也可说是"龙马精神"这一成语的由来。反之，高句丽的龙的形象，其头部则往往是很短的。这件小铜龙，通体包浆，无任何钩、纽、扣、环一类东西，不可能是镶嵌或悬挂在其他较大饰件上的零部件，而是一件独立的物件。简报推测，它可能是当时人们放在囊袋中随身携带的护身吉祥物一类东西。

547.黑龙江双城市车家城子金代城址发掘简报

作　者：黑龙江省文物考古研究所　李砚铁、张春峰、于汇历、金太顺
出　处：《考古》2003 年第 2 期

车家城子城址位于双城市兰棱镇车家城子村西北处，东距哈长铁路约 300 米，南距拉林河约 2 公里。1981 年，考古人员曾对该城址进行过调查。1999 年春，黑龙江省路桥总公司二处在修建同三公路哈双路段时，将城址东西贯通，使城址遭到严重破坏。为使城址尽量少受损失，取得一些有关城址的较为完整的资料，考古人员于同年 7～8 月对城址进行了抢救性发掘。本次发掘总面积为 1000 余平方米，主要工作包括城壕、城墙的解剖和测量，门址的清理，城外居址及墓葬的发掘等。此外，还对城址平面重新进行了测量，获得了一些新的数据。

此次发掘清理房址 1 座、墓葬 1 座、灰坑 9 个、灰沟 1 条，出土陶器、铁器、石器、铜器及铜钱等遗物 100 余件。此次发掘为研究金代早期中小型城址的结构、布局及社会历史状况等提供了新的资料。简报分为：一、城址形制，二、城外地层堆积及遗迹，三、出土遗物，四、结语，共四个部分。有手绘图、拓片。

简报称，此次发掘，不仅搞清了城址的门址情况，而且对城址的城墙、护城壕等均进行了解剖清理，并对整个城址做了认真细致的测量，基本搞清了城址的全貌，并订正了以往对城址的一些错误认识。简报推测该城址可能是金代设置的一处驿站。车家城子城址只见宋钱，不见金钱，简报推断城址系金代初期的遗迹，与金初置驿的记载亦相吻合。墓葬中所出均是典型的金代遗物，其年代应与城址大体相当。

548.承安宝货银币

作　者：韩　峰
出　处：《北方文物》2003 年第 1 期

中国货币发展史上，现今有据可考的最早的直接用于流通的银质货币是金代的"承安宝货"。从 1980 年至今，在黑龙江省共发现 12 枚"承安宝货"，其形制基本相同。简报配以照片予以介绍。

据介绍，金上京历史博物馆现藏的一枚承安宝货，是 1985 年 8 月在阿城市杨树乡富勒村的一座古代墓葬中发现的。这枚"承安宝货"银币，仿银铤形制，长 4.7 厘米，上首和下首宽 3 厘米，腰宽 2.1 厘米，总重量为 59.3 克。呈砝码形，两侧边内凹。

正面规整，有数道水波，上部右起整刻"承安"两字，字下竖书两行："宝货壹两半""库Ⅱ部区"；背面布满蜂窝状的气孔痕迹，无整刻痕。史载，金代中期以前，流通的货币有铜币和匀钞（纸币）两种，银铤则是作为称量货币使用。这是中国货币发展史上第一次以白银为币材正式颁行的法定货币，是直接投入流通领域的白银。阿城出土的这枚银币上刻壹两半重，为五等面值之一。银币上的整文除名称、重量外还有典型的金代官押。这种白银货币只发行了3年，至承安五年（1200年）即废止。承安宝货的出土，丰富了中国古代币制的研究内容，也为研究金代社会经济制度提供了详实的实物资料。

549.阿城小岭发现金代夔纹铁觿

作　者：振　瑜
出　处：《北方文物》2003年第4期

阿城小岭，有金代重要铁矿遗址，曾出土有大量铁矿石、铁炼渣和冶铁工具等。在雨季，这里往往被雨水冲出金代遗物来。近来，当地又发现了若干件文物，其中有一枚夔纹铁觿，十分精致灵巧。简报配以照片予以介绍。

觿，是古人用以解结的工具，用象骨制成，其形如锥。人们也往往用以作为佩饰。阿城小岭发现的这枚铁觿，呈夔龙形状，制作十分精细，由环和觿组成，全长7.25厘米，环径长2.25厘米。觿柄部分饰夔纹，觿锥部分呈夔足状。夔，是古代传说中一种奇异的动物，如龙一足。在阿城一带，常出土有小铜佛觿、小铜人觿、小铜觿等物件，但夔龙状之铁觿仅见此件。简报怀疑其为金朝皇家用物。

550.白釉褐字四系瓶

作　者：吕淑华、李伯权
出　处：《北方文物》2004年第2期

1986年9月，黑龙江省宾县常安乡王家岗屯农民邢宪宾等人在三宝乡东方村亲属家帮助翻地时发现一件白釉褐字四系瓶。现收藏于宾县文物管理所。简报配以照片予以介绍。

据介绍，瓶通高27.5厘米、口径5厘米、底径8.5厘米。小口短颈，颈肩有4个柳叶形系。圆肩，鼓腹，矮圈足，圈足底部有一个鸡心点。腹部空白处用褐釉横写"高家好人家"五字。这件瓷器从造型、纹饰和文字内容均带有金代女真人浓厚的生活气息。从胎质和造型看，此瓶是金代磁州窑系的一种酒具，为金代典型器物。

伴随出土的还有六耳直腹铜锅 1 件，黑釉夹砂壶 1 件，轮制小陶罐 2 件，以及 1 件双刃铁镞。

551.双城市东利村发现"滨州邢家"银锭

作　者：邢国言

出　处：《北方文物》2004 年第 2 期

2002 年 5 月，黑龙江省双城市东官镇东利村两村民在村外取土时，于距地表深约 1 米处意外地挖出一个银碗和三块半银锭。"滨州邢家"银锭即其中之一。简报配以照片予以介绍。

据介绍，该银锭呈束腰扁平形，重 1900 克。银锭背面及侧面无錾刻痕，但密布铸造时留下的大小不一的蜂窝状气孔，孔内略呈淡黄色，银锭正面亮白、微凹，边缘有数道不甚清晰的水波纹，中间排列 8 行直书汉字契文，自左至右依次为："裝元""伍拾两""上京""滨州邢家真花银锭""行人郑公甫""觉泵秤""刘源""上戍六二十四客善匠王库帐裡"。其中"滨州邢家真花锭银"和"刘源"两行为倒书。此外，链面还清晰可见 6 个押记。

滨州属山东东路益都府，"滨州邢家"应为金银铺主人称谓。该银链即为该金银铺所制，应经过频繁的流通。

此件遗物对研究金代货币史有十分重要的意义。

552.黑龙江省阿城市金上京城址出土的武士像铜挂饰

作　者：阴淑梅

出　处：《北方文物》2006 年第 3 期

1998 年 7 月，黑龙江省阿城市白城三队的耕地中，出土了一件人像铜挂饰。简报配以手绘图予以介绍。

据介绍，此挂饰为红铜材质，单面范铸成，片状，表面微凸；背面微凹，有修整的痕迹，由用来悬挂的环及其下的武士坐像组成。挂饰通高 4.8 厘米，武士的头部与挂环重合。武士面呈刚毅之态，呈坐姿。头戴幞头，身穿明光铠。

简报称，人像铜挂饰，在金上京地区出土较多，但形象一般均为可爱的儿童形象，反映的是金初女真人祈求多子多孙的愿望，而此件挂饰，为着戎装的武士形象，较为罕见。

简报推断为金代遗物。

553.金上京发现开国庆典所献礼器——人面犁头

作　者：郭长海

出　处：《北方文物》2006 年第 4 期

20 世纪末，在金上京地区发现一件铁铸犁头，犁面铸造出尤如人面的双眼和嘴，酷似三星堆青铜人面，故称"人面犁头"。简报配以照片予以介绍。

据介绍，该器长 37 厘米，最宽处 23 厘米，现重 14.86 斤。据金史、女真史专家考证，此"人面犁头"当是大金开国时阿离合懑、宗翰向金太祖完颜阿骨打所献礼器"耕具九"之首，是金上京发现的孤品礼器，也进一步印证了金朝以农为本的基本国策。

554.阿城市双城村发现一座金代墓葬

作　者：韩　锋

出　处：《北方文物》2006 年第 2 期

2005 年 5 月，阿城市双城村村民王希光在自家庭院里建畜舍时，发现一座砖室墓。考古人员进行了抢救性的清理工作。简报分为：一、地理位置和自然情况，二、墓葬形制，三、墓式及随葬器物，四、结语，共四个部分。有手绘图等。

据介绍，阿城市双城村西距金上京会宁府遗址 1000 米，东距小城子遗址 200 米，是金代文物遗存比较丰富的地区。此墓为长方形砖室墓，内无棺，已遭破坏，人骨仅存下肢骨。随葬器物仅存瑞兽葡萄纹铜镜 1 件及瓷片。出土大量定窑、龙泉窑和钧窑等窑口的瓷片表明，墓主人的身份恐怕不会是一般平民。据墓葬形制及出土物分析，该墓葬应属于金代，简报推断为金代晚期女真贵族墓。

555.哈尔滨新香坊墓地出土的金代文物

作　者：黑龙江省博物馆

出　处：《北方文物》2007 年第 3 期

1983 年、1984 年，考古人员对哈尔滨市东南郊新香坊墓地进行了抢救性发掘，共清理墓葬 16 座，出土文物 300 余件。应为一处金代女真贵族墓地。

据介绍，墓葬形制有土坑竖穴木椁、土坑竖穴石椁、土坑竖穴砖窖墓。葬俗有土葬 、火葬、二次葬。出土文物有金器、银器、铜器、铁器及水晶、玛瑙、玉器等。其中银骨朵、玉雕绶带鸟、牙雕鱼饰等均极其精美。

556.黑龙江省哈尔滨市阿城区赵家崴子遗址发掘报告

作　者：黑龙江省文物考古研究所　姜晓宁
出　处：《北方文物》2010年第2期

赵家崴子屯地处阿城区西部，隶属于新利街道利平村。遗址位于赵家崴子屯南约1.7公里较为平坦的岗地上，北侧约600米有一条小河，当地人称"金兀术运粮河"。为配合哈尔滨市磨盘山输水管线二期工程建设，2007年5月初，考古人员在对该输水管线区进行考古调查时发现赵家崴子遗址。同年8～9月对该遗址进行考古发掘，共清理房址1座、灰坑3个，出土了一批比较珍贵的遗物。

简报分为：一、地层堆积，二、遗迹，三、遗物，四、结语，共四个部分。有手绘图。

据介绍，遗物主要有陶器、瓷器、铁器、石器、骨器和兽骨。黑龙江省阿城地区是金代上京会宁府所在地，在这里不仅有金代都城、小型城址，还有大量居住遗址。但由于金代地层较薄，后期人们在这一地区开发频繁，致使该地区的金代时期遗存遭到严重破坏。经过发掘，阿城赵家崴子遗址发现的残破建筑址和灰坑，陶片、瓷片、铁器、骨器、花纹砖和布纹瓦等生产、生活用品反映出这里人民的生活状况。本次发掘的房址具有典型的东北房屋特点，屋内的曲尺形烟道符合该地区金代房屋建造的传统。

简报指出，该遗址的发现，为深入研究金代历史和该地区金代的考古学文化面貌提供了重要的实物资料。

557.黑龙江省双城市金代银器窖藏

作　者：姜　勇
出　处：《北方文物》2010年第3期

2002年5月29日，黑龙江省双城市东官镇东利村两村民在村外取土时，于距地表约1米深处发现一处金代银器窖藏，出土文物包括1件银碟和4枚银锭，这5件文物已被双城市文物管理所收藏。简报配以照片予以介绍。

据介绍，计有荷花纹银碟1件、银锭4件。银锭上有"伍拾两"及"行人""称子"等有关重量及金银铺从业人员的铭文。银碟做工上乘，银锭应经过实际流通。简报称，此次发现说明金代贵金属制品乃至货币铸造的商业化程度已经具备相当规模。同时，该窖藏也进一步证明了金代窖藏多出货币及此特征与金前期战乱频发和金世宗推行"通检推排"经济政策有关。

558.黑龙江双城市房身泡窖藏出土的几件文物

作　者：陶　然
出　处：《北方文物》2011 年第 2 期

窖藏位于黑龙江省双城市兰棱镇永发村房身泡屯。1987 年 9 月，房身泡屯一农户院中发现一处文物窖藏。同时出土铜、铁、陶、瓷质文物共 21 件。经黑龙江省文物鉴定专家组成员鉴定，有 5 件文物为国家三级以上藏品。简报配以照片予以介绍。

据介绍，辽官窑黑釉小罐 1 件、辽套口陶罐 1 件、金代钧瓷碟 1 件、金代牡丹缠枝铜镜 1 件、金代双鲤鱼纹铜镜 1 件。均造型精美，工艺上乘。

559.黑龙江省双城市单城镇金代钱币窖藏

作　者：张　涛
出　处：《北方文物》2012 年第 4 期

1985 年 9 月，双城市单城镇政才村村民佟海在政才村东南约 500 米的一个土坑边取土时，于距地表 50 厘米深处发现一处钱币窖藏，出土铜钱约 200 公斤。考古人员进行了考察，认定这是一处金代钱币窖藏，出土的钱币除少量散失外，绝大部分回收。简报配以照片予以介绍。

据介绍，钱币窖藏地点在当地金代聚落遗址西侧的土坑边，据当事人讲述："我当时在坑边挖土，当挖到 50 厘米深的时候，发现了两个陶罐，罐内装有铜钱，原来钱好像是成串的，但串钱的绳子已经完全腐朽，一动就碎，我将弄碎的陶罐扔到附近的坑中，把铜钱拿回家中。"这批古钱币现收藏在双城市文物管理所，共约 200 公斤，约 4 万枚，经初步整理和拣选，这批钱币上限为西汉文帝时期的"四铢半两"（前 175 年），下限为金世宗的"大定通宝"（1178 年），涉及 13 个王朝，前后历时 1350 年，计 103 种钱币，保存较好，为研究我国货币史、经济史提供了实物资料。

齐齐哈尔市

560.黑龙江泰来辽墓清理

作　者：黑龙江省博物馆　丹化沙

出　处：《考古》1960 年第 4 期

1956 年，泰来县塔子城镇西南边的平等村发现了几座古墓，考古人员前去调查清理。简报配以照片予以介绍。

据介绍，平等村在泰来县西北部，墓葬发现于平等村西南约 150 米的田地里。农民为用砖，已把墓掘开，砖被运走。在西南边约 200 米处的田地里，有个不太高的土台，在这儿发现了板石和青砖（砖和墓砖相同）。此外，还发现了磁州窑系的瓷片和很多陶瓦片。墓用大小不等的红、灰颜色的砖砌成，墓中人骨已被破坏，葬式及性别均不详。清理的文物有铜器、铁器、陶器等。平等村墓葬和其附近永安、英山与平安等地墓葬大致相同。这种用砖砌墓壁的墓葬，黑龙江省别处发现不多，但在泰来却常见。根据出土遗物，简报初步推断为辽墓。

561.黑龙江泰来后窝堡屯辽墓

作　者：丹化沙

出　处：《考古》1962 年第 3 期

1957 年夏，黑龙江省文化局在泰来县平安乡后窝堡屯清理了一座辽墓，简报配以照片予以介绍。

据介绍，泰来县在黑龙江省西北部，墓葬在该县西北部的平安乡前后窝堡屯之间的小岗之西坡。这座墓葬附近是早期被破坏的几座墓，估计此处是一墓葬群。墓葬保存较好，为一长方形竖穴砖壁墓。葬具已朽，只发现数枚铁棺钉。为仰身葬式。随葬品较完整的有 7 件，此外还发现一些残马衔、残铁环等。

简报称，泰来县在辽代属泰州辖境，原是契丹二十部族放牧之地，《辽史·地理志》中有记载。该墓发现地点距离辽代北部重镇塔子城很近，又同英山、平山等辽墓群相邻，同时根据这座墓葬形制和墓壁砖筑结构以及某些出土遗物来看，它同泰来其他地区发现的辽墓相近，因此简报推断它应为辽代墓葬。

562.泰来县塔子城辽墓

作　者：林　杨

出　处：《黑龙江文物丛刊》1981 年第 1 期

1974 年 5 月 8 日，塔子城公社塔子城大队农民于城西北 1 华里左右的平地上开挖水渠时，在距地表 0.6 米处发现一座砖室墓。同时在该墓北部 0.5 米的地方发现一座东西向小墓。其结构极为简单，考古人员赶至现场，小墓已被社员掘毁，砖室墓顶被破坏了三分之二，随即进行了抢救性清理。鉴于辽墓在黑龙江省发现尚属不多，墓葬形制又具一定特点，简报配以手绘图介绍了发掘情况。

据介绍，此墓为竖穴小型砖室墓。从存留的铁棺钉以及在北壁发现的两枚棺环判断，墓室原来可能有木棺一类葬具，惜已腐朽，无法辨认。根据残留骨殖看为单人葬，仰身直肢。随葬品极为贫乏，在尸骨左肩部位出土一枚西汉五铢，骨盆部门有一把骨柄小铁刀。从墓葬形制看，此墓同塔子城附近后窝堡等地的辽墓甚为相近，据此简报初步定为辽墓。

563.黑龙江泰来出土"大辽行省委差句当印"

作　者：王峰庆

出　处：《北方文物》1986 年第 1 期

1984 年 7 月，在文物普查中偶得"大辽行省委差句当印"一颗。印文为朱文九叠篆书，三行九字，印为红黄铜质地，色黄丹，重 530 克，纽上锩一楷字"上"，印背右侧锩三个楷字"委差印"。

据介绍，此印出于黑龙江省泰来县塔子城（辽泰州）正东 42 公里、绰尔河流域右岸一个小土阜的西坡耕土中，这里还遗有辽金之残砖断瓦、篦纹陶片等遗物。简报称，此印之出土，无疑为研究黑龙江省西部地区的历史提供了一件珍贵的实物资料。

564.黑龙江克东县金代蒲峪路故城发掘

作　者：黑龙江省文物考古研究所　张泰湘、景　爱

出　处：《考古》1987 年第 2 期

金代蒲峪路故城，位于黑龙江省乌裕尔河南岸，属克东县金城公社古城大队，俗称克东古城。古城东南距克东县城 7.5 公里，南距哈尔滨市 300 公里。《金史·地理志》等文献将"蒲峪路"写作"蒲与路"。克东古城很早就引起国内外学者的注意。

1933年，日本人福岛一郎、北川正雄曾考察过此城。1938年，日本人泷川正次郎考察克东古城，他曾推断这是一座辽金古城址。三上次男根据泷川正次郎的考察材料，认为克东古城当是金代蒲峪路古城。由于泷川等人对整个乌裕尔河的辽金古城址没有进行全面考察，三上次男的推断缺乏充分的材料，因而没有得到学术界的重视。1975年、1979年，考古人员对金代蒲峪路古城进行了两次发掘。简报分为四个部分介绍了这两次发掘的情况，有照片、手绘图。

据介绍，发现有故城南门、城内官衙等遗迹，证实城东为官署区，城西为商业手工业区。至迟在金世宗时，已将夯土所筑城墙外面砌砖。南城门中清理出许多圆形的石弹和穿孔石器，它应该是古代的"石擂"。在金末元初的战争中，"石擂"已经运用到军事上来。在城门一带发现许多铁镞、铁甲片，这些都证明在城门附近发生过一场激烈的战斗，这座古城可能毁于金末一场战争中。简报称，金代蒲峪路故城南门和城内官衙遗址的发掘，是我国考古人员对金代城市的首次发掘，为研究金代城市提供了重要的实物资料。

565.黑龙江龙江县二村古墓群调查

作　者：金　铸
出　处：《北方文物》1987年第1期

1979年秋，黑龙江省龙江县广厚公社农民在土丘挖土时，先后发现了几座古墓。考古人员前去调查。1980年7月16日，对古墓再一次进行调查，又发现了两座已被破坏的墓葬。这一带共发现了10余座古墓，出土了大量陶器。简报分为：一、墓葬简况，二、遗物，三、小结，共三个部分。有手绘图。

墓群位于龙江县东南、雅鲁河左岸的广厚公社二村大队办公室房后偏东侧的土丘上。皆为土圹竖穴墓，无棺椁。葬式为仰身直肢，头西足东。多为单人葬。也有少量二人合葬墓。随葬品除陶瓷器外，多数墓葬伴出有猪下颌骨，多者数以十计。猪下颌骨一般置于墓主头部。据农民反映，这里早年曾挖过一座积石墓，墓内以整马殉牲。简报推断二村古墓为辽代贫民墓。

566.黑龙江省龙江县合山乡的辽代石室墓

作　者：傅惟光、金　铸
出　处：《北方文物》1989年第4期

1985年4月29日，齐齐哈尔市所属龙江县合山乡西甸子村的农民贾大山挖土时发现一座石室墓。考古人员赶赴现场对墓葬进行了清理。清理工作共进行了 4 天，出土了陶器、铜器、铁器、骨器、石器等随葬品。简报分为：一、墓葬地理位置及其形制，二、随葬品，三、墓葬的年代，共三个部分。有手绘图。

据介绍，合山乡西甸子村位于嫩江右岸，东南距龙江县约 7 公里。这是一处以土葬为主，兼有火葬的二次葬石室墓。随葬品有陶器、铜器、骨器、石器、食品等。简报推断，西甸子石室墓埋藏时间不会晚于辽代早期。

567.齐齐哈尔市梅里斯三合砖厂辽代砖室墓清理简报

作　者：辛　建、崔福来
出　处：《北方文物》1991 年第 2 期

1982 年 10 月 3 日，齐齐哈尔市梅里斯区三合砖场工人在该场西南岗子上取土时发现一座青砖砖室墓。考古人员前往现场调查。调查清理的情况和出土文物，简报分为：一、墓葬地理位置及形制，二、随葬器物，三、小结，共三个部分予以介绍，有手绘图、照片。

据介绍，从墓室形制看，构造较简单，无木棺，墓室地表所发现的木板残片，有可能是隔箱。从出土的陶器观察，无论是纹饰、形制等，都与龙江县二村辽墓群所发现的陶器近似。出土的瓷器均系辽民窑烧制。其中葫芦瓶，上小下大的束腰式，造型新颖，简报称，此瓶实为辽瓷稀有珍品。

568.黑龙江泰来发现辽代砖室墓

作　者：瑜
出　处：《北方文物》1992 年第 4 期

1991 年 7 月，考古人员在泰来县发现辽代砖室墓一座。该墓为单室，平面呈六边形，穹隆顶。墓内棺床用绳纹砖砌成，出土文物有鸡腿瓶、素面铜镜、白瓷碗及马鞍上的鎏金铜饰等。简报称，这座墓葬的发现，为契丹文化的研究提供了新的实物资料。

569.齐齐哈尔市梅里斯长岗辽墓清理简报

作　者：崔福来、辛　建
出　处：《北方文物》1993 年第 1 期

1984 年 10 月下旬，齐齐哈尔市梅里斯达斡尔族区共和乡长岗村村民，在房前

30 米处挖窖时，发现一些马骨和部分马具饰件。考古人员前去现场调查，在出土马具的窖坑向西开探方 1 个，清理辽代墓葬 1 座。简报分为：一、地理位置和墓葬形制，二、随葬器物，三、结语，共三个部分。有手绘图。

据介绍，梅里斯达斡尔族区位于齐齐哈尔市城区的西部和西北部，东、南濒临嫩江。长岗辽墓位于梅里斯达斡尔族区所在地的北部长岗村，东距齐（齐哈尔）甘（南）公路 0.8 公里。该墓为土坑竖穴，东西向，平面呈较规则的长方形，墓底四边有较明显转角。墓圹东西长 4.6 米、南北宽 1.8 米、距地表深 1.9 米。葬式为单人仰身直肢葬，头西脚东，无葬具。在墓主头部左侧，随葬有铜质盔顶和鎏金铁权杖，腹部有骨带扣，胸部右侧有一些铁质兵器，墓底发现"开元通宝""崇宁重宝"等铜钱。据挖窖人讲，马骨均在墓主脚下，马头向西，四肢向东侧卧，马镫和马具饰件均在马头及腹部附近。由于葬马部位被挖窖时扰乱，未能见到墓葬原貌。

从骨骼判断，墓主人为男性，年龄在 30～40 岁之间，身长约 1.68 米。该墓出土随葬品 117 件，大致可分为兵器和马具两类。兵器中有鎏金权杖，还有铜盔顶、铁刀、鹤嘴啄及多式铁镞等。马具有鎏金马镫、鎏金辔具及银带饰等。这表明，墓主人的品级较高，墓主人虽然随葬有丰富的鎏金马具及武器，但其墓制却很简陋，仅仅是土坑竖穴，且无葬具和生活用品，这又表明，墓主人可能是死于辽末战乱时的一员武将。

570.黑龙江省龙江县鲁河新丰砖厂辽墓

作　者：邹向前

出　处：《北方文物》1995 年第 2 期

龙江县位于黑龙江省西部，大兴安岭与嫩江平原的过渡地带。1990 年 5 月中旬，龙江县鲁河乡新丰砖厂制砖取土时发现一座辽代墓葬。考古人员先后两次进行了现场调查。简报分为：一、墓葬位置、地貌及地层堆积，二、墓葬的形制，三、随葬品，四、结语。共四个部分予以介绍，有手绘图。

据介绍，鲁河乡位于龙江县北部，地势比较平缓，新丰砖厂墓葬西距厂部办公室 50 米，南距龙碾公路 40 米。该墓葬为长方形土坑竖穴墓，单人仰身直肢葬。墓长约 2 米，宽约 1.5 米，墓内没有任何葬具。据了解，墓葬暴露后，墓主身着绸缎，衣服颜色鲜艳，长外衣为绿色，有花纹，出土后短时间内颜色变暗紫色，随即风化为碎片。清理时发现墓主背下有 5 层衣服的残片。该墓葬共清理出随葬品 50 余件，其中有陶器、铁器、银器、骨器和铜器，有成套的鎏金马具饰件。简报推断该墓为辽早期契丹墓葬。

571.黑龙江省齐齐哈尔富拉尔基辽墓清理简报

作　者：齐齐哈尔市文物管理站
出　处：《北方文物》1999年第3期

1987年9月末，富拉尔基区武装部在办公楼北侧挖下水管道沟时发现几座古墓葬，考古人员对该墓葬进行了抢救性清理。简报分为：一、地理位置，二、墓葬形制，三、随葬器物，四、小结，共四个部分。有照片、手绘图。

据介绍，这次清理两座墓葬（编号为QFWM1和QFWM2）。M1在施工中破坏比较严重。该墓为土坑竖穴双人葬，头向西偏北。M2位于M1西侧约5米处，为土坑竖穴单人仰身直肢葬，有木制葬具，头向西偏北。墓坑上大底小，长2.4米、宽1.1米，墓底距地表深约2.5米。因该墓早期被盗，随葬品仅存一些陶器残片。出土的随葬品有陶器、瓷器、金器、铜器、骨器、玉器、玛瑙、砾石等9类24件，均为M1出土。其中黑花牡丹四蝶梅瓶为宋代磁州窑中上品。墓主人当为辽代有一定社会地位之人。

572.黑龙江省克山县发现一枚金代官印

作　者：黑龙江省博物馆、革命领袖视察黑龙江纪念馆　李桂芹、赵静敏
出　处：《北方文物》2000年第1期

1995年，克山县古城镇均乐村村民杨立武在修建养鱼池时发现一方金代官印。简报配以拓片予以介绍。

据介绍，此印为铜质，方形，边长6厘米，厚1.5厘米。扁方形柱状纽，纽端阴刻"上"字。印文为汉书阳文九叠篆"椀都河谋克印"六字，印背阴刻汉字楷书"大定十年五月　少府监造"，印侧阴刻汉字楷书"椀都河谋克印　系木吉猛安下"。大定十年为1170年，大定为金代年号。椀都河谋克，简报考证应在今密山市西北完达山一带。密山市内最大一条河叫穆棱河。穆棱河的穆字字音与"木"字相同，木吉猛安辖地应在穆棱河一带，这就与椀都河谋克所在今完达山一带相符。但为什么椀都河谋克印发现于克山县境内，还有待于今后的研究。

573.齐齐哈尔富拉尔基辽代砖室墓

作　者：齐齐哈尔市文物管理站
出　处：《北方文物》2003年第3期

1998年10月中旬，黑龙江省齐齐哈尔市富拉尔基区长青乡永青村的重型机械厂

退休职工贾德荣，在自家房前路南杨树林附近挖菜窖时，于距地表 1.8 米处发现一座砖室墓。考古人员赶赴现场进行调查和抢救性清理。简报分为：一、地理位置和自然情况，二、墓葬形制及结构，三、葬式及随葬器物，四、结语，共四个部分。有手绘图。

据介绍，富拉尔基区位于齐齐哈尔市中心区西南 37 公里。该墓为长方形砖室墓，南北向，由墓室、墓门、东西耳室、墓道组成。墓室平面呈"凸"字形，南北长 3.76 米、东西宽 3.4 米、残高 2.6 米。墓顶已坍塌，西耳室上部已被挖坏。当事人曾挖出人头骨、上肢骨及猪头骨。由于该墓早期被盗，墓室内的随葬品已荡然无存，仅在尸台附近的地面上发现一块酱釉瓷片，在东侧耳室券门和墓门的夹层处，清理出铁制的马嚼环、带钩的铁折页、环形铁鼻子和布纹瓦残片等。该墓的时代，简报初步断定为辽代晚期，应是生活在黑龙江西部嫩江流域的女真族文化遗存。简报称，富拉尔基辽代砖室墓的发掘，为研究黑龙江西部辽代女真族的分布、葬俗及社会生活状况提供了宝贵资料。

574.黑龙江泰来发现的几件辽代陶器

作　者：阴淑梅

出　处：《北方文物》2008 年第 1 期

20 世纪 80 年代以前，考古人员在黑龙江省西南部的泰来县发现了一些辽代文物，其中有 8 件十分精致。简报配以手绘图、照片予以介绍。

据介绍，计有长颈鼓腹罐 1 件、高领罐 2 件、盘口长颈瓶 1 件、长腹罐 1 件、小口长腹罐 1 件、小口罐 2 件，均有明确出土地点，应属辽代晚期遗存。

鸡西市

575.黑龙江省密山市出土的两方铜印

作　者：金英极

出　处：《北方文物》1997 年第 3 期

简报配以拓片介绍了两方金代铜印。

黑龙江省密山市出土的两方铜印，1990 年 5 月 16 日，朝阳农场二十九连职工张仁山将 1988 年 9 月在自家门前菜地里发现的一枚铜印交给密山市文物管理所。此印出土于密山市市级文物保护单位"承紫河古城址"内，现为朝阳农场二十九连的居民区。该印为红铜铸造，重540克。印面呈正方形，印文为汉字阳文九叠篆"行军万户之印"。纽高2.3厘米，顶端刻有楷书"上"字。印的左侧镌刻楷书"行军万户印"5个字，印背左边整文为"行六部造"，右边是年款，因腐蚀严重，难以辨认，但能考证出是"贞祐三年三月"几个字。该印的特征是铸造工艺粗糙，砂眼多。

1987年5月，密山市太平乡农丰村农民宋长发，将1986年秋在村边挖土时发现的一枚铜印交给密山市文物管理所。该印出土于离鸡东县永安乡"锅盔山古城址"东北约15公里处。该印为青铜铸造，重675克。印面呈正方形，印纽顶端刻有"上"字。印文为九叠篆"征行万户之印"，印背左侧刻有"征行万户印"5个字，没有年款和铸印机构，保存完好。

简报称，上述两方铜印均为铸造，颁发于金末，这为金史的研究提供了实物资料。

鹤岗市

576.绥滨永生的金代平民墓

作　者：黑龙江省文物考古工作队
出　处：《文物》1977年第4期

永生的金代平民墓葬，在绥滨县北岗公社永生大队居民点北侧，东南距松花江畔的绥滨县城约10公里。永生大队居民点北依林木丛生的漫岗，漫岗四周缓坡为耕地。墓葬位于漫岗南坡耕地上，南与居民点相连。

1974年9月，永生大队在漫岗南坡基建施工时，在墙基地槽中暴露出14座墓葬，发现有棺木、尸骨及陶罐等随葬品。据农民介绍，施工前在地表未见有封土的痕迹，为了搞清墓葬分布情况，考古人员在整个施工范围内进行了发掘，结果又发现12座墓葬，出土了百余件随葬品，表明这里是一处分布密集的墓群。简报配以照片予以介绍。

据介绍，随葬品以陶器、铁器为主，其他诸如玉器、金银器等贵重的器物出土极少，且墓圹较小，葬具简单，都表明墓主的社会地位较低，当是平民的墓葬。墓葬排列颇有秩序，东西成行，自北而南，整齐地排成五行，左右相邻的墓葬间距甚小，多在1米左右，有的间距还不足1米。这表明此墓群可能是一处平民的家族墓地。简报推断此墓当是金代中晚期的墓葬。

577.黑龙江畔绥滨中兴古城和金代墓葬

作　者：黑龙江省文物考古工作队
出　处：《文物》1977年第4期

1973年6月，考古人员在绥滨县中兴公社东17公里处调查了一座古城址，同时在古城西北约半公里处发现一处金代墓群。同年7～9月，先后共发掘了其中的12座墓，出土了300多件文物，计有陶器、瓷器、铜器、铁器、金器、银器、玉器、玛瑙、水晶、桦皮、漆器等各种生活用具和生产工具，为研究我国金代黑龙江流域的历史，提供了一批重要的实物资料。简报分为"中兴古城""墓群的年代及墓主人的阶级地位""墓葬形制及其特征""出土文物"等几个部分，配以彩照、手绘图予以介绍。

据介绍，这群墓葬位于一座古城城址的西北，并与古城本身一起为一道外墙所包，看来与古城有密切关系。古城在绥滨县县城东北60公里的一条黑龙江江叉的南岸，北距黑龙江主航道约4公里，东距黑龙江、松花江汇合处约20公里。城周长1460米，近方形，城墙不直，北墙弯曲尤大。城四角也多呈钝角。南、北城墙各设一门，有瓮城，瓮门有偏有正。共三道城墙，一主墙，两副墙。各墙外侧有壕沟，构成三条护城河。城墙设有马面，城外西北、西南、东南还各有一周长约为200米的小方城。古城西侧有一道西南走向的外墙，现保存较完整，仅部分残断。整个布局严密紧凑，应是我国古代黑龙江流域的一个军事重镇。据文献及考古资料，简报认为是金代中晚期仍在使用的一处古城。

与古城相一致的是墓群，其年代简报也定为金代中晚期，12座墓中大、中型墓多已被盗，火葬墓居多。12座墓出土文物300多件，有铁器、铜器、瓷器、陶器等。瓷器以定窑产品最多，其次为耀州、磁州窑产品。8号墓墓主人应为金代贵族，7号墓墓主为女性，简报认为是8号墓墓主人的妻妾。3号墓的规模最大，地位最高，4号墓墓主人也是女性，估计是3号墓墓主人的妻妾。其他都是小墓，墓主身份不高。

578.松花江下游奥里米古城及其周围的金代墓葬

作　者：黑龙江省文物考古工作队
出　处：《文物》1977年第4期

辽代的五国部是剖阿里、盆奴里、奥里米、越里笃、越里吉五部的总称，是我国历史上女真族在松花江下游、黑龙江中下游的广大地区内所建立的五个大城落，是当地少数民族活动的政治、经济、文化中心。古代，我国黑龙江流域的居民称为肃慎、挹娄、勿吉，到了隋唐时期，称为靺鞨，靺鞨又分为七部，其中居住在黑龙江中下游两岸的是黑水靺鞨。到了辽代，黑水靺鞨为生女真，五国部就是女真活动地域的一部分。五国城之一的奥里米城故址，经过近几年来的调查，可以确定就是今天黑龙江省绥滨县县城西9公里的古城。简报配以照片、手绘图予以介绍。

据介绍，古城现残存有墙址、马面等，周长3224米，具有金代特征，与金上京会宁府遗址很类似。另据当地人反映，古城东西两侧原有两座小城，近代已遭破坏，形迹不清。古城内土丘起伏，排列有序，其上遍布瓦砾陶瓷片，应为建筑遗址。

579.绥滨三号辽代女真墓群清理与五国部文化探索

作　者：乾志耿、魏国忠
出　处：《考古与文物》1984年第2期

绥滨县位于黑龙江与松花江汇流处的三角洲地带，西接小兴安岭的青黑山东麓，北濒黑龙江，与当时苏联犹太自治州隔江相望，东和南均临松花江。三号辽代女真墓群就坐落在绥滨县高力河注入黑龙江以东1公里的沿江沙丘地带，西距黑龙江第295航标及北距江岸约80米。1975年修江堤时发现，共发掘墓葬14座，其中9座不甚完整，5座保存较为完好。两区墓葬共出土随葬品150余件。简报分为：一、墓葬形制，二、出土文物，三、墓葬与文物的断代，共三个部分。有照片、手绘图。

据介绍，墓葬均无葬具（仅M5为陶罐装骨灰，可能是二次葬），骨架为仰身直肢葬。随葬品主要有陶器、铁器、铜器和装饰品，也有少量石器和玉饰件。简报认为可能是辽中叶以后五国部女真人的墓葬，确切说是奥里米部人的墓葬。时代为辽代中期。

580.黑龙江省绥滨中兴墓群出土的文物

作　者：胡秀杰、田　华
出　处：《北方文物》1991年第4期

中兴墓群位于绥滨县中兴乡东17公里左右，1973年考古人员对墓群进行了清理，共发掘12座墓葬，出土文物百余件。林秀贞、张泰湘、杨志军三位老师在《文物》（1977年第4期）上发表了《黑龙江畔中兴古城和金代墓群》一文，对在考古界引起了强烈的反响，它是新中国成立以来金史考古研究的重大收获，推动了学术界对金代历史的研究。但是，由于时代的局限，文章未能将出土文物全部发表，虽然在文章后面列了出土文物统计表，但也难以反映其全貌。鉴于中兴墓群出土文物在金代考古研究中占有相当重要的地位，同时也为后人研究金史提供丰富的资料，故将中兴墓群出土文物（修复成形入库者）加以整理。简报分为：一、陶器，二、瓷器，三、铁器，四、铜器，五、金银器，六、玉石器，共六个部分，有手绘图。

据介绍，中兴墓群出土文物丰富，但对于它们的断代，不能一概而论。8 号墓出土了大定通宝，为金代中、晚期墓葬无疑，而其他墓葬出土的铜钱，上限起自 995 年，下限至 1110 年，相差一个多世纪，还有的墓葬未出土可供断代的文物。因此，对这些墓葬的准确年代，还有待于进一步研究。根据中兴墓群的出土文物，简报认为中兴墓群很可能含有辽代文化的遗物。

简报指出，需要说明的是，原报告 12 座墓葬共出土文物 300 余件，其中绝大多数为棺钉。此外，为了便于器物的分类、排队，将少量已发表的器物也列入此篇，以供同行们更好地研究。

581.东胜墓葬发现大元通宝

作　者：尚咏黎
出　处：《北方文物》1994 年第 3 期

1991 年 10 月，考古人员在绥滨县东胜墓葬中发现一枚"大元通宝"。

据介绍，"大元通宝"呈圆形，方孔，直径为 4.1 厘米，方孔一边长 1.1 厘米，正面币文为八思巴文，背面无文字。"大"字和"宝"字中间凿出一个三角形镂孔，现存铜币仍保留栓皮绳的痕迹，出土时置于膑骨旁，可能是后来施于身上的一种装饰品。"大元通宝"为元代（1271～1368 年）货币。元朝主要行使纸币，前期曾禁止使用铜钱，到武宗至大三年（1310 年）以后，方开始铸蒙文的"大元通宝"当十大钱。它的发现，为元代铜币的研究增添了实物资料。

582.黑龙江省鹤岗市邵家店古城——辽代主偎古城考

作　者：邹　晗、程　松、景　山
出　处：《北方文物》1996 年第 1 期

邵家店古城位于鹤岗市北部，坐落在东梧桐河与嘉荫河支流西南岔河的分水岭处。东北距庆林林场新青林场防火站 8 公里，南距双益林场 7 公里，西南距老邵家店 2 公里。1982 年、1983 年、1989 年，考古人员多次前往调查。简报配以手绘图予以介绍。

据介绍，古城遗址已被树木覆盖。古城平面呈椭圆形，南北长径 425 米，东西短径 325 米，周长 1232 米。现在南面一段城墙已被破坏，其余东、北、西三面城墙均保存完好。城垣高 1.5 ~ 2.5 米，基宽 5 ~ 6 米，夯土版筑。城东部和南部各设一城门，城门外有瓮城，城外应有护城壕。古城还残存有 19 个马面。采集到铜锅等 6 件及陶片等。简报称，邵家店古城，从它的修筑风格与出土遗物可推测为辽代城址，它的地理位置亦与史书记载相符，邵家店古城当是辽代"主偎古城"。

583.黑龙江省萝北县发现金代"辽东运司"铁权

作　　者：刘丽萍
出　　处：《北方文物》1996 年第 2 期

1982 年，在黑龙江省萝北县太平乡金满屯村于地表 1 米深处发现一件铁权。铁权为实心铸铁，自重 192 克，通高 10 厘米。简报配以手绘图予以介绍。

据介绍，铁权底座呈塔状，其上有 3 道突起弦纹。权身呈橄榄状，其顶端铸一系绳鼻纽，出土时已残断。铁权上刻有楷书汉字，正面为"泰和二年"，其下为"佺"，背面为"辽东运司"。"泰和"为金朝第六代皇帝金章宗完颜璟年号，"泰和二年"即 1206 年。"辽东运司"乃是金朝所置"十九路"之一——咸平路所属机构，其全称当是"辽东路转运司"。"佺"为铸权人之名。从铁权的形制及铁权上的刻款看，当是金代衡器无疑，应是一秤砣。简报称，这件"辽东运司"铁权的发现，不仅为研究金代度量衡制度提供了新的实物资料，也为研究金代东北地区地方建置的产生、确立、发展提供了新的资料。

584.绥滨县奥里米辽金墓葬抢救性发掘

作　　者：绥滨县文体局、绥滨县文物管理所　方明达、王志国
出　　处：《北方文物》1999 年第 2 期

绥滨县城西 9 公里、松花江北岸的奥里米古城系辽金时代著名的五国部之一奥里米所在地。目前该城已列为黑龙江省文物保护单位。1998 年夏秋之季，一场松花江特大洪水危及城外西边江坝上几座古墓，考古人员进行了抢救性发掘。发掘从 9 月 22 日起到 28 日结束，为时一周，共抢救清理墓葬 8 座，出土文物 83 件，征集文物 9 件。简报分为：一、墓葬，二、遗物，三、结语，共三个部分。有手绘图。

据介绍，M1、M2 位于同一大型封土内，M1 为一座中型木椁墓，但因早年被盗，墓中已空，从墓葬结构来看，知为金代中期奥里米部女真贵族墓葬。北侧的 M2 为

一火葬墓，填土中有烧毁的人骨、动物骨骼、陶片等，可见木椁墓和火葬墓并行于松花江下游金代女真墓中。M2 亦为金代中期墓。M3、M4 位于另一座大型封土内，M4 出土 1 枚"元祐通宝"，M3 出土了定窑白瓷。两墓中出土了精美的金、银、水晶、玛瑙等随葬品，工艺水平很高。M3、M4 应为金代中期以后墓。M5、M6、M7 和 M8 位于永兴村北、奥里米古城西北一条漫岗上，是平民墓群，简报推断此 4 墓的时代为辽代。

简报指出，以往学术界研究辽金元时期北方少数民族(契丹、女真、蒙古)的"烧饭"礼多限于文献考证，如王国维先生《观堂集林》中有"烧饭考"。这次发掘的几座墓葬提示了烧饭礼的一些内涵，它大体是先在地上挖一个长方形土坑，然后把棺木和尸体架起来，下面摆上木柴，用火点燃，熊熊大火把棺木、尸体、服饰、食物(包括小动物)一起焚烧，然后用土培上，加上封土，形成墓葬。

585.黑龙江省萝北县都鲁河下游文物普查简报

作　者：范忠泽

出　处：《北方文物》2005 年第 2 期

1996 年 7 月，考古人员在对萝北县都鲁河下游两岸进行文物普查时，发现文物遗址 3 处、遗物点 1 处。简报分为：一、机垦站遗址，二、24 连遗址，三、东胜遗址，共三个部分。有手绘图。

据介绍，机垦站遗址位于萝北县苇场乡机垦站北侧。24 连遗址位于共青农场 24 连东 1.5 公里处。东胜遗址位于苇场乡东胜村北 0.5 公里处。采集的文物有陶器、石器。文化属同仁二期，相当于中原辽金时期。

586.绥滨农场九团十二连墓地出土及征集的几件陶器

作　者：邹继和

出　处：《北方文物》2006 年第 2 期

1978 年考古人员在绥滨农场 9 团 12 连进行文物普查时发现并清理了一处墓群，但不知何故，至今未见报导。1998 年经黑龙江省文物管理局批准，将省文物考古研究所收藏的鹤岗地区有关出土文物调拨鹤岗博物馆陈列，12 连墓葬出土及征集的 12 件文物亦在其中。这些文物现全部为鹤岗博物馆展品。2004 年 9 月，考古人员对 12 连墓地进行了较详细的调查、走访(对此墓地的概况及具体位置，曾咨询过省内当年发掘的老专家，均未果)。令人欣慰的是，这次文物复查中，终于找到了当年的知情老乡，认清了此墓地的确切位置，但墓葬当年的发掘情况，诸如墓葬的形制以及出土物等均无从知晓。简报分为：一、墓地的位置，二、出土及征集的文物，三、结语，共三个部分。有手绘图。

据介绍，墓地位于绥滨农场9团12连连部北约100米处的种子库（当年的墓区现已辟为种子库和凉晒种子的场地），北距黑龙江15公里。出土及征集的12件陶器中，应包含两种基本类型，即夹砂粗陶和泥质硬灰陶。简报认为它们应是辽代五国部的文化遗存，此次发现为研究这一地区的辽代五国部物质文化又增添了新的材料。

587.鹤岗地区发现的几处辽金时期遗址

作　者：鹤岗市文物管理站　邹继和

出　处：《北方文物》2006年第4期

2004年9月，考古人员对市区及萝北、绥滨两县部分遗物点进行复查补遗的同时，又新发现了几处辽金时期的遗址，采集的文物标本有陶片、陶网坠、小瓷瓶、铜镜、铜钱、铁镞和铁刀等。简报分为：一、前安民遗址，二、幸福院遗址，三、老龙坑遗址，结语，共四个部分。有手绘图、拓片。

据介绍，前安民遗址出土的两枚铜钱，"皇宋通宝"是北宋宝元二年（1039年）铸造的钱币，"崇宁重宝"是北宋作为压胜钱而铸。两枚铜钱为此遗址的断代起到重要作用。此遗址出土的铁犁是典型的金代铁农具，在这一地区属首见。幸福院遗址出土大量的大小不等、形状各异的陶网坠，在这一地区的黑龙江沿岸均有发现，尤以幸福院遗址出土为多，说明当时的捕鱼业在生产活动中占有相当重要地位。老龙坑遗址采集的陶片均为辽金时期的轮制硬陶，采集的两面铜镜从图案的构思到人物的表现手法都极为逼真。桥北遗址采集的早期夹砂陶片中，有附加堆纹直口罐、喇叭口碗等，这些都见于早期铁器时代同仁一期文化中。采集的相当数量的泥质轮制硬灰陶片，应是辽金时期的遗物。

588.黑龙江省绥滨县二九〇农场一队古遗址调查

作　者：黑龙江省文物考古研究所　谭炜

出　处：《北方文物》2011年第1期

1976年5月，原黑龙江生产建设兵团二师八团（今宝泉岭农管局、绥滨县二九〇农场）在水利规划调查中，水利办工作人员王业安等在八团一连耕地风蚀沙地上发现大量古代遗物。考古人员前往绥滨县现场了解情况，于同年7月下旬对遗址进行了调查。简报分为：一、遗址概况，二、文化遗物，三、几点认识，共三个部分。有手绘图。

据介绍，遗址在绥滨县原黑龙江省生产建设兵团二师八团一营一连连部（即二九〇农场一队）的东北方向 1.5 公里的耕地中。沙滩上暴露的文化遗物特别丰富，以陶片为主，还有骨器、石器、铜器、铁器以及零散的人骨。结合已有发现，根据器物特征，大体将发现遗物分为早、晚两个时期。早期遗物有骨器、石器和陶器，应属波尔采文化范畴。简报认为比蜿蜒河遗址略早，大致相当于春秋时期。晚期遗存以铜器、铁器、细泥灰陶为特点，当属辽代遗存。

双鸭山市

大庆市

589.大庆市大同区考古调查

作　者：大庆市文物管理站　李俊武、唐国文
出　处：《黑龙江文物丛刊》1984 年第 3 期

1982 年 5 月 ~ 7 月，考古人员首次对大庆市大同区进行了考古调查，共发现遗址 19 处，其中新石器时代遗址 7 处，青铜时代遗址 3 处，辽金时代遗址 9 处，共采集标本 500 余件。简报配以手绘图予以介绍。

简报重点介绍了新石器时代的常家围子遗址、辽金时代的前窝棚遗址和九间遗址等。从考古发掘情况看，新石器时代遗址与周边同时代遗址有着交往，金代这里的经济生活是相当发达的。另外，在九间遗址中采集的莲花瓦当是金代遗址中所不多见的。

590.黑龙江省大庆市沙家窑发现的辽代墓葬

作　者：云　瑶、日　平
出　处：《北方文物》1991 年第 2 期

沙家窑村位于大庆市西南约 80 公里，隶属于大庆市大同区双榆乡。在一风蚀坑底部暴露出一座古墓葬，扰乱较为严重。1984 年 6 月，考古人员在此进行考古调查

时发现了这座墓葬，并进行了初步清理。简报配以手绘图予以介绍。

据介绍，在沙家窑发现的这座墓葬，形制和葬式比较简单，土坑竖穴，双人合葬，无葬具。随葬器物仅 8 件，皆为日常用品，不见瓷器。陶器基本组合为罐和壶，为黑龙江省所少见。简报推断，沙家窑墓葬的时间也应到辽代。

简报称，这座墓葬的发现，为今后认识黑龙江省辽代墓葬的文化内涵及其同邻近地区的文化联系提供了一定的线索。

591.大庆市发现两座古墓

作　者：大庆市文物管理站
出　处：《北方文物》1994 年第 2 期

1988 年 5 月 21 日，在大同区老山头宝山二村西南岗的北坡，发现一座破坏严重的古墓。6 月 3 日，考古人员对该墓进行了抢救性清理，在清理过程中，又发现邻近的另一座墓，按发现顺序，将两座古墓分别编号为 M1、M2。

简报分为：一、地理位置，二、墓葬形制，三、随葬品，四、问题讨论，共四个部分。有手绘图。

据介绍，墓葬坐落在距宝山二村约 0.75 公里的西南岗的北坡上。前些年，当地村民常来此土岗取土，致使取土处形如一个口向北的簸箕，这座墓葬就暴露在近簸箕口东壁的下端。M1 为长方形竖穴土坑墓。由于该墓破坏严重，人体骨架已裸露在外。骨架长约 80 厘米，仰身直肢，头骨与肢体分离，脚向西南，头骨的面部向北（无下颌骨，面部破碎，应是扰乱移动所致）。在距头骨北约 15 厘米处，有羊骨两只。据骨骼及牙齿推断，M1 的墓主人应是 3 岁左右的儿童。M2 的主人为一成年男性，无葬具。两墓随葬品不多，仅有羊骨、铁镞、小铁刀、陶罐等几件。

简报推断，两墓的时代应为辽末金初，M1 应早于 M2。

592.林甸县四合乡渔场金代墓葬调查简报

作　者：林甸县文物管理所　李凤歧、马丽双、李含秀、曹英慧
出　处：《北方文物》1997 年第 2 期

该墓葬 1991 年 7 月发现于林甸县四合乡渔场。为一土坑竖穴，无葬具。墓主人为一成年男性，仰身直肢单人葬。随葬物品有铜镜、马具、饰珠、铜钱等 17 件，大多置于死者腰部和足下。该墓的时代，简报推断为金代。

593.黑龙江省博物馆征集的二件石碾轮

作　者：勾海燕

出　处：《北方文物》2005年第2期

1993年6月，大庆市一位文物爱好者送来一大一小两件石碾轮，现藏于黑龙江省博物馆。简报配以手绘图予以介绍。

据介绍，两件石碾轮出土于大庆，皆为花岗岩质，整体呈圆饼状，中间厚，边缘渐薄且光滑，有明显的使用痕迹。两件碾轮中间皆有一圆形孔，孔周围有6个前后对称的半圆形凹槽，形似花瓣，其作用应是固定碾轮中轴。大碾轮已断成两截，直径90厘米。小碾轮直径70厘米，保存完好，应是金元时用来碾米的糟碾轮。

简报指出，在大庆这样边远的地方出土农业用具，再次证明金元明时期肇州的重要地位。

594.黑龙江省肇源县大青山遗址调查

作　者：黑龙江大学历史文化旅游学院、黑龙江大学博物馆　段光达、王乐文、沈一民

出　处：《北方文物》2007年第4期

黑龙江省肇源县民意乡大青山，一直被当地人传为辽与女真出河店战役的古战场。2007年7月，考古人员对该遗址进行考古调查。

简报分为：一、遗址概况，二、早期遗物，三、晚期遗物，四、初步认识，共四个部分。有手绘图。

据介绍，大青山遗址位于肇源县民意乡东南约10公里，位于一东北—西南走向的岗地上，当地人俗称大岗子。遗址面积约30万平方米。遗存可分早、晚两期。早期遗物发现较少，仅采集到部分陶片，皆砂质，基本上都是黄褐陶，大多不辨器形，可确定器形的有少数百足和口沿。晚期遗物为陶片、瓷片、瓦、铜钱、动物骨骼等。简报认为早期遗物与白金宝文化二、三期类似，年代从西周、春秋至战国，下限则可能进入西汉初年。简报推断晚期遗存的时代为辽金时期。

简报称，本地人一直传说大青山是1114年出河店战役的古战场遗址，但在调查时，没有发现此处为古战场的考古证据。当然，即使是古战场，也并非一定会留下考古证据。即使留下了遗存，也不一定都会保存下来。另外，据文献记载，出河店之战进行得非常迅速，留下遗存的可能性也不会很大。

595.黑龙江省肇源县大青山遗址发现一批建筑构件

作　者：黑龙江大学考古学专业调查组　段光达、王乐文、石　岩
出　处：《北方文物》2009 年第 3 期

2008 年 9 月初，黑龙江省肇源县民意乡自主村村民在村东南"大岗子"发现筒瓦等建筑构件，考古人员进行调查，并整理了出土文物。"大岗子"是当地人对大青山的俗称，位于肇源县民意乡东南约 9 公里，为东北－西南走向的岗地，南临嫩江，东距嫩江与松花江交汇处 10 公里。简报配以手绘图予以介绍。

据介绍，在大青山及其附近的地表随处可见古代遗存，当地人传说此处为出河店战役古战场。2007 年 7 月，考古人员曾对大青山进行了一次考古调查，发现该地为一处主体遗存属于辽金时期的古代遗址。遗址东西长 600 多米，南北宽 500 多米，总面积约 32 万平方米。1998 年抗洪时，为修堤坝曾在此大量取土，致使邻江的南侧形成高数米的"断崖"。现在断崖上暴露出许多灰坑形遗迹剖面，此次发现的建筑构件即是由于雨水冲刷而从断崖滑落下来的。这批建筑构件皆为残片，共有 15 件。其中，形制可辨的，除了 2 片筒瓦和 2 片板瓦外，其余皆似是房屋建筑上陶塑饰件的某一部分，但对其确切名称和装饰位置尚不明确。这些建筑构件，筒瓦和板瓦皆大而厚重，凤鸟等雕塑造型奇特，雕工纯熟，皆应出自大型建筑。以凤鸟等雕塑的造型观之，建筑级别似乎较高，或与金代肇州城有关。待考。

伊春市

596.黑龙江嘉荫县靠江屯金代墓葬调查简报

作　者：万大勇
出　处：《北方文物》2011 年第 2 期

2001 年 4 月 10 日，考古人员对嘉荫靠江屯墓葬进行了实地调查。该墓葬是保兴乡一位村民提供的线索，墓葬及出土的文物是靠江屯的一名村民在江边取土时发现的。墓葬位于嘉荫县保兴乡靠江屯东 200 米处，调查时发现墓葬已被破坏，墓坑已被填埋，地表原墓葬痕迹已经很难辨认。墓葬的四周现在已都作为农业用地。简报配以手绘图予以介绍。

据介绍，出土文物计有铜佩饰一组 6 件、铜铃 2 件、绿松石料珠 2 枚、铁镞 2 件，另外还有银耳环或银手镯未追回。铁镞个体较大，应是用来射杀较大动物。

简报称，该处墓葬的发现，为认识金代黑龙江流域的聚落分布与活动增添了一份新的资料。

597.黑龙江省博物馆征集的一批金代文物

作　者：勾海燕、杜海鹏、刘丽萍
出　处：《北方文物》2012 年第 2 期

2010 年 7 月 8 日，黑龙江省博物馆征集了铁力市的一批文物。铁力市位于黑龙江省中部，为鄂伦春、蒙古族游牧之地，这批文物的采集地点在年丰朝鲜族乡，位于铁力市西南部约 3 公里处。据爱国三组农民孙信介绍，他在地里干农活时在距地表 60 厘米的土层里发现的这些文物，包括铁器 40 件、骨器 12 件、石器 1 件以及皮革制品 1 件，共计 54 件文物。简报分为：一、铁器，二、骨器，三、石器，四、皮革制品，结语，共五个部分。有手绘图。

据介绍，铁器共 40 件，有铁矛、铁镞、铁锤、铁刀、铁鱼叉、铁斧、铁钳等，保存基本完好，有锈蚀。骨器共 12 件，均为骨镞，残损，打磨较光滑，呈红褐色，有风化痕迹。而石 1 件，皮革制品（残）1 件。在铁力地区出土数量如此之多的金代铁器还是首次，特别是铁镞，型式较多，可以窥见当年该器物使用之广泛。同时，出土的骨镞还表明，当时该地区的经济还不算发达，铁器还不能完全代替骨器，表明这批文物的时代应该是在金代早期。

佳木斯市

598.抚远三岔口发现古代墓葬群

作　者：赵洪光
出　处：《黑龙江文物丛刊》1981 年第 1 期

1976 年考古人员去抚远调查赫哲族史的过程中，当地一位赫哲族老人付连祥向他介绍三岔口附近有不少大土堆，还谈及他在狩猎挖洞中发现过古铜钱。1980 年以此为线索，对三岔口墓地进行了初步调查和小型试掘。

据介绍，三岔口墓地位于抚远县浓江公社生德库大队西南约 16 华里。西距黑鱼泡河约百米，南 5 华里为清水河，其北约 4 华里是一金代遗址。这次试掘的东部的两座墓葬，均为土高竖穴火葬墓，无葬具。墓内完整随葬品罕见，仅 2 号墓出土一枚管状石饰件。因是火葬，故墓中仅见有少量被火烧过的碎人骨，有少许质地坚硬、火候较高的轮制灰陶片伴随其间。

这次试掘的两座墓无确切的断代器物出土，从出土陶片的陶色、陶质及制法上看和三岔口遗址采集的陶片一致。而三岔口遗址采集的瓜棱形陶罐残片与永生、中兴等地金墓出土同类器物基本一致，应为同时期遗物，故简报推断三岔口墓群亦应属金代遗存为宜。

599.佳木斯市郊山城遗址调查

作　　者：佳木斯市文管站　包长华
出　　处：《黑龙江文物丛刊》1982 年第 3 期

1979 年，考古人员沿松花江中游进行文物普查时，在佳木斯市郊发现了两座山城。继后，又发现了 5 座山城遗址，获得一批遗物。简报配以手绘图予以介绍。

据介绍，7 座山城为四丰山大队古城山山城、民兴大队大头山山城、前董家子古城山山城、复兴大队东山山城、中丰大队小城子山山城、三边大队石砬子山山城、山音二龙山山城。7 座山城形制均为圆形或椭圆形，且都选择陡峭、险要的山势环山顶筑成。城垣除个别的为土筑外，多为土石混筑，应与军事防御有关。

简报称 7 座山城的时代"应与同仁一期相当"，相当于中原地区的辽金时期。

600.黑龙江桦南县庆发村发现一枚元代八思巴文官印

作　　者：张文彬、王树楼
出　　处：《北方文物》1994 年第 4 期

1993 年 5 月 8 日，考古人员在桦南县庆发乡庆发村一村民家中征集到一方元代官印。此印是该村村民于 1992 年 10 月 11 日在村东南 1 公里处修鱼池时发现的。简报配以拓片予以介绍。

据介绍，该印为铜质，印面呈方形，边长 6.6 厘米，梯形直柄，柄高 4.6 厘米，通高 6 厘米。印面为八思巴文篆书；印背刻 3 行楷书汉字，首行为"管军总把印"，次行为"中书礼部造"，末行为"至正十八年正月一日"；柄顶刻楷书"上"字，无侧刻。知为元惠宗至正十八年（1358 年）正月一日签发的，置"管军千户所"之下，专理兵事之印鉴。此印由元朝中央统治机构"中书省礼部铸印局"制。"管军总把"为元代军队中中下级军官之职。

601.黑龙江省同江市团结古城调查

作　者：佳木斯市文物管理站　鄂善君
出　处：《北方文物》1994 年第 4 期

1982 年 5～6 月间，考古人员在同江县乐业镇团结村普查时发现一座古城。1986 年，同江县人民政府将其定为县级文物保护单位。自 1986 年以来，考古人员先后多次到该城址调查，并于 1991 年对古城址进行了实测。简报分为：一、城址自然环境及地理位置，二、古城形制及保存现状，三、遗物，四、结语，共四个部分。有手绘图。

据介绍，古城位于同江市乐业镇西南 7.5 公里，东北距团结村 1.5 公里，距图斯克 6 公里，东南距青年庄 2 公里，西临万发河（松花江支流），古城平面呈不规则四边形，东墙长 480 米、南墙长 292 米、北墙长 304 米，西墙已被河水冲掉。在东、南、北三面城墙中，东墙保存最为完整，南墙、北墙破坏严重。墙垣为土筑，现存城墙底宽 6 米、顶宽 1～2 米、高 2～2.5 米。古城无瓮城、马面，四角亦没有角楼，据当地居民讲，城门在南墙中央，由于破坏严重，现已很难推断城门的具体长度。北墙东段及东墙外，护城壕痕迹清晰可见。采集到的遗物主要有陶、瓷残片以及铜、铁器等。可辨器形有罐类、甑、鱼坠等。简报认为该古城应属辽代五国部古城。

602.桦南县龙王庙遗址出土的金代窖藏铁器

作　者：鄂善君、王树楼
出　处：《北方文物》1995 年第 3 期

龙王庙遗址位于黑龙江省桦南县公心集乡中和村境内，南距中和村 1 公里，北临七虎力河。1991 年 7 月 15 日，桦南县公心集乡中和村农民在龙王庙遗址山坡上搞小开荒时，挖出一批金代铁器，这批铁器埋藏于 1 平方米范围内，距地表约 30 厘米。考古人员赴现场进行调查，并将全部铁器收集入库。现这批铁器分别保存于桦南县文物管理所和佳木斯市文物管理站。简报配以手绘图予以介绍。

据介绍，这批窖藏铁器共计 35 件，依据其用途可分为生产工具和生活用具两大类。计有铡刀、镰刀、小铁刀、砍刀、锛、斧等生产工具 32 件，釜等生活用具 3 件。龙王庙遗址出土的窖藏铁器种类齐全，数量众多，且制造技术先进，均为一次铸造成形，绝大多数保存完好。它们中的一部分，只要稍加修缮现仍具使用价值。简报指出，这批铁器的发现，为研究金代的农业、手工业及经济提供了重要的实物依据。

603.黑龙江省汤原县复兴遗址调查

作　者：鄂善君
出　处：《北方文物》2001 年第 1 期

复兴遗址位于黑龙江省汤原县胜利乡复兴村境内松花江左岸一级台地上，面积
30 万平方米。1999 年考古人员对该遗址进行实地考察，采集、搜集一批文物标本。

简报分为：一、遗址地理位置及自然环境，二、遗址保存现状，三、地层关系，
四、遗物，五、结语，共五个部分。有拓片、手绘图。

据介绍，遗址东西长 600 米，南北宽 500 米，面积约 30 万平方米。遗址东、西、
北三面保存较好。由于南侧靠近松花江，尤其是 1998 年松花江流域发生的特大洪水，
使遗址遭到严重破坏，洪水撤后，在遗址下游岸边随处可见遗物，绵延达几公里。
据当地人讲，遗址东侧几十年前曾有一道南北走向的土墙，因多年耕种，现无明显
迹象，故无法确认。遗址现已辟为耕地，村民种植大豆、玉米等，遗址内地表亦遗
有部分遗物。遗物主要有陶器、瓷器、石器、铁器、铜币等。简报认为复兴遗址的
年代，整体上为辽金时代。遗址始建于辽代，属于辽代五国部文化类型，当时居民
应为生女真族。遗址在金代被继续沿用。

604.佳木斯市黎明村辽金墓群出土的文物

作　者：佳木斯市博物馆　张亚平
出　处：《北方文物》2004 年第 4 期

2001 年 10 月，佳木斯市建国乡黎明村农民冯千里在自家农田改造时发现一处墓
群，考古人员前往现场进行调查。简报配以手绘图予以介绍。

据介绍，建国乡位于佳木斯市东部，以东毗邻桦川县，西、北部濒临松花江，
地处三江平原西缘，地势平坦。该墓群位于建国乡黎明村北 1.5 公里处的小漫坡上，
西距松花江 0.5 公里。由于农田改造，墓葬遭到严重破坏。据目击者介绍，共有 5
座墓葬被破坏。地表未见有封土，现场也没有发现砖、石、木等筑墓材料，推测均
为土圹竖穴墓，未见葬具，葬式不清。共征集随葬品 24 件。其中陶罐 1 件、铁器 23
件。个别墓中有马骨，有一颅骨上有一枚铁镞。

简报引《大金国志》云：女真人"死者埋之而无棺椁。贵者生焚所宠奴婢、所
乘鞍马以殉之。"正与此处墓葬相印证。简报推断此处为辽金时期战死士卒和平民
的墓葬区。

605.富锦市出土的金代文物

作　者：张亚平

出　处：《北方文物》2006 年第 3 期

2004 年 4 月，富锦市东安村村民刘生在放羊时发现 4 件铜器。考古人员前往现场调查，并收藏了这批文物。简报配以手绘图予以介绍。

据介绍，东安村位于富锦市砚山乡东南 7.5 公里。器物出土于东安村东南 500 米的漫岗上。漫岗呈南北走向，东西两侧地势平坦。器物出土地点已被破坏。据村民介绍，4 件器物出土于距地表约 10 厘米、直径约 50 厘米的坑内，而且呈两两对扣状。现场周围未采集到任何文物标本。这 4 件器物均为生活用具，计有三足铜锅 3 件、三足铜釜 1 件。简报推断为金代窖藏。

606.黑龙江省汤原县发现"沟当公事天字号之印"

作　者：侯忠刚

出　处：《北方文物》2013 年第 2 期

1992 年在汤原县香兰镇双河村东南 1 公里，金代屯河猛安故城西墙外发现"沟当公事天字号之印" 1 方。该印出土之后蒙双河村党支部书记杜兴凯同志及时送交汤原县文物管理所收藏。简报配以拓片予以介绍。

据介绍，印为铜质，板状纽，正方形，边长 6 厘米，厚 1.3 厘米。印文系汉字九叠篆"沟当公事天字号之印"九字，无背款与侧款。金代的"沟当"官印在汤原出土较多，但"天字号"官印在汤原尚属首次发现。

简报称，位于汤原县香兰镇双河村东南的古城在金代是屯河（汤旺河）猛安（千户长）故城，"沟当公事天字号之印"出土于该古城西墙外，说明高于屯河猛安的上级机构与屯河猛安曾有公事联系。汤旺河口之固木纳城设屯河猛安，今汤原县格节河以东为胡里改路所辖，因此在汤原县境内发现金代"勾当公事天字号之印"恰与其相符。

607.黑龙江省汤原县双兴遗址出土的金代窖藏铁器

作　者：钱　霞

出　处：《北方文物》2014 年第 2 期

双兴遗址位于汤原县振兴乡双兴村南，北距双兴村 1 公里，南临松花江 1.5 公里。1996 年 6 月汤原县振兴乡双兴村的农民，在遗址上劳作时发现了一批金代窖藏铁器，考古人员闻讯后立即赶赴现场调查清理，确认为一处窖藏。简报分为：一、窖藏铁器介绍，二、年代推断，共两个部分。有彩照、手绘图。

据介绍，窖藏内遗物全部为铁器，共清理出土 129 件，包括铁斧、铁镢、铁凿、铁镰、铁锹、铁犁铧、犁镜、铁车辖、鱼钩等多种农具、渔猎工具。结合遗址发现的其他遗物特征，简报初步推定窖藏铁器为金代遗存。

七台河市

牡丹江市

608.黑龙江宁安大牡丹屯发掘报告

作　者：黑龙江省博物馆　吕遵禄
出　处：《考古》1961 年第 10 期

1958 ~ 1960 年，黑龙江省博物馆曾先后三次在牡丹江两岸进行了考古调查。1960 年 4 月完成了南至南湖头、北止依兰镇的考古调查工作，写成了《牡丹江中下游考古调查简报》（《考古》1960 年第 4 期）和《镜泊湖附近考古调查简报》（未刊稿）。

1960 年 6 月间，为了发掘宁安县大牡丹屯遗址，黑龙江省文化局组织了考古发掘工作，从 6 月 4 日开始准备，15 日正式发掘，至 7 月 5 日止，共历 21 天。发掘遗址、城址、墓葬的总面积 250 平方米，开掘探沟 7 条。简报分为：一、调查与发掘，二、遗址，三、遗址出土物，四、墓葬，五、城址，六、结语，共六个部分。有手绘图、照片。

据介绍，大牡丹遗址发现在海拔 250 米上下的江岸一级台地上。遗址中的夯土面、河卵石墙基和两个相连的灰坑都是极有代表性的。地面打夯，墙壁用河卵石砌造。由出土的石器、骨器等推知，当时主要是从事农业，其次是捕鱼和打猎。猪骨出土相当多，当时猪或已成为家畜。遗址下文化层所出土的遗物，大致属于新石器时代晚期文化。上层文化层中有晚期的渤海、辽金时代的遗物。晚期文化中的细泥质轮制灰色磨光陶器片与东京城镇、渤海上京龙泉府遗址中出土陶器均有共同特点。出土的铁器可能时代更晚，属于辽金时期。城址的年代，简报推断可能属于辽金时期。石墓则可能为渤海时期的。

609.渤海上京龙泉府发现铜印

作　者：朱国忱
出　处：《文物》1963 年第 3 期

1960 年 4 月间，在渤海国上京龙泉府（东京城，史书称忽汗城）遗址内曾发现了一颗古代铜印。此印出土于上京龙泉府遗址之外城中部，即在"紫禁城"外东南的耕地里。出土地点距今东京城镇北门约 250 米。当地农民翻地时约于 30 厘米深之土层内发现。后交给政府，保存于宁安县东京城镇文化馆。简报配以拓片予以介绍。

简报介绍，印成正方形，此印似是铜与其他金属合金制成，而以铜的成分居多。观其印槽之深及印文之细挺，似先刻铸成字型，然后镶嵌于印范之内。印文为篆字"天门军之印"。印背纽之右上部刻有正体的"天门军之印"五字。

渤海上京龙泉府遗址中第一次发现此种铜印。它是否为渤海国某种军之印章，尚不敢臆断。简报怀疑此印为辽灭渤海国后镇守此城的某军之印。

610.宁安县镜泊湖地区文物普查

作　者：黑龙江省文物考古工作队　程　松、金太顺
出　处：《黑龙江文物丛刊》1983 年第 2 期

1981 年初夏，为配合镜泊湖自然保护区的建设工作，考古人员从 5 月 23 日至 6 月 30 日，沿牡丹江中游及几条支流（马莲河、蛤蟆河、莲花河、卧龙河等）和镜泊湖沿岸地区进行普查，历时 40 天，共发现和复查各个时期的文化遗存达 45 处，其中原始社会晚期遗址 32 处、渤海建筑遗址 5 处、渤海积石墓群 4 处、渤海古城 2 座、辽金古城 2 座，采集和征集了一批较重要的文化遗物。

简报分为：一、原始社会晚期遗址，二、渤海时期遗址、墓葬址、建筑址，三、辽金时期城址，四、小结，共四个部分予以介绍，有手绘图。

据介绍，简报重点介绍了响水遗址、江沿遗址、平顶山三号遗址、新农遗址等原始社会晚期遗址。这些遗址大多在 1 万平方米以上，且分布密集，有的遗址文化层堆积厚 0.6～2 米，大多包含有灰坑、灰土、红烧土和陶片、石器等遗存，有的还含有房址和窖穴遗迹，说明有些原始遗址的居民已开始定居生活。简报还着重介绍了洋草沟古墓葬、大朱屯古墓葬等渤海时期遗存。介绍了营城子、杏花两处辽金时期古城址。

611.黑龙江省宁安县出土金"上京路万户印"

作　者：宁安县文物管理所　陈青柏
出　处：《文物》1985年第12期

1979年5月，黑龙江省宁安县渤海镇（唐渤海国上京龙泉府遗址）农民孟繁荣在平整土地时，于距地表约0.6米深处发现一方印章。印铜质，方形，有柄，柄端残，重850克。印文为阳文汉字九叠篆"上京路万户印"。简报配图予以介绍。

据介绍，"上京路"是金朝所置"五京""十九路"之一。上京路治所会宁府，是阿骨打建立金政权的都城，即今黑龙江省阿城县白城。广义的上京路是我国现在黑龙江、吉林两省地区，其管辖范围西抵嫩江流域，北达外兴安岭，东北至鄂霍茨克海及库页岛，东至日本海，南抵今吉林省怀德县，并遥领今辽宁省金县、新金县地。"万户"为金初设置的世袭军职，隶属于都统之下，统领千户（即猛安）和谋克。

612.牡丹江边墙调查简报

作　者：牡丹江市文物管理站　樊万象
出　处：《北方文物》1986年第3期

牡丹江边墙，修筑在牡丹江市郊北部山区，距市中心约25公里，当地称为边墙岭。自1979年7月20日首次调查起，到1984年4月28日止，考古人员对牡丹江边墙进行了五次调查，历时21天，行程250余公里，踏查边墙约50公里。

据介绍，整个边墙位于牡丹江市与海林县东北部的交界处之间。东西两端随山体呈东西走向，中间跨沟越谷，为东南、西北走向。简报认为，牡丹江边墙可能始建于渤海，东真国又改修沿用。其目的，初期是渤海的粟靺鞨为制止黑靺鞨的南进。后期女真沿用，是为防止蒙古大军绕过张广才岭，从其北端顺松花江而下，继而逆牡丹江而上，向牡丹江中上游进发。

简报称，牡丹江边墙附近的出土文物，为上述推断提供了实物证据。

613.黑龙江省海林市木兰集金代遗址发掘简报

作　者：黑龙江省文物考古研究所　赵永军、郭　仁
出　处：《北方文物》1995年第4期

海林市木兰集金代遗址是1983年修建莲花水库时发现的，1992年9月发掘。

简报分为：一、地层堆积，二、遗迹，三、遗物，四、结语，共四个部分。有手绘图。

据介绍，发现的遗迹有灰坑34个、房址2座（残）。出土遗物不多，仅有少量陶器、石器、骨器、铁器等。简报推断为一处金代女真人遗址。生产工具有石器、骨器和铁器，数量少。同时还发现大量的炭化谷物，说明农业已在当时女真人的生产活动中占有重要地位。该遗址还发现一定数量的陶网坠和骨制网钩等以及大量的马、鹿、羊、狍子等哺乳动物骨骼，反映出渔猎在当时的经济生活中亦占有相当比重。简报称，据史载，女真人建立金朝之前就一直活动在牡丹江流域。金代，牡丹江下游地区属胡里改路管辖的范围，木兰集遗址即处于此范围之内。该遗址的发掘，为研究金代女真人社会活动及文化特征等提供了新的实物材料。

614.东宁出土一枚金末官印

作　者：宋吉庆

出　处：《北方文物》2000年第1期

1991年春，东宁县大肚川镇徐立温在大肚川镇闹枝沟村北约9公里两山之间沟底平地种地时发现一枚铜印。在出土地附近还发现有黄褐色夹砂陶片。简报配以拓片予以介绍。

据介绍，该印铜质，方形，边长7厘米、厚1.3厘米。方形梯状纽，上有一"上"字，重790克。印文为汉字阳文九叠篆：祥州节度使印。印背右侧翼有一行汉字楷书小字：天泰四年正月廿三日，左侧錾有小字：祥州节度使印。印整体保存完好，字迹清楚。据考证，天泰是金官员蒲鲜万奴叛金后建立的地方割据政权东夏国（1215～1233年）的年号，天泰四年即公元1218年（金宣宗贞祐六年）。据《黑龙江古代简史》认证：辽代祥州为距今吉林省农安县30公里的万金塔古城，元代万金塔为西祥州，宁安的东京城为东祥州。此印的"祥州"是否是上述的祥州，还有待进一步考证。该印出土于绥芬河右岸的东宁县，为研究这一带金代历史、东夏国地方建制，提供了有力的实物例证。

615.黑龙江省穆棱市自平遗址调查简报

作　者：倪春野、黄金波

出　处：《北方文物》2002年第1期

1991年8月21日，因山水暴发，在穆棱市福录乡自平村一农户家房后冲出一批文物。考古人员调查后认定是一处金代遗址。

据介绍，现场征集和采集的文物有铜镜、铜钱、铁器、陶器等。陶器中有一塔型器，以往未见。此塔型器没有使用痕迹，简报认为是一件与宗教供奉有关的器物。

616.宁安市前莲花村金代墓葬清理简报

作　者：张庆国
出　处：《北方文物》2004 年第 4 期

1994 年 4 月，宁安市渤海镇前莲花村村民朱德镇在建房挖基础时发现人骨架一具和随葬品，考古人员前往现场进行了调查，判定这是一处金代墓葬。简报配以手绘图予以介绍。

据介绍，墓葬位于房基东南角。该墓为土坑竖穴墓，单人仰身直肢，头向西，脚向东，身长 1.7 米左右。随葬品 24 件，计有石质磨石 1 件、铁子锤 1 件、匕首 1 件、铁镞 18 件、带銙 1 件、带饰 1 件、耳环 1 件。简报称，金代墓葬在宁安地区发现得并不多，葬俗多为火葬和土葬。前莲花村墓葬应为土圹墓的一种，属土坑竖穴无葬具的墓葬，出土的铁箭头证明墓主人是尚武的狩猎者。经调查了解，前莲花村附近有十数个土茔，很可能这里是金代的一个墓区。

简报称，在金代墓葬中，出土磨石和手锤在宁安地区还属首次，这就为研究金代冶铁和铁兵器制造提供了重要的实物资料。

617.宁安市沙兰镇发现的女真族遗物

作　者：王　鑫
出　处：《北方文物》2008 年第 4 期

沙兰镇位于黑龙江省宁安市西南部，其周围环绕熔岩台地，形成一小型盆地，故俗称"沙兰坑"。周围有较丰富的金代文化遗存，其东北 1 公里处的"东营城子"、西北 6 公里处的"西营城子"均为金代古城。1986 年 7 月，沙兰镇发现了一批古代文物和与之相关的遗迹现象。简报配以手绘图予以介绍。

据介绍，该墓葬是当地农民盖烤烟房时发现的，等考古人员赶到现场时，现场已完全被破坏，只能暂定为墓葬（86NSCM1）。发现的遗物主要有铁器、骨器和石器，此外还出土有北宋钱币（篆书"熙宁元宝"）及瓷器碎片等，应均出土于头骨附近。简报推断为辽代女真族遗存。

黑河市

618.黑龙江省北安市发现"曷苏昆山谋克之印"

作　者：北安市文化局　吴国言、张学群
出　处：《北方文物》1990 年第 1 期

1987 年 6 月 29 日，北安市城郊乡长青村农民李清海、王德江、孙柏林在趟地时，发现一方铜印。简报配以照片予以介绍。

据介绍，该印印面近正方形，为 6.1 厘米 ×6.2 厘米，通高 5.1 厘米，印纽为梯形，高 3.4 厘米。据印文简报认定此印是一方金代官印，造于金世宗大定十年（1170 年）。

简报称，"曷苏昆山谋克之印"的发现，为金代黑龙江地区猛安谋克尤其是蒲与路的研究提供了新的实物资料。

绥化市

619.黑龙江肇东县八里城清理简报

作　者：肇东县博物馆　王修治等
出　处：《考古》1960 年第 2 期

肇东县四站乡境内有座古城遗址，俗名八里城。1958 年冬考古人员进行了清理，八里城遗址与出土遗物情况简报分为：一、八里城的地理环境，二、出土遗物，三、结语，共三个部分。有手绘图、照片。

据介绍，八里城位于黑龙江省肇东县四站乡之西南 3 公里，北距县城 42.5 公里，南距松花江 7.5 公里，东南距哈尔滨市 72.5 公里。城为正方形，四门皆有瓮城。墙为版筑，大体保存完好，城外有壕一道，环城一周，迄今尚未淤塞。自壕外缘计算每边为 1 公里，周 4 公里，合市制 8 里，故俗称八里城。八里城出土遗物种类很多，有武器、马具、交通工具、手工工具、农具与生活用具等。简报推断八里城应为金代遗址。

620.黑龙江肇东县蛤蜊城古墓清理简报

作　者：王修治

出　处：《考古》1961 年第 7 期

蛤蜊城位于肇东县合居乡之南，北距县城 40 公里，南距松花江岸约 2 公里。

1957 年 8 月下旬，考古人员在蛤蜊城之西沙丘北坡发现了古墓葬 4 座，并进行了清理，编号为一到四号墓。简报分为：一、一号墓，二、二号墓，三、三号墓，四、四号墓，共四个部分。有手绘图。

据介绍，这 4 座墓葬南北排列成一条直线，二号墓在最北，距三号墓 3 米，三号墓距一号墓 4.5 米，一号墓距四号墓 4 米。四座墓葬方向皆向西稍偏南，都没有发现棺木的痕迹。在葬式上却不相同，一号墓与四号墓为仰卧伸肢，二号墓与三号墓为侧面屈肢。屈肢葬是值得注意的现象。四座墓葬的头骨皆完整，一、三、四号墓皆出土有玛瑙珠、玛瑙管等物。过去黑龙江省境内辽金墓葬中时常发现玛瑙管等物，不知其用途，经过此次发掘明确了它们在墓中的放置情况及其用途。一、三、四号墓皆出土有铁制小刀，形制相仿。三号墓还出土有食器铜匙一把，联系起来看，小刀似应是食器。根据葬式与殉葬品，简报推断该墓可能是辽金时代的墓葬，也许会更早一些。

621.黑龙江兰西县发现金代文物

作　者：黑龙江省博物馆　孙秀仁

出　处：《考古》1962 年第 1 期

1960 年 7 月底，兰西县双榆树屯出土一批金代文物，有铁锅、铜锅和瓷器等。8 月初，考古人员前往当地调查，简报配以照片予以介绍。

据介绍，女儿城金代古城在兰西县东北部前女儿城屯西，稍北为腰女儿城屯，再向东北 1 公里余为大女儿城屯。平面近似正方形，周长 560 米。城墙转角处不是直角，有弧度。城的东北、西南两角现有两个颓圮的大土墩。城墙一般高出城外地面 3 米许，以西面的墙最高，高出呼兰河左岸沼泽草原 10 米左右，顶宽 1.5 米。城内地面比城外高出约 1 米许。在城的近东南角处有一门，并设有瓮城。城内地表散布有少量的陶瓷残片及瓦片。在古城遗址西偏北 2 公里有一土丘，当地居民传说为"点将台"。城正北 1 公里处，是该台地的最高点，有一周长 100 米的土围子，内有少量的褐色夹砂粗陶与轮制灰陶片。以上两处可能均与古城遗址有关。当地居民在城内时常见到砖瓦和瓶罐等物，并拾到过"崇宁通宝""祥符通宝"等铜钱及一些铁镞。在前女儿城屯路旁有一石臼，可能为金代遗物。双榆树屯在兰西县西北部，距古城所在的前女儿城屯3.5公里。1960年7月呼兰河涨水，河崖被水冲垮，发现文物十余件，现分别保存在黑龙江省博物馆与兰西县文化局。考古人员去调查时，又在屯南采集到开元钱1枚、白瓷片1片及轮制黑陶片等。双榆树屯的道旁有两个石臼。可能也是金代遗物。出土遗物有铁锅1件，生铁铸造，有合缝痕迹，壁上磨漏处用铜锡合金补嵌。六耳铜锅1件，黄铜铸成。四耳铜锅1件。高三足铁火盆1件，生铁铸成。矮三足平底铁锅1件，生铁铸。残铁伴数块，已生锈。紫黑釉缸1件，内外全釉。茶绿釉坛1件。四耳瓷瓶4件，一件施黄白釉；一件白釉，以黑釉横书行书"清酒肥羊"四字；一件白釉，上为黑彩双鹅戏水图案。

622.安达县昌德公社小南山墓群简介

作　者：安达县图书馆　郑春林
出　处：《黑龙江文物丛刊》1984年第2期

昌德公社小南山墓群系公社砖厂在1982年冬季开辟新窑址时发现。1983年6月2日至6月18日，砖厂在平整土地时，又掘出墓葬20余座，并出土有铁镞、铁刀、铜镜等随葬物。考古人员闻讯后于1983年6月22日赴现场进行了调查。简报分为：一、墓群位置，二、出土遗物，共两个部分。有照片。

据介绍，昌德公社位于安达县城西南45公里，小南山墓群则在公社所在地西南约5公里砖厂新址的土岗上。出土遗物有铁器、铜器。另外，距墓群北约10米处，挖出泥质灰陶盆、罐、瓮残片多件。

从该墓群出土的遗物看，均带金代的风格，故简报推断墓群年代应为金代。

623.黑龙江绥棱出土金代陶冥钱

作　者：云　薇
出　处：《北方文物》1987年第3期

1982年6月19日，在黑龙江省绥棱县泥尔根河乡卫星村发现一座金代瓮棺葬墓。古墓位于徐殿甲屯东，坐落在泥尔根河北岸500米远的台地阳坡上，周围均为耕地，较为平坦。农民翻耕农田时暴露出此墓，后遭到部分破坏。在瓮棺墓东南1米处发现许多陶质冥钱，惜丢失太多，仅征集到2枚陶冥钱。在墓附近采集到一些金仿定瓷片、泥质轮制陶片等。

简报称，因墓已被扰乱，待考古人员赶到时，原埋葬情况惜已不明，未见有墓室和其他葬具。从群众中了解到，发现时，两件大小相近的陶瓮对扣着，且直立于土中。瓮内含有少许人骨残片，并遗留火烧的痕迹，当属一人，但难以辨别其年龄、性别，应为普通平民。简报认为，当时在制作陶冥钱时，是直接用宋代铜钱压印在预先捏制好的陶圆坯上，然后用细圆棒戳压出圆穿孔，再经烧制而成的。这既简便省工，亦较逼真。简报指出，目前随葬的陶冥钱较为少见。湖南长沙马王堆汉墓出土过"半两"陶冥钱。"大观"是北宋皇帝徽宗赵佶的年号，为公元 1107～1110 年。绥棱县在金代辖于蒲与路，较远离上京故地，却在瓮棺火葬墓发现"大观通宝"陶冥钱，这为研究黑龙江省金代墓葬习俗提供了新的实物资料。

624.黑龙江省肇东八里城发现的金代文物

作　者：云　瑶
出　处：《北方文物》1989 年第 4 期

八里城位于肇东市西南 42.5 公里处，为一处保存完好的金代城址。1983 年夏考古人员前去调查，征集到不少铜器、铁器、瓷器等，认定此处就是金国重镇肇州城。近千件文物中，石棋子的出土比较有新意。

大兴安岭地区

上海市

625.元任仁发墓志的发现

作　者：宗　典

出　处：《文物》1959 年第 11 期

1953 年 1 月，上海市青浦县章堰乡北庙村南的高家台，出土了一批元代文物，因为未经科学发掘，没有记录查考。文物中有墓志四块，三块完整：一是"溧阳州儒学教授"任良佑（1281～1338 年）的，一是"泾县尹"任贤能（1285～1348 年）的，一是"赣州路总管事"任明（1285～1351 年）的。还有一块，因风化剥蚀，大部分字迹无法辨认，经过研究之后，才知道是元代有名的水利专家和画家任仁发的墓志。简报配以照片予以介绍，简报录有该墓志全文，中多缺字。

据介绍，据志文可推算出任仁发生于宋宝祐二年（1254 年）七月，与赵孟頫同年。卒于泰定四年（1327 年）十二月，葬于现在的章堰乡北庙村。其祖父任通为宋宣义郎，父任珣为中顺大夫、高邮府知府、上骑都尉、封乐安郡伯。兄弟有任仲夫、任良佑。任明为任仲夫之子。任贤能是任仁发三个儿子中的一个。可知此处为任氏家族墓地。

626.上海南汇海滨出土铁锚

作　者：上海博物馆考古部　王正书

出　处：《文物》1981 年第 6 期

1975 年 2 月，上海市南汇县东海农场 28 连附近开河时，于地下 4 米处出土了一只锈蚀严重、造型别致的铁锚。简报配以手绘图予以介绍。

据介绍，铁锚出土时重 24 市斤，由柄与爪两部分组成"A"字形。平面如矛头，锚柄成长条形，柄端有一直径为 4 厘米的圆孔，内有残留的棕绳须。锚柄与锚爪是单独制造后锻接起来的，夹角为 25°，夹角内有填铁，其外有铁箍一道，使柄与爪的联结得到加固。简报认为是一种早于四爪锚的系船工具。南汇出土的单爪锚，尽管比明代四爪锚落后，但比宋代的"枷形锭"已经进步，在从锭向四爪锚的发展中，这种单爪锚应是一种过渡形态。简报推断它应该是元代晚期的遗物。

627.上海市青浦县元代任氏墓葬记述

作　者：上海博物馆　沈令昕、许勇翔
出　处：《文物》1982 年第 7 期

任氏墓葬是新中国成立以后上海地区的一个重要发现，曾经引起文物考古界的极大注意和重视。任氏墓葬中出土的瓷器、漆器等屡见于国内出版的许多大型图录。在研究论文中，也时有引用，并多次希望能对任氏墓葬整理发表。这里，考古人员根据墓葬发现的原始记录结合出土器物进行整理。简报分为：一、任氏墓葬的发现，二、任氏墓葬出土器物，三、任氏墓葬，四、结语，共四个部分。有照片。

据介绍，1952 年 4 月，原江苏省青浦县龙固区章偃乡北庙村和淮海乡高家台（今上海市青浦县重固公社新桥大队高家台生产队）农民在田间劳动中偶然发现了元代任氏墓葬，并见有文物出土。后经有关部门收集，已将出土而流散的文物归藏博物馆。从任氏墓碑及墓志得知，墓葬系元代著名的水利专家和画家任仁发和他的家族墓。任氏墓葬出土的文物相当丰富，其中有瓷器、漆器、铜器、金银器、砚台、墓志等，共计 71 件。

简报称，任氏墓葬出土了 6 块墓志和 3 块墓碑，石质均完整。墓主有任仁发、任仁发的儿子任贤能、任贤德，任仁发的孙媳妇钦察台守贞，任仁发弟任仲夫的儿子任良佑、任明。简报分别予以介绍，但均未转录墓志志文全文。有确切纪年的有：任仁发卒于元泰定四年（1327 年）、任贤能卒于元至正八年（1348 年）、任贤德卒于元至正五年（1345 年）、钦察台守贞卒于元至正十三年（1353 年）、任明卒于元至正十一年（1351 年）、任良佑卒于元至元四年（1338 年）。

除了墓志，任氏墓葬中出土的官窑瓶、青白釉瓷器、枢府釉瓷器也十分珍贵。

628.上海市普陀区志丹苑元代水闸遗址发掘简报

作　者：上海博物馆考古研究部　宋　建、何继英、翟　杨等
出　处：《文物》2007 年第 4 期

志丹苑水闸遗址位于上海市普陀区志丹路和延长西路交界处的志丹苑小区。2001 年 5 月发现，2002 ～ 2006 年经过多次发掘后全部揭露。简报分为：一、遗址的发现，二、考古发掘，三、水闸结构，四、出土遗物，五、对水闸的几点认识，

共五个部分。有彩照、手绘图。

　　据介绍，2001年5月，志丹苑小区建设工程对高楼地基打桩钻孔，在距地表以下7米深处，钻出石板、木头等物。考古人员接报后立刻赶赴现场，看到钻出的两块石板企口拼合，拼合处的石板面上凿凹槽并镶嵌铁锭；石板下衬两块企口木板，拼合处以铁扒钉加固；木板下有一根带卯口的木梁。以往这类铁锭多在古代石质建筑如水关、海塘、桥梁等类工程中发现，2002年8月至2002年11月进行了试掘，2002～2006年进行了全面发掘，揭露了石质闸门、闸墙、底石、夯土层和大量木桩、木梁、衬石材、闸板、挡水板等。有的木桩、地钉上存墨书文字及八思巴文戳记。志丹苑元代水闸遗址是中国古代水利工程和海岸水利工程的重要遗存，水闸遗址全套工程建筑保存完好，基础牢固，所用木桩粗大，桩上铺梁和衬石木板的工艺考究，闸门、闸墙和底石等细部结构的处理代表了中国古代水利工程的进步，提供了约700年前长江水系、古海岸变化和城市变迁的重要信息。

江苏省

南京市

629.南京出土吉州窑瓷枕

作　者：南京市文物保管委员会　李蔚然

出　处：《文物》1977 年第 1 期

1974 年 6 月，南京江宁县江宁公社侨老生产队农民在挖粪窖时，在距地表 1.5 米处发现吉州窑瓷枕一件，并经公社转交南京市文物保管委员会保存。简报配以照片予以介绍。

据介绍，该枕中空，两端方形，长 44 厘米、宽 12.7 厘米、中腰 9 厘米。一端四角有立烧支点，另一端有直径 2 厘米的圆孔。根据出土地点的地形和就地调查的结果判断，此枕应该是出自墓葬。枕上有墨书《相思引》和《隔蒲莲》词各一首，并有墨绘花果。两首词均为北宋词人周邦彦的作品，书写的格式为自左至右，颇见别致。从书法和一部分简体字来看，当是当时的手工业工人书写的。把这两首词和周邦彦的词集《片玉词》对校，枕上《相思引》一词在集中作《浣溪沙》。按《相思引》的句式为七、七、四、五，枕上所书词正与此相合。集中作《浣溪沙》，原因在于夺去了第四句和第五句中间的两字重文，即"娇眼""何事"。他如第四行"味"字、第七行"故"字，集中作"未"和"更"。《隔蒲莲》一词，集中词牌下多"近拍"二字。第二行"金丸惊落飞鸟"，集中作"金丸落，惊飞鸟"；第八行"簪花簾影"，集中作"簾花簪影"；第十二行"依然"，集中作"依前"。

简报推断此枕为元代吉州窑产品。

今有宁志超、李佶先生《物化天宝：元代瓷器社会历史文化成因探析》（人民出版社 2007 年版）一书，可参阅。

无锡市

630.江苏无锡市元墓中出土一批文物

作　者：无锡市博物馆　钱宗奎

出　处：《文物》1964 年第 12 期

1960 年 4 月，在无锡市南面约 17 公里的龙王和崳嶂两山之间的窑窝里，当地的南泉、雪浪两个公社联合兴建幸福水库时，在取土工程中发现了一座元代墓葬，墓中出土了大批文物。考古人员前往调查。这座墓中出土文物很丰富，有金、银、玉、漆、丝织品和纸币等 154 件，为研究元代经济制度和手工艺提供了宝贵的资料。简报分为墓葬形制、随葬器物、金器、纸币、墓志等几部分予以介绍，有照片。

据介绍，墓在今水库北边，坐北朝南，背靠窑窝岭，东近龙王山，面对崳嶂山北山嘴。墓室是用青灰色长条砖砌的竖穴，封土早已削平。两棺已朽，仅存人骨架，出土随葬品 154 件，纸币至元通行宝钞伍佰文，共 153 张，贰伯文共 183 张，墓石一方，志文皆书，记载了葬者姓名，名裕，字宽父，无锡人。生于宋淳祐七年（1247 年），死于元延祐七年（1320 年），是当地一个没有官职的地主绅士。简报未录墓志全文。简报据志文认为这座墓葬是元初的，而这些随葬品也可能有一部分是南宋的。

631.江苏江阴县发现元初铜权

作　者：林嘉华

出　处：《考古》1986 年第 9 期

1984 年夏季，江阴县林场苗圃场出土了一件完整的元初铜权。简报配以照片、拓片予以介绍。

据介绍，权用铜铸造，呈翠绿色。方纽中间系绳方孔，体呈葫芦形，上窄中宽，近底部束腰，底部呈台阶式。通高 8.8 厘米，权体正面阳铸"至元廿五年"，正面左侧阳铸"付廿四"。"至元"为元世祖忽必烈的年号。忽必烈于至元十六年（1279 年）灭南宋，入统中原。至元廿五年即公元 1288 年，也就是忽必烈入统中原后第十年上才铸这枚铜权。"付廿四"是元代铜权的一种编号，目的在于加强对铜权的管理。

632.江苏江阴出土元代银器

作　者：江阴博物馆　翁雪花
出　处：《文物》2008 年第 12 期

1972 年冬，在锡澄公路东侧的青阳镇南陈村，一村民在池塘边挑土时，在距地表大约半米处，发现 8 件银杯叠放在一件银钵内，正南朝上，未见其他文物。这些银器收藏于江阴博物馆。简报配以照片、拓片、手绘图予以介绍。

简报称，元代奉藏传佛教为国教，元代金银器也打上了藏传佛教的烙印。以梵文为装饰，成为元世祖弘扬萨迦派密法的重要手段。带有梵文的银器屡有出土。此次青阳镇出土的银钵，底部纹饰中心亦有梵文，因其纹饰乃锤镍而成，所以，梵文在盘内是正的，盘底则是反的。该梵文表示"阿"字，代表所有的佛、菩萨，是个"种子字"。密宗的信奉者认为，接触有这些字的器物，会消灾去难，吉祥如意。从这套银器出土的地理位置以及出土情况看，可能是由于元代中、晚期发生战乱，主人在仓皇出逃中将其匆匆掩埋。这批银器的发现为研究我国元代金银器提供了新资料。

徐州市

633.江苏徐州大山头元代纪年画像石墓

作　者：邱永生、徐　旭
出　处：《考古》1993 年第 12 期

1989 年 5 月，徐州市南郊大山头村村民在建房中，发现了一座古墓，考古人员随即前往调查清理，证实为元代画像石墓。简报配以手绘图、照片予以介绍。

据介绍，该墓北傍云龙湖。墓葬早年遭破坏，地表现存馒头状封土堆，残高约1.5 米。系先挖一土坑，再用石板砌筑而成。平面呈"凸"字形，分甬道和墓室两部分。棺木已朽，发现人骨架 3 具。据初步鉴定，一成年男性居中，二孩童分别置西南、东北二角。墓底出土有瓷器、铜镜、钱币及少量陶瓷片。瓷器中有仿"枢府窑系"、磁州窑、龙泉窑产品。

简报称，能营造如此规模的石室画像墓，墓主应有相当的身份和经济实力。此墓画像中并不见类似规模和形制的金元墓葬中常见的刻绘墓主起居、出行、狩猎等场面，而是以花卉和伎乐人物取而代之。人物中的通领短袖长裙显然是元朝通行的便服，但所能辨者皆为右衽，而与北方元墓中人物多见左衽长裙有异。另外在门楣石画像中，出现了汉民族常见的十字穿环纹吉祥图案，这在北方金元墓中是不见的。因此，简报推测大山头元代画像石墓的墓主很可能是元代一位有较强经济实力的汉族地方士绅。

常州市

634.江苏常州出土元代吉州窑釉下彩绘瓷器

作　者：徐伯元、赵多福
出　处：《考古》1990 年第 2 期

1984 年 2 月 21～23 日，常州纺织机械厂在基建中发现两座元代火化墓葬。两墓南北排列，北面为 M1，南面为 M2，均东西向，竖穴土坑。两墓盛放骨灰（片）的木匣均朽烂无存，仅见少数锈蚀严重的铁钉。简报配以照片予以介绍。

据介绍，紧靠 M1 西北角，随葬有吉州窑釉下彩绘瓷器 5 件，泥质佛像 1 件。简报称，吉州窑釉下彩绘瓷器目前在国内墓葬中出土还不多，数年前在韩国附近新安海底的中国元代的沉船中，曾有少量发现，引起了国内外考古学家特别是陶瓷学家的关注。

苏州市

635.江苏吴县元墓清理简报

作　者：江苏省文物管理委员会　王德庆等
出　处：《文物》1959 年第 11 期

1959 年 1 月上旬，在苏州市虎丘山北 1 里许的洪桥南黄桥乡，因建窑发现了元代墓葬一座。简报分为三个部分并配以照片予以介绍。

据介绍，墓的建筑结构简单，是一座既无墓（甬）道，又无墓门，全长以长条青色砖砌的竖穴墓。室内骨架全朽，从东西两室乱土中发现有不少鲜艳漆皮，可知葬具是木棺。墓中出土金银器颇多，散布在墓内各处，保存较完整。出土遗物有金器、银器、铜器、玉器、瓷器五类。墓志石二方，一方在头前墓外，长方形，志文正书；另一方在头端墓顶上，长方形，志头篆体，全文正书。简报未录全文。

简报称，从出土墓志看，墓主人姓吕，名师孟，字养浩，号浩叟，安徽人，生于宋端平元年正月二十日，终于元大德八年（1304 年）七月十七日，同年十二月八日葬于此，官至宣慰副使。其妻死于元皇庆二年（1313 年）。延祐二年（1315 年）下葬。

636.江苏太仓五座元代石拱桥

作　者：吴聿明
出　处：《文物》1983 年第 10 期

太仓县濒临长江入海口岸。这里河流纵横、交通发达，历代留下了许多桥梁。据清末编纂的《太仓州志》记载，当时在太仓城内存有宋桥两座，元桥 14 座。据初步调查，现还存元代石拱桥 5 座（均公用桥梁），即城内的周泾桥、安福桥、兴福桥以及南郊新丰的金鸡桥和众安桥。简报配以照片予以介绍。

据介绍，有明确纪年的有：周泾桥位于太仓城内东门街至和塘上，建于元至顺元年（1330 年）。众安桥建于元元统二年（1334 年），在中孔一块券石上有题记，简报录有全文。兴福桥也建于元统二年（1334 年）。

南通市

637.江苏南通市发现辽瓷皮囊壶

作　者：南通博物馆
出　处：《文物》1974 年第 2 期

1973 年 2 月，南通市饮食服务公司发掘出一只辽瓷皮囊壶。器身施淡绿色釉，绿中闪灰色，光泽明亮。该壶保存完整，毫无损伤。

据介绍，皮囊壶是契丹族陶瓷中最有特色的器皿。它具有游牧民族的风格，其结构是从实用出发的，贮存流体不易外溢，且较能保暖，完全适应北方游牧民族的需要。皮囊壶过去在北方出土较多。因此，在地处东南沿海的南通发现这样一只皮囊壶，就更值得重视。

简报称，该壶出土地点在南通市人民路北侧南通电影院前，未有其他器物同时发现。该处没有墓葬。宋以前无记载，简报推断很可能也是通州地区最高军事衙署所在，这只皮囊壶可能即是五代或宋元时军事衙署遗留下来的。在南通发现这样罕见的辽瓷皮囊壶，为研究当时民族的交往和文化交流提供了有意义的资料。

连云港

638.连云港海清寺阿育王塔文物出土记

作　者：连云港市博物馆　刘洪石等
出　处：《文物》1981 年第 7 期

海清寺阿育王塔，坐落在连云港市云台公社大村水库之滨。据塔的第五层东南面嵌的碑文记载，此塔建于北宋天圣元年（1023 年），竣工于天圣九年，距今已有九百五十余年的历史。1949 年后，古塔得到了妥善的保护。1956 年被列为省一级文物保护单位。国家又拨出专款修复，使千年古塔重放异彩。简报分为两部分予以介绍，有拓片、照片。

据介绍，海清寺塔由于年代久远，历经风雨，1949 年前，刹顶崩塌，檐字残脱，门窗破败，拆补塔第一层梯级踏步时，在高出底层地面 2 米左右踏步下的塔心柱内，发现一长方形砖室。砖室内原用石块充填，取出石块即露出石函。砖室和石函内共出土文物 27 件，简报择其要介绍，有石函、鎏金银棺、银方匣、银精舍、青瓷葫芦瓶等。

简报称，海清寺塔的出土文物进一步证实了该塔碑记记载，塔建于天圣元年至天圣九年是属实的。塔中文物大都是在建塔之初瘗入地基的。而海清寺塔的大批文物却在塔心柱内发现，就目前的材料来看，这还是个先例；青瓷葫芦瓶，胎质细腻，釉色晶润，造型别致。这是全国首次发现的有确切纪年的汝窑青瓷。这批文物与佛教密切相关。

639.江苏灌云县板浦出土"提控之印"

作　者：尤振尧
出　处：《考古》1988 年第 2 期

1978 年冬，灌云县板浦镇水利工程中出土一方"提控之印"，后为县图书馆所征集（存淮阴市博物馆）。据县图书馆所提供的材料称：该印铜质，边长 7.7 厘米，厚 1.6 厘米、通纽高 5.3 厘米，重 975 克。从所附印文看，印面刻九叠篆书"提控之印"四字。纽边右旁刻有"丁亥年行尚书省造"八字，左旁刻有"提控之印"四字。简报配以拓片予以介绍。

据介绍，从官职名称看，"提控"原为提辖控制，即总领的意思，本是临时职称，后演变为正式官员。最初是金兵制中一种，特别是金代后期更为盛行。简报考证，"丁亥年"应为金大定七年（1167年）。这方铜印的发现无疑对宋金历史的研究，是一件具有史料价值的实物。

640.江苏灌云县发现元代铜权

作　者：陈龙山

出　处：《考古》1995年第3期

一为1986年春，灌云县叮咚河伊山乡段拓宽工程中，小伊乡民工刘庆能在距地表下3米深处，发现一件元代铜权。权身由方环纽、球体、束腰和圆台体座四个部分组成。重750克。权体阴刻不连贯铭文"□□二士"四字，其中"□□"二字竖刻，疑是"梁家"。

二为1990年12月，灌云县龙苴镇镇北一组农民在家门前打井时，于地表下1.5米深处发现一件元代铜权，后送交县博物馆收藏。权为青铜铸造，表面有深绿色铜锈。重450克。正面阴刻"大德十年"纪年，背面阴刻"益都路"铭文。"大德"是元成宗铁穆耳的年号，"大德十年"为公元1306年；"益都路"，据《元史·地理志》"益都路"条，为中书省辖。灌云县的龙苴镇，元代是朐山县的辖区，隶属于淮安路。朐山县与益都路东南领县毗邻。

简报指出，铜权的发现，反映了元代互为毗邻的淮安、益都二路的商业贸易情况，为研究元代商业经济提供了实物资料。

641.江苏灌云县发现元代铜权

作　者：冯欣海

出　处：《文物》1996年第8期

1990年9月，江苏省灌云县龙苴镇镇北一组村民打井时，在距离地面约1.5米之处发现一件元代铜权，随即交县博物馆收藏。简报配以拓片、照片予以介绍。

据介绍，权身呈六面六棱形，上部有方环鼻，下部束腰，底座呈阶梯形。权身正面阴刻"大德十年"四字铭，背面阴刻"益都路"三字。

简报称，元成宗大德十年即1306年，此即铸权时间。《元史·地理志》"海宁州"条："至元十五年，升为海宁州海州路总管府，复改为海宁府，未几降为州，隶淮安路。领三县：朐山、沐阳、赣榆。"当时灌云县属朐山县，隶海宁州管辖。故该铜权是由别处传至灌云。

简报指出，铜权的形制、重量与山东临沂市发现的大德十一年铜权相近，应属同期之物。

642.江苏赣榆县出土元代铜权

作　者：江苏赣榆县博物馆　李克文
出　处：《考古》1997年第9期

1994年4月，赣榆县城南乡一农民在距地面1米多深的地下，发现一枚元代铜权，为县博物馆征收。简报配以照片、拓片予以介绍。

据介绍，该权身呈六面体塔形，六棱六面，上窄下宽，上端方环扁纽鼻，圆孔，近底部束腰形连接扁六边台阶座底。该铜权高11.5厘米，重900克。正面楷书阴刻铭文为"至顺三年"四字，其右有一"平"字，背面铭文为"益都路造"四字。据铜权铭文可知，铜权铸造年代为元至顺三年，即公元1332年。"益都路造"即益都总管府造。"平"字表示经校允许上市使用或铜权为官方政府铸制。简报称，此铜权的发现为研究元代衡制提供了一例新的实物材料。

淮安市

盐城市

扬州市

643.扬州城根里的元代拉丁文墓碑

作　者：耿鉴庭
出　处：《考古》1963年第8期

扬州原有新旧二城，旧城筑于宋，改筑于元末；新城则筑于明代嘉靖年间。两城相连，旧城在西，新城在东，旧城之东面，亦即城中之间隔，早于民国初年拆除，唯余两城门而已。1951年，扬州市拆城筑路。其旧城之南、西、北三面，已非交通要道，故临时拆至地平面而止，路面未即筑成，墙根亦未掘尽。1952年夏初，沿旧城基搜访零砖残石，及至南门水关附近，发现一墓碑，横卧，上下均有砖砌，首尾俱断，剔去泥土，审其为外国文字，乃舁归文管会中。不数日，就其地续得一方，亦是卧置，且较完整。其出土方位，均为旧南门水关之外侧，似为嘉靖间南门外添筑"挡军楼"时砌入者，墓地或即在其附近。简报配以照片予以介绍。

据介绍，两石均为拉丁文，简报均有译文：

第一石，上半三分之一强，刻"世末公审判"图，下刻拉丁文六行。译文：因主名，阿们，在此处长眠着安多尼，维里欧尼（城）的，名叫多明我先生的儿子，他死于公元1324年，11月。

第二石，元至正二年勒石。四周刻花边，上半约三分之一，镌教会所谓"为主致命图"，下刻拉丁文五行。译文：因主名，阿们，此处葬埋着加大利纳，维里欧尼（城）的，名叫多明我先生的女儿，她死于1342年，6月。

简报称，扬州外国人居住者甚多，此两碑或是一家人，应为兄妹，是一般教徒，似非神甫与修女，可能是意大利人，其"多明我""安多尼""加大利纳"皆系圣名。

644.江苏金坛元代青花云龙罐窖藏

作　者：镇江博物馆　肖梦龙
出　处：《文物》1980年第1期

江苏金坛出土的元代青花云龙罐窖藏，是1966年4月中旬金坛县洮西公社湖溪大队农民在修建渠道过程中发现的。窖藏埋在现地面下不到2米深处，出土一只青花云龙罐，罐口上盖一夹层大银碗，罐内藏有各种银器50余件，除此未发现其他遗物。简报配以拓片予以介绍。

据介绍，湖溪北距金坛县城15公里，在古代是水运交通要道，十分繁荣。在此窖藏发现之前，还曾发现过一处宋代窖藏，出土铜钱500多斤。此次发现有银小碗9件、银镯8只、银链4件、银条12根等。按其用途大体可分三类：一类为实用器皿，如碗、盏等；一类为饰件，如镯、条脱、戒指等；一类是作为货币使用的银锭和银条。这些物件上大都印有银铺或造匠的款识以及银子成分和份量，反映了元代银器业的发达。有些器物造型、纹饰都十分精美，具有较高的工艺价值。出土的银盘上有阿拉伯文回历714年铭文，回历714年即元延祐元年（1314年），正当元代中期。但从埋葬的匆忙情况看，简报认为该窖藏的时间可能是元代晚期。

645.扬州发现涉及山光寺位置的墓志

作　　者：扬州市东风砖瓦厂　张　南

出　　处：《文物》1980 年第 5 期

1978 年 10 月，在今扬州市东北 4 里的城北公社新民生产队砖瓦厂取土时，掘出元代完整墓葬一座，距地面 1.5 米左右。该墓为砖椁夫妇骨灰合葬墓，内有墓志一方。简报配以手绘图、照片予以介绍。

简报介绍，结合元代彦弼墓志的记载，加上墓东不远出土的唐砖、麻石、柱础，判断山光寺应在扬州唐城附近 1 里左右的一座山顶上，距禅智寺 1 里左右，是在今扬州市东北 4 里的沈山新民生产队城北电灌站的山顶上。是否正确，尚待调查发掘。简报录有墓志全文。

646.扬州出土的磁州窑龙凤瓷罐

作　　者：李文明、钱　锋

出　　处：《文物》1984 年第 6 期

1982 年 3 月，扬州城北公社综合大队挖鱼塘工程中，出土一件精致的龙凤瓷罐。出土地为宝祐城（据文献记载建于南宋末年）东瓮城边的护城河附近，距地表深 1.3 米，属唐宋地层堆积的上部。出土时罐内装有经火焚烧过的人骨，应作瓮罐葬用。简报配以照片予以介绍。

简报介绍，瓷罐属磁州窑产品。磁州窑在河北省磁县彭城镇，自北宋以来，久负盛名。这件瓷罐上的图案流畅粗放，疏密匀称，生意盎然。直接用毛笔在瓷器上绘制花纹图案，亦自元代开始。这件龙凤瓷罐在扬州出土，是磁州窑产品在南方广泛使用的又一证明。

647.扬州发现元代基督教徒墓碑

作　　者：朱　江

出　　处：《文物》1986 年第 3 期

1981 年，考古人员于扬州市南郊荷花池西侧地下，发现元代延祐四年三月"也里世八"墓碑一通。简报配以照片予以介绍。

据介绍，碑通高 29.3 厘米、宽 24.5 厘米，上圆下方，一面单刻，分上下两段。上段刻画，画面中间为双线勾成的"十"字，字下一朵莲花，左右两侧各有一天使，均头戴双耳冠，冠顶立十字架，肩部和腰部各生一对翅膀。下段刻文字，右边刻汉字三行，左边刻以叙利亚字母拼写的文字 12 行。3 行汉字为：

> 岁次丁巳延祐四年三月初九日三十三岁身故五月十六日明吉大都忻都
> 妻也里世八之墓。

"延祐"为元仁宗爱育黎拔力八达的第二个年号，延祐四年即公元 1317 年。"大都"为元王朝首都，即今北京。"忻都"为蒙古人的姓名。此墓墓主的丈夫"忻都"，或有可能与元代初年凤州经略使忻都家族有关。

据载，蒙古人把基督教徒称作"也里可温"，按蒙语的含义，即有福缘之人。基督教最早传入中国的为聂思脱里教派，旧译作"乃司脱利"或"乃司脱利安"，即我国唐朝的"景教"。这一教派在唐代武宗时被灭，西方教徒退走西域。元代初年，随着元王朝用兵西北，得以重新传入中国，并被蒙古贵族所接受，不少蒙古人成为也里可温教徒。随着元王朝的用兵东南，也里可温教徒和教士逐渐遍及东南沿海城市，当时扬州不仅有也里可温教徒居留，而且建有也里可温十字寺。此通墓碑的出土，更进一步说明，扬州所以有也里可温十字寺，正因为当地有也里可温的教徒。

简报指出，这通墓碑，是我国境内迄今为止发现最早的基督教徒的文化遗存。它比泉州发现的色目人圣方济各会教徒墓碑的年代（1332 年），还要早 15 年，对于研究基督教史和我国宗教史，都无疑是一件重要的历史文物。

648.元延祐四年也里世八墓碑考释

作　者： 王勤金

出　处：《考古》1989 年第 6 期

元延祐四年也里世八墓碑一方，出土于扬州城西扫垢山南端，为农民挖土时发现，调查时未见墓穴迹象和其他遗物。简报配以拓片、照片予以介绍。

据介绍，该碑系青石制成。碑额作半圆形，占全碑三分之一左右，其上线刻画面，中部为嵌有宝珠纹饰的放射状十字架，下以莲花为座相承。两侧作对称布局，分别镌以一身长四翼振翅飞翔的天使，天使头戴十字双耳冠，面向莲花，双手前伸，守护着十字架。碑身右刻汉字三行，左刻以叙利亚文字母拼写的文字，均为直行。在碑石周缘及碑额与碑文之间，则镌以单线或复线为界，不另加装饰。简报录有汉文文字，认为此碑是元延祐四年（1317 年）一位来自大都（北京）的基督教教徒的墓碑。具体说，是基督教中景教（聂思脱里派）教徒。简报指出，国内发现的天主教圣方济各派碑刻文字大多是拉丁文，即以拉丁文写就，而大凡景教碑则使用叙利亚文、八思巴文、汉文。

镇江市

649.丹阳全州公社发现元末红巾军宋政权的铜印

作　者：江苏丹阳县文物管理委员会
出　处：《文物》1977年第12期

1975年12月19日，丹阳县全州公社十里牌大队在岸头村南新开挖的全州河道工地，于地下1米左右处，发现元末红巾军宋政权颁发的"管军万户府印"一方。简报配以照片予以介绍。

据介绍，该铜印为正方形，长、宽各为7.8厘米，六字"管军万户府印"为阳文篆书，印背右刻"龙凤二囗（年）"，左刻"十二月　日造"，印左侧刻"民字肆拾陆号"，右侧刻"管军囗囗囗囗"，其中"管军"二字隐约可辨，其余已锈蚀不可认。丹阳县出土的这方铜印，应是宋政权颁发给其所属的朱元璋部队的。

简报称，丹阳是龙凤二年三四月间被朱元璋占领的，因此，这年十二月，龙凤政权就颁发了该方"管军万户府印"铜印。丹阳发现的这方铜印是江苏省第一次发现的龙凤政权铜印。

650.江苏丹徒元代窖藏瓷器

作　者：镇江市博物馆　刘　兴
出　处：《文物》1982年第2期

1962年9月，江苏省丹徒县大路公社照临大队某农民，在其门前自留地种菜时，发现一批窖藏瓷器，计26件，经由镇江市博物馆收藏，简报配以照片和手绘图予以介绍。

据介绍，这批瓷器有青花高足杯6件、影青高足杯6件、紫釉高足杯3件、青釉荷边菊花盘1件、青釉碟1件、青釉碗2件、影青瓷碗1件、白釉带花碗3件、青灰釉粗碗3件。简报推断这批瓷器应属元代遗物，可能是当时民间的实用品。

简报指出，从这些瓷器也可看出元代瓷器当是精粗并存的，窑口当属于江西的景德镇、浙江的龙泉、河北邯郸的观台窑及河南临汝的钧窑系。

泰州市

宿迁市

浙江省

杭州市

651.浙江临安县发现元代铜钱窖藏

作　者：临安县文物馆　钱平甫

出　处：《考古》1987 年第 5 期

1984 年 7 月，临安县城西南 10 公里的玲珑山乡夏禹村砖瓦厂取土时，发现一窖藏铜钱。铜钱藏放于地表 1.3 米深处、约 1 米见方的生土坑内，未用器物盛放，全用麻绳串扎，直立放在坑内，呈上小下大。因锈蚀严重，钱币全部块结，经三次拣选、处理，有 2360 枚，重 17 公斤。可以辨认钱文的有 1049 枚。简报配以拓片予以介绍。

简报称，这次出土的钱币，以"元丰通宝""崇宁通宝""端平通宝""淳熙通宝"（重宝）特多，次之为"政和通宝""元祐通宝""宣和通宝""嘉熙通宝"，最少的是汉代和元代的钱币。所出钱币，年代最晚的是"至正通宝"，故窖藏的时间定为元顺帝至正年以后。

简报指出，这次窖藏的钱币品种多，年号多，似乎是钱币爱好者的收藏窖藏，但也不排除货币流通。这次出土的窖藏铜钱，为研究我国南方古代货币的流通及历代制钱状况提供了实物资料。

652.杭州市发现的元代瓷器窖藏

作　者：杭州市文物考古所　桑坚信

出　处：《文物》1989 年第 11 期

1987 年 10 月 6 日，浙江省杭州市文物考古所得知市商业储运公司翻建仓库时发现一座瓷器窖藏，考古人员前往清理。出土文物得到妥善的保护，现全部收藏于杭州市文物考古所。简报分为：一、窖藏瓷器及其他，二、窖藏瓷器的相对年代及分析，并配以照片予以介绍。

据介绍，该窖穴呈不规整圆形，窖藏出土瓷器 54 件、铜器 4 件。小件器物放在

1件带盖坛内，其余散放在穴内。出土的完整瓷器27件，其中有青瓷、青白瓷、白瓷、青花瓷、枢府瓷，分属于浙江龙泉窑、江西景德镇窑、山西霍县窑，器种有瓶、杯、碗、盘、爵、壶、觚、坛、笔架等。这批窖藏瓷器，简报推断为元代中晚期烧造。

简报称，这批出土的元代中晚期窖藏瓷器大多是实用器物。埋藏原因可能和社会动荡特别是战争有关，是浙江省陶瓷考古的又一次重要发现。窖藏数量大，品种多，质量精，在国内罕见，为研究我国陶瓷史增添了珍贵的实物资料。

653.杭州市发现元代鲜于枢墓

作　者：杭州市文物考古研究所　张玉兰
出　处：《文物》1990年第9期

鲜于枢，字伯机，渔阳（今天津蓟县）人，生于宋理宗宝祐五年（1257年），卒于元成宗大德六年（1302年），是元代著名的书法家。曾任江浙行省都事，后官至太常寺典簿。晚年隐居杭州，自号困学民，有《困学斋集》《困学斋杂录》传世。

鲜于枢墓位于浙江杭州市西老东岳北部。1989年4月，杭州市苗圃工人平整土地时发现此墓，考古人员收集了墓内出土的文物，并对墓葬的残存部分进行了清理。简报配以照片、手绘图予以介绍。

据介绍，墓葬为长方形砖室墓，券顶一部分已坍塌。墓壁用长方形砖错缝平铺叠砌，北壁有一龛。墓底不铺砖，但放置2块长方形石条，可能为垫棺所用。随葬器物共14件。主要为墓主生前喜爱把玩之物，如端砚、笔端饰、铜镜等。根据两件铜印，确认墓主为鲜于枢。

654.余杭南山造像

作　者：杨新平
出　处：《文博》1992年第4期

余杭南山，位于浙江省余杭县瓶窑镇西约1里处。东、南面是平川，西南近处为拷栳山，若溪南北横贯，杭宁公路穿过瓶窑镇由东向西延伸。南山山势呈西南－东北走向，海拔110米余，造像镌刻在南山的东麓，山岩石质为熔结凝灰岩。据当地群众介绍，这里原有造像30余尊，前些年由于盲目开采石料，毁坏不少，有些被土石埋没，目前能够分辨的共有23尊，另有少量空龛。简报配以手绘图、照片予以介绍。

据介绍，我国摩崖石窟造像艺术，从东汉晚期起，经魏晋南北朝，发展到隋唐时期，无论从数量还是艺术水平上看，都达到了顶峰。唐末五代，造像艺术逐渐衰落，宋、元以后的造像寥寥无几，尤其是元代，仅山东、陕西和浙江等少数地区有之。南方的杭州飞来峰造像群，其中元代造像约占三分之一，雕凿年代始自至元十九年（1282年），终于至元二十九年（1292年），是我国元代最重要的造像遗存之一。简报称，余杭南山造像，是继飞来峰之后的又一处有确切纪年的元代造像群，据题刻记载，从风格和雕造技法分析，南山造像的主要部分（即编号一至十三尊）雕造于元代中期，在时间上正好衔接于飞来峰元初造像之后，这为系统研究元代石窟雕塑艺术提供了新的重要实物。

宁波市

温州市

655.浙江瑞安发现三件元代铜权

作　者：瑞安县文物馆　俞天舒
出　处：《文物》1985年第3期

近几年来，瑞安县相继发现三件元代铜权。这三件铜权均为束腰扁六面体，造型略有差异。简报配以照片予以介绍。

简报介绍，第1件为"延祐元年"（1314年）权，横山公社出土，表面铜锈呈青绿色。正面有"瑞安州"，背面有"延祐元年造"阳文铭文。第2件为"至顺二年"（1331年）权，仙降公社出土，表面铜锈呈蓝绿色。正面有"温州路总管府"，背面有"至顺二年造"阳文铭文。第3件为"元统□年"权，白象公社出土，表面锈蚀严重，呈铁褐色。一面有"元统□年造"阳文铭文。

嘉兴市

656.浙江海宁元代贾椿墓

作　者：海宁县博物馆
出　处：《文物》1982年第2期

1978年，浙江省海宁县袁化公社在龙联大队发现元代墓葬一座。考古人员进行了清理。简报配以照片予以介绍。

据介绍，墓室呈长方形，墓具为一具木棺，男尸一具（未腐），仰身直肢。开棺时，尸体沉浸在褐黑色液体中。随葬品 14 件，除墓碑及志石外，其余 12 件均出自棺内。墓碑一块，正书阴刻，碑文为"元故处士寿卿贾公之墓"。志石一块，大小同墓碑，正书阴刻，行 18，字 39，简报未录志文全文。根据志文记载，墓主姓贾名椿，字寿卿，浙江海宁黄冈人。生于元代至元二十二年（1285 年）一月，卒于至正十年（1350 年）六月五日，享年 66 岁。该墓葬式颇为特殊。墓主死于六月五日，江南天气已很炎热，尸体极易腐烂，但距今已有六百余年，尚保存完好。

简报称，在随葬物中，发现一块裹身用的白色棉布，曾引起省内外有关单位的重视。说明在元代浙江各地植棉已相当普遍，棉织物也较普遍了。简报提到，根据志文，说明在元代，浙江的盐业是相当发达的，钱塘江两岸的百姓也多以制盐为生。

湖州市

绍兴市

657.浙江新昌董村水晶矿摩崖题刻

作　者：梁少膺

出　处：《文物》1998 年第 6 期

董村水晶矿摩崖题刻位于浙江省新昌县原董村乡（现属沙溪乡）下董村北约 200 米处的龟溪畔悬崖上。楷书。文字面积 54.54 平方米。因受风雨水火的洗劫，有几处已露裂痕，少许文字残泐不可辨识。现能读者凡 115 字。其中题刻记事内容 4 行，行 10 字，计 40 字。款字 8 行，行 3 字 14 字不等，计 75 字。简报配以照片予以介绍。

据介绍，摩崖题刻书丹者哈剌䚟，元代蒙古族鲁晗氏。《元史》《新元史》有传。至元十二年（1275 年）哈剌䚟从丞相阿术与宋兵战焦山，胜之。翌年春，为行省檄充沿海招讨副使。二十四年（1287 年），入朝，授浙东宣慰使。二十六年（1289 年），拜金吾卫上将军、中书左丞、行浙东道宣慰使。大德五年（1301 年），封擢资德大夫，云南行省右丞。十一年（1307 年），因疾卒于汝州（今河南临汝）。皇庆元年（1312 年），赠荣禄大夫、平章政事、巩国公。谥武惠。子哈剌䚟不花，袭沿海万户府达鲁花赤。

简报称，哈剌䚟于至元二十四年（1287 年）还朝，越二年（1289 年），拜金吾

卫上将军、中书左丞、行浙东道宣慰使。大德三年（1299年），奉成宗之旨于浙东
寻采水晶。哈剌䚟传所记官衔与题刻内容相合。该题刻已于1989年公布为浙江省重
点文物保护单位。

金华市

658.浙江义乌出土"龙凤七年"铜权

作　者：义乌县文管会　许文巨
出　处：《文物》1987年第9期

1977年8月，义乌县百货公司进行基建时，在距地表1米左右深处挖出铜权一个，
伴出银锭两锭，现为义乌县文管会收藏。简报配以照片予以介绍。

据介绍，铜权高7.2厘米，重373.5克。正、背面均铸有阳文楷书"龙凤七年"
铭文。

简报称，据《明史》载：元至正十五年（1355年），中原红巾军领袖刘福通等
在亳州拥韩林儿为帝，国号宋，年号龙凤。龙凤七年即公元1361年。此铜权应为韩
宋政权所铸。

衢州市

659.浙江衢县元代窑址调查

作　者：季志耀、沈华龙
出　处：《考古》1989年第11期

1983年在衢县的大川乡、湖南乡、白坞口乡进行文物普查时发现了不少古代窑址。
这三个乡地处衢县南部山区，乌溪江水系，互相毗邻，有丰富的瓷土矿和森林资源。
这一带依山傍水，瓷土质地较佳，条件优越。简报分为：一、窑址概况，二、采集标本，
三、结语，共三个部分。有手绘图、拓片。

据介绍，大川乡发现有大珠村广坞窑址、庭屋村管家塘窑址。湖南乡发现有湖
南村里坞窑址。白坞口乡发现有大麦地坞、包鲁山、泥塘窑三处窑群。简报推断这
些窑址均为元代窑址。湖南乡、白坞口乡的几处窑址中所出的碗、罐底部有些印有

图章，是这些窑址产品的重要特征。印章的制作工艺较佳，似是硬质（如铜）的模子印出，印章字体端庄，古拙；刀法工整而活泼，字体有九叠文、正楷、小篆，以九叠文为主，甚难辨认，经有关专家考证为"鼎如戏题""退水"等。从印章的风格可以看出是从唐、宋以来盛行的九叠文官印逐渐向元、明时期提倡仿秦汉印玺风格的转变阶段。

舟山市

660.浙江岱山县发现元大德六年铜权

作　　者：浙江省舟山地区文管会　陈金生、王和平
出　　处：《文物》1979 年第 12 期

1976 年 4 月，浙江岱山县大巨太平公社红旗大队百姓乐秀芝等十人渡海到大巨岛西面的一个不到 1 平方公里的小岛——双子山开地，在离地表 50 厘米深的土层里发现元大德六年（1302 年）铜权一件，已送交舟山地区文物管理委员会。简报配图予以介绍。

铜权为六面塔形，两面大，四面小，上端扁方形圆孔纽，下部缩腰成梯形，重 746 克，其大面，一面铸宋体阳文"庆元路总管府"双行六字款，其左面竖刻行书"人字一号"；另一大面铸宋体阳文"壬寅大德六年"双行六字年款，其左右二小面刻八思巴文。元大德六年铜权的出土地点，属元代的昌国州，正在"庆元路总管府"辖境之内。

台州市

丽水市

661.浙江青田县前路街元代窖藏

作　　者：青田县文物管理委员会　王友忠
出　　处：《考古》2001 年第 5 期

1984 年 3 月 9 日，青田县百货公司扩建仓库挖地基时发现两缸青瓷器和铜器。

由于民工将装青瓷的陶缸砸破，多数器物破碎，较为完整的器物被哄抢。县文化、文物管理部门得知这一情况，组织力量追回被哄抢的文物，并在窖藏出土现场清理出大量青瓷碎片，确认这是一处元代窖藏遗存，出土器物多为元代青瓷精品。青田县位于浙江省丽水地区东南部，县城南临瓯江，北靠太鹤山，唐景云二年（711年）置县。出土器物以龙泉青瓷为主，另有少量景德镇白瓷和元代青铜器。经修补，完整和可复原器物计48件，其中龙泉青瓷43件、白瓷2件、青铜器3件。完整及修复器物，简报配以手绘图予以介绍。

据介绍，青田县前路街窖藏出土瓷器均为实用器皿，以龙泉青瓷为大宗，同时还出土了少量青铜器。至于该窖藏的具体埋藏时间，简报称尚无法确定。

安徽省

合肥市

662.安徽合肥市发现一面元代铜镜

作　者：合肥市红星钟表实业公司　柯昌建
出　处：《考古》1999 年第 11 期

1994 年 11 月 21 日，合肥地区一农民在家掘土时发现一面元代铜镜，镜缘略残。简报配以拓片予以介绍。

据介绍，该铜镜锈蚀较甚，形体厚重。镜面平素，素纽座，座外为一圈阳文"大元国至元廿六年王家造"，计 11 个字；直径 22.6 厘米、纽径 2 厘米、缘宽 1.6 厘米。这面元代早期铜镜设计构造美妙，铸造较精，尤其是荷花纹题材，在以往元镜中尚不曾见，简报称属首次发现。

另外，这面铜镜铭文中有一省点简化"国"字，以往考古、钱币学界多认为省点简化"国"字源于太平天国时期，现在看来，省点简化"国"字早在元代至元廿六年（1289 年）就已经存在了，比太平天国至少提前了 560 多年。

芜湖市

蚌埠市

淮南市

663.安徽凤台出土一方金代官印

作　者：淮南市博物馆　徐孝忠
出　处：《考古》1988 年第 1 期

1978 年秋季，安徽省凤台县焦岗湖农场在平整土地时，发现一枚金代官印。当时被淮南市展览馆文博组征集，现藏淮南市博物馆。简报配以照片予以介绍。

据介绍，印为铜质，保存完好，正方形印面，重 887 克。印面为阳刻九叠篆书"副统之印"四字，字迹清晰、俊秀。印正面的宽边上阴刻楷书"副统之印□立"六字。印背面的铭刻甚浅，有些模糊，但尚能辨认出来，右边阴刻楷书"贞祐元年十二月"，左边阴刻楷书"礼部造"。

这枚官印制作的时间是"贞祐元年十二月"，即公元 1213 年 12 月，距金被蒙古军所灭仅 21 年，简报认为应是金代末期的制作品。

简报称，凤台县焦岗湖农场地处淮水以北，南距淮河仅 1 公里。这枚金代官印首次在焦岗湖出土，是宋金以淮河对峙的佐证，为研究金人在淮河以北地区的活动提供了实物资料。

664.安徽淮南发现金代"尚醖署印"

作　者：淮南市博物馆　徐孝忠
出　处：《文物》1990 年第 7 期

1958 年，安徽省淮南市博物馆从市废品收购站拣选到一方金代铜官印，此印原混杂在由凤台县调运至淮南市的废铜中。简报配以照片予以介绍。

据介绍，此印印面呈正方形，长方形板状纽，印面刻阳文九叠篆书"尚醖署印"4 字。印背纽两侧均阴刻楷书款，左款为"内少府监造"5 字，右款为"正隆二年六月"6 字。"正隆"为金完颜亮年号，正隆二年为 1157 年。

简报称，据《金史·百官志》载，宣徽院下辖有尚醖署，"令，从六品。丞，从七品。掌进御酒醖"。因此，简报推断此印为金代掌管御用酒醖的官署尚醖署的官印。此印原出土地凤台县地处淮河北岸。在蒙古军南下灭金的战争中，金皇室于 1233 年 6 月迁至蔡州，即今凤台县，次年正月金亡。此印可能是金皇室南逃时携至蔡州的。

马鞍山市

淮北市

铜陵市

安庆市

665.安庆市出土的几件瓷器

作　者：胡悦谦
出　处：《文物》1986年第6期

1977年春，安徽省安庆市反修路89号清理旧房基时发现一个土窖穴，埋藏大陶罐1件，里面盛放8件瓷器：计1件执壶、2件盘、1件匝、3件盏、1件把杯。陶罐被打碎，7件瓷器出售给寄售商店，1件瓷执壶已散失。简报配以照片予以介绍。

简报指出，在宋元时期，景德镇个别瓷窑采用覆烧法烧造青白瓷，产品为芒口。安庆出土的青花臣为芒口，青花盘底部留有黄迹，这些都是景德镇窑产品的特征。结合胎质、纹饰、釉色和光洁度等分析，这两件青花瓷器均应为景德镇的产品。淡青釉盏和米黄釉盘的形制、胎骨、釉色、开片、支钉痕等，均近似南宋官窑器。但光洁度偏低，可能为景德镇瓷窑烧造的仿南宋官窑器。简报推断其年代为元代中晚期。

666.新发现的元末陈友谅"汉授天命主公之印"

作　者：王纪潮
出　处：《文物》1993年第12期

1990年8月，黄梅县濯港镇农民经安徽宿松县得胜山时，遇当地一农户翻修旧宅，于墙基处见一方有刻纹石章，遂带回家中并报濯港政府。湖北省博物馆接到报告后，派考古人员调查，发现这是一方陈友谅称"汉王"时的石印。陈友谅，沔阳人，渔民出身，少读书，略通文义，参加反元起义后，初为倪文俊簿掾，后升至领兵元帅，为元末南部农民军重要将领。简报配以拓片予以介绍。

据介绍，该印呈方台形，上缺一角，无纽。长 11 厘米、印高 4.8 厘米，印面镌刻"汉授天命主公之印"，背面正中上部刻一"上"字。印质为大理石，呈青灰色。简报推断此印制作时间为陈友谅元至正十九年（1359 年）十二月称王，次年称帝之间。

简报称，该印为元末义军政权中仅见石印，不计天完政权铜印，以此印印径最大。至于用大理石充作印料，恐事出仓促，一时未找到合适的玉料，遂以此替代。

黄山市

667.歙县出土两批窖藏元瓷珍品

作　　者：歙县博物馆　叶涵鋆、夏跃南、胡承恩
出　　处：《文物》1989 年第 5 期

我国历史文化名城之一的安徽歙县，近年来连续出土两批窖藏元瓷珍品。简报配以照片予以介绍。

简报介绍，这两处窖藏一是医药公司基建工地窖藏瓷器。1984 年 4 月，歙县医药公司在原府城东门内基建工地发现一瓷器窖藏，出土一批印有"枢府"二字的卵白釉瓷。这批瓷器较完好地贮藏在一件鼓腹大陶坛内，瓷器共计 109 件，均施卵白釉，釉色莹润，胎质坚致。二是人民银行歙县支行建筑工地窖藏瓷器。于 1982 年 3 月在一项工程施工中出土，共有 54 件瓷器。简报推断这两处窖藏出土的均为元代瓷器，这些瓷器现藏于歙县博物馆。

滁州市

阜阳市

668.安徽阜阳地区出土八颗金代官印

作　者：阜阳地区展览馆文博组
出　处：《文物》1976 年第 7 期

1974 年 12 月，凤台县粮食局建筑楼房挖掘地基至 1.2 米深时，发现铜官印 6 颗。杂有碎瓷片、牛肋骨及宋"崇宁通宝"钱一枚。简报配以照片予以介绍。

据介绍，这六颗印是：1."万户之印"一颗。2."汝阴县印"一颗。3."提控之印"一颗。4."都提控所之印"三颗。以上 6 印皆造于金哀宗壬辰年（1232 年）三、四月间。除"汝阴县印"外，都刻有《千字文》编号。

除此 6 印外，1975 年春，阜阳县苏集公社杨庄大队挖沟时发现"副统之印"铜印一颗。金哀宗天兴元年造，当公元 1232 年。1975 年 10 月，在蒙城县土杂公司废铜仓库检到"临涣县税务记"官印一颗。

简报指出，阜阳地区发现的 8 颗铜印，除"临涣"一印时间稍早外，其余都造于 1232 年，即金王朝覆灭前夕。其中竟有三颗相同的官印（"都提控所之印"）在一起出土，所用《千字文》编号的顺序也不甚远，可能是这批官印铸成之后，还没来得及颁发，金就灭亡了的缘故。

宿州市

巢湖市

六安市

669.安徽六安县花石咀古墓清理简报

作　者：安徽六安县文物工作组　邵建白
出　处：《考古》1986 年第 10 期

1981 年 6 月 6 日，六安县南 35 公里的嵩寮岩乡花石咀农民在山坡铲土烧肥，碰到一组排列有序的石板，并在两层石板下面，发现一个长方形的墓坑，挖出盘、钵、盏、杯等银器多件。考古人员在 M1 墓室右方 70 厘米处又发现 M2 墓坑，经过半月的清理，出土有金器、银器、铜器、角器、漆器等随葬品 48 件，另有铜钱 40 枚。简报分为：一、墓室结构，二、墓室随葬器物，三、结语，共三个部分。有拓片、照片。

据介绍，两座墓室均在红砂岩石中凿成，皆为长方形的竖坑，相距约 70 厘米。M1 用 6 块长方形的石板封顶，M2 墓室长 2.75 米、宽 1.06 米、深 1 米，用 6 块长方形石板封顶，其砌法与 M1 墓同。两墓室内的葬具和骨架均腐朽，随葬品皆陈置在一端。由二墓出土金银器的形制、花纹和制作手法，以及银勺和镂花银胭脂碟上压印"顾玉郎"款看，金银器随葬品均为顾氏作坊产品，店主人名顾玉郎。按随葬品的种类分析推断，M1 为男墓，M2 为女墓，是夫妻同时安葬的合葬墓。该墓年代，简报推断为元代，或可早至南宋末年。

670.安徽舒城县出土元大德年间铜权

作　者：宋志发
出　处：《考古》1988 年第 6 期

舒城县文物管理所收藏了两件元代铜权。一为大德四年（1300 年）造，一为大德十年（1306 年）造。简报配以照片予以介绍。

据介绍，大德四年铜权。1975 年出土于舒城县厥店乡，重 970 克。一面铭文为"大德四年"，另一面铭文为"扬州路官造上一"。

大德十年铜权。1976 年出土于舒城县三沟乡。重 960 克，通体泛铜绿色。一面铭文为"计五十五斤，大德十年造"，另一面铭文为"廿五号"。

简报称，大德为元成宗铁穆耳年号。元代舒城属庐州路所辖，庐州路属淮西江北道肃政廉访司，扬州路属淮东道宣慰使司，二路同属河南行省。这两件铜权的发现，反映了互为毗邻的扬州、庐州二路的商业情况，为研究元代商业经济提供了实物史料。

亳州市

671.介绍韩林儿宋政权的一组文物

作　者：芦茂村
出　处：《文物》1982 年第 9 期

元朝末年，白莲教首领韩山童、刘福通于永年起义，不久，韩山童遇害。1355年 2 月，刘福通自砀山夹河迎山童之子韩林儿，立为皇帝，号小明王，建都亳州（今亳县），国号宋，改元龙凤。由于历史条件的限制及农民本身的阶级局限性，起义最后失败了。但他们在安徽省留下来的遗迹和文物，中华人民共和国成立后仍不断有所发现。宋小明王的宫殿，在今亳县西门外、涡河南岸，现仅存宫殿遗址，称"小明王台"，已列为省一级文物保护单位。简报配以照片予以介绍。

据介绍，简报介绍的这组文物共 4 件，其中三件是征集来但没有出土地点：1955年埠市征集的"龙凤通宝"铜钱、1956 年屯溪市征集到龙凤五年（1359 年）"谢志高卖山赤契"及龙凤十年（1364 年）"谢公亮退屋基地白契"和 1975 年燕子河废品站收购的元末韩林儿农民革命政权铜印一枚。韩林儿政权的另一件铜印是 1978 年 9 月在六安县城关北郊物质局工地上出土的，印正方形，右侧刻"元帅之印"，左侧刻"中书礼部造龙凤六年十一月日"。左侧边款刻"诈窨八号"。印文为九叠篆书"元帅之印"四字。

简报称，这些文物于安徽省发现，并不是偶然的，韩林儿在亳州建立了政权，亳州成为广大红巾军占领区的政治中心，这是具有重大意义的。

池州市

672.安徽省青阳县发现元代铜权

作　者：桂金元
出　处：《考古》1988 年第 6 期

1986 年 4 月，青阳县农民在拓宽公路挖土时，在距地表 1.2 米处，发现一件元代铜权。现已交县文物管理所收藏。简报配以拓片予以介绍。

据介绍，铜权呈灰绿色，为桥形方环鼻。从底部往上至权体二分之一处，呈阶梯式逐层缩小，整体为宽扁束腰六面形。重450克。权的正、背面模铸有阳铭文"延祐四年"（1317年）四字楷书，一面左侧有后阴刻"天，九"二字。

简报认为，"天"字是当时权的编号或代号，"九"字为当时的重量单位标准的九两。从铜权的整体造型、重量来看，这件器物与1978年1月浙江安吉县新发现的两件铜权极为相似，应属同期之物。简报推断为元代器物。简报称，这件权的出土，在青阳县还是首次，这为研究元代衡量单位提供了实物资料依据。

宣城市

福建省

福州市

厦门市

莆田市

三明市

673.福建将乐元代壁画墓

作　者：福建省博物馆、将乐县文化局、将乐县博物馆　杨　琮
出　处：《考古》1995 年第 1 期

1990 年 4 月底，将乐县光明乡杨氏家族的墓地被盗掘。杨氏家族派人向县政府有关部门报告。考古人员确定被盗的墓系古代墓葬，进行了发掘清理。清理时墓内不见一件随葬品，仅存壁画遗迹。简报分为：一、墓葬形制，二、壁画，三、结语，共三个部分。有照片。

据介绍，这座墓葬为双室券顶砖墓。墓顶距山的漫坡地表约 1 ～ 2 米。墓上和周围有清代杨氏家族成员的墓冢。此墓右室前部券顶处有一盗洞。墓室内有多处白灰面和壁画被盗贼用钢钎敲掉，右室的后壁、矮墙、券龛、墓底棺床和左右壁，均遭不同程度的破坏，壁画多处被毁或受损。左室的壁面除右壁遭破坏略严重外，余皆保存较好。墓门处有四行墨书文字，简报录有全文。此座壁画墓中未发现任何随葬遗物，甚至连棺钉也不见。据附近居住的村民反映，有几个盗墓人离开时声称什么也没盗到，很可能此墓中没有随葬品也没有棺椁等葬具，推测或是未葬人的空冢，

或衣冠冢，或用其他方式葬入骨灰。在清理过程中，在右室墓门的填土中发现一枚"崇宁重宝"折十钱，推测是掩埋此墓时掉落的铜钱。

简报称，元代的壁画墓在我国北方地区常见，但南方地区则极为罕见。此墓双室中，左、右、后壁乃至墓顶皆绘满壁画，几乎没有空余之处，在福建宋元时代的壁画墓中，壁画如此丰富和饱满者，目前仅此一见。且人物造型准确，形象生动，动物形象如鸡、犬等十分逼真，可见画工的绘画技巧十分高超和娴熟。全墓壁画显示了较高的绘画水平及写实主义的艺术风范，是元代民间绘画中不可多得的珍贵资料。

泉州市

674.晋江地区出土一批元代银锭

作　者：泉州海外交通史博物馆
出　处：《文物》1973 年第 5 期

晋江紫帽山农场霞联管区金星大队在挖井工地上发现一窖银锭，出土大小银锭 20 件和零碎的银块一斤多。

据介绍，该窖面宽约 50 厘米见方，四壁用砖砌筑。据反映同时出土的还有几枚宋、元铜钱。锭面有的凿有看不清的文字或符号的痕迹。各锭的造型和锭面纹饰一律，和 1959 年 1 月江苏吴县元代吕师孟（卒于大德八年，1304 年）墓中出土的元代银锭相似（见 1959 年 11 月《文物》）。元末泉州地区统治阶级内部矛盾尖锐，战争频繁，这批银锭可能是当时地主、官僚因战乱而窖藏起来的。

675.福建德化屈斗宫窑址发掘简报

作　者：德化古瓷窑址考古发掘工作队、《屈斗宫窑址发掘简报》编写组
出　处：《文物》1979 年第 5 期

屈斗宫窑址位于德化县浔中公社浔中大队宝美村的破寨山上，距县城约 1 公里。窑址东面紧接祖龙宫废址，北面为破寨山顶，西南面也是屈斗宫窑址范围。此窑址系 1953 年由华东文物工作队调查发现，后经省、地、县多次复查，1961 年列为省级重点文物保护单位。屈斗宫窑址分布在破寨山南面山坡上，范围较大，在山坡上散布着很多碎瓷片和烧窑工具。这次发掘点就在窑址靠工的堆积层上。发掘工作自 1972 年 4 月 25 日开始，同年 7 月 26 日结束，计 90 天。简报分为：一、堆积层，二、

窑基现状和结构，三、出土器物，四、几点初步看法，共四个部分。有手绘图、照片。

据介绍，屈斗宫窑址的这次发掘，不仅发现了一条比较完整的窑基，还出土了大最器物和生产工具。在出土的数千件生活用器中，其品种有碗、盘、碟、壶、罐、瓶、洗、盅、盒、高足杯等十余种，每种中又有多种不同形式的变化，造型雅致，丰富多彩。其装饰方法有印花、划花、贴花、浮雕等。纹饰有弦纹、卷草纹等和人物及各种花卉。简报推断，屈斗宫窑址的烧造年代应是宋元之际，但属于元代的可能性大。当时的制瓷方法还是比较原始的，在那种简陋低劣的生产条件下，能生产出那样多、那样精美的瓷器，这是元代瓷器生产上的光辉成就。

简报认为，屈斗宫窑址的性质，既不是官办的官窑，也不是一家独办的私窑，而是属于几家合股经营或联合烧造的民窑。这次屈斗宫元窑的发现，填补了过去德化元窑的空白，对研究德化窑的烧造历史和探讨元代的社会经济与物质文化的发展，有重要的意义。

676.福建泉州清净寺发现一批伊斯兰教碑

作　　者：吴幼雄、王耀东、黄秋润
出　　处：《考古》1986 年第 6 期

明万历三十七年（1609 年），泉州清净寺曾经大修缮，从寺院中迁出进住回民一百多人。迨至 1983 年春，由福建省人民政府拨款，泉州清净寺又一次大修葺，迁出清康熙年间以来进住寺院的回民 12 户，同时给予妥善的安排。又翻修明善堂，作为穆斯林举行礼拜之所。在修整过程中，发现一批阿拉伯文字和汉字的古伊斯兰教碑。这批碑刻，大都在明善堂及其周围发现。简报配以照片予以介绍。

据介绍，1983 年，这批砌于墙上的石碑被卸下，埋于地下的石碑重被发现。这批石碑可分为两类：第一类是墓碑，第二类是清净寺石碑。墓碑有纪年的计 6 方，除一方是南宋末外，其余皆为元末。就墓主的籍贯看，有波斯大不里士、德黑兰，有土耳其亚达那，有叙利亚那布鲁斯，有中亚花剌子模。就墓主的身份看，有哈申族的后裔，有波斯宰相萨都丁之女，有花剌子模之贵族，亦有贫穷的奴脾。

677.元"泉州路总管府"铜权

作　　者：泉州海外交通史博物馆　林德民
出　　处：《文物》2001 年第 7 期

1984 年仲夏，福建南安县罗东乡一村民在平整宅基地时，发现一件元代铜权，后捐献给泉州市文物部门。1995 年，该铜权经国家文物局专家鉴定组定为一级文物，现收藏于福建省泉州海外交通史博物馆。简报配以照片、拓片予以说明。

据介绍，铜权为合范铸造，上窄下宽。上端是桥形纽，中穿孔，纽与权身无明显分界。近底束腰，下端作弧状，两侧略外撇。通高 8.3 厘米、最宽处 5.7 厘米、厚 1.4～2.8 厘米。重 570 克。权身正、背面均铸有铭文，正面为"泉州路摠（总）管府"6 字，背面为"至元三十一年造天□"9 字。

简报指出，"至元三十一年"（1294 年）为元世祖忽必烈在位最末一年。铜权出土地点南安为元泉州路总管府属县。铭文中"天"后一字磨泐不清，根据安徽贵池、青阳等地出土的同时代铜权推测，"天"后可能应为编号。南安出土的这件铜权形制独特，为研究元代衡制及元初泉州经济贸易史提供了实物资料。

漳州市

南平市

678.福建南平市三官堂元代纪年墓的清理

作　者：张文釜、林蔚起
出　处：《考古》1996 年第 6 期

1992 年 9 月，南平市三官堂南平师范专科学校建宿舍楼时，民工在距地表 5 米深处发现一座古墓，擅自挖墓取宝。考古人员前往实地调查，追回部分出土文物，并对墓葬进行抢救性清理。简报分为：一、墓葬形制，二、出土器物，三、结语，共三个部分。有拓片、照片。

据介绍，该墓四周用 24 厘米厚的长石板条围筑，内里为 30 厘米厚的夯土层，夯土中部夹层为 2 厘米厚的炭渣。墓葬系砖筑仿木结构，双室券顶，夫妻合葬。两墓室形制大小、建筑格式、布局及彩绘均相同。出土遗物有瓷器 7 件、银罐 1 件、木俑 1 件等，有买地券出土，由券文知墓主为刘千六，进士，官为南剑路学正（即负责教育所属生员），于元大德二年（1298 年）葬在本郡梯云坊田坑里南山下（现在市内的三官堂）。其妻的墓志载姓许，名妙明，于元皇庆元年（1312 年）合葬于此墓。

简报称，该墓的仿木建筑构件用料及梁枋旋子彩绘均较为考究，画面采用建筑上的对称布局。绘画手法是平涂设色或墨线勾勒填涂，使用色彩有红、黄、蓝、白、黑等，色彩的浓艳厚重搭配得当，线条勾勒匀称流畅，具有浓厚的地方色彩和宋代建筑的遗风。

龙岩市

宁德市

江西省

南昌市

679.江西南昌朱姑桥元墓

作　者：郭远谓

出　处：《考古》1963年第10期

1963年6月12日，在南昌市南部朱姑桥清理了一座元代残墓。为长方拱券顶墓，双室合葬。简报配以照片予以介绍。

据介绍，该墓出土遗物不多，有4件皈依瓶等，圭形青石质墓志一件，志文楷书16行，满行46字，为"故吴夫人赵氏圹志"。据志文，知此墓为赵氏与其夫的合葬墓，延祐乙卯二年（1315年）合葬于此。此外还出有买地券两块，简报未录志文全文。

680.江西李渡发现元代烧酒作坊遗址

作　者：《江西日报》记者　徐锦忠

出　处：《农业考古》2003年第1期

简报介绍了黄景略、周恒刚、沈怡方、权奎山、陈文华、彭适凡、樊昌生等专家、学者对江西进贤县李渡烧酒作坊遗址的认识和评价，认为是国宝级的发现。白酒是由黄酒演变过来的，根据明代李时珍的解释，白酒行业的发展是从处理酸败黄酒开始的。白酒的发展首先是蒸馏这关，可以说，没有蒸馏就没有白酒。白酒最早是液体发酵，液体蒸馏。而固体蒸馏比液体蒸馏在手工操作上进了一步，但固体蒸馏始于何时，这个谜一直未被解开。李渡酒坊的发现，至少可把固体发酵的时间上溯至元代，甚至更远。全世界只有中国才有固体发酵，其他国家的任何产品都没有固体发酵。专家指出，时代保守地说是元代早期。

景德镇市

萍乡市

九江市

681.江西修水发现元代铜铁权

作　者：唐昌朴

出　处：《考古》1965 年第 5 期

1964 年 9 月下旬，修水县渣津区莲花公社高庄大队朱辅国因修建房屋在旧屋后侧取土板筑时，偶然发现铜、铁两权。考古人员于 1965 年 1 月 10 日前往调查，并取回了实物。简报配以照片、拓片予以介绍。

据介绍，铜权呈葫芦状，可能因使用时间较长，绳纽磨痕显著，但形体完好，高 8 厘米，重 273.4 克；铁权为正六边长条形，绳纽残缺，现高 7.5 厘米，重 350.2 克。两权都有铭文，铜权一面为"武昌"二字，另一面为"大德五年"四字。铁权一面是"至治"二字，另一面虽有文字，但因锈蚀严重，无法辨认。据铭文，铜权为元成宗大德五年（1301 年）所铸造，至于"武昌"两字，应指当时之"武昌路"。据铭文铁权应是元英宗至治年间所铸造。这两件权的发现，为研究元代的地方经济史和度量衡史，提供了参考资料。

682.九江出土元代烧钞库印

作　者：户亭风、王少华等

出　处：《文物》1984 年第 10 期

1983 年 6 月，江西省九江市区山川岭基建工地离表土约 2 米深处出土一颗铜印。简报配以照片予以介绍。

据介绍，印呈正方形，长方形纽。印面阳刻八思巴文篆书五行，印背面右侧直刻汉文"江西等处行中书省烧钞库印"，左侧直刻汉文两行："中书礼部造"和"至元卅年七月　日"。根据史料和出土印章所刻年款，简报推断江西行省烧钞库约是至元二十八年至三十年这段时间设置的。

　　九江在元代为德化县，是江西行省十八路之一的江州路治所。元至元十二年（1275年）置江东西宣抚司，十三年改为江西大都督府，隶扬州行省，后置行中书省，江州直隶。从此印的出土地点来看，简报认为该印应即江西行省在江州路设烧钞库所用之印。

新余市

683.江西分宜发现元代铜权

作　者：宜春市博物馆　蔡汝传、曾和生
出　处：《文物》1992年第9期

1991年10月，江西省宜春市博物馆征集铜权1件。简报配以照片予以介绍。

简报介绍，该铜权为分宜县一农民翻地时在距地表约0.3～0.4米处发现。高8厘米、腹径3.7厘米、底径3.8厘米，重360克。铜权铸有楷书阴文铭文，正面"袁州路总管府"，背面"大德七年造"。简报称，这件铜权的发现，对于研究元代的衡制有一定的参考价值。

鹰潭市

赣州市

吉安市

684.江西永新发现元代窖藏瓷器

作　者：杨后礼
出　处：《文物》1983年第4期

1980年4月，在永新县旧城东门外城墙基底深约50厘米处，发现一批瓷器和铜钱。据现场观察，旧城墙残高约5米，禾水自西向东绕城墙流过，城基和堤岸相距咫尺，

城墙倒塌后，坑位居中略偏城外，在直径约1米的土坑内堆积瓷器，以小盘扣大盘，盘凤成串绕放铜钱。瓷器12件，铜钱1000余枚，已由江西省博物馆收藏。简报配以拓片予以介绍。

据介绍，12件瓷器有青白釉印花龙纹浅腹碗4件、龙泉釉贴花龙纹盘2件，龙泉釉条纹盘、龙泉釉条纹盖罐、吉州窑窑变釉圈点纹小口梅瓶、米黄釉碎瓷小口梅瓶、蓝釉花卉纹盖罐、米黄釉碎瓷筒形瓶各1件。这批窑藏时代，简报推断为元代中期。简报称，这批瓷器中，青白釉印花龙纹碗为景德镇湖田窑所产，是元瓷中精品，目前国内仅见吉州窑窑变釉圈点纹小口梅瓶，在吉州窑元瓷中尚属首见。值得提出的是，这批瓷器中没有常见的元代粗瓷，而且瓷器来源于南北各地，简报推测瓷器的持有者为当地中上层人物，窑藏原因是发生突然事变所致。

685.江西永丰县元代延祐六年墓

作　者：杨后礼

出　处：《文物》1987年第7期

1971年10月，永丰县佐龙公社稜溪大队百姓在平地时发现元代延祐六年（1319年）墓一座。因受到扰乱，墓葬形制及出土情况已不清楚。简报配以照片、拓片，介绍了出土的八件随葬品。

据介绍，出土有地券一方、铜镜一件、吉州窑彩绘器盖一件、青白瓷筒形炉一件、青白瓷堆塑瓶两件、青白瓷荷叶盖小罐一件、米黄色釉小罐一件。简报录有地券券文全文。根据券文可知，墓主陈淑灵生于南宋宝祐五年（1257年），死于元代延祐三年（1316年），于延祐六年（1319年）下葬永丰县"龙云乡第三都泷源白竹坑之原"。

简报指出，此墓有明确的纪年，为同时期墓葬及随葬品的断代提供了资料。

宜春市

686.江西丰城县发现元末红巾军铜印

作　者：丰城县博物馆　万良田

出　处：《江汉考古》1986年第1期

江西丰城县于1982年文物调查工作中，发现一方元末红巾军"管军万户府"铜印。简报配以照片予以介绍。

据介绍，铜印圆形。直径11厘米，重约1000克。印正面刻正方框，内篆书"管军万户府印"六字。框四周各篆回形对称纹饰。印背右侧刻有"管军万户府印"，左侧刻"中书礼部造""治平二年月日"。这方有治平二年铭记的铜印，应是元末南方红巾军领袖徐寿辉颁发给其所属部队的。治平二年（1352年）起义军攻下江西一部。丰城县发现的这方铜印，应是江西的管军机构——管军万户府的印章，这也是可作依据的。铜印的发现地点是丰城荷湖乡康庄村附近的一个荒地上，荷湖邻近临江、抚州地区，与上述诸志所载红巾军入丰城的路线可相印证。又据上述红巾军将领入丰城的姓名、官职查考推断：其中"万户熊某"，应系徐寿辉所部将领熊天瑞，当时据赣吉一带（后为陈友谅所部，陈友谅败，归附朱元璋）。其中李明道曾在信州、上饶地区、临川一带（后为陈友谅所部，归附朱元璋）。这方印章与他们或有所关系。简报指出，丰城发现的这方铜印，是江西第一次发现的元末红巾军政权的铜印，它对于研究和印证元末农民起义军在江西的活动，有着重大的价值。

687.江西高安县发现元代天历二年纪年墓

作　者：高安县博物馆　陈行一
出　处：《考古》1987年第3期

1984年4月，高安县蓝坊乡坑口村一农民建房时发现古墓一座。考古人员赶到现场时，墓室已填实，葬制不明。幸随葬器物均完好无损，并伴有"元天历二年"石刻墓志一方。根据现场迹象和掘土者提供，得知此墓坐北朝南，以素面灰砖砌成，券顶，底砖铺作"人"字形。原墓顶并列铺搁长条形花岗石，距今地表2米左右。简报配以照片予以介绍。

据介绍，墓内出土器物34件，以陶塑、泥俑居多。陶塑23件。均为无釉、黑灰色泥陶。俑人全是男性形象。造型单纯，雕塑手法简括，朴实无华，几乎一律呈黑灰色。和鲜艳多彩的唐俑相比，形成了截然不同的风格。当为本地工匠所制。另有铜镜、金簪、青瓷器等。石墓志一块，简报未录志文。据志文，墓主人叫许德斋，此墓应为许氏夫妇合葬墓。据志文，下葬年代为元代天历二年（1329年）。

688.江西高安县汉家山元墓

作　者：刘　翔
出　处：《考古》1989年第6期

1987年8月，江西高安汉家山砖窑工人取土时破坏一座古墓。高安县博物馆闻讯派人前往，将已散开的遗物归位复原，并进行了清理。简报分为：一、墓葬形制，二、出土器物，三、结语，共三个部分。有手绘图。

据介绍，此墓为券顶砖室墓，位于高安县东方红乡南门村汉家山砖窑厂。墓室平面呈长方形。墓内出土器物共 32 件，可分为陶俑、瓷器、铜器、地契四类。地契文陶板，泥质灰陶，陶质较硬。有竖刻阴文 12 行。简报录有地契文全文。依地契可知，墓主为女性，死时年 63 岁，1345 年八月初二日葬。此墓属小型砖室墓，但出土器物和墓室结构完整。据已往发掘的同期墓葬情况看，同类墓葬中一般只随葬一套四神俑，而此墓有两套，这种现象属于少见。此墓出土的堆塑瓷瓶是我国南方古墓中常见的一种随葬冥器。简报附带讨论了此墓出土的堆塑瓶，即所谓"皈依瓶""龙虎瓶""镇墓瓶"。

抚州市

689.崇仁县太和寺塔砖铭

作　者：陈柏泉
出　处：《文物》1963 年第 4 期

1960 年春，考古人员赴江西省崇仁县进行文物调查时，在县文化馆看到了原太和寺塔内的至元三十年八月墨书塔铭砖两块（其中一块已残），砖侧有"太和寺塔砖"字样，长 37 厘米、宽 27 厘米、厚 5 厘米，上书墨迹遗文一篇。铭文砖今共存 540 字，缺 34 字，可识者计 506 字，简报录有全文。文章涉及元代经济社会的一些情况，如中统钞、至元钞的发行，税粮的交纳等，均十分珍贵。

690.江西抚州发现元代合葬墓

作　者：程应麟、彭适凡
出　处：《考古》1964 年第 7 期

1963 年 8 月下旬，抚州市建筑工程队在挖基槽时，出土了一批瓷器。考古人员到实地调查，得知是一座元代墓葬。简报配以照片、手绘图予以介绍。

据介绍，墓为夫妇合葬墓，坐落于抚州市桥东 1.5 公里的黄泥岗。墓室均为砖椁，平面呈长方形，墓室中有东、西两棺。由出土的墓志铭知位于东面的为男墓、西面的为女墓。女墓出素瓶 2 件、碗 2 件、筒腹罐 1 件、墓志 1 块、地券 1 块（贴于南壁端）。男墓出花瓶 2 件、罐 1 件、墓志 1 块。地券已无从辨认，简报未录墓志志文全文。据志文，知男墓主名傅希岩，"前至元年间，以蒙古进身，充江州译史，次充宜黄县蒙古学谕，复充抚州路译史。"死于至正七年（1347 年），葬于第二年。女者早死四年，葬于至正三年（1343 年）。

上饶市

691.江西波阳出土的元代瓷器

作　者：江西省博物馆　唐昌林

出　处：《文物》1976 年第 11 期

1974 年 4 月间，波阳县磨刀石公社北关大队毛屋下生产队在开荒时，发现一座砖圹古墓，出土了一批精美的瓷器。考古人员前往实地进行调查。简报配以照片予以介绍。

据介绍，该墓系两单室合冢的夫妇合葬墓。墓以长方形素砖砌圹，刀形砖为券顶，正方形砖铺底。墓室内仅见铁棺钉，人骨、棺木均腐朽无存。墓东室出土影青瓶 2 件，仿龙泉釉瓷香熏 1 件，影青大碗 1 件，瓷小屋 1 件；西室出土青花连座梅瓶 2 件，影青瓷炉 1 件。这批瓷器中的青花连座梅瓶、影青双耳瓶、仿龙泉釉瓷香熏等器堪称精品。青花瓷是元代瓷器中的新产品，青花连座梅瓶的造型纹样以及仿龙泉釉瓷香熏玲珑剔透的镂雕技艺，都反映了元代的制瓷水平，也表现了元代景德镇瓷业中民窑卓越的创造才能，为研究元代瓷业史增添了新的资料。

今有朱裕平先生《元代青花瓷》（上海科学技术出版社 2014 年版）一书，可参阅。

山东省

济南市

692.济南市区发现金墓

作　　者：济南市博物馆　王建浩
出　　处：《考古》1979 年第 6 期

1964 年 11 月至 1965 年 4 月，考古人员为配合济南市区的基建工程，清理了几座金墓。简报分为：一、1 号墓，二、2 号墓，三、3 号墓等几个部分予以介绍，有照片、手绘图。

据介绍，1 号墓有墨书，有砖雕、壁画。三墓的形制与砖雕、壁画的内容并无特别之处。墓中的仿木建筑结构，为我们了解金代北方木建筑的情况，提供了实物资料。

693.济南近年发现的元代砖雕壁画墓

作　　者：济南市文化局、章丘县博物馆
出　　处：《文物》1992 年第 2 期

简报分为"一号墓""二号墓""三号墓""四号墓""五号墓"和"结语"，共六个部分，介绍了济南市 1986～1991 年发掘的 5 座元代砖雕壁画墓，有手绘图。

据介绍，一号墓位于历城区郭店镇省地质局一大队郭店东区院内。为单室砖墓，由墓道、门楼、甬道、墓室组成。二号墓位于济南市历城区港沟乡大官庄，为单室砖筑仿木结构，用长 29 厘米、宽 15 厘米、厚 5 厘米的灰色条砖砌筑，由墓道、门楼、甬道和墓室组成。三号墓位于章丘县刁镇茄庄，为单室砖筑仿木结构，用长 27 厘米、宽 13 厘米、厚 5 厘米的条砖砌筑，由墓道、门楼、甬道和墓室组成。四号墓位于章丘县旭升乡西酒坞村南，为单室砖砌仿木结构，用长 27 厘米、宽 14 厘米、厚 5 厘米的灰色条砖砌筑，由墓道、门楼、甬道和墓室组成。五号墓位于章丘县旭升乡西酒坞村南，与四号墓相距 100 余米。墓为单室砖筑仿木结构，用长 29 厘米、宽 14 厘米、厚 5.5 厘米的灰色条砖砌筑，由墓道、甬道和墓室三部分组成。

简报称，这批墓葬中，只有一号墓有明确纪年，即元代至正十年（1350 年），但从随葬瓷器、钱币可判断均为元墓。这些墓葬在发现时，现场均被扰乱，据目击者说，骨架多为两具以上，以合葬为主，这是一般元墓的特点。值得注意的是，三号墓设有棺坑，尸体放置在棺坑内，与一般元墓尸体放置在棺床或平地上不同，埋葬形式比较特殊，为元代埋葬习俗又提供了一个新的例证。壁画当出自民间画师之手，内容多为夫妻对坐、宴饮等。墓主人身份当为未任官职的地主。

694.济南柴油机厂元代砖雕壁画墓

作　者：济南市文化局文物处　刘善沂
出　处：《文物》1992 年第 2 期

1988 年 11 月，济南市文化东路济南柴油机厂建筑工地发现古墓一座，考古人员前往调查并收回陶砚、瓷碗、瓷罐、石碗、石瓶等。简报分为：一、墓葬结构，二、壁画内容，三、结语，共三个部分。有照片、手绘图。

据介绍，墓葬为单室砖筑仿木结构，由墓道、墓门、甬道、墓室组成。此墓墓门、甬道、墓壁、墓顶都绘满壁画，出土时色彩鲜艳清晰，保存基本完好。壁画以白灰作底，用墨线勾轮廓，再用红、黄、赭、绿等彩平涂填色。壁画内容大致可分四类：（1）建筑砖雕彩绘；（2）图案装饰；（3）社会生活题材；（4）历史故事。

695.山东章丘市康家村出土金代官印

作　者：章丘市博物馆　宁荫棠
出　处：《考古》1996 年第 3 期

1993 年 5 月，山东省章丘市水寨镇康家村砖厂在取土烧砖时发现"临邑县印"和"弹压之印"等古代官印 2 方。考古人员前往调查，并将印收藏于市博物馆。简报配以拓片予以介绍。

据介绍，临邑县印，铜质。印面为正方形。印文为汉字九叠篆书。弹压之印，铜质方印。印文为九叠篆书。"弹压之印"与"临邑县印"同时出土，说明当时正七品或从七品的临邑县令，同时兼领"弹压"之职，与《金史》吻合。因此，康家村出土的 2 方古代官印当为金印。

696.山东章丘青野元代壁画墓清理简报

作　者：章丘市博物馆　曲世广、孙　涛、宁荫棠
出　处：《华夏考古》1999 年第 4 期

1998 年 2 月 14 日，章丘市文祖镇青野村村民在取土时发现古代墓葬一座。考古人员前往清理，编号 98ZQ:M1（简称 M1）。

简报分为：一、墓葬位置及形制，二、壁画，三、随葬器物，四、结语，共四个部分。有手绘图。

据介绍，该墓位于章丘市文祖镇青野村东南约 500 米处，章（丘）莱（芜）公路东侧，北距市府驻地明水 20 公里。清理时墓室已被打开，大部随葬器物被砸坏。此墓坐北朝南，为砖券仿木结构壁画墓，由墓道、甬道、墓室组成。墓道因故未清理。墓内有壁画，内容为墓主人居室图等。清理时共出土瓷器 14 件，陶器 1 件，铜币 24 枚，铜镜 1 枚，买地券（砖）1 块，简报录有券文全文。知此墓下葬时间为元至元元年（1335 年）。

697.济南市司里街元代砖雕壁画墓

作　者：济南市考古研究所　张幼辉、史　芸、刘善沂等
出　处：《文物》2004 年第 3 期

1997 年 4 月，山东省济南市地税局宿舍工地施工中发现一座墓葬，考古人员前往现场调查及清理。简报配以彩照、手绘图予以介绍。

据介绍，该墓（M1）为土坑竖穴式，平面呈前方后圆形，上部已被施工破坏，此墓早年被盗，墓室内已被扰乱，仅在墓门与封门砖相交处出土一件钧窑瓷碗，已残。简报推断该墓年代为元代，墓主应是生活殷实的富户。

简报称，该墓墓室下层的壁画多已漫漶不清，但从残存的画面看，内容是元代壁画墓中常见的"开芳宴"家居生活场面及装饰性的图案，此类题材在济南地区较为流行。墓内壁画除社会生活题材外，还绘制了大组的仿木构建筑装饰图案，主要是汉民族传统建筑上的木构件和彩画，以及佛教的莲花藻井。

简报指出，该墓壁画色彩以红彩为主，黄、绿彩次之，利用墓壁白灰衬底，墨线勾勒的反衬效果，使图案线条清楚，色彩对比强烈，显得富丽堂皇。这是济南地区壁画墓的一个特点。

698.山东长清、平阴元代石刻壁画墓

作　者：济南市文化局文物处　刘善沂
出　处：《文物》2008 年第 2 期

1998 年、1999 年，山东省长清、平阴两县各抢救性清理了一座石刻壁画墓。简报分为：一、长清县王宿铺村石刻壁画墓，二、平阴县南李山头村元代石刻壁画墓，三、结语，共三个部分。有拓片、手绘图等。

据介绍，这两座石室墓，一座位于长清县王宿铺村，为村民取土时发现，是一座单室墓，平面呈圆形，由出土骸骨情况来看应属家族墓。该墓墓门为仿木结构浮雕、线刻和壁画，墓室内几无装饰。另一座墓位于平阴县南李山头村，早年曾被盗，主室平面呈方形，有两个侧室，可能是夫妻合葬墓。墓室内饰以浅浮雕画像石，并有少量彩绘。内容主要包括花卉、家居生活和孝子故事，其中一些人物形象穿着元代服饰。两墓都没有年代标记，简报据墓葬形制和随葬器物的特点推定为元代。长清县元墓靠近元代散曲家杜仁杰墓地，出土钧窑瓷碗上又有墨书"杜"字，简报认为墓主与杜家或有亲戚关系。平阴县元墓墓主身份不明。据当地老人讲，该墓原有墓碑，已佚。

699.济南市宋金砖雕壁画墓

作　者：济南市博物馆、济南市考古所　刘善沂、史　芸、李　铭等
出　处：《文物》2008 年第 8 期

济南市区在历年城市建设中，屡有古墓葬发现。1986 年 5 月中旬在历下区文化西路建设施工中发现 1 座宋代壁画墓，考古人员进行了清理。1999 年，位于历城区港沟镇大官庄村南的塑料有限公司在进行仓库施工时又发现 1 座金代壁画墓，考古人员于 5 月作了清理。同时，通过钻探又在其附近发现了 3 座墓葬，7 月中旬一并清理。简报分为：一、山大南校区宋代砖雕壁画墓，二、大官庄金代砖雕壁画墓，三、结语，共三个部分。有彩照、手绘图。

据介绍，山东大学南校区壁画墓由墓道、墓门、甬道和主室组成，装饰较为简单，除了主室南端的凹口东、北、西三壁雕有壸门外，墓室内平素无华，没有其他砖雕装饰。该墓纪年为北宋太祖赵匡胤建隆元年（960 年），为济南地区目前所见最早的宋代壁画墓。

大官庄村南的砖雕壁画墓，是济南市近年来较为重要的考古发现。这一地区墓葬较为密集，可能存在多处宋、金、元时期持续使用，延续时代较长的古墓群。M1

有金泰和元年（1201年）题记，其时代明确。M2规模很小，没有人骨架，墓内东西向并列放置2块条砖，其用意表示有两位墓主，可能是座衣冠冢。年代可能为北宋时期。M3为土洞墓，随葬器物仅有一瓷罐及钱币，葬式简单，应为平民百姓墓葬。墓葬年代当为北宋晚期。M4与M1形制相似，层位相同，距离较近，表明两墓时代不会相距太远，可能与M1同为金代，并可能有着某种亲缘关系。M1、M4建造华丽，非一般百姓所能为。因墓内没有墓志等文字资料，无法证明墓主的确切身份，推测有两种可能，一是低级官吏，二是家境较为富裕的地主。

简报指出，M1的建造，系先将墓室及墓道的土圹各自挖好，然后掏洞打通，将墓的甬道建在土洞里，以减少挖土的工作量。过去始终未曾搞清这类墓葬的构筑方法。此次发掘，表明济南地区宋、金、元时期的砖室墓葬至少存在两种营造方式：一种是局部挖洞造墓做法；另一种是大揭盖造墓。

简报介绍说，M1与M4的砖雕形式多样，尤其是门楼仿木建筑富于变化，为研究宋、金、元时期的古建筑提供了新的内容。壁画方面，M1墓室内外均保存较好，弥足珍贵。从艺术上讲，壁画的绘制技艺娴熟。门楼上的建筑彩画较多地继承了宋代遗风，在铺作及柱头上多绘有宋《营造法式》中规定的琐纹图案，如四出纹之类；在用彩方面，在柱子及横额上的花卉图案中，采用宋代常用的退晕或对晕技法，使得彩画颜色的转换不至于刺目；普柏枋、栱眼壁及部分斗栱上的彩画以写实为主，绘有走兽、花卉等。这为我们了解宋、金时期的建筑彩画留下不可多得的形象资料。墓室内的壁画题材主要取自日常家居生活，有车马出行、持物供奉的侍女、妇人启门、儿童戏耍等内容。这类题材在济南地区宋、金、元墓葬壁画中十分流行，延续时间较长，使用的粉本也差不多，但内容有所差异。

700.济南郎茂山路元代家族墓发掘简报

作　者：济南市考古研究所　李　铭、郭俊峰等
出　处：《文物》2010年第4期

2005年1月，济南市考古研究所接到举报，称位于济南市市中区郎茂山路32号的天宇房地产公司工地发现古代墓葬。考古人员立即前往调查，初步确认此处是一处元代家族墓地。进行了抢救性发掘，经过一个月的清理发掘，共发掘墓葬3座，出土各类文物20余件。简报分为：一、墓葬结构，二、随葬器物，三、结语，共三个部分。有彩照、手绘图。

据介绍，共发掘墓葬3座。墓葬均为石砌，M1、M2两墓为石砌单室墓，用大小不一的巨石错缝砌筑而成。M3是石砌三个相连的长方形棺室墓，共葬3人，没有

墓道。其中M1门帽内侧刻有"寿春堂"3字,当为家族墓地名称,并有"至元庚辰年"纪年。出土随葬器物以瓷器为主,均为日常生活用器,分属不同窑系,产地也各不相同,反映了元代社会生活中使用瓷器的真实状态。

青岛市

701.莱西发现元至元二十九年铜权

作　者:莱西县文化馆　王明芳

出　处:《文物》1982年第7期

1981年,山东省莱西县院上公社刘家庄大队社员刘治琳,在王壁村南土丘上距地面1.5米处,挖出一件元代铜权,杂有碎砖破瓦等物出土。简报配以照片予以介绍。

简报介绍,铜权高9厘米,重330克。权上铸有阴文铭文,正面刻"益都路总管府",背面刻"至元二十九年造"。至元是元世祖忽必烈的年号,至元二十九年为1292年。据《莱阳县志》记载:"莱阳县(包括莱西县)元初属益都路,后改属般阳路,隶山东东西道。"

这件铜权的出土地点,当地习称桃花寨,相传元代曾设巡按于此。

702.山东胶南县发现金代官印

作　者:王景东

出　处:《考古》1994年第10期

1980年4月,胶南县六汪镇崔家庄出土一方金代官印。现藏胶南县博物馆。简报配以拓片予以介绍。

据介绍,这方官印为铜质,印面呈正方形,边长7.2厘米、通高3.6厘米,重400克。印有长方形柱状纽。印文为汉书九叠篆"都统所印",背上刻有一楷书"上"字,左、右分别刻有两行楷书:"兴定二年四月""使宣下府□所造"。兴定二年(1218年)为金代宣宗完颜珣的年号。

该印的时代,简报推断可定为金代晚期。

淄博市

703.山东淄博出土元代窖藏瓷器

作　者：张光明、毕思梁
出　处：《文物》1986 年第 12 期

1982 年 12 月，山东省淄博市博山区博城大街北段，在离地面 2 米深处发现窖藏瓷器。瓷器盛放在一酱釉瓷缸内，共 17 件，除一件破损外，余皆完好。简报配以照片予以介绍。

据介绍，17 件瓷器分别为：豆青釉双鱼纹盘 1 件、豆青釉小盘 7 件、豆青釉蔚段洗 3 件（1 件残，可修复）、白釉印花碗 1 件、月白釉浅腹盘 5 件。窖藏的时间，简报推定在元代晚期。

简报称，以上瓷器从造型特征、装饰花纹及胎质、釉色等分析，应属三个不同窑系的产品，分别出自龙泉窑、景德镇窑和钧窑。这批瓷器的发现，为书八思巴文瓷窑系的研究和了解元代商品瓷的流通增加了新的资料。

704.山东临淄大武村元墓发掘简报

作　者：山东省文物考古研究所、北京大学中国考古学研究中心　秦大树、魏成敏
出　处：《文物》2005 年第 11 期

大武村位于山东省淄博市西南 5 公里，东北距元代的临淄县城约 11 公里。2004 年 7 月，济青高速铁路电气化改造工程在大武村北施工时，发现一座古墓。考古人员对该墓进行了抢救性清理发掘，并追回了随葬器。简报分为：一、墓葬形制，二、墓葬装饰，三、出土器物，四、结语，共四个部分。有照片、手绘图。

据介绍，墓葬为仿木结构的圆形单室，墓道已被施工破坏，墓底距地表 4.23 米。为夫妇合葬墓，出土遗物不多，仅有 5 件瓷器、1 面铜镜等。采用砖雕与壁画相结合的装饰方法。砖雕以单砖拼砌为主，雕刻为辅，并配以彩绘，主要内容有歇山顶式建筑、家具和灯檠等。壁画是在砖面上薄施白灰，再用朱、黑、黄三彩绘制。墓内有"至正十七年"和"至正二十四年"的墨书题记。此墓为研究元代末期的墓葬形制等提供了新资料。

简报称，"至正十七年（1357 年）"和"至正二十四年（1364 年）"两则题记，

估计有两种可能：第一，在这两个年头分别葬入一人。由于题记漫漶，现已分不清夫妇二人谁先葬入。第二，至正十七年修建好坟墓，到二十四年才去世埋葬。此墓中的人骨有二次迁葬的迹象，似乎支持这种可能。同时，当时预修阴宅的情况也较普通。元末红巾军起义，于至正十五年（1355 年）建立龙凤政权，同时开始发动北伐，其中由毛贵率领的东路军至正十七年从海州（今连云港）进入山东。直到至正二十二年底，才由扩廓贴木儿攻克益都，东路军被消灭。大武村元墓修建的年代正是红巾军占领山东之前，墓地再次使用则在元军再度控制山东到元灭亡之间，因此墓内依然使用元朝年号，这应是元代最晚的墓葬。

简报说，该墓装饰丰富，但绘画草率，这可能与当时的历史背景有关。

705.山东淄博临淄区元代墓葬发掘简报

作　者：淄博市临淄区文物局　王会田、武晓颜等
出　处：《文物》2013 年第 4 期

2009 年 3 月，淄博市临淄区文物局为了配合基建工程，在临淄区东部抢救性发掘了 7 座元代墓葬。简报分三个部分予以介绍，配有彩照、拓片和手绘图。

第一部分"墓葬形制"介绍说，7 座元代墓葬分南、北两排，其中单人墓 2 座，双人合葬墓 4 座，多人合葬墓 1 座，均为带竖穴墓道的土洞墓。

第二部分"出土器物"介绍说，7 座墓葬出土的器物有瓷器、铜镜和铜钱。瓷器有大碗、小碗、灯碗、碟、罐、四系罐、双系罐、梅瓶、四系瓶、缸、高足杯。铜镜为八卦方位镜。圆形，桥形纽，纽外铸一圈篆字铭文"乾兑坤离巽震艮坎"，分别对应相应的八卦图形，其外为一周弦纹带，素卷沿。铜钱 8 枚。有唐代开元通宝 1 枚、宋代元祐通宝 1 枚、皇宋通宝 1 枚、元祐通宝 1 枚、元丰通宝 2 枚、天圣元宝 1 枚、祥符元宝 1 枚。

第三部分为"结语"，简报称，此次发掘的 7 座墓葬保存较完整，排列有序，墓葬的形制、葬俗、随葬器物无明显差别，应是同一时期的家族墓地。

简报指出，在 7 座墓葬中，仅 M12 墓主的头向西，随葬的瓷器置于墓室西南角，其余 6 座墓墓主的头向东，瓷器置于墓室东南部。M26 中的 4 个人头骨用黑麻布包裹，这种葬俗较少见。

枣庄市

706.山东滕县金苏瑀墓

作　者：滕县博物馆　万树瀛、张　耘
出　处：《考古》1984 年第 4 期

1981 年 9 月间，山东省滕县体委在县城新兴南路体育场修筑跑道时，发现古墓一座，考古人员作了调查和清理。简报配以拓片、照片予以介绍。

据介绍，该墓墓口距地表仅 30 厘米。土圹竖穴，石椁是一座被再度使用的汉墓，两侧栏板上浅浮雕"穿贝纹"，前后椁板上也刻有"垂帐纹"和"犬齿纹"。椁室榫卯相合，结构严密。墓内有朽棺板痕，尸骸一具，头骨保存较好，据体质特征应为年龄约 35 ～ 45 岁的男性。纪名石 1 方，加工粗糙，上镌楷书，共 26 字："苏瑀之虚。大金承安四年岁次己未十月有八日故，男进副苏敬记"。铜镜 2 面、木梳 1 把、残纸卷和铁棺环各 1 件、钱币 41 枚。苏瑀墓中出土的钱币，包括汉、唐及北宋太、真、仁、英、神、哲、徽七帝所铸各种款式的 24 种旧钱，唯不见"正隆通宝"等金代钱币，或能从一个侧面反映当代所铸的钱币，并未得到广泛流通这一史实。

简报称，无角双龙镜纹样新颖，造型生动，十分罕见，与同期出土的双鱼纹镜应同为女真族铜镜艺术中的佳作。苏墓使用了原汉墓石椁，为研究当时葬俗增添了新的资料。

707.山东滕县出土金代官印和铁权

作　者：万树瀛
出　处：《考古》1984 年第 8 期

1980 年 8 月，山东滕县建筑工人在县城东北隅龙泉禅寺塔附近挖掘建房基槽时，于距地表约 90 厘米处，发现置于已锈蚀铁盒内的铜印一方，同出遗物尚有铁权一件。简报配以照片予以介绍。

据介绍，铜印印面为正方形，长方形柱状纽。印面阳文汉字九叠篆"元帅左监军印"六字，印背阴刻楷书"山东行部造"五字，印纽顶端阴刻"上"字。其印形制与金代官印相似，同时铁权形制也与金代雷同，简报推断这两件遗物均为金代遗物。

简报称，滕县，金代属山东西路，为滕州治所所在，这方铜印的出土为研究金代军事机构和探讨当地历史增加了新的实物资料。

东营市

708.山东广饶县发现金代官印

作　者：颜　华
出　处：《考古》1986年第6期

1980年5月下旬，广饶县大王镇刘堡村青年制砖工人刘三登先生，在该镇中李村西南约500米的窑厂内制砖坯时，挖土深至1.5米处时，发现一枚金代铜印。考古人员前往实地调查征集。此印现存广饶县博物馆内。简报配以拓片予以介绍。

据介绍，这方金代铜官印，正面呈正方形，每边长6厘米、厚1.2厘米。印面有明显的使用磨损痕迹，重500克。根据印的形制及背面刻款，简报推断此印为金代遗物。

709.山东利津县发现元代铜权

作　者：利津县文物管理所　王增山
出　处：《考古》1996年第12期

1991年5月，利津县城镇建筑工人筛沙时发现一件元代铜权，器表面有绿锈。权为纺锤形，方纽，中间有一系绳圆孔，底座呈台阶式，重500克。简报配图予以介绍。

据介绍，权身一面阴刻"至顺元年"，另一面阴刻"益都路□"，第四字残缺。"至顺"系元文宗图帖睦尔的年号，"至顺元年"为公元1330年。元代改"益都府"为"益都路"，即今山东省青州市。这件铜权的发现，对研究元代度量衡制度和当时的经济贸易状况有一定的价值。

710.山东广饶县出土一面金代铜镜

作　者：广饶县博物馆　荣子录
出　处：《考古》1999年第8期

1993年7月，山东省东营市广饶县一农民在建房取土时，发现了一面金代人物故事铜镜，简报配以拓片予以介绍。

据介绍，该镜质地精良，制作精美。直径 13.5 厘米、缘厚 0.4 厘米。缘右上方錾刻"官匠"二字，字体纤细清晰。这是金代铸铜镜必须有的官府验记，是"铜禁"的具体表现。

简报称，铜镜纹饰构图采用高、浅浮雕相结合的手法，但该镜出土后即遭严重磨损，人物面部、发式、服饰等较高部位的原貌已不甚清楚，但从其构图特点分析，此镜应为"许由巢父故事镜"。

烟台市

711.黄县出土"登州军器库记"铜印

作　者：黄县博物馆　唐禄庭
出　处：《文物》1987 年第 6 期

1981 年，山东黄县城关镇西北圩村农民整地时，发现"登州军器库记"铜印一方。现藏黄县博物馆。简报配以照片、拓片予以介绍。

据介绍，印正方形，弧状板纽。印边长 5 厘米、厚 1.6 厘米、通高 5 厘米，重 450 克。印面刻阳文篆体"登州军器库记"六字。

简报称，登州始置于唐，宋、金、元、明各代均保留此建置。根据印的形制及印文风格，此印似为金代遗物。

712.山东掖县出土元代铜权

作　者：掖县博物馆　崔天勇
出　处：《考古》1991 年第 4 期

1986 年 4 月和 9 月，掖县城附近相继出土了两件完整的元代铜权，通体生有绿锈。简报配以照片、拓片予以介绍。

据介绍，此两件元代铜权，一件为方纽，中间有一不规则系绳圆孔，权体平面呈圆形、上大下小，近底部为一束腰，下连台阶式底座。重 705 克。权身一面阴刻"延祐六年"。"延祐六年"为元仁宗爱育黎拔力八达的年号，即公元 1319 年。

另一件亦方纽，中间有一系绳圆孔，权体平面呈扁六边形，重 610 克。权身一面阴刻"天历三年"。"天历三年"为元文宗图帖睦尔的年号，即公元 1330 年。简报称，这两件铜权的发现，为研究元代度量衡制度和当时掖县的经济贸易状况提供了实物资料。

713.山东栖霞发现金代窖藏铜钱

作　者：李元章

出　处：《考古》1992 年第 9 期

1984 年 7 月 15 日，山东省栖霞县观里镇大畎村村民在村南刨地时，于距地表约 50 厘米处发现一铁罐铜钱，出土时铁罐被一块不规则石板覆盖。铁罐素面，直口，平底，肩饰双桥形耳，耳似虎头，铁系已断，这样的铁罐在栖霞县是首次发现。

据介绍，出土铜钱共 1688 枚，钱文清晰的有 1631 枚。这批铜钱以金代"正隆元宝"时间最晚，简报认为应为窖藏时间。

714.山东莱州市出土两方金代官印

作　者：崔天勇

出　处：《考古》1995 年第 7 期

1990 年 3 月，莱州市供销社建筑工地挖楼基时，发现铜质官印两方。简报配以拓片予以介绍。

据介绍，此两方印，一为"草字号都统印"。印面呈正方形，重 725 克。印面为阳文九叠篆书"草字号都统印"六字。纽右侧印背阴刻"兴定二年十三月日"八字，左侧阴刻有"礼部造"字样。刻款刀迹较浅，字体均为不甚规整的楷体单线小字。"兴定"为金宣宗元颜珣的年号。"兴定二年"即公元 1218 年，当金代末期。二为"副统之印"，重 825 克。正方形印面。印面为阳文九叠篆书"副统之印"四字。仅纽顶阴刻一"上"字以正印文，其余印背、印侧均无刻款。"都统""副统"皆为金代统兵将帅之名号。

简报称，以上二方官印同时出土。根据印的形制、印背刻款，二印均应属金代末期官印。

今有日本亚钢美术出版社 2013 年版《金元官印辑存》一书，作者是曹永来。

潍坊市

715.山东益都发现元代铜权

作　者：姜建成

出　处：《考古》1988 年第 3 期

1980 年，益都镇东关（旧为南阳城）百姓在荷花湾取土时发现元代铜权一只，当即交博物馆保存。简报配以照片予以介绍。

据介绍，权为青铜铸造，表面有深绿色铜锈。形制与山东沂水至顺三年铜权相近（见《考古》1985 年第 3 期）。权上部方纽中间有一圆孔，体呈六棱八面。重500 克。正面阴刻"至元二十三年造"铭文，右上角阴刻""字，背面阴刻"益都路总管府"铭文。至元是元世祖忽必烈的年号，二十三年即公元 1286 年，简报认为这是铸权时间，"益都路总管府"是铜权的铸造官衙。据史书记载：元初在南阳城设置益都路总管府。

716.山东诸诚县出土窖藏铜钱

作　者：韩　岗、华　锡

出　处：《考古》1991 年第 1 期

1984 年 11 月 12 日，山东诸城县芝灵乡王家巴山村孟庆荣在院中深 1.1 米处，发现一陶缸窖藏铜钱。铜钱共重 212.5 公斤，包括西汉至南宋的历代钱币。简报配以拓片予以介绍。

简报称，这批铜钱中，金代的"正隆元宝"和南宋的"绍兴元宝"年代最晚，所以该窖藏应为金代窖藏。

717.山东寿光县发现元代铜权

作　者：寿光县博物馆　黄爱宗

出　处：《考古》1996 年第 12 期

1983 年，山东省寿光县田马乡一村民在取土时发现一铜权。铜权现藏于寿光县博物馆。简报配图予以介绍。

据介绍，铜权已锈蚀。其身上丰下敛，座呈台阶式喇叭形。权身一面阴刻其铸造时间"至元八年"，其右上角有阴文"工"字；一面阴刻其铸造官衔"益都路总管府造"。据文献记载，元世祖忽必烈至元八年（1271 年）定国号为元。元初置诸路总管府，时在南阳城（今山东青州益都镇东关）设置益都路总管府。这只铜权为元初益都路总管府铸造，后由寿光县使用并流传至今。

718.山东高密出土金代铜印

作　者：高密市博物馆　张晓光、葛培谦
出　处：《文物》2003 年第 5 期

高密市出土了 4 枚金代时期铜印，其中 3 枚出土于周阳乡大周阳村，另一枚出土于姜庄镇王家寺村。简报配以拓片予以介绍。

据介绍，这四枚印为：一、"都统所印"，为金宣宗贞祐四年（1216 年）所刻；二、"副统之印"，年号同前；三、"临出虎河猛安之印"，为贞祐二年（1214 年）所刻；四、"割木罕山谋克之印"，"割木罕山"《金史》不载，应为地名。简报称，上述 4 枚金代铜印，为研究金代的军事、官制等提供了新的资料。

威海市

济宁市

719.邹县元代李裕庵墓清理简报

作　者：山东邹县文物保管所　王　轩等
出　处：《文物》1978 年第 4 期

1975 年 3 月，在邹县火车站扩建工程中，发现了一座元代至正十年（1350 年）的墓葬。过去，这一带有封土堆数个，石碑两块。因长年雨水冲刷及耕作取土，封土渐消，碑刻也已破坏。这两块碑一是李裕庵墓碑，据《邹县新志》载："李裕庵李先生墓碑铭，西门外车站东。"一是李之英墓碑，据《邹县志》载："李之英墓在城西北三里，有碑，元锦州同知。"清朝光绪年间文献记载，李姓是土居世族："李氏自元、明至今有显传者二十一代。"由此推测，李姓家族的祖茔，也就在这个地段附近。考古人员从封土中找到几块破碎的碑石，拼凑起来知为元代李裕庵墓碑。简报分为三个部分予以介绍，有照片、手绘图。

据介绍，李裕庵墓位于邹县城西北郊，火车站东侧林业局苗圃内。为一竖穴墓，一棺两尸，为夫妻合葬。其妻死在李裕庵之前，待李死后迁骨合葬于一棺之内。右侧附葬的简陋木匣内硬塞进四肢叠放的尸骨，是否是李的奴牌，还需要进一步研究。李裕庵的尸体未曾腐烂，可能由于墓葬营造坚固的缘故。该墓出土的比较完整的衣物，让我们了解到元代儒学教谕这样的基层知识分子的冠服制度和丧葬礼俗。同刊同期有王轩先生《谈李裕庵墓中的几件刺绣衣物》一文，可参阅。

720.山东嘉祥县元代曹元用墓清理简报

作　者：山东省济宁地区文物局　胡新立、王正玉
出　处：《考古》1983 年第 9 期

1974 年秋，嘉祥县梁宝寺公社石林大队（今属桐庄公社）农民，在农田建设挖水渠时，于村西距地表 2 米左右处，掘出元代通奉大夫曹元用及其夫人郭氏墓志两合。1981 年 10 月，在上述位置又发现积炭并将墓顶暴露出土，1982 年 5 月 22 日，考古人员进行了现场调查和紧急清理。简报分为：一、墓葬结构，二、随葬器物，三、结语，共三个部分。有手绘图、照片。

据介绍，该墓位于嘉祥县桐庄公社石林村西，东距京杭运河约 5 公里，南距桑科集大队约 6 公里，地势稍高。据《曹氏族谱》及"曹元用墓志"记载：曹元用死后"葬于汶上大张村先祖之茔"。大张村即今嘉祥县桑科集村，原属汶上。墓南约 50 米处，据当地人介绍说原有华表、石兽等。墓北曾掘出"后土神位"碑等。由此可以推知，这里应是曹氏先茔。

简报称，该墓为土坑竖穴合葬墓，内置二套棺椁，曹元用棺梓居右，其妻郭氏后附葬在墓之左侧。曹元用木椁长 2.3 米、前宽 0.9 米、后宽 0.77 米、高 0.76 米，系整块楠木合榫而成，椁盖上盖一层苇席，长宽与椁盖尺寸相等。木棺置于椁内，棺椁之间距离仅 0.05 ~ 0.08 米，棺盖上面覆着一层细绢，上面用毛笔书写两行大字"翰林侍讲学士通奉大夫知制诰同修国史兼经筵官赠正奉大夫江浙等处行中书省参知政事护军追封东平郡公谥文献□□"……在垫板与棺底之间塞满棉花。棺内尸骨一具，已朽。头枕土坯，头上别有金银簪各一件，两腕戴有银镯，在尸体两侧塞满草纸和纸钱，头部北侧放置一件圆形漆盒、透雕鸟形白玉牌、金背梳子及木棍。中部东侧放一葫芦银链饰，一竹鞘铁刀。足部南侧放有两块长方形织锦和布衬衣一件。郭氏棺椁保存完好，尸体已腐，仅出有一铜簪，一藤子杖和木梳、木棍等，亦有墓志。

简报未录志文全文。随葬品中最珍贵的是出土的棉织锦,对研究我国纺织史很有价值。曹元用墓的发掘,也使我们进一步了解到元代墓葬的结构与棺椁制度。在木椁外面用糯米汁灰浆浇灌。这种筑墓方法与邹县元代李裕庵墓一致。这两套木棺椁,曹元用棺椁系合榫而成,口部无暗榫,而郭氏的椁为暗斜榫组合,两侧棺板、挡板外出,椁盖和棺盖上为暗方榫。曹元用卒于京师,后由二子扶柩归葬,当时用于盛殓的棺椁应是元朝政府所赐。郭氏死于家乡,所用棺椁应反映当地特点。

墓主人曹元用,《元史》有传,历经元英宗、仁宗、泰定帝、文宗四帝,累封为翰林国史院编修礼部主事,尚书省右司都事,员外郎、礼部尚书,死前为通奉大夫翰林侍讲学士兼经筵官。生于元世祖至元五年(1268 年即南宋咸淳四年),卒于文宗天历三年(1330 年)。深得元朝统治者的宠幸,文宗视为"翰林不可无此人",曹元用对元代科举取士之法、宗庙祭祀均有建树。

721.山东微山县发现金代"都统"铜印

作　者: 杨建东
出　处:《文物》1990 年第 2 期

1982 年 7 月,山东微山县昭阳乡南庄村民傅元成挖土时发现一方铜印,周围未见其他器物。简报配以照片予以介绍。

据介绍,印面宽 7 厘米、厚 1.2 厘米、通高 4 厘米。方纽,印文为阳刻九叠篆书"都统之印",与河南省博物馆藏的金代都统印相同。此印现藏微山县文化馆。

722.山东微山县出土元代铜权

作　者: 微山县文化馆　杨建东
出　处:《文物》1992 年第 5 期

1989 年 11 月,微山县文物普查队在付村乡后寨村征集到一件元代铜权。据百姓介绍,铜权是在大沙河中挖沙时发现的。简报配以拓片予以介绍。

据介绍,权高 11.5 厘米,重 764 克(由县计量所测定)。方纽有圆孔,权身六棱六面,上窄下宽,束腰形台阶式座,底呈六角形。正面阴刻"泰定二年",背面阴刻"较勘相同",左侧面有"日"。"泰定"为元泰定帝也孙铁木儿年号,泰定二年即 1325 年。山东出土的元代铜权,铭文大多为"较同""官较同"或"益都路"。而北京发现过铭文为"保定路较勘相同"的大德元年铜权。"较勘相同"意为符合国家统一规定的衡制,经校验允许上市使用。

723.山东微山县出土元代铜权

作　者：山东微山县文化馆　杨建东
出　处：《考古与文物》1992 年第 3 期

1989 年 11 月，微山县文物普查队在付村乡后寨村征集到一件元代铜权。据村民介绍，铜权是在大沙河中挖沙时发现的。权高 11.5 厘米，重 764 克（由县计量所测定）。正面阴刻"泰定二年"，背面阴刻"较勘相同"。简报配以拓片予以介绍。

据介绍，"泰定"为元泰定帝也孙铁木儿年号，泰定二年即 1325 年。山东出土的元代铜权，铭文大多为"较同""官较同"或"益都路"。而北京发现的大德元年铜权铭文为"保定路校勘相同"（《文物》1987 年第 11 期）。"较勘相同"四字意为符合国家统一规定的衡制，经校验允许上市使用。

724.山东微山县两批古钱币介绍

作　者：杨建东
出　处：《考古》1993 年第 1 期

1985 年 1 月，考古人员在微山县欢城镇供销社采购站征集到一批古币。这批钱币以"五铢"合范钱及"五"字钱为珍品。1986 年 10 月，微山县欢城镇东田陈村出土一批古币，计 2 万余枚。有汉文帝"四铢半两"、王莽"货泉"、隋"五铢"及大量唐宋铸币。以唐会昌开元背穿左右各铭一"潭"字，一正一反，甚为罕见。金"大定通宝"小平铁钱，实物罕见。几枚铜钱似为地方铸币，也较罕见。又有北宋"绍圣通宝"数量极少。古代越南铸币 1 枚，币文"天福重宝"，背文"黎"，公元 984 年黎朝（安南国）铸币。出土钱币中时代最晚的是金"大定通宝"，据此简报推断这批货币埋藏于公元 1189 年之后。

725.山东济宁出土元代青花玉壶春瓶

作　者：武　健
出　处：《考古》1994 年第 5 期

1984 年秋，济宁市郊区廿里铺刘大门口农民在菜园整地时，于距地表 0.5 米处发现一座被盗的石棺墓，出土一件青花瓷瓶，瓷瓶现藏济宁市博物馆。简报配以照片予以介绍。

据介绍，该瓶满绘缠枝花卉，以荷花瓣、蕉叶、下垂如意云纹等组成，均是元代青花中较为流行的装饰纹样。特别是瓶口内的卷枝纹，后世很少效仿。

这件青花玉壶春瓶，简报推断应为元代成熟期的代表，属景德镇窑口的产品。简报称，由于山东地区发现元青花颇为少见，故尤为珍贵。

726.山东济宁发现两座元代墓葬

作　者：济宁市博物馆　王政玉、苏延标

出　处：《考古》1994 年第 9 期

1989 年 11 月，济宁市郊区许庄乡张营村农民建房时发现两座元墓，考古人员前往进行抢救性清理。发掘工作自 12 日开始，16 日结束，历时 5 天。元代墓葬位于济荷铁路南侧，京杭运河故道西岸。两墓编号分别为 M1 和 M2。

简报分为：一、墓葬形制，二、随葬器物，三、结语，共三个部分。有手绘图。

据介绍，M1 为长方形土圹石椁木棺双室合葬墓，因扰乱，头向不清。墓室隔墙中间有一方形小洞使两室相通。东室墓盖板南端放置墓志一合，据志文看为张楷夫妇合葬墓。

M2 位于 M1 南，系长方形土圹石椁木棺三室合葬墓，有较乱的腐朽骨架，无器物，据观察可能是迁葬。M1 虽经扰乱，仍出土器物 12 件，其中有陶瓷器、铜镜、铁棺环，铜钱 34 枚。

M2 出土器物 26 件，其中有陶瓷器、铜镜、石球、铁棺环，铜钱 110 枚。随葬品置于中室和东室的头部，器物大都保存完好。墓志一合，楷书，共 743 字，简报录有志文全文。根据出土墓志和《济宁直隶州志》等有关资料可知，张楷乃唐中书令张嘉贞的后裔，祖籍河中猗氏（今山西临猗县南）。其父张普于金季迁居东平（今属山东），官至太常寺太祝，娶赤盏氏为妻，于 1243 年生下儿子张楷。元泰定二年（1325 年）二月二日病逝，享年 82 岁。

从 M2 出土的器物看，简报推断 M2 亦属元代墓葬。从该墓地行穴方位推断，M2 似为张楷长辈的墓葬。张楷墓志言张楷葬于先茔之次，则 M2 为其父母张普夫妇合葬墓。又因 M2 有一迁葬骨架，据张楷墓志记载，其母赤盏氏于 1246 年卒于东平，因而推断迁葬骨架则为其母赤盏氏。数十年后，其家迁居济宁，后其父卒，迁其母葬于此。此推断确否，有待今后进一步研究。

727.山东邹城市出土元代铜权

作　者：邹城市文物保管所　程　明
出　处：《考古》1996 年第 6 期

1992 年 5 月，山东省邹城市建筑公司在市安装队办公楼工地施工中，发现元代铜权 2 件。简报配以照片、拓片予以介绍。

据介绍，"大德元年"权 1 件。铸造规整，梯形环状纽，球形体，喇叭形底座，重 710 克。正面有楷书阴文"大德元年"四字铭，左侧刻一"十"字。大德元年即公元 1297 年，"十"字铭当为铜权的编号。"刘家造"权 1 件。形制与上件同，重 700 克。正面有阴文"大德元年"四字铭；背面阴刻"刘家造"三字，其右侧刻一"千"字。铭文"刘家造"，或可说明该权为私家所铸造。

简报指出，元代铜权在全国多有发现，但权上刻私家铸造铭文者却少见。

泰安市

728.山东泰安市大汶口镇近年出土的一批铜器

作　者：泰安市文物管理局　程继林
出　处：《考古》1987 年第 7 期

1981 年以来，山东泰安大汶口镇陆续出土了 5 件铜器，计有三足炉形灯座、"矩平"铜鼎、鎏金佛背光各一件，鎏金莲座二件。或造型别致，或制作精美。考古人员前往出土地点调查，从大汶口镇供销社又征集到 6 件铜器，计舟、错刀、权各一件，镜 3 件。简报配以拓片、手绘图予以介绍。

据介绍，这 11 件铜器有的上有铭文，简报录有全文。年代从春秋晚期至秦汉不等。铜权一件，为元至大三年所铸。大汶口镇，西南有著名的大汶口遗址。这批铜器的出土，为秦汉以来泰山周围的政治、经济、冶铸、宗教、文化等诸方面的研究提供了重要实物资料。

日照市

729.莒县出土元末农民起义军的两颗铜印

作　者：山东莒县博物馆
出　处：《文物》1960 年第 10 期

1960 年 3 月 28 日，在莒县汽车站伙房后深 1 米处，发现古代铜印两颗。甲印印文"元帅之印"，乙印印文"管军万户府印"，纽皆长方把状。甲印重三斤二两，乙印重二斤半。印文都是阴文篆体，章法严谨，铸造精美。简报配以照片予以介绍。

据介绍，这两颗铜印，应属 14 世纪末 60 年代红巾军发给入鲁部队高级将领的官印。印上铭文有"龙凤六年"纪年，"龙凤"为红巾军年号，龙凤六年为 1360 年。印上还有红巾军政府的档案编号。简报认为官印埋入地下，可能是在 1362 年 11 月莒州失陷时，为了不让官印落入敌人之手，所采取的一种紧急措施。此外，印的雕铸技术和印文、款识，进一步证实了红巾军拥有一定程度的冶铸手工业和一定水平的文化艺术人才，更证明了红巾军具有正规的政治制度、军事制度和相当大的组织力量。

莱芜市

临沂市

730.山东苍山县出土金代"虎威副都尉印"

作　者：林茂法、宋振启
出　处：《考古》1988 年第 7 期

1978 年苍山县兴明乡王姓农民，在院内建猪圈时，发现一方铜印。该印呈正方形，长方形柱状纽，重 825 克。印文为汉书阳文九叠篆"虎威副都尉印"，印右侧凿款"壬辰年正月丑"六字，印纽上端凿"上"字，字迹比较潦草。简报配以照片予以介绍。

据介绍，据《金史·兵志》（卷四十四）有"哀宗正大二年，议选诸路精兵，直隶密院。乃易总领之名为都尉，班在随朝四品之列，曰建威，曰虎威，曰破虏、振威、鹰扬、虎贲、振武、折冲、荡寇、殄寇，较此多虎威、振威二都尉。"

铸印时间，根据《金史》的记载，简报推断为金末哀宗时期的正大年间或开兴、天兴年间的壬辰年。

731.山东沂水县发现元代铜权

作　者：马玺伦
出　处：《考古》1989 年第 5 期

1984 年 11 月，沂水县王庄乡大战地村的群众，在村北河中修桥清基时，挖至河底 3 米处，发现一件铜权。简报配以拓片予以介绍。

据介绍，权为红铜铸造，墨绿色锈，较完整。重 725 克。权身正面铭文为"致和元年"，右上角铭文"千"；背面铭文为"益都路总管府"。"致和"即元泰定帝年号，"致和元年"为公元 1328 年，"千"可能是权的负荷。据《嘉靖青州府》记，沂水县在元代属"益都路总管府所辖"。元代铜权在沂水县发现，不但对研究元代度量衡有一定的参考价值，而且为考证沂水县元代历史所属提供了实物资料。

732.山东蒙阴出土元代刻文瓷罐

作　者：孙昌盛、朱明秀
出　处：《文物》1995 年第 3 期

1983 年 6 月，蒙阴县蒙阴镇南官庄村村民取土时，在距地表深 0.5 米处发现一件元代刻文瓷罐。简报配以照片予以介绍。

在瓷罐外表周围刻有散曲二阕，最后一行为"山坡羊"三字，当是曲牌。全文竖写，共 17 行，约 150 字，个别字刻痕太浅，兼之挂釉后涂遮，其中个别字难以辨认。简报录有全文：

> 猛听的情人呼唤，小妹妹不得方便。你敲的窗棂儿连声响，险些儿不着爹娘瞧见。唬的我站立在门前，亲亲不知在那边。听了一声心肝肉儿，唬的奴浑身汗。告哥哥你且还家也，小妹妹不得回转。听言，好夫妻不得团圆。猛听的情人偷叫，险些儿不着娘知道，又是怕有人瞧。告哥哥你且还家也，小妹妹自有方料。心焦，百般的不得□□。听着，□一世不把□□□，把奴的青春□，山坡羊。

简报指出，刻文字迹稚拙，并出现一些俗写字和别字，曲后虽有曲牌名称"山坡羊"，但格律不合，当是制瓷工匠率意为之，而将这种民间的情歌艳曲刻于瓷器，这在宋元文物中尚不多见。

733.山东昌乐发现有龙凤六年铜权

作　者：李学训
出　处：《考古》1995 年第 1 期

1979 年春，昌乐县朱刘镇钱家庄一村民在村前挖土时，于地下深 1 米处发现"龙凤六年"铜权一枚。经实地调查发现，与权共存的尚有较多淡黄白色黑花碎瓷片，系一处宋元时期的村落遗址。简报配以照片、拓片予以介绍。

据介绍，权系铜质，重 700 克。正面由右向左竖铭"都府较勘相同"，背面款铭"龙凤六年"。"龙凤"是元末红巾军刘福通等建立的"宋"政权年号，六年即公元 1360 年；"都府"即"都元帅府"之省称，但钱家庄出土的铜权并非农民政权所铸，如是则不必校勘刻记。值得指出的是，迄今所见的元代铜权，多有诸如铸造机构、重量及时间等款证，这件铜权在校勘之前无刻款，显系一例外。从底部铸缺、质量较粗劣等情况分析，可能系民间私铸，俟红巾军政权建立后，才对其校勘刻记。如推测不误，此当是一件非常难得的红巾军农民起义政权遗物。

734.山东苍山县出土金代官印

作　者：金爱民
出　处：《考古》1995 年第 2 期

1989 年 12 月 25 日，山东省苍山县流井乡北韩庄村村民在该村东南的大崮山挖塘取石时挖出一方铜印，现已由苍山县文物管理所收藏。简报配以拓片予以介绍。

据介绍，该铜印呈正方形，重 600 克。正面印文为汉书阳文九叠篆，计八字："行军万户矢字之印"；印纽顶端一侧刻"上"字；印背两侧刻款，左侧款为行"礼部造"，右侧款为"兴定五年五月"；印上边侧刻文同正面印文。据《金史·海陵本纪》载："天眷三年，年十八，以宗室子弟为奉国上将军，赴梁王宗弼军前任使，以为行军万户，迁骠骑上将军。"《金史·宣宗本纪》又载："贞祐二年四月，尚书省奏巡幸南京，诏从之。"五月壬午，宣宗从中都出发，七月至南京（南宋汴京，即开封）。其年改元"兴定"，九月设行六部。金宣宗完颜珣被蒙古军队逼迫，自燕迁汴，故称"行宫"。该印刻款同史书吻合，正反映了这段史实。它的发现，为研究金室南迁后在该地区的军事活动和军队建制提供了实物资料。

735.山东昌乐东山王元代墓葬清理简报

作　者：昌乐县文物管理所　赵启文

出　处：《考古》1995 年第 9 期

1991 年 3 月中旬，昌乐县老干部局福利厂在东山王村建厂施工中，发现古墓葬。考古人员确认是一处元代墓群。墓群位于县城东南部，北距昌乐镇委 1 公里，南距东山王村约 300 米。考古人员进行了清理。简报分为：一、墓葬形制，二、随葬器物，三、结语，共三个部分，配以手绘图，介绍了发掘、清理的 21 座墓葬资料。

据介绍，墓区地势较平坦，高出周围地面约 50 厘米。墓区面积约 3000 平方米，在其范围内分布 26 座古墓，发掘清理了其中的 21 座。均为小型墓，墓顶距地表 0.5 ~ 1 米。因施工破坏等原因，墓道大部未清。墓内骨架已腐朽，骨架、随葬品的位置也有部分移动，葬具不明。一墓内埋葬人数少者 1 人，多者 5 人。随葬品以瓷器最多。简报认为，东山王墓群可能是元代一处汉蒙民族共用墓地。穹隆顶石室墓集中在墓地中部偏南，穹隆顶砖室墓在其周围，长方形石室墓在边缘地区。虽同在一个墓地，但穹隆顶墓均头向西，而长方形石室墓则头向南，后者当为当地汉人墓葬。

736.山东莒南发现元代铜权

作　者：莒南县文物管理所　常玉英

出　处：《文物》2002 年第 12 期

1991 年 8 月，莒南县团林镇沙沟一村民在挖土时，发现一件元代铜权。该权顶部有方框形纽，用来系绳。权身略呈圆球形，上大下小，近底部束腰，并饰二周凸棱，下接喇叭形台阶式圆底座。通高 8.3 厘米、纽高 1.5 厘米、座高 2.8 厘米，重 400 克。简报配以照片、拓片予以介绍。

据介绍，权身一侧竖向阴刻汉字两行，为"十三""延祐六年"；右旁竖向阴刻一行八思巴字，音译为"延祐六"。另一侧竖向阴刻汉字"益都路"，左旁竖向阴刻一行八思巴字，音译为"益都路"。延祐六年即公元 1319 年，是元仁宗爱育黎拔力八达的年号。"十三"可能是铜权的编号。值得注意的是，该权上发现两处八思巴字，它们均为旁侧汉字的音译。元世祖忽必烈即位后，命八思巴创制了蒙古新字，并于至元六年（1269 年）颁行全国，俗称"八思巴字"。当时主要用来书写官方文书，元亡以后不再使用。这件铜权的发现，为研究元代度量衡制度以及八思巴字的应用提供了实物资料。

德州市

聊城市

737.山东高唐金代虞寅墓发掘简报

作　者：聊城地区博物馆

出　处：《文物》1982 年第 1 期

　　虞寅墓位于高唐县城西北约 5 公里处。1979 年 6 月，考古人员进行了发掘清理，从墓中出土了金代墓志、瓷器，并发现有彩绘的壁画多幅，为我们研究金代的绘画艺术、社会经济、生活习俗及服饰等提供了宝贵的资料。简报配以手绘图和照片予以介绍。

　　据介绍，该墓为仿木结构的圆形砖砌单室墓，壁上画满了壁画，画面约有 21 平方米。墓室内出土主要遗物有瓷器 5 件、碑形志石 2 方、壁画 16 幅。碑形志石上面一块有 16 个较大的女真文篆字，简报有 16 字全文，下面一块铭文共有 1767 字，简报未录铭文全文，铭文记载了虞寅的生平事迹及生卒年月。据墓志铭的记载可知：虞寅，字伯钦，山东高唐西房村人。生于北宋政和五年（1115 年）。其少年时就练习骑射，先在齐刘豫部从军，因英勇善战，补进义副尉。齐废后，金皇统元年改授进义校尉并任上蔡县尉。任期内，他曾箭射猛虎，为民除害。后又任沂州临沂县西县县尉、懿州灵山县主簿等职。金大定二十五年（1185 年）告官还家。他为官颇有政绩，官累迁至五品，积勋至骑都尉，特封陈留县开国男，食邑三百户。金承安二年（1197 年）六月卒，享年 83 岁。

　　简报称，墓中壁画分布有前后两室，原绘 16 幅，现存较完整的有 12 幅。虞寅壁画不仅有一定的艺术价值，同时为研究当时的服饰提供了重要的依据。从阶级关系来看，金朝统治者虽然基本上完成了由奴隶社会向封建社会的过渡，但仍有大量奴隶存在。画面上数处题记提到牌女、家童，就是鲜明的例证。

　　同刊同期有李方玉、龙宝章先生《金代虞寅墓室壁画》一文，可参阅。据介绍，发掘的金代虞寅墓，内有较完整的壁画 12 幅，总面积为 21 平方米。壁画随墓环绕成圆形，门为中线，分成左右各三组壁画，每组壁画间以外凸的立柱相隔。立柱上绘云朵图案。砖砌彩绘假门，墓室左右两壁上分别绘有古钱纹图案花窗各一。12 幅较完整的壁画中，有 8 幅画面描绘的是墓主人生前的日常生活内容，其余 4 幅是出行活动。通过概括提炼而又衔接连贯的构图手法，整个壁画内容自然承接。壁画绘有乐伎、车马、床帐、奴仆等，还有砖刻斗拱、砖砌灯架等，皆施以淡彩。简报认为，这样的构图形式是经过画师精心设计的。壁画尽管是绘在凹凸不平的砖壁上，画师仍能注意对人物的性格作细致的刻划，根据人物的不同身份、动作，刻划出不同的人物特征和表情，无论家牌、家奴还是驭手、武士，无不各具特征，栩栩如生，这在砖砌的墓室壁画中，不能不说是难能可贵的。两宋之间，辽金兴起，与宋接壤，文化艺术颇受宋代影响。金代的壁画，在表现手法、艺术风格上，大都与两宋绘画相似。观虞寅墓室壁画，可见一斑。墓主人在世之年，正是章宗完颜璟称帝。章宗喜爱文学艺术，由于他的倡导，当时社会上绘事大兴。在宋代辉煌炫丽而又齐整的绘画艺术陶冶下，金代能取得这样的绘画成就，是不难想见的。

738.山东聊城地区出土的古代官印

作　者：刘善沂

出　处：《考古》1985 年第 2 期

近几年来，聊城地区文物普查中在阳谷县和冠县农民之中征集到铜质官印三方。简报配以照片予以介绍。

据介绍，其一，招抚使印。1973 年在冠县征集而来。印为方形，印背无年款，只在右上方刻一"上"字。印文为汉字阳文九叠篆书"招抚使印"四字。

其二，元帅之印。1982 年在阳谷县郭店屯公社孟庄大队发现。印作正方形，纽的顶面刻一"上"字。印背无年款，在左侧阴刻"元帅之印"四字。"招抚使印"和"元帅之印"，印背虽无年款，但从印章形制为方形，为长方形柱状纽，印背或印纽顶面刻"上"字，印文为汉字阳文九叠篆，根据印面边框较窄等特点以及篆字风格，简报推断似为金代官印。

其三，东平路宣抚司奏差黄字号印。1973 年在阳谷县高庙王公社徐集大队发现。纽的顶面刻一"上"字。印背右侧阴刻"奏差黄字号"五字，"号"字系简化汉字，右侧边款阴刻"东平路宣抚司"六字。印文为汉字阳文九叠篆书"东平路宣抚司奏差黄字号印"十二字。中统元年（1260 年）为元忽必烈年号，知此印为元印。

739.山东茌平县发现一处元代窖藏

作　者：聊城地区博物馆　刘善沂、李盛奎、孙怀生

出　处：《考古》1985 年第 9 期

1978 年春季，茌平县肖庄王菜瓜村农民在村西北 1.5 公里处挖土，发现一处窖藏。

这些器物均放在黑釉瓷瓮里，口上盖有瓷盆和陶盆。出土器物共 12 件。考古人员两次去该村征收文物，除黑釉瓷碟和青釉开片双耳瓷瓶已失外，其他分别收藏于聊城地区博物馆和茌平县图书馆，简报配以手绘图、照片予以介绍。

据介绍，同出的器物，并不属于一个时代，早至唐代，晚至元代，从用途上可分为法器和一般日常生活用具。以上这批陶、瓷器中，三彩狮子莲花灯座和影青瓷菩萨，造型优美，可称为精品。这些器物集中在一瓷瓮里，可能是因战乱关系埋藏在地下，其埋藏年代应在元代以后。

740.山东茌平郗屯出土一批金元器物

作　者：刘善沂

出　处：《考古》1986 年第 8 期

1979 年春季，茌平县韩屯公社郗屯大队农民在挖排水沟时，在距地表约 1 米深的地方，发现一批窖藏器物，内有铜器、铁器和瓷器，计 31 件。简报配以手绘图、拓片予以介绍。

据介绍，以上这批窖藏器物有铜器、铁器和瓷器，从用途可分为农业生产工具、手工业工具和生活用具。多数器物带有明显的时代特征。其中一件铜权有着明确的纪年铭文："至元八年"，即公元 1271 年。该铜权应为元初遗物。几面铜镜，除一面的纹饰特点、大小与河北磁县南开河元代木船中的铜镜一致外，其他铜镜在时代上要比元代早。从这批器物的特征看，简报推断年代不会晚于元代木船的年代。

简报称，这批遗物出土集中，显然是有意埋藏的。埋藏的原因，可能与当时的战乱有关。

741.山东茌平出土金代官印

作　者：马允华

出　处：《文物》1990 年第 1 期

1988 年春，山东省茌平县韩集乡出土一方金代官印。现藏县图书馆。简报配以拓片予以介绍。

据介绍，此印为铜质。印面呈正方形，边长 7 厘米、印厚 1.5 厘米。矩形纽，纽高 4 厘米。印文为阳文，有阴刻款，刀迹较浅且笔画潦草：纽左侧款为"军前行六部造"6 字；纽右侧款蚀泐较重，仅可辨"年十二月"4 字。纽顶端阴刻"上"字。

印侧阴刻"都统印"3字。

简报称，据《金史·兵志》"四万户为一副统，两副统为一都统"，知此印应属金代遗物。

滨州市

742.山东博兴发现元代铜权

作　者：李少南

出　处：《考古》1985年第3期

1983年春，山东博兴县窝孙村的农民在村北100米处取土脱坯时，于距地表90厘米深的地下出土了元代铜权一枚。简报配以照片予以介绍。

据介绍，铜权铸造工整，为六棱纺锤形，与陕西周至县至元九年铜权造型基本一样（《陕西省周至县发现元至元九年铜权》，《文物》1978年第3期）。重500克。一面阴刻"泰定元年"的铭文，一面阴刻"益都路造"的铭文。

"泰定元年"即泰定帝也孙铁木儿改元的第一年（1324年）。铜权的铸造时间当在这一年。"益都路造"是注明的铸造官衙。博兴县在元代为博兴州（《博州县志》），属山东东西道宣尉司益都路总管府所辖。所注"益都路造"，说明铜权是益都路总管府统一铸行。

743.山东博兴县发现一方金代万户官印

作　者：李少南

出　处：《考古》1994年第6期

1982年春，山东博兴县崔家村村民崔志勇在村北300米挖沟时，于地表1.5米深的地下发现了一方铜印。简报配以照片予以介绍。

据介绍，该印铜质，印面正方形，边长6厘米、通纽高4厘米。纽顶端刻一阴文"上"字。印文为汉书阳文九叠篆"忠孝军两字号万户印"，印背及侧面均刻有阴文楷书：背右"贞祐三年七月"，背左"山东行部造"；印前侧"忠孝军两字号"。据印款可知此印为金宣宗完颜珣贞祐三年（1215年）颁发的。关于"忠孝军"，在《金史·兵志》中有记载，据此可知率领忠孝军者，多是金代统治者亲族，享有一定特权，待遇优于其他军队。"万户"官，在金初就已设置。

至海陵王完颜亮天德三年（1151年），曾改元帅府为枢密院，废万户，改置节度使。此印的发现，说明金朝宣宗年间又复置万户官。

菏泽市

744.郓城出土的元代白釉黑花瓷罐

作　者：黄　博

出　处：《文物》1988年第6期

1976年山东省郓城县文化馆征集到一件元代白釉黑花瓷罐，是郓城县宋故城遗址出土的。简报配以照片予以介绍。

据介绍，白釉黑花瓷罐直领，圆唇，上腹鼓，急收成细腰，圆实足。罐内壁施赭色薄釉，器外施较厚白釉，足底部未施釉。

简报称，这件白釉黑花瓷罐的造型古朴典雅，纹饰流畅自然，工艺精巧，应为元代瓷器中的精品。

745.成武出土金代五彩瓷人

作　者：苏　鸣

出　处：《文物》1993年第11期

1988年12月，山东省成武县宝峰乡宝西村一村民在清理宅地时，挖出瓷人3尊。考古人员闻讯后即赴现场调查。瓷人出土地点距地表深4米，这里是一处房基遗址。房基东西长9米、南北宽6米、高0.5米，由长条杂石砌成，内有较多灰烬和瓦砾。房基西侧有一东西长2米、南北宽1.9米的用单砖砌成的耳室。瓷人等均在耳室内出土。简报配以照片予以介绍。

据介绍，这3尊彩塑瓷人为男瓷人、女瓷人、女侍瓷人。在其他伴出物中，还有一些器物碎片。据推断，至少还应有一尊彩塑瓷人。

同出白瓷碗已残。圈足内有5个支烧痕，内壁有6条等距离凸线。外壁施白釉不到底，无釉处墨书"泰和三年十二□十日买二只"等字；碗底正中墨书"马"字，下为花押。该碗有确切纪年（金泰和三年，1203年）。

简报推断该组瓷人时代当为金代，现收藏于成武县文物管理所。

河南省

郑州市

746.介绍几方金代官印

作　者：赵新来
出　处：《河南文博通讯》1978 年第 2 期

简报配以手绘图介绍了河南省博物馆藏金代"都统所听字印""都统之印""副统之印""提控之印""提控所印""副提控印""行军万户丁字子印""行军副万户印""省差顺字号印""招抚副使之印""公府收支局印"等，认为这些金印，为研究当时的官职制度和行政区域均提供了新材料。

747.登封少林寺发现铸有日僧邵元题名的铁钟

作　者：开封地区文管会　崔　耕
出　处：《文物》1980 年第 5 期

元代日本和尚邵元在中国所撰碑文、塔铭石刻数种，部分拓本于 1973 年曾到日本展出。1976 年夏，开封地区文管会文物普查时，在登封少林寺发现一口元代铁钟，是邵元在该寺当书记时所铸。简报配以照片予以介绍。

据介绍，此钟悬挂在方丈室左侧廊檐下，铸造年代为至元二年（1336 年）十月二十五日，重 650 斤。下部铭文为铸造年代、地点及下属寺院名称，对少林寺知事僧记载较详。铭文中有"住持嗣祖沙门息庵""书记邵元"。邵元和息庵之间，有着深厚的友谊，就在铸钟之后的第四年（至元六年）息庵去世，第五年（1341 年）邵元为息庵撰写的碑文中说："凡所住之处革故鼎新，百废俱举"。可见此钟为"鼎新"之一例。

简报称，日僧邵元与息庵禅师的名字，同时出现在一口钟上，这又为中日两国友好往来的历史增添了一件实物资料。

748.郑州荥阳楚村元代铜模

作　　者：于晓兴、吴坤仪

出　　处：《文物》1982 年第 11 期

　　1963 年河南郑州市荥阳县楚村农民发现了一批铜质的模具，其中一部分被金属回收部门收购毁坏，大部分送交郑州市博物馆。简报配以照片予以介绍。

　　据介绍，1981 年初对铜模出土处重新作了调查与试掘，发现了很多炉渣、煤块及完整的坩埚，还有板瓦、筒瓦、瓷片、陶器等，证明这里是一处铸造作坊遗址。遗址面积 5000 多平方米，简报推断作坊属于元代。从地层关系看，铜模原是这个作坊的模具。

　　简报称，收集起来的铜模共 17 件，计有犁镜模一套两件，犁铧模及芯盒一套 3 件，耧铧模及芯盒两套 6 件，犁底模一件，耙齿模两件，另外 3 件为莲花饰件和桥形器件模，都是铸制而成。

749.密县超化清理一座金代塔基

作　　者：杨焕成、魏殿臣

出　　处：《中原文物》1987 年第 4 期

　　1975 年在密县超化公社河西村，配合基建工程清理了一座金大定十六年（1176 年）建的智公和尚塔塔基。通过实地调查和当地人介绍，可知智公和尚塔所在的地方，原为超化寺和尚墓塔组成的塔林。明代万历三十七年袁宏道在《游超化寺记》中提到"……（超化）寺在昔为胜概，今已废……左有古塔（唐塔，已毁）……流溪而西，僧塔甚多……"可知明代时，塔林尚存，其废毁时间当于明代以后。通过发掘可知，塔林毁后，这一带曾用黄土填为耕地，使残塔深埋于地下，1949 年后曾在此发现多座塔基。简报配以照片予以介绍。

　　据介绍，北宋初年至元明之际，火葬是非常盛行的。这与宗教信仰有着密切关系，特别是佛教的影响关系更大，因佛家主张"成火自焚"，所以很多寺僧都用火葬。但智公和尚的遗体未经火化，而是入棺土葬。简报称，这对研究金代寺僧葬制有着重要的参考价值。

　　简报指出，该塔基为河南省 1949 年后清理的第一座有纪年的金代塔基。它为研究金塔的地基处理与墓室结构，提供了重要的实物资料。

750.河南新郑县发现元代铜权

作　者：赵丙焕

出　处：《考古》1988 年第 2 期

新郑县文物保管所近期收藏的一批文物中，有一枚完整的元代铜权，是 1984 年文物普查时，在新郑县小乔乡东徐村西北地发现的。简报配以照片、拓片予以介绍。

据介绍，权身平面呈圆形，束腰，方环纽，底部座呈台阶式，重 825 克。权身正面阴铸铭文"至大二年"，背面阴铸铭文"汴梁路""千"。

简报称，至大是元武宗年号，二年当公元 1309 年。"汴梁路"属河南江北行省，辖县十七，州五（郑州、许州、陈州、钧州、睢州），州领二十一县，新郑属钧州。《元史·地理志》载："大江以北，其地重要，又新入版图……"可见当时经济比较繁荣。这枚铜权在河南新郑发现，为研究元代商业贸易提供了实物资料。

751.河南荥阳城关发现两座金墓

作　者：郑州市文物工作队、荥阳县文物保管所　陈立信、马德峰

出　处：《华夏考古》1990 年第 4 期

1988 年 7 月，考古人员为配合荥阳城关文教组基本建设，在万山路东侧发掘两座古墓。两墓形制相同，均为洞室墓，分别编号为 xjM7、xjM9（简称 M7、M9）。简报配以拓片、手绘图予以介绍。

据介绍，两墓均由墓道、墓室组成。棺木已朽，人骨保存不好。出土有钱币、瓷碗等。其中南唐铸"开元通宝"钱少见。简报推断两墓为金墓。

1985 第 2 期《文博》，载有陈颖"唐国通宝、正隆通宝与宋代铜钱"一文，说 1979 年荥阳县王村乡柳村曾出土了 19 斤铜钱，大部分为宋钱，也有南唐铸"唐国通宝"与金"正隆通宝"。证实史书所载金不禁宋钱之说有据。这批铜钱，应是宋金灭亡之前埋藏的，后归陕西博物馆。

752.巩义市现存三通元碑介绍

作　者：崔　耕

出　处：《中原文物》1992 年第 2 期

巩义市元代三碑原在城关黄冶村南陵上张氏祖茔，墓冢早无，仅留三碑并立。20 世纪 70 年代，迁巩县文物保管所院内。三碑是张毅父子为先祖所立的墓碑。简报

配以照片予以介绍。

据介绍，据碑文，张毅祖居解梁（今属山西省），祖张恩，金时官嵩州安抚使，元初尹巩，赠嘉仪大夫，礼部尚书，轻车都尉，追封清河郡侯。四子均为元地方军政官员。第三子思忠，官嵩州司竹监，后家居，赠中奉大夫，河南江北行省参知政事，追封清河郡公。思忠长子毅为通奉大夫，江浙等处行中书省参知政事。前二代得封，皆以毅贵。毅长孙惟敏为亚中大夫，河北河南道肃政廉访副使，后迁中书左司郎中。其余子孙也多为官者，堪称官宦世家。三碑分别立于致和元年（1328年）、至元三年（1337年）和至元六年（1340年）。前二碑署名"毅立石"，第三碑未署名。从文义看为毅之长孙惟敏立石。三碑撰文、书写、篆额，皆为当时朝廷重臣。三碑少见著录，鲜为人知。简报未录碑文全文。

753.河南荥阳金墓发掘简报

作　者：河南省文物考古研究所、荥阳市文物保管所　　赵文军
出　处：《华夏考古》1997年第3期

1995年4月间，荥阳市广武镇插阎村农民在引水灌溉时，发现一座古墓。考古人员进行了抢救性发掘。简报分为：一、墓葬形制，二、画像位置及内容，三、结语，共三个部分。有手绘图、拓片。

据介绍，该墓由墓道、甬道、墓室三部分组成。石棺上有题铭，题铭中有泰和四年（1204年）纪年，知其为金墓。墓主当为一般地主。石棺除尾部外各面均有画像，内容为孝子图等。与宋代的孝子故事题材多带有自铭所不同的是，该墓的八幅孝子故事竟无一个有榜题。该墓中的孝子图线条流畅，形象生动，构图合理，在表现手法上达到了较高的艺术水准。

754.荥阳杜常村金代砖雕墓

作　者：郑州市文物考古研究所、荥阳市文物保护管理所　张　倩　陈万卿、马黔斌
出　处：《中原文物》2000年第6期

发现于荥阳杜常村的砖雕墓，其时代属金代早中期。墓中出土了一批相当精美的砖雕，题材多样，内容丰富，艺术性强，是金代砖雕的上乘之作。简报分为：一、墓葬形制，二、雕砖内容，三、结语，共三个部分。有照片、手绘图。

据介绍，该墓是1994年4月砖厂取土时发现。墓葬为砖券单室墓，坐北朝南，墓道结构不清。墓室呈八边形，穹隆顶，转角有斗拱。拱间壁嵌花卉图案砖雕，墓壁下部

嵌人物、禽兽图案的砖雕。棺床结构不清。用青砖铺地。收集回来的砖雕共 31 块，雕刻内容可分为门构件、花卉、祥禽瑞兽、伎乐、日常生活、行孝故事六个方面。简报称，杜常村砖雕墓内容丰富，花卉枝叶舒展，疏密有致；禽兽姿态逼真，野趣横生；而人物生动形象，神情把握准确，具有较高的艺术价值。该墓的时代，简报推断为金代早中期。

755.郑州市东大街元代瓷器灰坑

作　者：郑州市文物考古研究所　郝红星、陈　新、李　杨等

出　处：《文物》2004 年第 11 期

2000 年 12 月至 2001 年 3 月，考古人员在郑州市东大街与紫荆山路交叉口西约 150 米处的长江置业商住楼工地发掘 3 个探方，其中简称 H26 的探方出土瓷片极为丰富。简报分为：一、灰坑形制，二、出土器物，三、结语，共三个部分，配以彩照、手绘图先行介绍 H26 的发掘情况。

据介绍，H26 出土了少量一些元代以前的瓷器，可能是坑壁塌落而陷进来的唐宋地层中的遗物。应是西关窑的产品，时代约在公元 800 年以后。五代白釉 A、B 型碗也是西关窑的大宗产品，这种碗一直使用到宋代前期。宋代白釉 A 型碗是五代白釉 A 型碗的延续和发展。H26 出土的元代瓷器以白釉碗、青釉碗和褐釉碟为主。

白釉碗的来源较复杂，不能一一确定其产地。推测其为河南宝丰一带民窑的产品。白釉红彩碗的足底墨书"天水"二字，胎黄而疏松，无疑出自天水。白釉瓷瓶应是磁州窑的产品。天蓝釉碗、青釉 B 型碗器形较小，胎粗而灰，釉中有气泡，均为河南禹县钧窑的产品。H26 中的填土以草木灰为主，内含大量瓷片，应是在短时期形成的，出土瓷器以碗、碟、盘、杯、罐为主，简报推测此坑是酒肆一类场所的垃圾坑。

756.河南荥阳市新店金元水井清理简报

作　者：荥阳市文物保护管理所、郑州大学历史学院考古系　孙　锦、陈国乾、梁西乾

出　处：《华夏考古》2009 年第 4 期

新店遗址位于河南省荥阳市王村镇新店村北部，东临荥阳市 5000 米，西距前白杨村 1700 米，南水北调中线工程从遗址中部穿过。2006 年考古人员在对渠线巡护中发现了汉代和金元水井等遗迹和遗物，当年进行了发掘。简报分为：一、水井形制

与结构，二、出土陶瓷器，三、结语，共三个部分。有照片、手绘图。

据介绍，共发现汉代水井2眼、金元水井23眼，有的已被施工破坏。出土有青瓷、白瓷、酱釉瓷、孔雀蓝釉盘等遗物。瓷器的质量不是很高，皆为金元时期当地民用粗瓷，应是由河南地区瓷窑场所生产。不少瓷器外底部书有文字款，多为标识使用者姓氏的内容；而碗内绘书的"寿"字，则为当时瓷器上习见的吉祥语。

757.河南登封市观星台元代大殿基址发掘简报

作　者：郑州市文物考古研究院、登封市文物管理局

出　处：《华夏考古》2010年第4期

登封观星台元代大殿基址是河南唯一一处经科学发掘的元代大殿基址，基址的位置、构建方法、包含物以及构件特征均表明其为元代建筑，是观星台天文观测建筑整体的一部分。大殿基址的发掘，对复原元代天文建筑并揭示其功能有着重要的意义。简报分为：一、发掘概况，二、地层堆积，三、出土遗物，四、大殿基址形制，五、大殿年代等几个部分予以介绍，有手绘图、照片。

据介绍，元代大殿系2003年7月登封市复建帝尧殿时发现，2008年6月发掘。大殿平面呈"凸"字形，坐北朝南，由中间主殿、两侧挟屋三个单体建筑及月台四部分组成，主殿前部建有月台、慢道，挟屋前有矩形甬道。出土遗物有建材、瓷片等。当年或为《元史·天文志》所载全国27个观测站、观星台之一。

开封市

洛阳市

758.洛阳涧西金墓清理记

作　者：刘震伟

出　处：《考古》1959年第12期

1958年7月考古人员在洛阳市西郊七里河村西北大约750米的地方，发现一座仿木建筑的砖室墓，保存颇好。此墓现已迁至洛阳市博物馆，复原展出。简报配以照片予以介绍。

据介绍，该墓由墓道、墓门、墓室组成。墓室平面八角形，棺床面用方形和长方形砖铺成。须弥座上每面转角砌柱一根，上用刀刻划有字。未见葬具，有人骨一架。随葬品有铜镜、白瓷罐、黑瓷罐、瓷碗、骨器等。该墓年代，简报推断为金代。

759.河南新安赵峪村发现金代遗物

作　者：汤文兴

出　处：《考古》1965 年第 1 期

1962 年 9 月，在新安县南 6 公里的赵峪村西头，被雨水冲出许多文物，计有铁器 14 件、瓷器 8 件和陶器 3 件。考古人员进行了调查。简报配以照片、手绘图予以介绍。

据发现者反映，这批文物出土时，铁器都被压在陶、瓷器的下面，瓷碗很整齐地叠压在一起，陶纺轮置于一瓷瓶口部。经过仔细观察，在其周围没有发现任何遗迹。就出土物的形制来看，如剪刀、铁钳、锄刀、泥抹板、马镫等铁制工具，和黑龙江肇东县八里城辽金遗址出土的较为接近，简报推断这批遗物可能是属于金代的。

760.龙门奉先寺大卢舍那佛像龛崖顶发现人字形排水防护沟遗址

作　者：龙门文物保管所　宫大中

出　处：《文物》1979 年第 4 期

龙门奉先寺大卢舍那佛像龛的保护与维修工程，自 1971 年起连年施工，至 1978 年夏，全部大像均已粘结加固。大像龛西南隅的天然石岩岩洞（喀斯特溶洞）洞口已封闭，并垒砌 10 座石柱墩保护，以防山石崩坍下沉。为防止山洪冲刷和滚石危害，计划在崖顶石砌一座高、厚各 1 米的弧形防护墙。1976 年在清理崖顶积石过程中，发现了排水防护沟遗迹。

简报介绍，这条排水防护沟的形状像一个人字形。它以主像大卢舍那佛龛崖顶为中心，向南北两侧延伸。较低的北侧沟，沟首底部下距大卢舍那佛螺形发髻约 16 米。沟深因山势而深浅不等。北侧沟自转弯处以下，外壁沟沿保存完好。经实测，南侧沟全长 60.70 米，北侧沟全长 59.70 米，总长 120.40 米。

简报称，据初步考察判断，这条沟是整个大像龛工程的一个重要组成部分。就一般施工程序来看，很可能是自上而下，先开沟，再开龛造像。这条沟经修整后仍可继续使用，在排除山洪和阻拦滚石方面效果良好。

761.洛阳元王述墓清理

作　者：洛阳市博物馆　余扶危
出　处：《考古》1979 年第 6 期

1969 年底在洛阳老城东北的基建动土中，发现了一座元代墓。从墓志铭文得知这里为王述的家族墓地，当时考古人员只清理了王述墓。简报配以照片、拓片予以介绍。

据介绍，该墓为土洞单室墓，由墓室和墓道组成。墓室为弧顶，室近正方形，四角圆弧，长 3 米、宽 2.8 米。室内放置三棺，棺木和骨架均已腐朽成灰。墓道呈竖井式。随葬品计四十余件，除一件为瓷器外，其余全为陶器，陶质青灰，火候极高。其中除盘、灯、盒、香炉、瓷碗等为日常用具外，余下的鼎、敦、罍、尊、豆、爵全为仿古器。

有石墓志一方，志文成于元至正十年（1350 年），简报未录志文全文。

王述其人，不见于史籍，由志文看为元王朝中的封建官吏。从其家族和社会关系及志文中所反映的思想内容，特别是随葬品中的复古礼器看，此人笃信儒术。

762.洛阳出土金代官印考

作　者：贺官保
出　处：《中原文物》1982 年第 3 期

考古人员在洛阳市郊附近征集到金代时期的官印 8 颗。这批官印均有出土地点。对研究金代末年中京洛阳的战争，是很珍贵的实物资料。简报配以手绘图予以介绍。

据介绍，计有"总领之印"铜印一件、"都统之印"一件、"付统之印"一件、"提控之印"一件、"招抚付使之印"铜印两件、"万户之印"铜印一件。8 颗印中有 5 颗上刻有纪年，天兴元年（1232 年）者一颗，天兴二年（1233 年）者 4 颗，另 3 颗无纪年。

简报称，这 8 颗帅印，出土地点除中京城内出土一颗外，其他 7 颗均分布在中京周围。这里值得提出的是在送庄公社的营庄大队与东山头大队送庄一带，出土总领之印与提控之印各一颗，相去仅 1.5 公里就驻有如此重兵，所以值得注意。送庄位于邙山之巅，南距洛阳 15 公里，北去黄河 10 公里，是洛阳通往黄河渡口的主要干道。

763.元代龙川和尚墓的发现和白马寺内的有关石刻

作　者：徐治亚、张　剑
出　处：《文物》1983 年第 3 期

1978 年 10 月，洛阳东郊白马寺村社员在平整土地时发现元代龙川和尚墓一座。简报配以拓片和剖面图予以介绍。

据介绍，龙川和尚墓分墓道、墓室两部分，墓道封门砖全部损毁，说明已被盗，墓中随葬遗物仅有汝瓷盘一件、石墓志一方。

简报称，两方石刻中《龙川大和尚遗嘱记》行书 22 行，共 441 字；《诏修白马寺纪实诗》楷书 21 行，共 390 字，勾勒出龙川和尚的一些事迹。龙川和尚是元初的名僧之一，又是元朝洛阳白马寺的第一代主持。

764.元察罕帖木儿墓前发现石翁仲

作　者：黄吉博
出　处：《考古与文物》1987 年第 5 期

1983 年 7 月，考古人员在洛阳市北郊金谷园村东北一里许的邙山下发现石翁仲一躯。翁仲出土的地点以北约 50 米处有一下方上圆的大墓冢，相传为元朝名将察罕帖木儿墓。

石翁仲身高 2.90 米，头戴莲花文吏冠，身着圆领褒服，足踏云头履，面相上窄下圆，嘴角刻有八字短须，鼻梁稍高，二目平视，双手奉笏于胸前，造型古朴自然。元朝石刻雕塑存世者不多，陵墓石刻更为罕见。察罕帖木儿墓前的石翁仲运用写实手法雕琢，全身比例适度，表情逼真传神，衣着宽敞洒脱，人物造型肃穆庄重，是元代石雕艺术的佳作。此墓在 20 世纪 50 年代时墓前石人石马还在，相信其他墓前石刻也会再现天日。

765.一对金代北曲三彩枕

作　者：黄明兰
出　处：《中原文物》1987 年第 1 期

1969 年，洛阳博物馆在配合东郊建设工程中，发掘出一件三彩瓷枕，高 14 厘米、长 25 厘米、宽 14 厘米。长方细腰，好似银锭，枕心中空。枕顶正方形，上饰黄地、绿叶、白色五瓣花朵，中央各有一气孔。枕身四面两端满饰黄地、白叶、绿色花蕾纹带，中部束腰处为绿地，四面各有暗褐色行书北曲小令一首。该瓷枕现藏洛阳市文物工作队。简报配以照片予以介绍。

据介绍，1983年3月，为庆祝洛阳市和日本国冈山市结为友好城市二周年，在冈山市举办了洛阳市出土文物展览，共展出文物108件，这件瓷枕是其中之一。事过一年之后，日本松冈美术馆代理馆长大山教男先生来函，说在1984年6月12日，他们馆在纽约"苏富比"拍卖公司买来一件与洛阳市那件一样的瓷枕，并附有瓷枕的照片，高14厘米、长26.5厘米、宽14厘米，请对瓷枕上的北曲小令代为释义，并同意将照片赠送。从照片上不难看出，两件瓷枕从造型、纹饰、词曲小令的风格、书法笔体等看均出自一人之手。因此简报推定，松冈美术馆这件瓷枕也应是洛阳一带烧造和出土。这件瓷枕上有北曲小令四首。

简报称，元代以前的北曲小令不多见，特别是把曲词书写在瓷枕上更是少见。两件瓷枕的出现，为我国宋金元时期词曲的研究，增添了新的资料。

766.金程震墓碑

作　者：李献奇
出　处：《中原文物》1987年第3期

1984年11月，考古人员在偃师县缑氏乡程村进行文物普查时，于村东百米外，发现竖有金代程震墓碑一通，该碑保存完好，碑文基本清晰，墓碑的附近分散有原墓前的石翁仲、石羊、石狮等遗物。简报配以照片予以介绍。

据介绍，该碑由碑首、碑身、碑座组成，河东元好问撰文，东胜李微书丹，栾城李冶题额。元中统四年（1263年）程震之六弟程恒为其立碑，太原高简刊石。碑文楷书24行，满行64字，简报录有碑文全文，列有程震家族世系。据碑文，可知程震生于金大定二十年（1180年），即南宋淳熙七年（1180年），卒于正大元年（1224年）三月二十一日。"芝田县官庄里"，即今偃师县缑氏乡官庄村。芝田县，宋为永安县，金改芝田县，元废，故城在河南省巩县西南40里，今名芝田镇。程村和官庄村紧相比邻，大约是元明以后程氏后代繁衍、聚集的一个小自然村，但仍隶属官庄村。

767.洛阳伊川元墓发掘简报

作　者：洛阳市第二文物工作队　吕劲松等
出　处：《文物》1993年第5期

1992年4月，距洛阳市伊川县南15公里的元东村北砖厂在取土时发现两座古代墓葬（编号为92YM4、92YM5）。其中92YM5为壁画墓。考古人员前往调查并对两座墓葬进行了发掘清理。简报分为：一、墓葬结构，二、随葬器物，三、壁画，四、结语，共四个部分。有照片、手绘图。

据介绍，两墓均为砖室墓，YM4在YM5之东，相距3米左右。早期均被盗扰，封门砖、墓顶遭破坏。M4为余角形砖室墓。M5为长方形单室砖券墓。有壁画。据《元史·舆服志》："百官公服，制以罗，盘领，俱右衽。"壁画中的男性人物服饰皆右衽。而女性人物皆左衽，女主人左衽直领半袖罩衫是元代较为常见的衣着。屏前男侍为光头，也是值得注意的现象。元代杂剧的发展，使伴奏乐器也不断完善。YM5中东、西两壁男乐伎演奏使用的乐器就有腰鼓、横笛、节板、大鼓、笙、琵琶等。壁画构图准确，人物形象生动，姿态各异，服饰线条流畅，色彩搭配恰当。特别是东壁所绘两女侍，体态优美，步履轻盈，是一幅具有较高艺术水平的绘画。整个壁画绘制人物22个，有的人物服饰具有鲜明的蒙古族服饰特征，有的则保留唐宋遗风，应是元代蒙、汉文化融合的结果。

两墓的年代，简报推断为元代。简报称，洛阳地区元墓发现不多，应予重视。

768.河南嵩县发现金大定董承祖买地券

作　者：李献奇

出　处：《中原文物》1993年第1期

1987年5月，考古人员在配合嵩县河村乡姚北坡村西桐油厂基建时，在发掘一座金代大定二十九年（1189年）墓葬中，发现一写在方砖上的董承祖买地券。买地券为朱色楷书，11行，满行25字，计257字，其中漫漶4字。简报录有券文全文。

据介绍，买地券方砖一侧，还朱书"合同"二字的半片字。其意为一式两份，各执一半为凭，说明买地券是由买地契约演变而来的。简报称，董承祖买地券，充满了道教迷信内容，它的出土，不仅为研究金代丧葬礼俗、土地买卖提供了资料，也为研究嵩县在金代大定二十九年的地方行政设置、地名沿革提供了资料。

769.元赛因赤答忽墓的发掘

作　者：洛阳市铁路北站编组站联合考古发掘队　王支援、张　剑、刘富良等

出　处：《文物》1996年第2期

1990年6～10月，为配合洛阳市铁路北站编组站（洛阳老城东北邙山扬坟至刘

坡段）工程，考古人员发掘了龙山文化时期的西吕庙遗址和战国至元明时期的墓葬500余座。其中在西吕庙遗址内发掘的元赛因赤答忽墓（编号C10M198）十分重要。简报分为：一、墓葬形制，二、随葬器物，三、结语，共三个部分。有彩照、拓片、手绘图。

据介绍，M198位于洛阳东郊洛河北邙山坡上，东距东吕庙村约500米，西距焦枝铁路约50米。此墓为砖壁土顶洞室墓，墓向正南，由墓道、门横、甬道、前室、过道和后室六部分组成。出土有瓷器、陶器等计58件，其中成组仿古黑陶礼器堪称精品。

该墓出土有石墓志一合，盖内阴刻篆书5行25字："大元故太尉，翰林学士承旨，银青光禄大夫赛因赤答忽公之墓"。简报未录全文。由志文知此墓为元至正二十五年（1365年）的墓葬。已是元代晚期。墓志的内容涉及元末一些重要历史人物，如察罕帖木尔、扩廓帖木尔等，以及与之相关的历史事件，可补史籍之不足。

770.洛阳孟津县麻屯金墓发掘简报

作　　者：洛阳市文物工作队　俞凉亘
出　　处：《华夏考古》1996年第1期

1994年12月，考古人员为配合洛阳玻璃集团公司墙地彩瓷砖厂的基建工程，在孟津县麻屯镇清理了一座金代墓葬（编号C8M1159）。墓葬位于麻屯镇东北的邙岭坡地上。简报分为：一、墓葬形制，二、随葬器物，三、小结，共三个部分。有手绘图。

据介绍，该墓为单室土洞墓，由墓道、甬道、墓室三部分组成。有盗洞，尸骨不存，残存随葬品有瓷瓶、鹅卵石及买地券1块。简报录有券文全文。根据券文记载，该墓立券时间为"大金天德二年"，即公元1150年，下葬时间亦应如此。这是一座有明确纪年的金代墓葬。

771.洛阳嵩县发现金代买地券

作　　者：洛阳市第二文物工作队　刁淑琴
出　　处：《文物》1997年第9期

1989年夏，考古队在洛阳嵩县城西1.5公里的城关镇县桐油厂基建工地，发掘清理金代墓葬一座。该墓出土器物中有一件买地券，为青灰色砖质，略呈方形，长31.7厘米、宽33厘米、厚5.2厘米。券文基本完整，从右至左竖行行楷朱书，共11行，每行 22 ～ 24 字，约 270 字，简报录有全文。配以照片予以介绍。

据介绍，"大定"为金世宗年号，"二十九年"即公元 1189 年，是董承祖埋葬的时间。"天眷"为金熙宗的年号，"三年"即公元 1140 年，是墓主人死的时间。从墓主人死后到埋葬于此，前后相隔 49 年。

简报称，这件买地券同"大金天德二年"买地券，除纪年、墓主姓名、坟茔位置及其范围大小不同外，其余内容基本一致，这说明金代洛阳地区随葬买地券的习俗大体相同。这件买地券的出土，对研究金代的社会习俗等具有一定价值。

772.记河南洛阳出土的二方金代官印

作　者：赵振华、张　勇
出　处：《华夏考古》1997 年第 1 期

1987 年 5 月，考古人员在隋唐外郭城内东部配合基建的考古发掘工作中，发现了二方金代官印。该地位于瀍河区闸口街 3 号，洛阳市机床一分厂厂区内，东距瀍河约 200 米。简报配以拓片予以介绍。

据介绍，二印铜质，印面方形，背上有纽，造型相同。一方印面正方形，印面铸阳文九叠篆"总部郎中之印"，2 行，行 3 字，计 6 字。印背錾刻阴文，右边为"天兴二年"，左边为"总部造"，印左侧面刻文同正面印文。纽端铸一"上"字，示用印之法。另一方印面铸阳文九叠篆"行元帅府经历司之印"，3 行，行 3 字，计 9 字。印背錾刻阴文，右边为"天兴二年"，左边为"总部造"，印左侧面刻文同正面印文。纽端铸一"上"字。据印背刻文，这二方印是金哀宗天兴二年（1233 年）由"总部"颁造的。简报怀疑"总部"为金中京总帅府的省称。

773.洛阳道北元墓发掘简报

作　者：洛阳市第二文物工作队　桑永夫、诸卫红等
出　处：《文物》1999 年第 2 期

1997 年 5 月，考古人员在配合洛阳市邮电局道北分局基建工程时，发掘清理了一座元延祐四年墓葬（编号 IM1056）。简报配以照片、拓片予以介绍。

据介绍，该墓由墓道、墓室、耳室三部分组成，平面呈梯形。出土随葬器物 36 件，除墓志在墓道填土中外，其余都放置在墓室南部靠近墓门处，有陶器、陶俑、铜钱、买地券等。买地券出土时大部分字迹已不能辨识。根据部分字迹，买地券最后一行落款为："元延祐四年三月□日。"长 30 厘米、宽 27 厘米、厚 5 厘米。墓志保存完好。

志文楷书，共43行，1027字，首行题"大元故奉训大夫大都路都总管府判官致仕王公墓志铭"。简报未录全文。

简报称，志文简单回顾了墓主王英的身世，并以较长的篇幅对王英为官期间的功绩加以叙述和赞扬，任卫辉路胙城县尹三年，"为政之善，已有碑石记录"；任汴梁期间"推穷同理，审察情节……"，然后"刑当其罪"；任河南府路期间列举了当地的三种弊端，"累上章疏"，结果"蒙上司准拟施行之"；任高唐州武城县尹时"部税甲马营仓"，因发生蝗旱灾难，便"躬亲监临收受"。又兴修水利。而当百姓为其请功时，却认为是"职分之所当为也"，即使归隐后仍受到"洛人爱慕尊敬"。可知王英为官清廉，最后卒于元延祐四年（1317年），葬在北邙。

简报指出，中原地区有确切纪年的元墓较少。从该墓的形制来看，显然与中原地区有着明显的不同。随葬器物中如陶仓、罐等均为汉民族所常用，而陶俑、陶马的造型风格等仍保留了塞外民族的痕迹，对元代官制民情等方面的研究有一定参考价值。

774.洛阳龙门奉先寺遗址发掘简报

作　者：奉先寺遗址发掘工作队　刘景龙、李永强
出　处：《中原文物》2001年第2期

1997年至2000年，考古人员对奉先寺遗址进行了考古发掘，揭露面积1637平方米。发现的遗迹有殿址、水道等，出土遗物以砖、瓦等建筑构件为主。生活用品较少，多为瓷器。出土的十余件石刻造像弥足珍贵。奉先寺遗址的发掘为中国古代寺院建筑和佛教造像等方面的研究，提供了珍贵的实物资料。

简报分为：一、地层堆积及包含物，二、遗迹，三、遗物，四、结语，共四个部分。有拓片、照片、手绘图。

据介绍，奉先寺遗址位于洛阳市南郊龙门西山南麓。发现的遗迹主要为殿址和水道等。殿址1座，坐北面南，保存较好。东西长25.77米，南北宽19.06米，高出南部地面约0.8米。殿址西南角的角柱石略呈方形，边长约0.42米，高约0.77米，西、南两面（即外露面）打磨光滑，南面阴线刻有荷花纹饰，东、北两面不规整。角柱石下垫有青石。水道位于殿址北侧，东西向，用砖砌成。水道西端基本上与殿址西缘齐。发掘部分长约7米，内漕宽0.74米、深0.38米。遗址内出土遗物有建筑材料、石刻造像、生活用品和铜钱等四大类。建筑材料出土数量最多，有砖、瓦、滴水和瓦当等。从考古情况看，该遗址的下限应为金元时期，系因人为因素毁弃。

775.洛阳道北金代砖雕墓

作　者：洛阳市第二文物工作队　张建文等
出　处：《文物》2002 年第 9 期

2001 年 6 月，洛阳道北史家屯村西洛阳市客车技术整备所油库在修建库房时发现一座古墓，考古人员进行了发掘清理。该墓编号 IM1719，早期已遭盗掘，未见骨架和任何随葬品。但墓室结构复杂，保存较好。墓室各壁有构图精美的砖雕和壁画，为研究金代的乐舞和绘画艺术提供了新的资料。

简报分为：一、墓葬概况，二、壁画和砖雕，三、结语，共三个部分。有彩照、手绘图。

据介绍，IM1719 墓为仿木结构砖砌单室墓，坐北朝南。由墓道、甬道、墓室三部分组成。墓道因压于建筑下无法清理，形制不明。

简报推断该墓的年代为金代初年，墓主人应为贵族。

简报称，此墓壁画色彩丰富，图案多样，布局讲究对称。砖雕刻划精细，人物造型生动传神。其中的奏乐、戴面具的舞蹈者、执花和托鸟童子等都为洛阳地区首次发现，特别是弹琴者所操之琴，与后世的三弦完全一致，这些无疑对我们研究宋金时期的普乐、舞蹈和社会生活等问题，都具有重要的参考价值。

776.河南洛阳市出土 5 枚元代"防奸"铜令牌

作　者：中国社会科学院考古研究所洛阳唐城队　韩建华
出　处：《考古》2003 年第 9 期

2000 年 7 月，考古人员在配合洛阳市第三职业中专教学楼建设的考古发掘中，在距地表深 2.8 米的金元层发现叠放在一起的 5 枚元代铜令牌。该地位于隋唐洛阳城东城内。东城在隋唐宋时是重要的衙署所在地，金代属洛阳监，元代属河南府。该令牌可能与河南府有关。简报配以拓片予以介绍。

据介绍，令牌均为铜质，质地厚重，制作规整。牌分正面和背面，都是由三部分构成，有铭文，共计 12 字，框内铸有八思巴文、蒙古畏兀文、波斯文三种文字。三种文字意思基本相同，其中八思巴文和蒙古畏兀文音义完全相同。

简报称，此次洛阳出土的 5 枚令牌，其编号最大的是八十九号，说明其发行数量很大，这对研究当时社会的历史具有重要意义。

777.洛阳伊川雕砖墓发掘简报

作　者：洛阳市第二文物工作队　乔　栋等
出　处：《文物》2005 年第 4 期

2003 年 1 月，洛阳市伊川县葛寨乡沙元村村民，在村内打井时发现一座金代砖雕墓。考古人员进行发掘。该墓编号 2003LYGSM1，保存较好，仅东壁上部受损。

简报分为：一、墓葬结构与随葬器物，二、砖雕及彩画，三、结语，共三个部分。有彩照、手绘图。

据介绍，该墓为单室砖砌仿木结构穹隆顶墓，坐北朝南，由墓道、甬道、墓室三部分组成。墓道大部分位于现代房基之下，无法发掘，因此长度不明。棺床上有 3 具人骨架，均为仰身直肢，北部 2 具头朝西，东侧 1 具头朝北。墓室内北、东、西三面均有彩画，内容有二十四孝、牡丹等。该墓的年代，简报推断为金代中期。

778.宜阳发现一座金代纪年壁画墓

作　者：洛阳市第二文物工作队
出　处：《中原文物》2008 年第 4 期

2003 年 5 ～ 6 月，在洛阳市宜阳县新建第一高中工地发现一座古墓，考古人员进行了抢救性发掘。

简报分为：一、墓葬形制，二、随葬器物，三、壁画，四、结语，共四个部分。有拓片、手绘图、照片。

据介绍，此墓为仿木结构砖砌单室墓，由墓道、甬道、墓室组成。棺床上有人骨 2 架。出土随葬品仅见 27 枚铜钱及酱釉瓷碗 1 件。整个墓室内色彩鲜艳，层次分明，壁画有绽放牡丹、缠枝花卉等及墨绘侍女、对弈、对饮图等，笔触流畅，栩栩如生。甬道东侧有朱书题记，知为金明昌五年（1194 年）墓。墓主人应为金人统治下的北宋遗民，应为有一有身份的中小地主。

779.洛阳发现元代古道观圣旨碑

作　者：洛阳市文物工作队、新安县文物局　邢富华、王宇红、邢建洛等
出　处：《文物》2011 年第 8 期

2009 年春，洛阳市新安县文物管理局在进行第三次全国文物普查时，于新安县铁门镇陈村村南发现一通元代至元九年（1272 年）"古道观记"碑，为我们研究元

代的政治、经济、法律、宗教、方志学等提供了较为珍贵的资料。简报配以照片、拓片予以介绍。

据介绍，圣旨碑为青石质，呈长方体，通高 17 米、宽 0.85 米。碑已残断，碑座为正方形。碑额两面均镌刻双龙戏珠图案，正面刻"古道观记"4 字，北面雕刻一火焰形龛，龛中为一打坐道士。碑身正面文字大多能辨识，背面文字已漫漶不清。正面文字为阴刻楷书，共 24 行，满行 50 字，共 1200 余字。内容为两则白话旨书，并刻有篆文方印。简报录有全文。此圣旨碑是元世祖忽必烈"中统四年"（1263 年）和"至元九年（1272 年）"颁发给地方官府及道教管理机构的两则告示，其中记载了当时古道观附近部分村民自愿将土地施舍或出卖给道观作庵院，并详细记述了古道观所得各段土地的具体位置、施者姓名。碑中还以"钦奉圣旨节该"方式教令有关地方官府对古道观减免地税、商税等，旨在维护该道观的利益，表现了元初统治者对全真道的崇信与扶持。

今有日本高桥文治先生《元代道教文书研究》（汲古书院 2011 年版），书中收有多幅元代道教碑文图片。

平顶山市

780.鲁山县发现一批古钱

作　者：杨焕成

出　处：《考古》1976 年第 4 期

1972 年 7 月，鲁山县城关公社在从事农田水利工程时，在县城北一里许鲁（山）嵩（县）公路北侧的"古路沟"内距地表 60 厘米处发现一瓮古钱，瓮上盖一陶盆。共出土铜铁钱 350 公斤（其中仅有几枚铁钱）。钱币均用绳穿系成串，盘旋放置，绳已朽。大部分钱已锈蚀，经整理后，铜钱字迹仍清晰可辨。铁钱由于锈蚀过甚，形、字均不可知。

据介绍，出土钱币从西汉、新莽、东汉、唐、五代十国、北宋、南宋、金各代都有。出土数量最多的是北宋钱，每种钱的版别较多，且同一种钱有两种甚至三种书体。尚出土不少对钱。钱文有楷书、隶书、行书、草书、瘦金体等，特别是还出土两枚传世较少的南宋绍兴元宝小平钱。这批古钱的出土，为研究我国古代货币发展史增添了实物资料。

781.宝丰县文化馆收集到一方金代"都统"铜印

作　者：邓城宝

出　处：《中原文物》1981 年第 2 期

宝丰县文化馆最近在商酒务公社收集到一方金代铜质印。这方铜印出土于 1969 年冬，由社员李洼斗在关帝庙村西地挖渠时发现并交给公社。简报配以拓片予以介绍。

据介绍，这方铜印为正方形，每边长 6.5 厘米、通高 5.4 厘米，边厚 1.5 厘米，重 675 克，印背有长方形印纽，纽上部有"上"字标记。印文为阳刻九叠篆书"都统盈字之印"，印背左侧镌刻楷书"林州行部造"，右侧有"兴定二年七月"等字，印边前部镌刻有印文楷书译文，制作粗糙。简报考证此印应属林州元帅府指挥下的"都统"军官，其职务应在万户之上。

782.河南叶县出土元代"唐县拷栳义兵万户府之印"

作　者：姚　垒、宋仁甫

出　处：《文物》1983 年第 6 期

河南叶县境内出土元代铜印一颗。印为正方形，重 1.5 公斤，边长 7.9 厘米、厚 1.14 厘米；梯形纽，上宽 3.8 厘米、下宽 2.27 厘米、高 6.8 厘米、厚 1.14 厘米。印背纽旁左刻"唐县拷栳义兵万户府"，右刻"中书礼部""至正十八年三月造"，字迹潦草。印文为八思巴文，译成汉文为"唐县拷栳义兵万户府之印"，比印背纽旁左刻汉字多"之印"二字。简报配以拓片予以介绍。

据《元史·兵一》："乡人自相团结，号毛胡芦，故因以名之。"按：拷栳义兵万户府，应与毛胡芦义兵万户府之类来历相同，也是元末的地方武装组织。据《元史·地理一》，保定路有唐县，即今河北省唐县。《元史·地理二》载南阳府辖有唐州，因疑印背所刻的"唐县"，或为"唐州"之误，因河北无举义兵事。

783.叶县出土一件金代三彩枕

作　者：杨爱玲

出　处：《中原文物》1984 年第 3 期

1982 年 2 月，叶县水寨公社张侯庄大队侯贵轩在挖河时，挖出一件三彩瓷枕，经冯先铭先生鉴定，为金代文物。简报配以照片予以介绍。

据介绍，此枕枕高 13.5 厘米、长 30 厘米、宽 13.3 厘米。大体形状是：一婴儿侧身卧于一个长方形托板上，婴儿隐匿在一片荷叶之下，荷叶巧妙地塑为弧形枕面，从两端向中间倾斜，叶面脉络清晰可见，是刻划而成，刀法有力，线条流畅。

简报称，瓷枕在宋、金两代墓葬中出土不少，有的是现实生活的寝具，有的是随葬的明器。该瓷枕出土时在墓主人头下，推测可能是死者生前的使用物，死后又随葬在墓中。就目前发现出土的宋、金两代的瓷枕来看，长方形、椭圆形、虎形、狮形的甚多，而此种人物造型的较少，是研究金代陶瓷工艺的宝贵资料。

784.临汝县出土一批金代窖藏铜钱

作　者：洛阳市文物工作队
出　处：《中原文物》1984 年第 3 期

1969 年 11 月上旬，在临汝县城关东北佛山寺西约 200 米的地方，距地表近 2 米深处，发现两瓮窖藏铜钱。考古人员闻讯后，便借同县文化馆的同志赶赴现场，对铜钱出土地点进行了勘察，并收回了这批铜钱。这批铜钱总重 510 公斤，上迄西汉，下至金代，前后十五个朝代，共 170 种。简报配图予以介绍。

据介绍，唐代"开元通宝"计有当时铸地或钱监代号 13 种。若干种五代十国钱少见。北宋钱数量最多，种类达 107 种，几乎包括了北宋所有的品种。还有铅钱 6 种。窖藏内时代最晚的钱是金"大定通宝"，简报推断此窖藏的入藏年代当在金大定元年（1161 年）以后。

785.河南宝丰出土金代"都统"铜印

作　者：河南省宝丰县文化馆　邓城宝
出　处：《考古与文物》1985 年第 6 期

简报配以拓片，介绍了两方金代"都统"铜印。

一为"都统所印"。出土于宝丰县城北 40 华里汝河南岸的赵庄村，由农民郑仓于 1982 年交给县文化馆。铜印正方形，重 575 克。印文阳刻九叠篆书"都统所印"。简报认为是 1232 年金军与蒙古军在河南临汝县一带作战时失落的。

二为"都统盈字之印"。出土于宝丰县城西北 17.5 公里关帝庙村，由农民李洼斗挖渠时发现并交县文化馆。铜印正方形，重 675 克。纽上有"上"字，左侧镌刻楷书"林州行部造"，右侧有"兴定四年七月"等字，印文为阳刻九叠篆书"都统盈字之印"。整个印体制作粗糙，印背凸凹不平。

简报称，这两方金代"都统"铜印的出土地相毗邻，两地相距仅 5 公里，均在宝丰县汝河南岸之汝州——汴京古道附近。与史载金兵进军、溃败路线也大体相同。可以肯定它们都是失落于战乱中，印证了金末几次蒙、金战争的战场及金兵的惨败情景。

786.临汝县出土一批窖藏铜钱

作　者：李宗超、杨小栓
出　处：《中原文物》1988 年第 2 期

1986 年 4 月初，临汝县临汝镇附近的冯店村北 20 米处，发现一批窖藏铜币（1983 年距此窖藏西 15 米处曾出土两窖藏铜钱，重 700 余斤，钱币年代和这批相同）。考古人员闻讯后，便赶赴现场。据当事人反映，窖藏距地表 1.5 米，铜钱是用麻绳穿成串，直接放入窖中的，未发现任何盛币容器。简报配以拓片予以介绍。

据介绍，这批铜钱总重约 400 公斤，共 47 种。北宋铜钱在该窖藏中数量、品种最多。钱文的书体有真、草、隶、篆等。另有东汉、唐钱。年号最晚的为"建炎通宝"。简报推测，铜钱窖藏时间当在公元 1127 年金人侵占中原之时或稍后。

焦作市

787.焦作金墓发掘简报

作　者：杨宝顺
出　处：《河南文博通讯》1979 年第 1 期

1973 年 10 月间，焦作市郊区农民在进行农田基本建设时，发现一批金墓，考古人员进行了清理发掘。

简报分为：一、邹瑷画像石墓，二、老万庄金代壁画墓，三、西冯封金代雕砖墓，四、新李封古墓，五、小结，共五个部分。有手绘图、照片。

据介绍，这次发掘的金代墓葬，均在远离焦作市区的西郊和西北郊，这里在金代属怀州河内县管辖。据《河内县志》和《怀庆府志》记载，可知这里在金元时期不仅在政治和经济上具有重要地位，而且在文化上也是比较发达的地方，所以这批墓葬的发现，为了解研究金代的建筑、雕刻和绘画艺术水平及服饰状况，尤其杂剧艺术的发展提供了新的实物材料。

788.河南武陟县小董金代雕砖墓

作　　者：河南省博物馆　杨焕成
出　　处：《文物》1979 年第 2 期

1975 年 4 月，河南省武陟县小董公社农民在村北发现一座古墓。简报配以照片予以介绍。

据介绍，这是一座用小灰砖砌筑的八角形仿木结构单室墓，由墓道、甬道、墓口、墓室四部分组成。墓室内除墓门以外的七个壁面皆镶嵌浮雕砖。

简报称，这座墓中没有发现可供断代的实物资料。墓室仿木建筑中令拱比泥道拱短，使用替木，采用格扇门，且四抹格扇门的格眼与障水板的比例符合《营造法式》规定，昂的底边稍向上翘，要头上的鹊台部分斜杀两侧使鹊台呈凸起状，柱础形制介于覆盆和鼓镜形之间；阑额出头，其特点与山西大同金代建筑善化寺山门的阑额出头、河南临汝县金代建筑风穴寺中佛殿的阑额出头相似；飞凤瓦当呈滴水瓦状等建筑特征，雕砖中的人物服饰和中原地区一些金代墓人物雕砖相似。简报由此推断，此墓可能是一座金代中期墓葬。

789.河南博爱县发现元代建筑——汤帝殿

作　　者：新乡地区博物馆　刘习祥
出　　处：《文物》1980 年第 8 期

1978 年，考古人员在博爱县界沟公社东王贺大队发现一座元代建筑汤帝殿。关于殿的历史，文献资料无载，碑刻也大多散失，只能从现存的一块清代康熙三十六年《重修碑记》中了解一点线索。据碑文，此庙建于"鞑王时"，知为元代所建。庙的规模，碑上无载，据传说，殿前原有西厢房三间，并有山门、照壁。这些建筑现皆无存，只有汤帝宝殿尚在。结构应还是元代的，但殿顶瓦兽件等大多为后代更换，殿内壁画也为后世所绘。

790.焦作金代壁画墓发掘简报

作　　者：河南省博物馆、焦作市博物馆　刘建洲、皇甫其堂
出　　处：《河南文博通讯》1980 年第 4 期

1978 年 10 月间，在整修 1973 年于市郊老万庄发现的金代壁画墓门工程中，又在该墓的东西两侧发现两座墓葬。为了叙述方便，将原发掘之墓编为一号墓（已发

表），西侧的编为二号墓，东侧的为三号墓。简报分为：一、二号墓，二、三号墓（冯汝梧墓），共两个部分，有照片、手绘图。

据介绍，二号墓与一号墓相距4米，此墓有二节墓道，平面呈八角形，是一座仿木结构砖砌的单室墓。墓道由两段组成，前段7个台阶组成斜坡形，后段为平底。墓室内有壁画，木棺上有图画4幅，简报定名为"刺马盗血图""鱼精闹书馆""狩猎射猎图""执剑降妖图"。棺内骨架三具，其中两具为成年人，性别为一男一女。在其脚头处有一幼童骨骸，性别难辨。从骨架的散乱情况看，这座墓葬应为迁葬墓。棺中小孩骨架应为其子女早逝，在迁葬时放置双亲棺内。出土器物很少，仅在棺床的左侧放着一件粗瓷小钵，可能是作长明灯用的。

三号墓在一号墓左侧偏南，相距3米，门朝南，墓道呈拐尺形，由前后两段组成，第一段长370厘米，宽66厘米，由11个台阶组成。在第一段与第二段相接处有一个长70厘米的隧洞。第二段长360厘米，宽90厘米。在墓道的北端，有一段约100厘米长的土甬道，墓室就砌在甬道北部。墓门用长条砖卧砌成人字形封闭。墓顶为圆锥形。该墓出土有"合同契券"，简报录有全文，中有"戊午年"纪年。金代有两个戊午年，一为1138年，一为1198年。简报认为两墓上下限不出此两个戊午年。

791.河南沁阳出土元代八思巴篆文铜印

作　者：杨焕成、邓宏理
出　处：《文物》1981年第6期

1969年8月，河南省沁阳县城关公社东关大队农民在沁阳城东南角的城墙土中发现一颗铜印。简报配以照片予以介绍。

简报介绍，铜印正方形，长方形纽。印文系八思巴文篆书体，简报录有释文全文。该印制作粗糙，印面高低不平，印纽有不少铸孔。按元代军制，设百户为百夫之长，隶属于千户之下。印文中"莒州"系元代益都路的一个州。此印即元代益都路莒州的一个百户印，也是1949年以来河南首次出土的元代八思巴文篆书官印。

792.河南温县慈胜寺古建调查

作　者：杨宝顺、王清晨
出　处：《文物》1982年第2期

慈胜寺位于温县城西北20公里处的大吴村，地当温县、孟县和沁阳三县的交界处，前临黄河，后靠太行山，隔河与巩县及古代著名的关隘虎牢相望。简报引史料证慈胜寺始建于唐和五代之际。简报分为建筑的总体布局、单体建筑介绍，共两个部分予以介绍，有照片。

据介绍，慈胜寺原是一座大型寺院，在中轴线上的主体建筑原有四进院落，五座殿宇，依次为金刚殿、天王殿、大雄殿、毗庐殿、延寿殿，自前向后逐步升高，其中以延寿殿规模最大，面阔九间。除正殿外，还有罗汉殿、水陆殿、伽蓝殿、地藏殿等。南北纵长205米，占地54亩。山门内，左右建钟楼、鼓楼。新中国成立前，这座古老的佛寺惨遭破坏，殿舍倒塌，殿内的元代壁画大部被揭盗国外。

中华人民共和国成立后，政府三次拨款进行维修，现存的建筑尚有山门、天王殿及大雄殿三处。简报对大雄殿、天王殿和山门以单体建筑作了详细介绍。

简报称，温县慈胜寺系一组元代建筑群，是研究了解中原地区古代木结构建筑的实物资料。寺院内现存的后晋天福二年（937年）石经幢，反映了唐、宋之间石刻艺术发展演变的特点。后晋仅维持十一年，这一时期遗留下来的文物很少，尤其像这样的大型石刻，是极其珍贵的。天王殿与大雄殿壁上绘制的元代精美壁画，其画技和艺术风格与晋南永乐宫元代壁画有相近之处。大雄殿西壁残留的以殿宇楼阁为题材的沥粉画更与晋中南平遥地区的元代壁画用沥粉的做法十分相似，表明当时怀州温县一带，在艺术上受到了晋南地区（平阳）的影响。整个壁画面积达200平方米，这在河南现存的元代壁画中，算是最多的了。

793.焦作电厂金墓发掘简报

作　者：焦作市文物工作队

出　处：《中原文物》1990年第4期

1989年1月2日至29日，考古人员在市区西南隅焦作电厂三期扩建工程施工中，发掘清理了一座有确切纪年的金代雕砖墓。墓室被扰乱，东壁已被损坏，由于墓内积水过深，葬具、葬式不详。

简报分为：一、墓室结构，二、出土器物，三、结语，共三个部分。有照片、拓片、手绘图。

据介绍，这是一座用小砖砌筑的八角形仿木结构彩绘雕砖单室墓。该墓由墓道、墓门、甬道、墓室四部分组成。出土有当阳峪瓷窑瓷碗2件、铜钱1枚等。

该墓的年代，简报推断为金代。

794.河南修武大位金代杂剧砖雕墓

作　者：焦作市文物工作队、修武县文物管理所　马正元等
出　处：《文物》1995年第2期

1992年4月，河南省修武县郇封乡大位村农民在修路时，发现一座古墓。考古人员对此墓进行了抢救性清理。简报分为：一、墓葬形制和结构，二、砖雕与壁画，三、出土器物，四、墓葬年代，五、结语，共五个部分。有照片、手绘图。

据介绍，墓葬位于县东南9.5公里的大位村西，村西南至郇封乡的土岗当地人称为"南岗"，墓葬位于南岗北部边沿，因取土已把地表下挖0.4米，墓顶一小部分已暴露于地面，并挖开一直径为0.35米的圆洞。但墓室保存完好，未被扰乱。墓葬坐北面南，全用小砖砌成仿木结构，由墓道、墓门、甬道和墓室四部分构成。墓室平面呈不规则六边形，墓室北侧上有2具人骨架，头向西，北面为女性，南面为男性。推测死者为一对中年夫妇。该墓的年代，简报推断为金代。出土器物仅3件。主要收获在砖雕。砖雕内容反映了宋金时代民间小型伴奏乐器组合和金院本的演出形式。至于壁画，内容为孝行故事，当出自民间艺人之手。

795.河南孟县宁玉墓的调查

作　者：尚振明、尚彩凤
出　处：《华夏考古》1995年第3期

1984年5月，为配合河南省的文物普查工作，考古人员在孟县发现了一方宁玉墓志，并以此为线索，对宁玉墓进行了调查。1994年12月，又对宁玉墓进行了复查。简报分为：一、宁玉墓前的地上石刻和墓葬形制，二、地界碑与墓志，三、结语，共三个部分。有拓片。

据介绍，宁玉墓位于孟县县城西4公里的西虢乡金山寺，坐落在北高南低的丘陵上。墓上还有高大的封土冢，冢南为神道，神道两侧原有石刻。现已不存，仅地界碑存于县文化馆。墓为分东西两室的砖石墓，棺木、随葬品均已被盗或破坏。墓志出于地下3米左右。楷书，计1500字，简报录有全文。

简报介绍说，墓主宁玉，《元史》无传。据《孟县志》记载，宁玉（1236～1302年），字廷玺，河南孟州河阳（今孟县）人。自幼聪慧，迥异常儿。及身长九尺余，臂力过人，才气超迈，惯习弓马。元伯颜下江南，闻其名而召至帐下，擢领军千户。至元中以万户镇庆元，智勇双全，纪律严明。后镇守吴江长桥，累官镇国上将军、浙西道都元帅等。大德六年（1302年）卒，赠太尉，追封魏国公，谥武宣。明朝

万历三年列入乡贤，并建祠立碑。据考察，宁玉后裔现居于孟县城西南 2 公里的三道沟村，承袭 27 代。上族原住下孟州西门里富平坊（孟县城西 14 公里的冶戎镇），后因河患之灾迁至河阳内区宁斜居住，清雍正七年（1729 年）又遭水灾，迁移至现在的孟县城西南 2 公里的三道沟村，已有 200 多年的历史。宁玉墓志的出土，不仅使我们对宁玉的生平有了较详细的了解，而且为我们研究元代的军事史、航海史提供了重要资料。

796.焦作市出土的二合元代墓志略考

作　者：索全星
出　处：《文物》1996 年第 3 期

1964 年，新李封村一村民在宅院植树时发现一座古墓。1978 年清理时，出土一合墓志后即停止作业，该墓志即《有元故潜斋先生许仲和墓志》。1984 年，在其附近又发现一合墓志，即《大元故承务郎新济州脱脱禾孙副使许公墓志铭》。该地俗称老茔洼，为元代著名的历史人物许衡的祖茔。二合墓志现存焦作市博物馆。简报分为：一、许衍墓志，二、许师义墓志，三、有关墓志的几个问题，共三个部分。有照片、拓片。

据介绍，焦作市中站区李封村是元初著名学者许衡的故里。这二合墓志的出土，为研究元史及许衡家族史提供了新的实物资料。据志文介绍，许衍，字仲和，《元史》无传。祖居河内李封，被蒙古兵掠来为奴，潜心向学，成为名医。其兄、元代汉臣许衡为其赎身，摆脱了家奴的身份。另一墓为许衍之子许师义的墓志。许师义，字义臣，号义斋。自幼聪敏，年长后入元译殊禅院任译史，因是汉人，职位上要低一级。据志文得知，许衍生于金兴定庚辰年，享年 80 岁，死后 30 年于"致和元年九月二十三日合葬于田家涧之西北祖茔"。其子许师义死于顺帝至元四年四月，亦葬于祖茔。许衍墓志撰写于元泰定五年（1328 年），《神道碑》为 1335 年刻石，许师义墓志撰写于至元四年（1338 年）。其时间次第相望，前后 10 年，为研究许氏家族这一在元代十分重要的汉人家族成员官职变迁情况的重要依据。简报未录两墓志全文。

797.焦作中站区元代靳德茂墓道出土陶俑

作　者：焦作市文物工作队、焦作市博物馆　罗火金、琚丽萍、袁爱民
出　处：《中原文物》2008 年第 1 期

2007 年 5 月，焦作市中站区一座墓的墓道内清理出珍贵文物 83 件，其中 3 件为

元代瓷罐，80件为彩绘陶车马及人物俑。通过墓志可知为元代怀孟路总管靳德茂之墓。这批彩绘陶俑是目前我国出土的第一批完整的元代出行方阵，为研究元代历史、文化、风俗等提供了珍贵的实物资料。简报分为：一、墓碑，二、瓷器，三、陶俑，四、结语，共四个部分。有拓片、照片、手绘图。

据介绍，该墓是村民迁移坟墓时偶然发现。考古人员进行了清理，在长8米、宽6米、深7米的墓道底部，共清理出珍贵文物83件，其中3件为元代瓷罐，80件为彩绘陶车马及人物俑，组成一支庞大的车马出行方阵。两辆装饰华丽的轿车居中，四周排列着马俑、驭马俑、男女侍俑及仪仗俑。轿车为单马驾驭，两车中间有一件马俑及一件驭夫俑；车厢左右两侧分别排列着单马和驭马俑。车前为两排仪仗俑，前排8件，后排7件；车后为两排侍女俑，前排9件，后排8件。左侧为19件持物男俑，右侧为18件持物男俑。人物俑皆为彩绘，高约27～36.9厘米。发掘出土的80件陶俑制作精细，表情生动，历经700多年，出土时依然色泽艳丽，保存比较完整，向人们展示了墓主人靳德茂与其夫人秦氏生前安逸的生活状况。出土有神道墓碑，原应立于墓前，不知何因埋入墓道。青石质，长方形，高96厘米，宽54厘米，楷书，阴刻"大元故嘉议大夫怀孟路总管靳公墓"。靳公墓志，青石质，长方形，长90厘米，宽55厘米。文为楷书，阴刻，16行，满行34字，共349字，简报录有志文全文。

简报称，墓主人靳德茂，《元史》《新元史》和地方志中均无记载，墓志的出土使我们对其生平和家族有了大致的了解。根据墓志碑记载：靳德茂生于大安二年（1210年），其"自幼勉学，后潜心于医，复以为业"，元辛巳年（1281年）致仕，元壬辰年（1292年）十一月逝世，享年83岁。从墓志中可知其父靳汝楫为当地名医，靳德茂子承父业，被元世祖辟征为尚药监太医，随从元世祖渡江南下，后提升为太医院副使，"出入禁闼"，三十余年治病救人数不胜数。靳德茂由于医术精湛，深受元世祖赏识，退休时享受嘉议大夫正三品的经济待遇，当时其已七十余岁，因此怀孟路总管一职，简报推测应为虚职，实为一种政治待遇。

鹤壁市

798.河南淇县发现两方金代官印

作　者：淇县文化馆　耿青岩

出　处：《考古》1982年第5期

河南省淇县高村公社冯庄大队在平整土地时，发现大小不同的两方金代铜质官印。简报配图予以介绍。

据介绍，一印为正方形，印纽左右两边记有阴刻楷书铭文"正大五年四月，恒山公府造"。印侧刻"提控所归字印"，柄端刻一"上"字。印文为阳刻九叠篆书"提控所归字印"六字。另一方印也为正方形，印背右刻楷书"正大五年四月"，左刻"桓山公府造"，柄端刻一"上"字，印文为阳刻九叠篆字"副统忘字之印"六字。

简报称，今淇县高村公社，金代属河北西路浚州所辖，是历代兵家必争之地，这两方金印可能是在金末战争中失落的。它们是研究金代职官和军事活动的实物依据。

799.金代磁州窑系卧女瓷枕

作　　者：耿青岩

出　　处：《文物》1985 年第 10 期

1983 年 12 月，河南淇县北阳乡北阳村农民挖砂时，在一座残古墓里发现卧女瓷枕一件，当即转交县文物保管所收藏。简报配以照片予以介绍。

简报介绍，瓷枕瓷胎细腻坚硬，白釉彩绘。整体为一卧女形象。这件瓷枕从胎质、形制和彩绘来看，简报推断应属金代磁州窑系产品。

800.鹤壁市东头村金墓发掘简报

作　　者：鹤壁市文物工作队　郝亚山等

出　　处：《中原文物》1996 年第 3 期

1995 年 2 月，鹤壁市郊区鹤壁集乡东头村村民齐有志在院内打井时，发现一座古墓。考古人员于 5 月 29 日至 31 日对该墓（编号 95HHM3，简称 M3）进行了发掘清理。简报分为：一、墓葬形制，二、随葬器物，三、结语，共三个部分。有照片、手绘图。

该墓为仿构平面八角形穹隆顶单室砖墓，由墓道、墓门、甬道和墓室四部分组成。墓顶距地表 2.5 米。随葬器物多分布在墓室西南壁和北壁附近，计有瓷器 12 件、铜镜 12 件、铜钗 1 支、铜钱 15 枚。墓室平面呈八角形，因墓底积水较深，人架散乱，故葬式、葬具不明。从两个头颅辨认，应为夫妇合葬。该墓的年代，简报推断为 1158 ～ 1178 年之间。

801.河南浚县出土的窖藏铜钱

作　者：河南省文物考古研究所、郑州市考古干部专科学校　翟继才
出　处：《华夏考古》1997 年第 4 期

1980 年 8 月中旬，浚县新镇乡马河村马继彦在院中挖井时发现距地表 2 米处有一个高约 70 厘米、最大腹径约 45 厘米的大陶瓮，瓮内整齐地盘放着大量的铜钱。身为小学教师的主人将这一窖藏古代钱币全部无条件地交到县文物主管部门，同时报告了钱币出土的有关情况。事后，依照国家文物法令给予其适当的奖励。由于这批窖藏铜钱数量较多，坑位清楚详细，有保存价值，所以县文物主管部门又转交省文物商店保管。简报分为：一、前言，二、窖藏铜钱，三、结语，共三个部分。有拓片。

该窖藏铜钱经过仔细整理，其年代从西汉文帝前元五年（前 175 年）所铸半两钱到金世宗大定十八年（1178 年）所铸大定通宝钱，历经西汉、三国两晋南北朝、隋唐、五代十国、两宋及辽、西夏、金等若干个朝代的 33 个帝王，长达 1300 多年，有 69 种钱名出现，尤其是北宋钱币的完整，更是罕见（北宋有九帝 21 种钱名，此次仅缺仁宗的康定元宝、徽宗的重和通宝和钦宗的靖康通宝），北齐一枚钱也十分珍奇。该窖藏铜钱埋入地下的时间应在淳熙十二年（1185 年）之后，其下限不会晚于 1190 年。因此简报认为这个窖藏应为金代遗存。

802.河南浚县大伾山龙洞摩崖

作　者：北京大学考古学系　杭　侃
出　处：《文物》1998 年第 5 期

浚县位于河南省北部，县城东西有大伾、浮丘两山对峙，两山现存文物古迹甚多。龙洞地处大伾山东麓，黄河故道自山下北流。洞由山间空隙构成，洞口直径约 1 米，在特殊的天气条件下，会出现白云出岫的自然景观，当地人俗称为龙洞。北宋时龙洞前有木构建筑丰泽庙，现存庙由清代重建，已非宋代原貌。庙内现存宋政和年间的《康显侯诰碑》和洞口附近面积达 12 平方米的浮雕龙纹，及数通元、明、清祈雨有应碑文。《康显侯诰碑》保存了宋时的敕牒体例，浮雕龙纹具有较高的艺术价值，现为河南省重点文物保护单位。简报配有照片。在龙纹附近崖面上发现元代工匠名，浮雕龙纹时代应为元代至正十年（1350 年），从而为浮雕龙纹的年代提供了确证。

新乡市

803.赵孟頫书写的"渔庄记"碑石

作　者： 新乡市博物馆　范冰夷
出　处： 《河南文博通讯》1980 年第 3 期

"渔庄记"碑石高 69 厘米，宽 113 厘米。纪年为大德十年（1306 年）闰正月中瀚日。北山陈俨撰，吴兴赵孟頫书，安阳李郁模刻，系清乾隆年间出土。清乾隆年间学使李玱云为此碑作跋说："是碑为安阳监生孙讷见农人出诸土中以米易得……藏诸学宫"。此碑石后为平原省博物馆藏品，1952 年平原省建制撤销时转至新乡市博物馆。据介绍，赵孟頫书写的这通碑漫漶程度甚微，保存基本完好。全碑刻字 886 个，只有个别字稍有伤损。赵孟頫生于宋理宗宝祐二年（1254 年），卒于元英宗至治二年（1322 年），活了 69 岁。此碑是元成宗大德十年（1306 年）所写，这时他已经是 53 岁的人。

简报称，"温庄记"碑石的主要价值，是赵孟頫的书法。赵孟頫是我国著名的书法家。《元史》说："……篆、籀、分、隶、真、行、草书，无不冠绝古今"。"渔庄记"碑石是赵孟頫晚年的行书，当然应视为我国书艺领域中的一件珍品。

今有程渤先生《元代书法家群体与复古观念研究》（南京大学出版社 2019 年版）一书，可参阅。

804.河南新乡出土元代铜权

作　者： 唐爱华
出　处： 《考古》1986 年第 1 期

新乡市博物馆藏有一件 1957 年新乡市郊水洞窑厂出土的元代铜权。简报配以照片、拓片予以介绍。

据介绍，铜权通高 11 厘米，权身两面分别有"大德元年工造"和"汴梁路总管府"铭文。"大德元年"是元成宗铁穆耳的年号，时年也称元贞三年，即公元 1297 年。这件铜权应是汴梁路总管府统辖下的工匠制造的，不知何时传到新乡境内。

805.河南辉县百泉金墓发掘简报

作　者：新乡地区文物管理委员会、辉县百泉文物管理所　张新斌
出　处：《考古》1987 年第 10 期

1985 年 12 月初，河南省辉县百泉村农民在村东新规划区修路起土时，发现一座砖室古墓并立即上报百泉文管所，考古人员对该墓进行清理。简报分为：一、墓葬结构，二、葬具、骨架及随葬品，三、结语，共三个部分予以介绍。有手绘图、照片、摹本。

据介绍，该墓为仿木结构的八角形单砖室墓，南北向，由墓道、甬道和墓室三部分组成。在墓室内发现木棺、陶棺 3 具，该墓有 6 具骨架，应为二次葬。随葬品极少，仅少量瓷片。此墓似曾被盗过。

简报称，这类墓葬一般规模都不大，但却有雕砖斗拱，门窗以及与生活相关密切的桌、椅、灯、箱等，有的壁画与雕砖内容为杂剧、庖厨、舞乐或孝子，具有较高的历史、艺术价值，值得注意的是这类墓葬与东北、内蒙古一带的辽墓具有较多的相似之处。辉县金墓中有题记，知为金崇庆元年（1212 年）墓。它的发掘，对于我们认识和研究宋金时期的同类墓葬具有重要的意义。

安阳市

806.汤阴县发现扁鹊墓碑

作　者：刘道清、王波清
出　处：《中原文物》1985 年第 3 期

据《汤阴县志》载："扁鹊墓在汤阴东南十五里的伏道村。《史记》上说，春秋时，齐国的良医扁鹊，被庸医李醯刺杀，因而筑陵在此。"其庙在墓前，是元朝戊申年（1308 年）所立，并有碑文可考，现仍存。后来虽屡经战乱，可是扁鹊祠庙和陵墓却保存完好。1981 年 9 月 30 日，在汤阴县南十里的大寺台，窑厂工人挖土时，在地下约 1 米处又发现一块扁鹊墓碑。上写"广应王扁鹊之墓泰定四年冬十月　日立石"。元代泰定四年，应为 1327 年。此碑高 130 厘米，宽 63 厘米，厚 22.5 厘米，圆头，头已破损，边缘为卷草花纹。简报配以照片予以介绍。

简报称，此墓碑的发现，为扁鹊史迹的研究提供了珍贵的资料。但为什么称扁鹊为"广应王"？扁鹊究竟在何处遇害？究竟真实墓地在哪里（一说在临潼县东北

三十里的溪河沟被害，葬于临潼县纸李公社陈东大队南陈村）？这些问题都有待医史学家们进一步研究和探讨。这块新发现的扁鹊墓碑，现已移至汤阴县城内岳飞庙中珍藏。

807.新发现的三件金、元权

作　者：刘东亚

出　处：《中原文物》1986 年第 4 期

在省流散文物管理部门征集的文物中，发现元代铜权二件；另一件金代铁权是内黄县群众起土时发现。权上均铸铭文，颇有历史价值。简报配以拓片、照片予以介绍。

据介绍，1 号铁权。权上铸阴刻和阳刻铭文：正面"十二年"，右侧铸阳刻"官"；背面"大定"。底径 4 厘米、通高 10.3 厘米，重 850 克。此铁权是 1982 年内黄县井店村一农民在挖土垫宅基地时发现，简报推断铸造时间属金世宗大定十二年（1172 年）。

2 号铜权。权上铸阴刻铭文：正面"卫辉路"，右侧"天"；背面"至元年"。底径 5.6 厘米、通高 10.5 厘米，重 840 克。2 号权铸造时间，简报推断在至元元年到三十一年（1264 ~ 1294 年）之间。

3 号铜权。形状同 2 号权。权上铸阴刻铭文：正面"河南府路依□□户部样"，左侧"工"；背面"泰定二年正月日造"。底径 5.2 厘米、通高 10.8 厘米，重 860 克。此权系"河南府路"于元代泰定二年（1325 年）所造。

简报称，这三件铜权，为研究金、元政治、经济和度量衡史，提供了新的实物资料。

808.林县新发现一座金代石塔

作　者：杨天吉、张增午

出　处：《中原文物》1989 年第 1 期

河南省林县文化馆在距县城东南 15 公里的横水乡九家庄村东发现一座金代石塔。此塔坐北朝南，通高 4.1 米，塔基为一块厚 33 厘米、直径 116 厘米的圆形青石，其上为双层须弥座构成的基座，高 10.7 厘米，上枭雕单层仰莲，下枭雕双层覆莲，束腰为一鼓形石，高 52 厘米，直径为 65 厘米。塔身高 107 厘米，为小八角形。塔身南壁刻塔铭，左右两小面阴刻缠枝莲花，余壁无雕饰，塔铭为楷书，书法工整，除下半部字多风化不清外，余皆清晰可见。此塔建于金大定十八年（1178 年）十月十五日。塔身之上由覆钵、鼓形石、寿花、宝瓶组成。整座石塔挺拔秀美，端庄清雅，为研究金代建筑及石雕艺术提供了宝贵的实物资料。

809.河南内黄县发现金代铜权

作　者：张粉兰

出　处：《文物》1994 年第 6 期

1993 年 3 月，内黄县一农民翻地时发现一件金代铜权，后为内黄县文管所征收。简报配以照片予以介绍。

据介绍，该铜权高 10.5 厘米、腹围 17 厘米、底径 4 厘米，重 850 克。铜权方形纽，束腰座，腹部铸有楷书阴刻铭文，正面"大定"，背面"十二年"和"官"字。简报推断铜权铸造年代为金大定十二年，即公元 1172 年。"官"字表示此铜权为官方政府铸制。

简报称，此铜权的发现为研究金代衡制提供了一例新的实物资料。

810.河南内黄县发现金代铜权

作　者：张粉兰

出　处：《文物》1995 年第 8 期

1993 年 3 月，内黄县文物保管所征集到铜权 1 件，是内黄县井店乡一农民深翻土地时发现的。简报配以拓片、照片予以介绍。

铜权高 10.5 厘米、腹径 5.4 厘米、底径 4 厘米，重 850 克。方形纽，腹下收，喇叭形座。腹部铸有楷书铭文，为"大定十二年，官"。金大定十二年为公元 1172 年，"官"字应指官府为统一度量衡铸造的。

811.河南林县金墓清理简报

作　者：张增午

出　处：《华夏考古》1998 年第 2 期

1992 年 5 月，林县（现林州市）石油公司在县城文明街北侧中国工商银行林县支行东侧施工时，发现一座金代壁画墓。考古人员进行了抢救性清理。整个清理工作从 5 日开始，至 8 日结束，历时 4 天。简报分为：一、墓室结构，二、随葬器物，三、墓室壁画，四、结语，共四个部分。有手绘图、照片、拓片。

据介绍，该墓系八角攒尖顶砖室墓，葬式不明。简报推测可能为一男一女的合葬墓。随葬器物有陶、瓷、铜器共 28 件，铜钱 149 枚。根据墓内甬道券顶依稀可辨认的墨书题记，简报推断该墓下葬的年代为金皇统三年（1143 年）。

简报称，该墓出土器物也有许多独特之处，如钟形青铜素镜、定窑白瓷碗、宋三彩香盒等，为林县首次发现，在豫北冀南地区同类墓中也属少见。这座纪年金墓的发现，是豫北冀南地区宋金时代同期墓葬较为重要的考古发现，为研究宋末金初的杂剧、乐器、陶瓷、服饰、家具形制及民间绘画艺术等提供了宝贵的实物资料，且墓葬时代较为明确，为研究二十四孝的形成过程和封建社会"忠、孝"的理学思想，以及这一时期的葬制提供了断代标尺。

812.河南省林县李家厂、卸甲坪古窑址调查纪略

作　者：张增午、杨天吉

出　处：《考古与文物》1989 年第 4 期

1984 ～ 1986 年，考古人员多次到林县调查，发现东下洹、丁家沟、卸甲坪、李家厂等 7 处窑址。时代应为元代。

濮阳市

813.濮阳契丹出境碑

作　者：宋立凯、靳庆祥

出　处：《河南文博通讯》1980 年第 3 期

北宋"契丹出境"碑，坐落在濮阳县城内御井街路西。碑上刻着宋真宗赵恒所作"回銮诗"，所以也称"回銮碑"。因年久风雨剥蚀，碑首已毁，仅存碑身，而且下部字迹多已脱落，上部文字还能分清。碑体高 2.3 米，宽 0.84 米，厚 0.26 米，

据介绍，碑文系阴刻行草书，字体秀丽流畅，题曰："契丹出境"。这一碑是记载宋、辽"澶渊之盟"历史事件的唯一实物。1963 年，河南省人民委员会将此碑公布为省级文物保护单位。简报配以拓片予以介绍。

据介绍，公元 11 世纪初，我国北方出现了宋、辽、夏等几个政权相互对峙的局面。宋真宗景德元年（1004 年）契丹（辽）举兵南侵，直抵濮州（今濮阳），对北宋王朝造成严重威胁。以宋真宗（赵恒）为首的统治集团惊慌失措，一筹莫展。参知政事王钦若主张迁都金陵，签书枢密院事陈尧叟主张迁逃成都，同知枢密院事寇准则坚决主张抵抗，并力促宋真宗御驾亲征。当宋真宗和寇准登上澶州北城北门楼时，宋军士气大振，将士奋勇杀敌，击败辽兵，并射死辽大将肖挞览。宋军获得全胜。辽乃遣使讲和。议定宋岁输辽白银十万两，绢二十万匹，订了媾和条约，这就是历

史上著名的"澶渊之盟"。宋真宗班师回朝时，赋回銮诗以纪念这次胜辽订盟之事。诗文由寇准书写，镌石于澶州城内，即"契丹出境"碑，简报录有碑文全文。

814.河南南乐县出土黑釉瓷器

作　者：史国强、武俊阁
出　处：《文物》1982 年第 12 期

近年来，在河南省南乐县的韩村、郁家村等地发现了一些被称为"河南天目"类型的黑釉瓷器。其中几件有代表性的器物，简报配以照片予以介绍。

简报介绍的为小口双耳壶、白覆托高足灯、白线纹瓜棱罐。根据器型及烧造技术，简报推断此罐是金代大定年间以后产品。

815.元代盝顶式建筑模型——唐兀公碑

作　者：孙德萱、张相梅
出　处：《中原文物》1992 年第 1 期

唐兀公碑，全名《大元赠敦武校尉军民万户府百夫长唐兀公碑》，坐落在濮阳县柳屯镇杨什八郎村南的金堤和金堤河之间的唐兀氏祖茔之内，元至正十六年（1356 年）立石。唐兀氏，自元代末即改杨姓，今日其后裔有三千余人，居住在杨什八郎等村。1966 年，"文化大革命"开始破"四旧"时，族人趁夜间将其掩埋，保护了这一珍贵的历史文物。简报配以手绘图予以介绍。

据介绍，唐兀公碑，青石刻成，通体为一盝顶式建筑。碑通高 3.22 米。简报称，此碑为我们提供了一座元代盝顶建筑的模型，碑上浮雕与线雕相结合，拱眼壁中绘菊花图案，是研究元代建筑特别是盝顶建筑及绘画艺术不可多得的实物资料。

许昌市

816.襄城县出土"征行万户之印"

作　者：姚　垒
出　处：《河南文博通讯》1980 年第 3 期

1978 年冬，襄城县范湖公社秦寺大队女社员秦云霞在秦寺村东植树造林时，发现铜印一颗,正方形,九叠篆。文曰:"征行万户之印"。印边长6厘米,长方形纽,印厚1厘米,通纽高3.5厘米,重(市称)八两二钱,背面无文字。简报配以拓片予以介绍。

据介绍,万户之职,金、元两代均曾设置,此印的形制与《金史》"印制"之规定基本相符(除重量稍轻外)。简报认为当为金代遗物。

简报称,此印的出土,为研究金初官制、兵制及宋、金战史,提供了又一实物资料。

817.禹州市关王庙大殿调查记

作　者:王国奇、牛　宁
出　处:《中原文物》1990年第1期

禹州市关王庙大殿坐落在禹州市西北文殊乡波街村关王庙内。除大殿外,其他历史遗迹已荡然无存。大殿坐北朝南,面阔三间,进深六架,平面减柱造,单檐硬山顶。简报分为:一、概况,二、大木构架,三、琉璃雕饰内容,四、大殿的时代,共四个部分。有手绘图。

据介绍,关于大殿的时代,文献碑刻均无记载,只能依其自身的特征并参照其他建筑进行推断。简报根据大殿建筑、大木构架和材契、脊饰与铭文分析推断:正脊上"至正十一秋"即公元1351年,为关王庙大殿的"修理"或"起盖"时间。若为修理时间,大殿当建于至正十一年之前;若为起盖时间,距今也有638年的历史了。根据东南角柱刻文分析,简报认为很可能是大殿的起盖时代。

简报称,关王庙大殿是河南目前发现的唯一有明确纪年的元代木构建筑,对研究河南元代木构建筑的结构特征具有重要价值。

818.许昌文峰路金墓发掘简报

作　者:许昌市文物工作队　张广东
出　处:《中原文物》2010年第1期

2007年9～10月,考古人员在许昌市文峰路抢救性发掘了一批墓葬,其中两座金代墓葬,虽被盗扰过,但仍出土瓷、金银、玉等随葬品27件。其出土的钧瓷,可作为钧瓷断代研究的参考。M2为壁画墓,壁画内容表现了墓主人生前日常生活的场景。这两座墓葬的发掘,为研究金代历史、佛教流传、金人的丧葬习俗等提供了珍贵的资料。

简报分为:一、墓葬形制,二、随葬品,三、石造像,四、壁画等墓葬内部装饰,

五、结论，共五个部分。有照片、手绘图。

据介绍，M2、M3 两墓东西并列，形制相似。由于历代多次在此反复修建建筑物等原因，墓葬上部被毁，底部也曾严重被扰，尸骨无存。通过对残留部分痕迹详尽观察，墓葬结构形制大致清楚，由墓道、墓门、甬道及墓室组成，均为仿木结构建筑砖室墓，坐北朝南。两墓均被盗过，但仍出土龙泉青瓷、钧瓷、汝瓷、石经幢、石羊、石墓志（或买地券）等遗物 27 件。志文或券文已无法看清。M2 有壁画，但多被破坏，残缺不全。可见图案有设宴图、人物日常生活图等。

简报推断两墓为金代中期墓葬。M2 略早于 M3。M3 墓主人应为女性，M2、M3 属于同坟异穴夫妇合葬墓。根据墓葬形制规模、壁画内容及装饰手法、配享石造像、随葬品丰富等情况，判断墓主人夫妇来自女真族统治阶级，应为金代贵族。

漯河市

819.郾城县发现的元代窖藏瓷器

作　者：杨爱玲
出　处：《中原文物》1994 年第 4 期

1984 年郾城县十五里店乡小赵村农民赵廷臣挖土时，在距地表 1 米多深的地方发现一窖藏瓷器，由于未遭到大的振动，其文物大部分保存完好，窖藏瓷器共 18 件，均放置在一件酱釉大口瓷缸内，缸用一圆形铁盖覆盖，其铁盖已锈蚀腐烂。在这批瓷器中有钧窑瓷器、磁州窑系的白釉黑花瓷器、浙江龙泉窑的青釉瓷器、山西霍窑的白釉瓷器，其器形有盘、碗、缸等。简报配以照片予以介绍。

据介绍，这批窖藏瓷器的出土，纠正了我们过去一些不全面的看法，认为元代瓷器质地粗劣，而且造型粗大笨重，不及宋代瓷器精巧，而这次窖藏出土的钧瓷，无论是盘、碗或缸，皆造型规整，修胎工细，釉质莹润，光声明亮，有的还带有玫瑰紫彩斑，与宋代钧瓷相比毫不逊色。特别是霍窑瓷器，更是胎细釉润。

简报指出，这批窖藏瓷器无论是造型、胎釉、装饰艺术，都充分体现了元代制瓷工匠的娴熟技艺，是研究元代瓷器的宝贵实物资料。

今有故宫出版社 2016 年版《故宫博物院藏元代瓷器》一书，12 开精装两册，可参阅。

三门峡市

820.河南灵宝县发现金代"总领"帅印一颗

作　者：灵宝县文管会
出　处：《文物》1981 年第 7 期

灵宝县川口公社池头大队农民在修地时发现"总领之印"一颗，印为铜质，正方形，阳文九叠篆字。年款字迹不清。简报配以拓片予以介绍。

据介绍，"总领之印"中"总领"一职，可见《金史·百官志》《金史·兵志》。此印可与史书记载相互印证。

821.三门峡市上村岭发现元代墓葬

作　者：洛阳地区文化局文物科　宋会群
出　处：《考古》1985 年第 11 期

1983 年 11 月 29 日至 12 月 5 日，为配合三门峡市房产局干部楼的基建工程，考古人员发掘了一座元代墓葬（编号为 83 峡房 M1）。该墓位于上村岭，东北距今上村约 1.5 公里，北距黄河约 2 公里，西距陕县老城约 5 公里。简报分为：一、墓葬形制，二、出土器物，三、结语，共三个部分。有手绘图、照片。

据介绍，该墓有买地券，陶质、方形，177 字，简报录有全文。

简报称，买地券中提到的"尚村"，应是现在的"上村"。该墓距今上村仅 1 公里余。该墓所占据之地仍属今上村生产队。另外，此墓西距陕县老城约 5 公里，这和券中提到的"陕州陕县州东"的方位正好相合。因此，知元代的陕州州治就在今陕县老城一带，而且州、县治同在一地。

简报称买地券中把买到的墓地分为坟地和赡坟地两部分。坟地用作葬人，赡坟地很可能是供给守坟人所用之地。这块地守坟人可以耕作，墓主人后代也可把它作为祭祀场所。这为我们研究当时的墓地制度提供了资料。但是，买到的坟地为一亩二分，赡坟地二分半，这和"通计壹亩伍分"不合，推测此误应是抄写"计地壹亩贰分"时漏掉"半"字所致。

简报称，此墓年代应晚于买地券中记载的"元贞二年正月"，因买地之时并非墓主人埋藏之日，但距元贞年间也不会太远。简报推断此墓应是元代中期偏早的墓葬。

822.义马市金代砖雕墓发掘简报

作　者：三门峡市文物工作队、义马市文物管理委员会　宁会振、李　慧
出　处：《华夏考古》1993 年第 4 期

1988 年 12 月，煤炭部义马矿务局机修厂在新厂扩建时，发现了一批古墓葬，考古人员对其进行了发掘。简报分为：一、地理位置与墓葬形制，二、雕砖及随葬器物，三、结语，共三个部分，先行介绍其中的金代砖雕纪年墓发掘情况，有照片、手绘图。

据介绍，该墓位于义马新市区南郊，距市区 1 公里，北邻 310 国道，南距陇海铁路约 300 米，在一片小土岗的中部，为一座小砖券砌的仿木结构纪年墓，由墓道、墓门、墓室三部分组成，其中有两具尸骨。雕砖块及白瓷碗、白玉环各 1 件。有墓志 1 方，灰陶质，正面用朱砂书写，志文朽蚀严重，只能看出"大金国贞祐四年"的年号。雕砖上的"观戏图"对研究金元杂剧有价值。

南阳市

823.河南邓县发现大批古钱

作　者：魏仁华
出　处：《考古》1964 年第 8 期

1962 年 7 月上旬，邓县王砦公社农民在王砦村西北约 20 余米处，发现一个钱窖，出土铜钱总重达 1500 多公斤。据发现者说：揭去 30 厘米厚的耕土层后，露出一椭圆形地窖，窖口用十几块砖封盖。窖内的铜钱都用绳贯连成串，放置有序。铜钱有汉代的半两、五铢和货泉，有唐代的开元通宝和乾元重宝，还有五代时后周的周元通宝。最多的是宋钱，还有金代的正隆元宝。当为金代以后遗存。

824.河南省新野县发现行军万户□字之印

作　者：高现印
出　处：《文物》1996 年第 1 期

1993 年 9 月，河南省新野县樊集乡后河村农民在建蔬菜温室大棚时，发现一方金代的铜印。现归新野汉画砖博物馆收藏。简报配以打本和照片予以介绍。

据介绍，该印青铜质，铸制，方形，带纽，纽式为上小下大的不规则长方体。

印面篆刻"行军万户□字之印"朱文九叠篆。有刻款"兴定三年十一月行昌礼部造",楷书,兴定三年即公元 1219 年。

简报称,《金史·兵志》载:"凡猛安之上置军帅,军帅之上置万户,万户之上置都统。"金宣宗南迁开封,金政府"南窥江汉"。金宣宗兴定元年(1217 年)开始,在西起大散关,东至淮水流域这一分界线上展开了对南宋的军事进攻。简报推断此方印当是这一时期金、宋在邓州交战时万户□字所遗之物。

商丘市

825.永城县出土一方金代官印

作　者:永城县文管会
出　处:《河南文博通讯》1980 年第 4 期

1978 年冬,永城县高庄公社郝娄大队社员在县城南 50 里马桥集治理包河工程中,挖土时发现一方金代官印。简报配以拓片予以介绍。

据介绍,印、纽均呈梯形,铜质,重 0.77 公斤,通高 5 厘米,印面 6.6 厘米见方。印文为阳刻九叠篆书"行军万户人字号之印"9 字。印背右刻行书"大安三年四月",左刻"礼部造",边刻"行军万户人字号之印",纽背刻有"上"字。"行军万户",官名,金代初年设置,为世袭军职,统领千户及猛安、谋克,隶属于都统。大安三年为 1211 年。

信阳市

826.河南信阳发现元代残墓

作　者:关　玉、赵新来、范殿钧
出　处:《考古》1966 年第 4 期

1965 年 3 月间,信阳县长台公社冯楼大队的鲍楼、谭庄及余万庄三村先后发现三座元代墓葬,出土遗物 35 件。据了解,遗物是在距地面约 1.5 米处发现的,并且放置整齐。但墓葬及骨架等已不清楚。简报配以照片予以介绍。

据介绍,计有白釉瓷器、灰釉瓷器、青釉瓷器、石砚、铜镜、铜钱等。

827.河南淮滨发现金元官印

作　者：李绍曾

出　处：《考古》1995 年第 1 期

在文物普查中，淮滨发现两方金、元时期的铜铸官印。这两方官印上，都分别铸有年号和地名，是难得的历史文物材料，简报配以拓片予以介绍。

据介绍，这两方印一为都统所印。此印出土于淮河北岸台头乡丁营村。印呈正方形，印文为阳刻九叠篆体"都统所印"四字，上侧阴刻"天兴二年二月　日"，右侧记"颍州总帅造"，下侧记"都统印"。为金末军事将领之印。二为霍丘等处义兵千户所印。此印出土于淮河以南王店乡白岗村。印呈正方形，印为阳刻八思巴文篆书体，释文为"霍丘等处义兵千户印"，背后侧阴刻"霍丘等处义兵千户印"，左侧阴刻"中书礼部造　至正十四年三月"。

此印为元顺帝最后一个年号期间所铸，属于元代末期遗物。

周口市

828.河南鹿邑涡河船闸金墓发掘简报

作　者：河南省文物考古研究所　　毛宝亮、赵文军

出　处：《华夏考古》1994 年第 2 期

1987 年在修建鹿邑涡河船闸时，发现了三座古墓，考古人员又发现了两座墓葬、一座窑。五座墓共发掘了四座（M1 ~ M4）。

简报分为：一、概况，二、墓葬形制，三、墓志，四、石造像，五、结语，共五个部分。有拓片、手绘图。

据介绍，墓地坐北朝南，有神道。神道宽约 7 米，自南向北分别置有神道碑（位在东侧）、石虎二、石羊二、石侍吏二（一文一武），石像间距均为 4 米。M1 ~ M3 大致呈东北—西南向排列在神道后，并间置一滤灰池。M4 则位于神道东 24 米处。在发掘的几座墓内，都没有发现任何随葬物品，只在 M2 的遗骸头部、靠墓壁立有墓志一方，楷书，简报未录志文。简报录有神道碑碑文。上有金太和三年纪年。墓志的年代为大定二十年。可知这批墓为金中期墓。

驻马店市

829.沁阳出土元代八思巴篆文铜印

作　者：河南省博物馆、沁阳县文化馆　杨焕成、邓宏理
出　处：《河南文博通讯》1979 年第 3 期

1969 年 8 月，沁阳县城关公社东关大队农民在县城东南隅的城墙中发现一颗铜印。随即交给县委，后转交县文化馆收藏。简报配以照片予以介绍。

据介绍，铜印为正方形，每边长 6.2 厘米、通高 6.9 厘米、边厚 1.6 厘米，重 725.5 克。背有长方形组。印文系八思巴文篆书体，自右而左相应的汉字为"莒州镇海百户印"。印背右侧镌刻行书汉字"莒州百户"，左侧镌刻汉字"礼部造至正廿二年"。该印制作粗糙，印面高低不平，印纽留有不少铸孔。根据《元史》所载，可知农民起义军数次攻打怀庆，元军大败，元朝政府手忙脚乱，调兵遣将求援怀庆元军。简报推测可能系溃败的元军将该印遗失或埋藏于此。

简报称，这是 1949 年后河南首次出土的元代八思巴文篆书官印，对研究元代兵制和农民起义军攻打怀庆等问题，有重要的参考价值。

济源市

湖北省

武汉市

830.黄陂县周家田元墓

作　者：武汉市博物馆　李永康、姚晶华等
出　处：《文物》1989 年第 5 期

湖北武汉市黄陂县滠口区刘集乡周家田村农民于 20 世纪 70 年代初在村东修筑人防工事时，发现一座古墓。后来因雨水冲刷，古墓进一步暴露。1984 年，考古人员对此墓进行了调查。1985 年 8 月，考古人员清理了此墓（墓葬编号 M 周 59）。墓室南半部由于修人防工事、雨水浇灌及农民挖取砖石，砖隔墙、铺地砖、墓顶均已损毁，主要清理了墓室北半部。

简报分为：一、墓葬情况，二、随葬品，三、结语，共三个部分并配以拓片和照片予以介绍。

据介绍，周家田村在武汉市区北面 12 公里，墓葬在该村村东土岗南侧，墓为砖石结构平顶三室墓，三室后壁均有壁龛。此墓虽经扰乱，仍出土文物 20 余件，其中有陶瓷器、金银饰、铜镜、铜钱等。

此墓的建造年代简报推断为元代早期或宋末元初。

简报称，这座墓葬的清理，为了解宋元时期武汉地方史提供了实物史料。墓内所出土的双龙金钗、鸳鸯金簪和金鬓饰等，是元代民俗工艺品中的佳作。

黄石市

襄樊市

831.湖北宜城市出土元代人物堆塑罐

作　者：宜城县博物馆　张乐发
出　处：《考古》1996 年第 6 期

1991 年 12 月中旬，湖北省宜城县刘猴镇石河村四组村民张命胜在其房后扩宽宅基地时，于距地表约 1.4 米深处，发现两件陶罐及其他器物。考古人员从其家中共征集到硬陶人物堆塑罐 2 件、青瓷菊花碗 2 件和青砖 1 块。据当事人叙述，这些文物同出于一座填有大量石灰及细沙土的土坑墓内。简报配以照片、手绘图予以介绍。

据介绍，两件人物堆塑罐造型各异，均有盖，胎体紫红，质地坚硬，火候较高，外施褐色薄釉。据塔形人物堆塑罐上的"至正伍年十二月"铭记字样，"至正"为元朝最后一代皇帝的年号，"至正五年"即公元 1345 年，上述器物的时代当为元代无疑。两件人物堆塑罐，其造型之精美、堆塑人物之多以及神态之逼真均属罕见。这为研究元代的丧葬礼仪、宗教信仰和民族服饰等方面，都提供了珍贵的实物资料。

十堰市

荆州市

832.江陵发现元代铜秤砣

作　者：严　烽
出　处：《江汉考古》1992 年第 3 期

1991 年 11 月 21 日在进行文物补查时，沙岗镇义河村六组农民章登榜捐献一个铜秤砣。他反映是在该村耕田时发现的。简报配以手绘图予以介绍。

据介绍，此器表有绿色铜锈，形状颇似花瓶，造型别致而美观。纽呈长方体，正面看似瓶颈，正中有一小孔。器身削肩，上腹微鼓，腹壁往下内收，至底部呈束腰、实足。腹下部有二道凸棱纹。腹上部有二道，足部有三道凸弦纹。通高9.2厘米，腹最大径4.5厘米，束腰直径2厘米，足直径4.5厘米，重450克。器身正反两面铸有铭文，正面阳文为"江陵路造"四字。

据史籍记载，江陵路是元代的诏称。反面阴刻"大德"二字，"大德"乃元代成宗皇帝的年号。

宜昌市

荆门市

鄂州市

孝感市

833.湖北大悟县出土八思巴文元代铜印

作　者：段守己

出　处：《考古》1984年第11期

1981年秋，大悟县阳平公社古寨大队刘湾生产队农民在距离刘湾西侧500米的一个山坡上放牛时，踩翻出土一方有柄的铜印。印埋于草丛沙土内，一侧微露地面，经查寻未发现其他遗物。简报配以拓片予以介绍。

据介绍，印重800克，为正方形，每边宽7厘米。印的正面微显凸形，字迹清楚。印的背面有铜柄，印背柄的右侧，刻有一行直书汉字"应城县等处千户所印"。左侧刻写一行直书汉字"至正十八年造"（1358年）。

简报称，现在的应城县属湖北省孝感地区管辖，共八县（孝感、黄陂、汉川、应城、安陆、云梦、应山、大悟），应城县离出铜印的地方有一百余公里。这为研究孝感地区当时的历史情况提供了重要依据。

834.安陆发现元杨宜中墓

作　者：安陆市博物馆　余从新
出　处：《江汉考古》1990 年第 2 期

1984 年 11 月，安陆压缩机厂工人刘国楚回家挖粪窖，在其屋后发现一座土坑木椁墓，考古人员前去调查清理。简报配以拓片予以介绍。

据介绍，此墓位于李店区刘庙乡四里大队仰家园一小山坡上，东距汉孟公路约 400 米，西临涢水、北距府城各约 2 公里。墓向南北，棺木已腐，尸骨无存，且无随葬品，只在棺外南部外 20 厘米处发现石质墓志一方。现场被毁，葬况不清。墓志为磨光青石，阴刻“大元故杨公宜中之墓志”10 字。志文为直书阴刻 16 行，行 16 ～ 19 字，共 311 字，简报未录志文全文。据志文，有杨宜中的曾祖父母、祖父母、父母及其本人、妻子、儿女的祖籍、官职、姓名、生平等家族史实。杨宜中于至元二十一年（1284 年）五月五日生于安庆路（今安徽），于大德七年（1303 年）19 岁时来到德安（今安陆）；卒于至正八年（1348 年）五月二十五日，终年 65 岁。

黄冈市

835.湖北蕲春县出土元代银锭

作　者：汪宗耀、张寿来
出　处：《江汉考古》1989 年第 3 期

1987 年 1 月，湖北省蕲春县芝麻山乡罗州城村村民平整土地时，于 1 米左右的地表深处，挖出带盖陶罐（盖已挖破）一个，罐内装放银锭 6 个，除此而外还有一些银首饰杂件，现已交县李时珍文管所收藏。简报分为：一、银锭，二、陶罐，共两个部分予以介绍。

据介绍，6 件银锭均为铸成，质地洁白，正面周缘凸起，有水波纹，中心凹平。除一件外，其余 5 件均有阴文楷书戳记。有三件完好，呈亚腰形状。余三件残缺不全，其中两件尚能辨认亚腰形状，另一件仅剩很少残体，无法辨认出原来的形制。简报认为这批银锭系私银，所谓“李小大”系物主，作“出门税”之用。这批银锭的形制、格局、大小与已发现的元代同类物极为相似，简报推断应为元代遗物。陶罐的器形、釉色与馆藏的元代同类物相似，由此也推断它是元代的。从陶罐上的墨书铭文看，简报推测埋藏物主系“赛”姓。

836.罗田蔡家湾元代砖室墓发掘简报

作　者：湖北省文物考古研究所、罗田县博物馆　刘　辉
出　处：《江汉考古》2007 年第 3 期

蔡家湾墓地是湖北首次发现的有明确纪年的带壁龛元代砖室墓，可分为北、中、南三室，人字形尖顶结构较为罕见。墓室底部及壁龛内出土了陶瓶、陶罐、瓷豆、瓷碗、陶碟、铁剪刀等 17 件重要遗物，为研究元代葬俗和南方制瓷工艺提供了重要的实物资料。简报分为：一、墓葬形制与结构，二、随葬器物，三、结语，共三个部分。有照片、手绘图。

据介绍，蔡家湾墓地位于湖北省罗田县凤山镇叶家河村蔡家湾村东部山岗，当地称为凤形地。2006 年 9 月，为配合武英高速公路建设，考古人员对该墓地进行了清理发掘，发现三座晚清土坑墓和一座元代砖室墓，简报先行介绍元代墓。该墓有明确纪年，即元顺帝至正九年（1349 年）。这是湖北省首次发现有明确纪年的元代砖室墓。三个墓室应不是同时下葬。北室和南室均发现半把剪刀，北室发现的头盖骨比较破碎，但具有明显的女性特征，因此北室和南室墓主人均为女性，中室显然是男性，因此，该墓应为一处典型的夫妻合葬墓。

咸宁市

随州市

837.随州市发现元代铜权

作　者：王世振
出　处：《江汉考古》1990 年第 1 期

1980 年 4 月，湖北随州市浙河镇一农民在翻地时发现一件元代铜权，后由随州市博物馆收藏。简报配以照片予以介绍。

据介绍，铜权通高 10 厘米，重 811 克。方环鼻，鼻孔上未见磨损痕迹，权体呈亚腰圆柱体。权体上部正面铸阳文"鄂州路造"四字，背面铸阳文"收六"二字。从权的形制、铭文看，当属元代遗物。元至元十四年（1277 年）才设鄂州路，大德五年（1301年）又改为武昌路。因此，简报推断此铜权的铸造年代约在 1277 年至 1301 年间。

838.随州发现一枚元代铜印

作　者：张华珍

出　处：《江汉考古》1992 年第 1 期

1990 年 5 月，在随州市万和区庞家村董家庄修水库时，发现了一枚保存完好的铜印。该印现珍藏于随州市博物馆内。简报配以照片等予以介绍。

据介绍，这枚铜印底作圆形饼状。长扁方形印纽，重 1309 克，通高 9 厘米，直径 12 厘米，厚 1.7 厘米。方框内为阳刻九叠篆文"统军元帅之印"六字。方框四周各有阳刻回形对称纹饰。印背左右两边都有阴刻篆文，其左侧印文为"中书礼部造，太平三年□月□日"，右侧为"统军元帅之印"的字样。值得我们注意的是，元末农民起义军中主要人物之一的明玉珍曾任过"统军元帅"一职，而明玉珍正是随州人。

恩施州

839.元末农民政权印章和义军遗址

作　者：林　奇

出　处：《江汉考古》1987 年第 2 期

考古人员为配合农田基本建设和国家工程施工，先后在建始、恩施两县发现元代末年农民政权印章三方，又在利川连二塘和观音岩发现元末农民起义军的驻军遗址和战场遗址。根据印章内容和题款以及遗址碑文年代分析，可以肯定这些文物和遗址是元末农民起义军红巾军明玉珍部和他所建立的夏政权的历史见证。简报配以拓片予以介绍。

据介绍，三方印章分别是：第一方"施南万户府镇抚司印"，铜质，重 1250 克，印的正面是篆文阳刻"施南万户府镇抚司印"，背面有阴刻边款"圣旨颁降施南万户府镇抚司印，大夏开熙二年六月□日造"。第二方印是"清江施南道总管军万户府印"，铜质，重 1500 克，印的正面是篆文阳刻"清江施南道总管军万户府印"。背面无文字边款。第三方是"屯田万户府印"，铜质，重 1650 克，印的正面是篆文阳刻"屯田万户府印"，背面有阴刻边款"圣旨颁降屯田万户府印，大夏开熙元年四月□日造"。驻军遗址在利川县城西 2 公里的连二塘，两山之间夹着的南北向相连两块谷地，相传元末义军和清末太平天国义军在这里驻扎过，两片水草丰茂的谷地都作为义军的军马牧场，靠东边山腰上有一大石洞，可容数百人，洞内修木楼一座，曰"独立楼"，现已变成寺庙。利川城西约 100 公里的观音岩，有战场遗迹。

仙桃市

潜江市

天门市

神农架林区

湖南省

长沙市

株洲市

840.湖南株洲元代银器

作　者：株洲市文物管理处　潘秋杨、曹敬庄、邹翠楠
出　处：《江汉考古》2003 年第 2 期

银器窖藏位于株洲堂市乡楼厦村。1994 年冬村民为祖坟培土时发现，出土银器有 53 件，有杯、簪、钗、插花、栉背、耳坠、发饰等类型，这些银器具有典型银器特征，该窖藏是湖南省一处较重要的发现。

简报分为：一、出土概况，二、出土器物，三、结语，共三个部分。有照片。

据介绍，出土地点在离株洲县城 21 公里的湘江西岸。共计 53 件，500 多克。银器上没有任何文字或符号。简报认为这批银器应属于元代，不排除中有个别器物为宋代的，而窖藏埋藏年代应为元中晚期。从银器出土的地理位置和周围的环境以及出土的情况来看，这里地处湘江西岸，历来是军事交通要塞，兵家征战之地，这批银器很可能是由于元代中晚期战乱，主人在仓皇出逃中携带而匆匆掩埋在野外。

简报称，这批银器出土数量多，种类繁杂，造型优美，工艺精湛，对研究我国宋、元时期金银器有参考价值。

湘潭市

衡阳市

841.湖南衡南出土元代窖藏银器

作　者：衡阳市文物工作队　唐先华

出　处：《考古》1987 年第 9 期

1985 年 9 月，湖南省衡南县南涧村村民在房后山坡取土时，发现一批窖藏银器，共 7 件。考古人员前往调查清理。简报配以拓片、照片、手绘图予以介绍。

据介绍，南涧村是衡南县的边远乡村，位于衡南县东南方，距县城约 80 公里。银器埋藏在南涧村石塘湾房后的山腰斜坡上，山上为黄黏土。银器埋藏在离现今地表约 80 厘米深的土坑内，坑小，近圆形，直径约 30 厘米。银器无包装，放置无规律。银盘放在下层，银杯、碟覆置盘内，最上一层为覆置的银钵。计鎏金银盘 1 件、银杯 3 件、银碟 2 件、银钵 1 件，上有"延祐甲寅"铭文，即元仁宗延祐元年（1314 年），银杯有"乙卯"铭文，当为延祐二年（1315 年）。

这批银器，当为元仁宗时铸造。

邵阳市

842.湖南城步苗族自治县出土元代铜权

作　者：城步苗族自治县文管所　魏人栋

出　处：《考古》1987 年第 11 期

1984 年秋，城步苗族自治县北 10 公里的南门村村民在小河里淘金时，挖出一件元代铜权。简报配以拓片、照片予以介绍。

据介绍，铜权表面呈墨绿色，是用双合范铸造而成，两侧有明显的合铸痕迹。底座呈圆形，上为方环纽，正中为覆钵体。通高 6 厘米，底座径 3.5 厘米，最大腹径 3 厘米，重 142 克。两腹面分别阴刻有"延祐""五年"的大字。所铸铭文说明这件铜权是元仁宋延祐五年（1318 年）铸造的。

843.湖南城步县出土元代铜权

作　者：魏人栋
出　处：《考古与文物》1987 年第 2 期

1984 年秋，湖南省城步苗族自治县清溪乡南门村村民在该村小河淘金时，挖出一件元代铜权。简报配以照片予以介绍。

据介绍，铜权重 142 克。表面呈墨绿色，系双范合铸而成，两侧有明显的铸痕。腹部两侧阴刻"延祐""五年"四字，即元仁宗爱育黎拔刀达延祐五年（1318 年）所造。它的出土，对研究城步苗族地区的历史、政治及经济制度都有一定的价值。

岳阳市

844.湖南华容县发现元代铜权

作　者：华容县文化馆　李正鑫
出　处：《考古》1986 年第 11 期

1984 年 6 月，操军乡一农民送交一件元代铜权。铜权为方环鼻纽，亚腰圆柱体。通高 7.3 厘米，重 283 克，用红铜铸成。正面铸阴文"□州"，背面铸阴文"路造"，连读为"□州路造"。锈蚀不清之字疑为潭字。简报配以照片予以介绍。

据介绍，铜权是从和水泥用的黄砂中发现的，黄砂来自离县城 1.5 公里外的马鞍山，那里曾发现宋至明初多处墓葬。元代潭州路辖有益阳，境内提区一带益阳籍客户很多，此铜权可能为古代移民携带来的。

常德市

845.湖南津市发现元代金银器窖藏

作　者：湖南津市文物管理所　彭　佳
出　处：《文物》1999 年第 9 期

1984 年 5 月，湖南津市涔澹农场青龙嘴修堤工地上，发现一处古代金银器窖藏。津市文物管理所接到百姓报告，派人收回全部文物。简报分为：一、出土位置及状况，

二、窖藏器物，三、结语，共三个部分。有照片。

据介绍，金银器出土地点位于津市文物保护单位青龙嘴新石器时代遗址东南，南距津市 9.3 公里。金银器出土时沾满泥土，有的已被挤压变形。窖藏中计有金器 6 件、银锭 2 枚，其中 2 件八棱双耳金套杯和花果金簪于 1994 年被国家文物鉴定委员会专家组鉴定为一级文物。银锭戳有银铺记号。2 件金杯的造型、工艺继承了宋代金银器的特点，但纹饰显得较为复杂，龙凤纹也是元代器物中较常见的纹样。另外，这批金银器上的卷草纹、回纹、联珠纹及瓜果、卷云、梅花纹饰都是元代广泛采用的。工艺上则使用了模压、錾刻、掐丝、焊接、锤打等技术。通过综合分析，简报认为津市青龙嘴窖藏出土器物的时代应属元代中晚期。

张家界市

846.慈利县出土的元代铜簠

作　者：常德地区文物工作队　刘廉银
出　处：《文物》1984 年第 5 期

该元代铜簠 1981 年 5 月，在慈利县许家坊公社出土。内底有铭文："大德乙巳靖州达鲁花脱欢□知州许武略判官田进义吏目郭中等谨识云"，共计 31 字。由此知此铜簠为元大德九年（1305 年）靖州（今湖南省靖县一带）地方官员所铸。

益阳市

847.湖南桃江发现龙泉窑瓷器窖藏

作　者：益阳地区博物馆　张北超
出　处：《文物》1987 年第 9 期

1986 年 4 月 12 日，湖南桃江马迹塘镇荆竹村村民发现一批窖藏瓷器。经文化、公安部门的工作，收集了所有器物。考古人员进行了现场调查。简报配以照片予以介绍。

瓷器出土地点兔子弯位于资水南岸 1 公里的九岗山下，距马迹塘镇 4 公里，往东离桃江县城 42 公里。瓷器窖藏距地面 1.3 米，窖长 0.8 米、宽 0.5 米。器物重叠覆放于坑内。出土器物共 90 余件，近一半残损。

据介绍，较完整的器物有青釉碗 24 件，还有部分青釉盂、青釉盘等各类。这批窖藏时间，简报推断应为元代。

简报称，这批窖藏瓷器中的青釉器，胎白泛灰，质地优良，釉色浑厚润泽，柔和古雅。碗、盘、洗、杯造型规整，圈足留有垫饼、垫圈装烧痕迹，碗盘外壁多模印菊瓣纹，洗中装饰双鱼，杯底贴塑梅花，具有明显的元代龙泉窑产品特征。

848.湖南安化出土元代铜权

作　者：姚旭天
出　处：《考古》1995 年第 1 期

1990 年 3 月，安化县乐安乡乐华村村民蒋曼兰在自留地挖出一枚元代铜权，现已由安化县文管所收藏。简报配以拓片予以介绍。

据介绍，权为铜质，体表呈铁锈色，两侧有明显合铸痕迹。重 275 克。权身正、背分别铸有阴文"大德""二年"铭文。"大德"即元成宗铁穆耳年号，"大德二年"为公元 1298 年，应为铸权时间。此权制作粗糙，纽部和腹部布满蜂窝状气孔，权底不规则，疑为民间所铸，出土地现仍为湖南省有名的秤匠之乡。元代铜权的发现，对研究元代度量衡制度有一定参考价值。

郴州市

永州市

849.湖南宁远出土一枚铜质八思巴文"宁远务"官押

作　者：周九宜
出　处：《文物》1993 年第 6 期

1983 年 5 月，宁远县五交化公司在宁远古城（宋乾德三年，即 965 年建）城南拆墙清理地基时，出土一枚长方形铜官押。简报配以照片予以介绍。

据介绍，该押铜质，长 21.4 厘米、宽 7.4 厘米。方纽。阳刻八思巴文六字，每字 3.1 厘米 ×3.9 厘米，印边用线条隔成井字形边框，框内刻有卷叶花纹及几何形装饰图案，上方边框横刻"宁远务"，两侧边框竖刻"如无此印""形同匿税"，均为阳刻汉文，此官押作为印信凭证，用于当时行商贩运税赋验收。

简报称，这件铜官押以八思巴文、汉文并用的款式，在国内外尚不多见。这枚铜官押的出土为研究元代赋税征管制度提供了实物依据，对研究八思巴文也有一定史料价值。

850.湖南祁阳县出土元代马镫

作　者：祁阳浯溪文物管理处　杨仕衡

出　处：《考古》1997 年第 9 期

1993 年 9 月 23 日湖南祁阳城关镇唐家岭村第八组农民唐昌栋，在屋后山坡挖屋基地时，挖出一对马镫，随即送交祁阳县浯溪文物管理处收藏。简报配以照片予以介绍。

据介绍，马镫为铜质，器表布满绿色铜锈。顶部为方环，腰铸双龙形弓，底为凹形踏板。通高 19 厘米，底径 6.4 厘米 ×13 厘米。简报推断马蹬时代为元，完整精致，反映了较高的铸造工艺。1993 年 10 月 18 日经湖南省文物鉴定委员会鉴定为二级文物，1994 年 12 月 2 日经国家文物局专家组鉴定为一级文物。

851.湖南宁远县出土一面八思巴文铜镜

作　者：宁城县文物管理所　周九宜

出　处：《考古》1999 年第 7 期

最近，湖南省宁远县城一处基建工地出土一面八思巴文铜镜，已由县文物管理所收藏，简报配以照片予以介绍。

据介绍，该镜出土时背呈铜绿色，菱形花边造型。径 19.5 厘米，边厚 0.4 厘米。上、下两个炉壁上各铸有两字。镜面较粗糙，有抹过水银的痕迹。镜面涂抹水银，应是宋以后才出现的制镜特征，其镜式花纹也多见于宋。但其上的文字非汉字之书体，简报推测可能是八思巴文。

怀化市

娄底市

湘西州

广东省

广州市

852.广州沙河双燕岗发现元墓

作　者：黎　金

出　处：《考古》1960 年第 4 期

1958 年 7 月，在广州市东北郊沙河镇以北的双燕岗修筑山塘工程中发现一座元代墓葬。

简报介绍，墓室系用一种石灰与砂砾掺合捣实制成的长方形石板累叠而成，四周墙壁都是三块，面上用同样的灰砂板平铺。棺木全朽，骨架仅存一些头骨和腿骨，触之即碎。发现的 3 件瓷器为两件瓷瓶和一个瓷香炉，铜钱有开元通宝和治平元宝各一枚。简报推断，此墓从出土文物来看，其时代是属于元代的。

深圳市

珠海市

汕头市

韶关市

佛山市

江门市

湛江市

853.介绍一件元代釉里褐凤鸟纹盖罐

作　者：广东省博物馆　宋良璧
出　处：《文物》1983 年第 1 期

　　釉里褐凤鸟纹盖罐，白地插花，造型优美，纹饰精致，别具风格，是元代南方民窑的一件杰作。该罐是 1957 年广东省海良县文化馆在附城西湖修水库时收集的，现藏广东省博物馆。简报配以照片予以介绍。

　　据介绍，该罐出土于石椁墓，同时出有地券砖，写明死者是一县丞，卒于元至元三年（1266 年或 1337 年）。釉里褐凤鸟纹盖罐和吉州窑的产品很相似，曾一度被认为是吉州窑所出，但因海康县古墓中不断出现，从外地买来作陪葬之用的可能性不大。同时，和吉州窑器物对比，在胎质、釉色上都有差别：吉州窑白釉微带红色，该罐白釉微带灰色；吉州窑胎泛红而较粗，该罐胎灰而坚细。该罐应为广东地区所产，惟窑址尚有待今后考古发现。

　　简报称，双凤四喜鹊纹饰极为少见，是当时匠师的创新之作。釉里褐凤鸟纹盖罐的发现，为研究广东地区的陶瓷发展，增添了可贵的实物资料。

854.广东海康县出土两件彩绘瓷枕

作　者：邓杰昌
出　处：《文物》1986 年第 4 期

广东海康县在 1983 年先后出土两件六边形褐色彩绘瓷枕，简报配以照片予以介绍。

　　据介绍，一号瓷枕两侧对称，前边近平直，长、宽 25.5 厘米，前边中高 7 厘米，两侧高 8 厘米，两边中高 10 厘米，后边高 11 厘米。枕面施青釉，有细冰裂纹，褐色彩绘，沿边绘两道三线弦纹，中填卷草纹，正中开光绘一朵初放莲花，旁边绘刚冒出水的带刺莲笋，相互衬托。下部不施釉，前面有半月形口。二号瓷枕前边长且直，其他五边呈弧线，长 27 厘米、宽 25 厘米、两边中高 11.5 厘米、前边中高 8.5 厘米、两侧高 10 厘米、后边高 12 厘米。枕面施姜黄釉，褐色彩绘，沿边绘双线或多线弦道，中填人字纹、卷草纹等，正中开光绘一朵怒放的莲花，周围四朵莲花相互对称。简报推断两件瓷枕为元代器物。

简报称，这两件瓷枕均为如意头形，前低后高，中央略作凹窝，便于安枕，均为当地古窑的产品。

茂名市

肇庆市

惠州市

梅州市

汕尾市

河源市

阳江市

清远市

东莞市

中山市

潮州市

855.广东潮安出土元代铜印

作　者：陈历明
出　处：《文物》1984年第8期

　　1979年9月，广东省潮安县采塘公社旗地大队农民在桑浦山东侧庵斗山脚一土洞中发现一方铜印，附近散布着7颗铜珠，还有一个铜质珠盒。简报配以拓片予以介绍。

　　简报介绍，铜印呈正方形，重1000克，长方形纽。印文为八思巴文篆书"漳州路军民都总管印"。印背刻有两行汉文行书，右边一行为"漳州路军民都总管印"，左边一行为"礼部至元十六年五月"。至元十六年为1279年。《元史纪事本末》载，至元十七年十二月，漳州民陈桂龙及其兄子陈吊眼，有众数万，群起反元。此元代"漳州路军民都总管印"在广东潮安桑浦山附近发现，或与陈吊眼武装抗元斗争有关。

揭阳市

云浮市

广西壮族自治区

南宁市

柳州市

桂林市

梧州市

北海市

崇左市

来宾市

贺州市

856.广西贺县发现元代石雕佛塔

作　者：张春云

出　处：《考古》1989 年第 6 期

贺县博物馆在文物普查中发现一座具有重大历史价值的元代石雕佛塔。简报配以照片予以介绍。

据介绍，该塔位于贺县铺门乡六合村的一个岩洞中。石塔就坐落在岩洞的中央偏后。

简报称，该岩洞后壁，有一小黑洞，仅能钻进一人，里面还有一个深广莫测的岩洞。这座佛塔全部由青色石灰岩雕凿而成，通高 1.94 米。由塔顶、塔身和塔座三部分组成。塔身周围几乎镌满文字，书法和镌刻均上乘，除三个字外，其余均可辨认，计有 232 字。上层塔身镌"僧、佛、法"三字；中层镌"阿弥陀佛、观世音"等；下层塔身详尽地记载着塔主人的出生时间、俗姓、籍贯、出家时间、业绩、地位、禀性、立塔时间和立塔人等，以及其他有关佛教的内容。石塔正面下层刻"会仙开山智岩慧公寿塔"，即是"寿塔"，当是在他生前立的。立塔人是他的门徒"小师慧聪等"。

据铭文，塔主人"俗姓熊，眷陵永阳人"，生于"至元丙戌"，出家于"大德癸卯"，立塔时间是"至正甲申"。上述的"生于至元丙戌"，应是忽必烈时期的至元丙戌，即至元二十三年（1286 年）。照此推算，塔主人十七岁出家，五十余岁时立寿塔。据铭文载，这"智岩慧公"是会仙寺的长老和创始人。同时，还"鼎建宝安，兼住武安、梵刹。此三所乃师之整顿，规范增新"。由此可见，他在当时的宗教界的成就和威望都是相当高的。目前会仙寺尚存，在这座塔北二里处；宝安、武安二寺已毁；"梵刹"即今"梵安寺"，已被列为县级重点文物保护单位。

简报认为这是一座还在塔主人生前就制作好的元代古雕寿塔，内容丰富，对于研究葬俗及佛教均有价值。

玉林市

百色市

河池市

钦州市

857.广西灵山县发现元代铜权

作　者：陈　文
出　处：《考古与文物》2001 年第 6 期

1995 年 11 月，广西灵山县新圩镇元屋岭下排村农民刘成东建新屋，在距地面 60 厘米左右处挖出一件元代铜权，现收藏于县博物馆。简报配以照片予以介绍。

据介绍，此铜权呈六面六棱型，较完好，通高 8.3 厘米，重 178 克，束腰，权纽有一不甚规则的方孔。权身正面有阴文"至治"，背面有阴文"元年"，左侧面有一个阳文"六"字。至治，为元英宗（硕德八剌）在位的年号。元年，为英宗定年号初年（1321 年，辛酉年）。六，当属铜权的号记。

简报称，铜权，铜质之权，等量之具，犹今之砝码。此铜权的发现，为研究中国元代度量衡制度及其商业状况提供了珍贵的实物资料。

防城港市

贵港市

海南省

海口市

858.海南岛汀迈古瓷窑调查记

作　者：曾广亿

出　处：《考古》1963 年第 6 期

1960 年 6 月，汀迈县文化馆考古人员在该县太平公社碗灶山发现 5 座古瓷窑遗址，广东省文管会接到报告后，派考古人员作了实地调查。简报配以手绘图、照片予以介绍。

据介绍，碗灶山又名碗灶冲，位于汀迈县城之南，相距约 12 公里。碗灶山是一个低矮的山丘，范围很大，窑址分布于山之中央，均突出地面，平面呈圆形，剖面为半椭圆形。窑顶与窑身积满黄土，表面野草丛生。窑身附近布满遗物，种类有窑砖、窑渣、炭末以及瓷碗、碟、杯等，有很多碗碟重叠粘连在一起。这 5 座窑址（其中有三座大窑），相距 5 ~ 30 米，从外表观察，有 4 座窑址均保存极佳。在上述窑室附近有四块面积约 13 米 × 20 米的制坯工场遗迹，还堆积着很多淘洗过的灰白色瓷土，但未发现砖瓦和石块，从这些现状看来，当年的工作场所似极简陋。

简报认为，这 5 座窑址均属同一时期，采集到的遗物除碗、碟、杯、瓶等瓷器外，并未发现烧瓷器的匣钵和垫烧瓷器的垫环及渣井。初步推断碗灶山窑址，可能是属于元代的。

三亚市

三沙市

重庆市

859.重庆明玉珍墓出土《玄宫之碑》

作　者：胡人朝

出　处：《考古与文物》1984 年第 4 期

　　1982 年考古人员配合基建在江北清理了一座元墓，墓主人为元末起义军领袖明玉珍。出土金银器、丝织品共 30 余件，尤以墓志铭《玄宫之碑》最为珍贵。简报配以照片予以介绍。

　　据介绍，此碑共 1004 字，楷书，简报录有全文。《玄宫之碑》不仅记载了明玉珍的生平事迹，还记载了元末农民起义的一些史实，对研究元末农民起义有重要价值。明玉珍，随州（今湖北随县）人，是元末农民起义的重要领导人之一。据《元史》《明史》记载，元末红巾大起义爆发后，明玉珍初任徐寿辉部下将领，公元 1357 年领兵进川，摧毁了元朝在四川的统治。徐寿辉被害后，明玉珍于 1363 年在四川称帝，建立了以重庆为都城的大夏政权。明玉珍在位时，与朱元璋通好，信使往返不绝。据《玄宫之碑》记载：明玉珍卒于 1366 年，死时 38 岁，而《明史》记载明玉珍死时 36 岁。《玄宫之碑》说明玉珍"寿三十八岁"，而《明史》却说三十六岁，这可能是两者计算方法上的不同。据简报推算，明氏活了三十六岁又五个月。

860.四川重庆明玉珍墓

作　者：重庆市博物馆　董其祥、徐文彬、刘豫川、王川平

出　处：《考古》1986 年第 9 期

　　明玉珍，元末农民起义军的著名领导人之一。1363 年，他以重庆为都，建立了"大夏"政权，统治四川及其邻近地区。1366 年，明玉珍逝世，其子明升继位。1371 年，"大夏"为朱元璋统一。自 1361 年明玉珍在重庆称王，明氏父子割据四川 11 年，在元末农民战争史和四川地方史上具有重要影响。

　　明玉珍去世后，据《明史·明玉珍传》"葬于江水之北"，但未载明墓葬的确切地点和规模。有关史学家和文物工作者曾对此进行过查考，但未有结果。1982 年

3 月 30 日，重庆织布厂扩建施工中发现一座古墓。次日上午，此墓椁盖被当场凿毁，内棺被撬散取出，随葬的金盏、银锭、丝织品等亦被取出。4 月 1 日，在继续施工中又发现一块石碑的碑额及部分碑文。此时，考古人员去现场调查后认为是一般清代墓葬，对出土的丝织品和葬具作出不予收存的错误处理，致使随葬的丝织品一度流散和损坏。4 月 6 日晚，石碑全部出土，完整无缺的碑文说明此墓为明玉珍之墓，从而引起各有关方面的高度重视，一面抢救流散的出土物品，一面对此墓余存部分进行发掘。至 4 月 18 日，田野工作结束。简报分为：一、墓葬位置，二、墓葬形制结构，三、随葬品，四、结语，共四个部分。有手绘图、照片。

据介绍，重庆江北区明玉珍墓，规模不大，出土器物不多，且受到不应有的损坏，但它的发现，仍有重要的历史学和考古学价值。明玉珍作为元末农民起义的主要领导人之一，对他的墓葬的清理发掘和研究，既稍许弥补了我国考古工作中古代农民起义领袖墓葬发现的不足，又为研究元末农民战争史、四川和重庆的地方史提供了多方面的珍贵资料，也为研究明教和明玉珍的意识形态提供了难得的实物资料和线索。

861.重庆南岸玄坛庙出土元代影青瓷器

作　者：林必忠
出　处：《四川文物》1987 年第 2 期

1985 年 9 月，南岸玄坛庙的重庆茶厂在基建中发现古墓。考古人员闻讯前往清理时，墓葬已遭到破坏，墓内文物散失。经努力，仅索回影青瓷器 3 件。简报配以照片予以介绍。

据介绍，计有葵口瓜棱瓶 2 件、象鼻足香炉 1 件。简报称，影青瓷器的生产盛于宋而元继之，元代影青瓷是在宋代基础上继续烧造的一种传统产品，二者在釉色、造型等方面都有明显的时代特征。元代影青瓷的釉质不如宋代，胎体较厚，造型厚重，器形向多棱角发展。如此次发现的瓷瓶，胎薄而白，部分薄可透光。器表青白光洁，釉积存多的地方呈碧绿色，但釉质的光亮莹润较之宋代影青瓷仍有不足。四川出土的元代影青瓷较多，从一个方面反映了当时南方地区对影青瓷器的崇尚。

862.重庆市两路口劳动村元墓清理简报

作　者：重庆市文物考古所　白九江
出　处：《四川文物》2004 年第 2 期

劳动村元墓为并穴双室，可能属于夫妻火葬墓。墓内雕刻精美，出土炉、瓶、盏组合的影青瓷器多件，上面有典型的铁锈花装饰，是非常珍贵的元代瓷器。该墓对于研究元代丧葬习俗和元代瓷器是不可多得的。

简报分为：一、墓葬形制，二、随葬品，三、年代和意义，共三个部分。有手绘图。

据介绍，该墓是 2003 年 2 月重庆市政工程公司在施工过程中发现，位于渝中区两路口劳动村重庆市教育委员会内，施工时工人已将该墓左室墓门打开，并取出了部分随葬品。该墓地处一斜坡地带，墓室上面覆盖厚约 3 米的紫红色土。墓葬为石砌并穴双室，在筑墓室之前，先在红色页岩基础上挖长方形墓圹。墓室所用石材为较厚的石板和石条。应为夫妻火葬墓。随葬品为影青瓷器 10 件。似乎是景德镇产的专为墓葬用的冥器。

该墓的时代，简报推断为元代。

四川省

成都市

863.成都发现一批元代瓷器

作　者：刘　平、王黎明
出　处：《考古与文物》1985年第6期

1982年4月17日，在成都市西城区供销社基建工地上发现一批古代瓷器。考古人员前往清理，瓷器装在一个直径约1米的铜盒内，共约20件。出土时铜盒已残破，瓷器多被损坏。简报配以手绘图予以介绍。

据介绍，计有青釉高足杯1件、青釉碗1件、青釉盘6件、洗3件。这批瓷器中的青釉高足杯、青釉大碗的釉色、纹饰，与江西高安县出土的同类器物十分相似。

简报推断成都出土的这批瓷器系元代器物，当属浙江龙泉窑系。

864.新津县出土金代双鱼铜镜

作　者：新津县文化馆　李兴玉
出　处：《四川文物》1994年第2期

1993年3月21日，新津县新华书店（所在地新中国成立前为菜地、坟地，今为武附中路）书库修建大楼挖地基时，由建筑工人挖出"双鱼铜镜"一面交到县文物管理所。

据介绍，该镜为圆形，直径13厘米，镜背面为圆纽，外区无图案，内区约占有全镜十分之八的面积。纽两侧为双鲤鱼，鱼鳞清晰，摇头摆尾，逐浪嬉戏，造型生动。双鱼之间有卷草图案相联。简报推断此铜镜为金代遗物。

自贡市

攀枝花市

泸州市

德阳市

865.广汉发现元代铜权

作　者：敖兴全
出　处：《四川文物》1989 年第 2 期

1982 年 2 月，广汉县南丰乡一村一农民挖土筑墙时，在距地表 50 厘米处发现元代铜权一件，当即交县文化馆保存。简报配以照片予以介绍。

据介绍，权为青铜铸造，出土时表面有一层绿色铜锈，体似倒圆锥形，座为圆锥形，权体和座上饰有凸弦纹。通高 10.6 厘米，重 650 克。正面阴刻"至元九年造"铭文，背面阴刻"成都路总府"铭文。至元是元世祖忽必烈的年号，至元九年即公元 1272 年，应属铸此铜权的时间。"成都路总府"则是当时铜权铸造的官衙。

866.四川中江县桥亭街元代瓷器窖藏

作　者：中江县文物保护管理所　雷家明、涂　琳
出　版：《四川文物》2014 年第 5 期

1998 年 1 月 21 日，四川中江县一支施工队伍在桥亭街修建城北中学教师职工宿舍开挖地基时，发现一处瓷器窖藏（编号 1998ZJQ1），考古人员清理、回收了全部文物。简报分为：一、窖藏情况，二、出土器物，三、结语，共三个部分。有彩照、手绘图。

据介绍，结合考古调查发现，简报认定窖藏所在地域应属唐宋以来中江古代城

区的一部分；从该窖藏出土瓷器的釉色、形制和装饰手法等方面特征来看，应属元代龙泉窑系列青瓷器。

简报称，中江桥亭街元代窖藏文物的出土为研究元代四川地区的政治、经济和社会，研究元代的陶瓷，研究中江地方历史提供了宝贵的实物资料。

绵阳市

867.三台出土元代窖藏

作　　者：三台县文化馆　　　景竹友
出　　处：《四川文物》1993 年第 6 期

1991 年 3 月底，县邮电局在三台县城新西街人行道旁埋设电缆挖深沟时，在离地面 1.6 米处发现一处元代窖藏，编号为元 J1。器物全部是青瓷，存放在一个口径 42 厘米、约高 60 厘米的褐色缸胎的瓷缸内，30 余件。出土时尖嘴锄击中缸，因而损坏了一部分，收回完整品和残品 28 件。简报称，其中天青釉碗和碟较为珍贵，酱釉碗釉色斑斓，确实少见。简报配以照片予以介绍。

据介绍，1992 年 1 月 18 日，城西南河路牛头山下蟠龙砖瓦厂在取土烧砖时，又发现一处元代窖藏，编号为元 J2，窖藏位于牛头山与蟠龙山接壤处的一小山坡上，坡旁有一条大道，一头接南河路，一头接凯江（南河）和白鹤寨。窖藏坑为喇叭状，距地面 1.8 米，一批铜、锡、瓷器存放在一个大铜洗内，洗上倒扣一口铜缸，铜缸上又倒盖一口铁釜，由于铁釜重量大，年长日久，压坏铜缸，部分瓷器和质薄的铜器被损坏，清理出完整和比较完整的器物 24 件。简报称，其中元青花瓷器和铜炉、锡瓶制作精良，纹饰生动，为元代精品。

简报指出，元朝历史不足百年，四川省出土元窖不多，三台县以前未有出土记载，馆藏之元代文物也多从元墓中获得，青花更无一例。这两次元窖的发现，丰富了对元代器物的认识，也增添了新的研究实物资料。

868.三台发现元赵垠祖墓碑

作　　者：三台县师院　　方　晓
出　　处：《四川文物》1994 年第 1 期

1992 年 8 月，考古人员在三台县城石马湾村调查了一座元代墓碑。简报配以照片予以介绍。

据介绍，该墓位于一农民屋后，墓碑碑铭乃元代著名书法家吴炳所书，元代学者吴澄所撰。为神道墓。当地人介绍，碑前原有石人、石马、石狮成列。现石人、石狮破损，推倒在刘姓农家房前屋后，石马不知去向（"石马湾"由此得名）。据碑文，此处应为赵垠祖夫妇合葬墓所在地。碑文记述赵垠祖事迹较详，多为旧方志所不载。赵垠祖为当地富户，在宋末，当蒙古军侵入四川时，曾参加过抵抗活动，宋朝彻底灭亡后，隐居以终。吴澄撰此文时，元朝统治已久，也就不用忌讳了。这也反映出宋元之际四川的一些情况，有一定的史料价值。

仅就书法而言，吴炳虽有《淮源碑》传世，但乃吴炳摹写汉代隶书作品，不能真正体现吴炳的隶书风格，《赵府君墓碑》才是吴炳传世的代表作品。这为研究吴炳及元代书法史提供了宝贵的资料。

869.元代青花双环象耳瓶和三足鼎式炉

作　者：四川省三台县文物管理所　钟　治
出　处：《文物》1998 年第 10 期

四川省三台县文物管理所收藏的元代青花折枝菊花双环象耳瓶和缠枝牡丹三足鼎式炉，是 1992 年 1 月城西蟠龙砖厂取土时出土的。1996 年 5 月经国家文物鉴定委员会专家组鉴定，确认此瓶和炉为元代景德镇产品，均定为国家一级文物。简报配以照片予以介绍。

简报介绍，青花折枝菊花双环象耳瓶，盘口，长颈，溜肩，鼓腹，外撇圈足。胎白洁，体厚重，内壁有三道明显接痕。器表施釉纯净透明，青花蓝中闪灰，色泽浓艳，层次清晰，明净素雅，釉浓处青花呈蓝黑色，有晕散现象。

青花缠枝牡丹三足鼎式炉，直口，方唇，短颈，鼓腹，小平底，三兽足外撇，口腹部贴塑两立耳。炉胎厚重，白洁，质料坚固，内壁两道接痕。器内口沿以下均施釉，露朱红色胎釉。器外施釉均匀，莹亮而闪青，釉面透出深蓝色的青花图案，料色透入釉骨，浓艳浑厚，青白相映。

广元市

870.四川苍溪出土两方元"万州诸军奥鲁之印"

作　　者：四川省博物馆　袁明森
出　　处：《文物》1975年第10期

在四川苍溪县文化馆和四川省博物馆里，分别收藏着同文、同制的元末八思巴文铜质"万州诸军奥鲁之印"各一方。这两方元末官印在1966年同出于四川苍溪元坝区王渡公社大获城一字库，是由当地农民发现后捐献给国家的。简报配以拓片予以介绍。

据介绍，铜印正方形，边长6.8厘米，重0.85公斤。印文为八思巴文，译成汉文应为"万州诸军奥鲁之印"。"万州诸军奥鲁之印"的发现，说明了当时四川和江北其他地区一样，地方官是兼管"奥鲁"的。所谓"奥鲁"，是蒙古语的音译，是指从军军人家属所在地。为什么会有两方完全相同的"奥鲁"印？这大概是因为府、州、司、县达鲁花赤及治民长官都兼管"奥鲁"的缘故。至于两方完全相同的"奥鲁"印为什么会同在大获一字库出土，简报认为这个问题尚有待作进一步的研究和探讨。

遂宁市

871.四川蓬溪县新发现元代建筑金仙寺

作　　者：遂宁市博物馆　赖西蓉
出　　处：《四川文物》2012年第5期

2008年7月，考古人员在第三次全国文物普查中，于四川遂宁市蓬溪县赤城镇周家店村发现一座元代建筑——金仙寺，现仅存大殿。建筑特色鲜明，保存的题记数量较多，包含的信息较为丰富。从题记判断，该寺应建造于元泰定四年（1327年）。简报配以照片、手绘图予以介绍。

据介绍，金仙寺位于四川遂宁市蓬溪县赤城镇周家店村，该寺现仅存大殿。大殿建于元泰定四年，坐东北向西南，占地面积260平方米；建筑为单檐歇山抬梁式木构造，平面布局原为面阔三间9.2米，进深三间11.27米，通高8米，面积约104

平方米。从现状看，建筑正面檐柱前在后期使用过程中被添建一进，共建筑面积 198 平方米。穿斗结构。添建时间尚待考证。大殿素面台基，高 1.48 米，垂带式踏道 8 级，小青瓦屋面。蓬溪县文物管理所保存有较早的黑白照片。从较早图片看，大殿屋脊为鱼龙吻，宝瓶顶，正脊雕刻精美人物故事。现脊饰已毁。大殿的梁、枋保存较多的题记，内容较丰富。2012 年，四川省人民政府将金仙寺公布为四川省文物保护单位。

内江市

乐山市

南充市

宜宾市

广安市

872.岳池九龙镇元券顶石室墓清理简报

作　　者：岳池县文管所　夏智慧
出　　处：《四川文物》2000 年第 1 期

　　1999 年 1 月 12 日，岳池县九龙镇园田路在基建施工中发现两座古墓，考古人员对已经被扰乱的古墓进行现场保护和抢救性清理。简报分为：一、墓葬位置及形制，二、出土器物，三、结语，共三个部分。有照片。

　　据介绍，墓葬位于岳池县九龙镇园田路与建设路交汇处东侧，该地在未建街道时俗称老鸦山。两墓并排在一斜坡上，距地表最深处 1 米，墓向朝北，墓葬形制为：平面呈长方形，单层券顶石室墓，无墓道、甬道。两墓并排，墓内刻绘图案完全一致，未见葬具、尸骨。随葬品仅见陶罐 2 件、碗 5 件。简报推断为元代夫妇合葬墓。

达州市

眉山市

雅安市

873.雅安市发现元代窖藏瓷器

作　者：李直祥

出　处：《四川文物》1988年第5期

1986年12月16日，雅安市文化路口基建工程中发现瓷器窖藏。简报配以照片予以介绍。

据介绍，窖藏共出土高足杯24件，瓷盘4件，瓷碗2件，有"至正七年置"字样瓷盖罐1件，铜盆1件，铜盘1件。这批器物埋藏在距地表1.56米深的一土坑中，土坑大小不详。铜盆置于土坑底部，其上放一陶罐（陶罐在施工中已被打碎，残片遗失），陶罐口上再放铜盘，铜盘中置瓷盖罐；高足杯、瓷盘、瓷碗相混重叠在陶罐一周，布成圈形。从器物观察，"至正七年置"年款佐证，此窖藏出土器物应为元代遗物。窑口有景德镇窑、龙泉窑。埋葬时间可能晚至明代。

巴中市

资阳市

874.四川简阳东溪园艺场元墓

作　者：四川省文物管理委员会　张才俊等

出　处：《文物》1987 年第 2 期

简阳县东溪园艺场在简阳县城东北约 5 公里处，位于沱江东岸的庙子山下。1974年，当地农民在园艺场九队的梨园中耕地时发现一座石室墓。考古人员对此墓进行了清理。

简报分为"墓室结构""出土器物""结语"，共三个部分予以介绍，有照片、手绘图。

据介绍，此墓为长方形石室墓，单室，平顶。用厚 0.1 米、大小不等的红砂岩石板砌筑。无墓门，入葬后以石板封顶。结构简单，砌筑粗糙。

该墓随葬器物大部分置于横沟与墓室西壁间及排水沟与墓室南、北壁之间。清理时多数器物已被百姓取出，原来放置情况不详，墓底仅存少量器物。葬具已朽，棺台上残存下肢骨和几块头骨，并留有几枚方形铁钉，棺台四角各放置一枚铁钱。此墓共出土各类随葬品 612 件，其中主要有瓷器 525 件、铜器 61 件。另外还有釉陶碗、铁滚、铁盒、石瓶各 1 件，石砚 17 方，铜钱 1 枚，铁钱 4 枚。

简报称，此墓属于中小型墓葬，墓室结构比较简单，但随葬品数量、种类之丰富，制作之精美，堪称少见。这批随葬品中的瓷器，大多来自浙江、江西、河北等地，为研究龙泉青瓷、景德镇影青瓷、定窑白瓷以及当时四川与外省交通贸易的状况，提供了新的实物资料。出土的一批砚台，对研究砚史也有相当的意义。此墓出有铜印盒，但未见印章；钱币只有东汉五铢和北宋铁钱；大量随葬品中虽有东汉时期铜洗、龙虎牌、圆饼形石砚和有唐代特征的风字形砚，但多数器物仍属宋、元时期制品。有人认为此墓规模甚小，但随葬器物却十分丰富，是由于后人利用前人墓室作为窖藏所致。简报不同意这种设想，认为墓内放置的器物并未扰乱棺台上的人骨架；且墓室前端与左、右两侧放置的随葬器物时代相同，因而这批器物应为墓主的随葬品。此墓墓主当是元代一个好古的收藏者。

阿坝州

甘孜州

凉山州

875.四川雷波县糖房坝发现崖葬

作　者：刘世旭、熊玉久

出　处：《考古与文物》1986 年第 4 期

1981 年 3 月，考古人员在四川省小凉山地区雷波县渡口公社糖房坝附近的波罗、观音岩两地，发现了岩葬。简报配以照片予以介绍。

据介绍，糖房坝岩葬有傍临大江，依岩凿室，素木为棺，每室一人的特点。关于墓葬的时代，从形制判断，横穴墓的时代可能在元朝时期，直穴墓则可能远早于此。至于族属，简报认为应与僰、"僚"有关。

876.西昌发现元代梵文石碑

作　者：黄承宗

出　处：《文物》1987 年第 2 期

四川省西昌市西郊一户农民在翻修旧房时，发现早年砌入房基的一块元代梵文石碑。简报配以照片予以说明。

据介绍，碑质为当地红砂岩，高 58 厘米、宽 42 厘米、厚 8 厘米。从碑石的上下插榫看，此碑原有碑额，现在仅存碑身，左上角略残。碑两面磨平雕刻佛像和文字。正面上部方线框内以细线阴刻坐佛像一尊。右侧刻阴文直书"南无接引西方净土阿弥陀佛会"十三字。左侧刻阴文直书"追为亡人杨阿瑞神道"九字。右侧方线框外刻阴文直书"至正三十年岁次庚戌十二月二十一日建立"十八字。左侧字大于右侧字。石碑背面右上角阴刻直书汉文"□□尊胜陀罗尼神咒"九字，其中前两字缺佚，仅见一人字傍，根据云南出土的同时期石刻资料推测，所缺二字似为"佛顶"二字。其余石面阴刻横书梵文 21 行，内容当是汉文榜题的佛顶尊胜陀罗咒全文。根据石碑铭文，知碑建于"至正三十年"，即公元 1370 年，也是元朝最后一年。此时元朝皇帝早已退出北京，新建立的明王朝已进入洪武三年。

据当地白族习俗,姓名中多加一"阿"字。故死者原名应为杨瑞,白族。

简报称,此碑当时或应立于杨瑞墓处。

877.西昌发现的金代四鼠葡萄铜镜

作　者:王兆祺

出　处:《四川文物》1989 年第 6 期

1987 年西昌经久乡凉山钢铁厂施工中,工人在挖蓄水池时挖到一个铜镜,交给了凉山州博物馆。出土时锈蚀严重,经清除锈迹后发现,此镜为金代瑞兽镜,是西昌首次发现。简报配以拓片予以介绍。

据介绍,这面铜镜属于金代比较流行的四兽镜,圆形,圆纽,内区四兽同向绕纽奔驰,形态似鼠,兽间点缀四串葡萄,可称为"四鼠葡萄镜",外区有铭带一圈,铭文为"承安三年上元日陕西东运司官造,监造录事任(画押)提运使高(画押)"。直径 8.9 厘米。"承安"为金章宗年号,承安三年(1198 年)即南宋宁宗庆元四年,宋代西昌地区仍归大理国统治,史料记载特少。

简报称,金代铜镜的发现,说明西昌和其他民族地区的密切交往。

878.西昌新发现元代经幢

作　者:唐　亮

出　处:《四川文物》1992 年第 4 期

西昌近郊发现一件元代的佛教经幢。该经幢系元代在凉山地区流行的佛教密宗的一支——阿吒力教的经幢。经幢直立,呈长方形,顶部为半圆形。四面均有文字,其文有梵文和汉字,又以梵文为多数。在经幢的两侧有两龛佛教造像。由于年久,风化严重部分文字难辨。经幢通高 133 厘米,下部宽 23 厘米、厚 19 厘米,上部宽 25 厘米、厚 14 厘米。正面有竖刻梵文六行,背面有竖刻梵文五行。

简报称,元代佛教经幢的发现,给我们研究元代佛教在凉山地区的传播提供了新资料。

879.西昌发现元代礼拜寺文物

作　者：陈世松、黄承宗
出　处：《四川文物》1992 年第 6 期

1975 年，四川省西昌市在三坡推土建水库时，在当地称为"月鲁城"遗址南边的建筑废墟里，发现了一通阿拉伯文石碑。该碑为当地红砂石岩质，通高 50 厘米，宽 47 厘米。碑文共有五行文字，碑下部已残，其末端一段已埋入梯地石坡之中。简报配以照片予以介绍。

简报称，经辨认考释，碑文第一行为《古兰经》各章开头的句式，一般可译为："奉大仁大慈的安拉之名"。第二至五行，通篇是赞美伊斯兰教创始人穆罕默德容貌的文字。可直译为：他的肤色是白的，两腮红润，眉毛细长，双眼碧兰，鼻如鹰钩，胡须修长，身体魁梧矫健，十指细长，头发细而直，胸毛至脐，双手过膝，两耳垂肩，圣容难以用文字来描述。据此碑文可定名为"圣容赞碑"。此碑为研究回族历史及宗教史，提供了宝贵的资料。

880.会理发现金代摩羯镜

作　者：唐　翔
出　处：《四川文物》1993 年第 2 期

1992 年 6 月，会理县老街乡一农民在开挖田地时，掘出铜镜一面，即送交县文物管理所，经鉴定为金代摩羯镜。该镜为圆形，直径 8 厘米，内边八连弧，镜区内凹，半圆形纽。镜区纹饰为一绕纽盘曲的摩羯，摩羯呈龙首鲤鱼身，鱼身有鳞，尾部有火焰纹，龙首口部对镜纽，口大张，作吞宝珠状。摩羯镜在凉山地区还是首次发现。

简报称，宋代会理为大理国统治地区，金代铜镜在这一地区的发现，对于研究会理的历史及其对外民族关系等，都具有一定的参考价值。

881.四川西昌发现元代铁权

作　者：黄承宗
出　处：《四川文物》1995 年第 2 期

四川西昌市城关镇河东街附近，在 1965 年冬季，因建房挖土，在地表下的积土中发现元代铁权一件。简报配以照片予以介绍。

　　据介绍，铁权为模铸，方环形纽，圆盘底座，覆钵体。通高 9 厘米，底盘直径 5 厘米，重 1.2 市斤。出土时锈蚀严重，权的表面似无铸文或刻文。

　　简报断定铁权为元代遗物。作为元代衡器文物，在西昌尚属首次发现。

贵州省

贵阳市

六盘水市

遵义市

安顺市

铜仁市

882.贵州玉屏出土窖藏铜钱

作　者：玉屏侗族自治县文化馆　吴钦湘
出　处：《考古》1989 年第 7 期

1985 年 12 月 26 日，玉屏侗族自治县长岭乡庆寨村关家屯合作社农民在翻整菜地时，发现了一罐窖藏铜钱。这批铜钱原盛在离地约 30 厘米深的一件高约 34 厘米红色陶罐里。出土时罐盖已经腐烂，陶罐已破残，铜钱从顶层到脚底成串排列比较完整，有用麻绳串联着的痕迹。由于埋藏时间较久，地下泥水浸没整个陶罐，大部分铜钱已经锈蚀，字迹有些模糊不清。简报配以拓片予以介绍。

据介绍，经过整理，这批铜钱总重 53 千克，约 12000 枚，包括西汉、东汉、唐、五代十国、北宋、南宋、金等 17 个朝代的 53 个品种。

简报称，这批窖藏铜钱的出土，为研究玉屏少数民族地区的社会经济发展情况提供了实物资料。

毕节市

883.贵州省黔西县发现一枚元代八思巴文官印

作　者：毕节地区文物管理委员会　郑远文
出　处：《文物》2001 年第 7 期

1981 年 5 月，贵州省黔西县雨朵区猴场乡庆祝村一农民在房侧果园掘地时，发现一枚古代印章。后交黔西县文物管理所，并由该所收藏。简报配以原大拓片予以介绍。

据介绍，印为铜质，正方形。边长 6.9 厘米、厚 1.3 厘米。印背正中印纽被发现者锯掉。印面铸有三行八思巴文，译为"雍真等处蛮夷管民官印"。背面两侧阴刻楷书汉字，左边为"雍真等处蛮夷管民官印"，右为"尚书礼部造，至元二十五年（1288 年）七月启用"。简报指出，元朝在少数民族地区除流官外，尚有土司，分别建立如宣慰司、宣抚司、长官司或某某等处蛮夷长官司。据《元史·地理志》，"雍真等处"应指雍真、乘西、葛蛮等处，属"顺元路军民安抚司"。雍真等处蛮夷管民官印，是元代少数民族地区的长官之印，在毕节地区属首次发现，对研究元代的官制和少数民族地区的流官、上官制度，都具有一定的价值。

黔西南州

黔东南州

黔南州

云南省

昆明市

曲靖市

玉溪市

保山市

昭通市

丽江市

普洱市

临沧市

文山州

红河州

西双版纳州

楚雄州

大理州

884.云南大理发现元代碑刻

作　者：大理市博物馆　杨长城
出　处：《考古》1994 年第 12 期

　　近年，大理市博物馆征集到一批元代碑刻，为便于广大学者研究，简报分为：一、故大师白氏墓碑铭，二、杨素节先生墓志铭，共两个部分予以介绍，有拓片。现择其涉及重要历史事件者两方予以介绍。

　　1972 年，云南大理撤除五华楼时出土一方石碑，碑系青石质，高 113 厘米、宽 60 厘米、厚 15 厘米，两面刻文，楷书，各 17 行，行字不等。碑阳右下部碑文多被凿毁。碑文叙死者白长善，远祖出自楚平王时的白公胜，唐代白居易的从父弟白敏中；白长善的八世祖白和原，因参加宋仁宗时广西侬智高起义，失败后随侬智高逃奔大理，侬智高因宋朝廷追索而被大理国王杀害，白和原则受到大理国王的保护，是当时的名医，后世均以行医为业。白长善因医术高超，云南行省参政段实（大理路军民总管府第一代总管）封赠为大师称号。元大德三年（1299 年）病故，年 73 岁。碑文对研究大理国及元代大理医药和广西侬智高起义，均有很高的史料价值。简报录有碑文全文。

　　1972 年，大理五华楼出土一方墓志，后流落民间，1989 年征集回馆。碑额及碑身上部已残，大理石质，残高 96 厘米、宽 60 厘米、厚 16 厘米。文 18 行，行 40 多字，楷书，书法水平较高。支渭兴为文，圆护书丹，段功篆额。碑文叙杨素节先世和后人功绩及杨氏"以文学佐帮"等事，涉及人物较多、时间较长，历史事件较为重要，可以补史之不足。碑文中称：杨素节先祖有"蛮祐"其人，疑为后人附会，但文中叙及杨氏善属文，有文集传世，对研究元代白族文化面貌有重要参考价值。

据介绍，据碑文：杨素节生于至元十八年（1281年），卒于至正十二年（1352年）。字孝先，号诚斋，学者谥曰素节。简报录有碑文全文。

德宏州

怒江州

迪庆州

西藏自治区

拉萨市

昌都地区

山南地区

日喀则地区

885.西藏萨迦寺发现的元代纸币

作　者：西藏自治区文物管理委员会
出　处：《文物》1975 年第 9 期

1959 年，西藏自治区日喀则地区萨迦寺发现两张元代纸币，一为"中统元宝交钞"，一为"至元通行宝钞"。这一发现，对我们研究元代钞法尤其是研究元代西藏地方和中央的关系，有重要的意义。简报配以照片予以介绍。

萨迦寺发现的两张元代纸币中，至元通行宝钞已送中国历史博物馆收藏，这里将中统元宝交钞略作介绍。这张交钞面额壹贯，上有汉文、八思巴文字，有字印。简报怀疑萨迦寺在元代时是宝钞库所在地。

那曲地区

阿里地区

886.西藏阿里札达县帕尔嘎尔布石窟遗址

作　者：四川大学中国藏学研究所、四川大学历史文化学院考古系、西藏自治
　　　　区文物局、西藏阿里地区文化广播电视局　霍　巍等

出　处：《文物》2003 年第 9 期

西藏西部阿里地区札达县境内的象泉河流域，历史上曾为古格王国统治的中心区域。近年来在这一流域开展的考古调查工作中，相继发现了一批佛教石窟遗迹。其中帕尔嘎尔布石窟遗址的调查发现，在西藏西部早期佛教艺术遗存研究中有着重要的学术意义，石窟中保存的精美的壁画也具有相当高的艺术价值。

简报分为：一、地理位置与自然环境，二、K1 ~ K4 以及相关石窟的形制构造与相互关系；三、石窟壁画；四、几点认识，共四个部分予以介绍，有彩照、手绘图。

据介绍，帕尔嘎尔布遗址位于今阿里地区札达县卡孜乡帕尔村境内。帕尔村现在的村民均为藏族，以畜牧业为主要经济形态，兼种少量青稞、豌豆等高原作物。其定居点主要分为冬季和夏季牧场，每年冬夏两季随水草迁移。石窟中保存的精美壁画也有相当高的艺术价值。此次调查的 4 座石窟（K1 ~ K4）及其相关遗迹中，时代最早的具有独特风格的石窟壁画下限在 13 或 14 世纪前后，相当于元代及明初，代表着从克什米尔风格向印度—尼泊尔风格（波罗艺术风格）的过渡阶段。

林芝地区

陕西省

887.陕西渭南、扶风出土元至元九年和泰定五年铜权

作　者：渭南县文化馆、扶风县文化馆　左忠诚、罗西章
出　处：《文物》1977 年第 2 期

1973 年春，渭南县何刘公社油王村，在打机井时发现元代铜权一枚，权身两面分别铸阴文"至元九年"和"京兆路官造"九字，权呈亚腰圆柱体，上部呈流线状。同年冬天，扶风县城关公社陈家庄生产队在县城西南角距地面约 2 米处的城墙穷土中，也发现一枚元代铜权，上有"泰定五年"和"奉元路官造"九字，"泰定五"三字是刮掉了原来年号另刻上去的，在这行字左侧还有阳刻。简报配以照片予以介绍。

简报推断，扶风所出土元权开始使用的年代为 1328 年。此权铸成年代，当早于 1328 年，而晚于 1312 年。

西安市

888.西安元代安西王府勘查记

作　者：马得志
出　处：《考古》1960 年第 5 期

元代安西王府遗址，在今西安城东北约 3 公里，南距秦家街 120 余米，东距浐河 2 公里许。该遗址处当地居民现在尚称为"达王殿"，又名"斡耳朵"。1956 年冬，宫殿的基址——台基被挖去了一部分。1957 年春，考古人员进行复查，并将城址和殿基的范围作了勘测。简报分为四个部分介绍了勘测的情况，有手绘图等。

据介绍，安西王府的城垣周长 28282 米，基本呈长方形，除北城墙地表还可见墙基遗迹外，其他三面地表已不见踪迹。城四周可能有角楼，东、西、南三面有门。城中央发现一南北长约 185 米、东西宽约 90 米的夯土台基，应为宫殿遗址。

简报推断，安西王府最早亦只能是建于至元九年（1272 年）到至治三年（1323 年），或更早在大德十一年（1307 年）。

889.金贞祐三年拾贯文交钞铜版

作　者：陕西省博物馆　朱捷元
出　处：《文物》1977 年第 7 期

陕西省博物馆藏有金贞祐三年（1215 年）拾贯文交钞铜版一件。该版是 1965 年在西安附近出土的，高 21 厘米、宽 111 厘米、厚 1 厘米。钞版的背面有四个钉柱，右边的两个已残缺。正面四周以莲花、莲叶纹为栏，版头有"壹拾贯"三字；左栏外有"每纸工墨钱捌文足，纳旧换新减半"字一行。栏内又分上下两个部分：上部中间为金额"壹拾贯八十足陌"，右边为"字号"，左边为"字料"，"字料"二字上有一方孔。右格用篆书注明告捕赏格："赏钱三百贯文"。左格也用篆书注明："伪造交钞者斩"。栏内下部文字从左至右，共 7 行。简报录有全文。

简报称，贞祐交钞铜版，过去曾经在陕西出土过，可是早已散失。彭信威《中国货币史》曾记载有传世的"贞祐三年拾贯文交钞铜版"及原热河大明城遗址出土的"贞祐二年交钞"。此外，有人还著录过金贞祐宝钞版的、出土的钞版与彭书所记的"贞祐三年拾贯文交钞板"一样，都是陕西东路所用，因此两钞版的形制、纹饰及铭文基本相同，仅钞版左栏，前者为整齐的双格边栏，后者无边栏，只有突出于边栏约 2.2 厘米的纹饰。彭书所录栏内文字，因原版模糊，故有错漏。

简报指出，到金卫绍王统治时期（1209～1213 年），由于长期战争，造成财政上的崩溃。金政府几乎只能依靠任意滥发"交钞"，以供其庞大的开支。特别是公元 1214 年金宣宗南迁开封后，金王朝管辖的范围只剩黄河南岸的陕西、河南一小块狭长地区；加上金朝统治者因对蒙古、南宋的连年战争，库用浩繁，只能不断地增发"交钞"，企图以这种手段来挽救日益加深的财政危机。这样一来，"交钞"充斥市场，信用衰落。金政府于是采取收回旧钞，重新发行新钞的办法，从贞祐三年起至天兴二年止（1215～1233 年）先后又发行了"贞祐宝券""贞祐通宝""兴定通宝""元光珍宝""元光重宝""元兴宝会"等各种票券。这种办法只不过是饮鸩止渴，反而加剧了各种纸币的迅速贬值，更引起市场的混乱，给人民带来了极大的灾难，也加速了金朝统治的覆灭。

今有张婧著《中国货币文化传承与发展——金代交钞视角》（中国书籍出版社 2017 年版）一书，可参阅。

890.陕西省周至县发现元至元九年铜权

作　者：周至县文化馆

出　处：《文物》1978 年第 3 期

1971 年 12 月，陕西周至县城关公社小寨子大队出土了一个元代铜权。简报配以照片予以介绍。

简报介绍，铜权埋在距地面 1 米深处。同时挖出的还有长筒瓦、砖等。铜权高 11 厘米，重量一斤六两。权上有"北路官造""至元九年"（1273 年）铭文。至元是元世祖忽必烈的年号，简报推断此权是元代初期铸造。

891.陕西户县贺氏墓出土大量元代俑

作　者：咸阳地区文物管理委员会　贠安志等

出　处：《文物》1979 年第 4 期

陕西户县元代贺氏墓包括贺贲墓、贺仁杰墓、贺胜墓三座墓，位于户县秦渡公社张良寨大队村北约 500 米处，距县城 10 公里，在沣河之西，终南山之北。三墓自西北向东南成一直线。1978 年 4 月，考古人员进行了发掘。

简报分为：一、墓葬形制及结构，二、出土遗物，三、对一些问题的认识，共三部分。有照片。

据介绍，西北墓内出石墓志一合。志盖上阴刻隶书 9 行，每行 4 字。此墓墓主为贺胜，编为一号墓。中间的墓内出墓志铭一合，志盖阴刻篆书五行，每行 5 字。墓主为贺胜之父贺仁杰，编为二号墓。东南的墓内出墓志石一合，但未刻字，可能是贺仁杰之父贺贲的墓，编为三号墓。贺胜等三墓，均为砖石合砌。墓室呈正形，墓顶已全部塌陷。出土遗物主要出于一号、三号内，达 131 件。简报录有贺仁杰、贺胜墓志铭全文。

简报称，户县即古代扈国，三墓排列成一条斜线，即为贺氏祖宗三代茔地。三号墓主，简报推断当是贺仁杰之父。其次，贺仁杰墓志志文作者吕垕，死于延祐元年（1314 年）十二月，比贺仁杰晚殁 7 年，为贺仁杰作墓志文是可能的。

墓志与《元史》记贺氏家族原为河东隰州人。隰州，隋代在山西省置隰州，唐时改为大宁郡，宋代后改为隰县，延至于今。

892.西安出土的元代铜手铳与黑火药

作　者：晁华山
出　处：《考古与文物》1981 年第 3 期

1974 年 8 月，西安东关景龙池巷南口外的建筑工地进行基础工程时，在耕土层下发现数百件残破的古代釉陶建筑构件，其中最引人注目的是一件元代铜手铳。简报配以手绘图、照片予以介绍。

据介绍，西安手铳是用青铜铸造的，长 265 毫米，重 1780 克。铳体由前向后可分三部分，即铳管、药室和尾銎。药室前后端和铳体前后端均铸有加固用的圆箍，共有 6 道。铳管是断面为圆形的直管，长 140 毫米，内径为 23 毫米，这是装药和子弹射出的通道。药室为椭球形空腔，有一个小的圆形药捻孔通到外面，铳管和药室相通。尾銎段外口稍大于里端，尾銎和药室是不相通的。简报推断为元代中晚期遗物。西安手铳轻便又最短小，可以装入衣袋，可以藏入袖中，便于携带，所以我们把它称为手铳，这是迄今唯一的发现，它应当算是今日手枪的始祖。药室口部发现有黑褐色粉末的致密结块，分析结果表明，这种黑褐色的物质正是黑火药。据现状看，这支手铳原来已在药室内装满火药，但未曾点放就被埋入了地下，因而火药得以保存到今天。古代火药，由于种种原因，很难保存下来，因而古代火药的发现在今天是很罕见的。

893.西安东郊元刘义世墓清理简报

作　者：陈安利
出　处：《文博》1985 年第 4 期

1983 年 11 月，西安市灞桥区洪庆公社惠家庄大队，给陕西省博物馆送来一批元墓出土文物，据说是 1983 年 7 月在他们村南取土时发现的。考古人员到现场对该墓作了一番实际调查。简报分为：一、位置及其墓葬形制，二、随葬器物，三、墓志，四、余论，共四个部分。有拓片、手绘图。

据介绍，墓为长方形土室墓，拱顶，葬具、人骨已朽。出土随葬陶制冥器 40 件，石墓志 1 块。墓志楷书，共 14 行，行 15 字。简报未录志文全文。

从墓志中知道，墓主刘义世，原为大同路应州金城（今山西应县）人，元世祖至元（1264～1294 年）初年，其父刘福海因调镇蜀雍（今四川、陕西），将家迁至奉元府咸宁县东陵乡。奉元府，元代设置，即今西安市。咸宁县，即今长安县。刘福海先卒，葬在庄附近。义世妻于氏亦先卒于至顺二年十二月廿二日（1331 年）。义世本人卒于至正甲申岁（1344 年），终年 77 岁。该年十一月初十日，于氏与义世合葬于东陵乡祖先茔地。

简报称，此墓是陕西发现的为数不多的元墓中有明确纪年的一座。

894.西安北郊红庙坡元墓出土一批文物

作　者：卢桂兰、师晓群

出　处：《文博》1986 年第 3 期

1985 年元月，高陵县姜李村民工在西安北郊红庙坡取土时发现一批元代文物，考古人员前往现场进行调查。简报配以照片予以介绍。

据介绍，该处为一高地，因长年取土，形成断崖，文物出土处距断崖顶部约 6 米，调查时发现有棺钉、木炭等物，证明出土物为一墓葬的随葬品。因现场破坏严重，墓葬形制及随葬品放置位置与组合情况已不可知，出土物有陶俑、陶器、瓷器、钱币、金属饰件等。其中陶俑有陶女立俑、陶男立俑、陶鞍马、陶驮物马等。简报推断为元代墓葬。

895.西安曲江元李新昭墓

作　者：马志祥、张孝绒

出　处：《文博》1988 年第 2 期

1987 年 9 月 8 日，西安市第一住宅建筑公司农机站在雁塔区曲江乡岳家寨土壕挖土时，发现了一批文物，考古人员到现场进行了调查。从残留墓形来看，该处可能为一洞室墓，由于墓葬原状已被破坏，所以无法确定其准确尺寸、形制。现场残存一些朽木、锈铁钉及小片残骨，无砖出现。根据墓内出土的买地券可知该墓是元代墓，墓主为李新昭，葬于元泰定二年（1325 年）。

简报分为：一、陶俑，二、陶器，三、其他，共三个部分。有照片、拓片。

据介绍，出土人俑共 6 件，均完整，模制，灰陶，女俑一，男俑五。陶器有陶灶 1 套、陶仓 6 件、陶方盒 1 件、陶粉盒 1 件、陶碗 5 件、陶罐 1 件、陶勺 1 件、陶鼓形罐 1 件、陶炉 1 件、陶蜡台 1 件、陶马 2 件、动物俑 5 件、陶灯 1 件、陶扁壶 2 件、陶碟 4 件、陶盆 2 件、陶瓶 1 件等，买地券 1 件，砖质，简报录有券文全文。墓主人李新昭当为一般平民。简报附记称，发掘不久工地又送来一些元代遗物，据称出自此墓 3～5 米远处。计陶俑 3 件及陶器，与此墓极为相似，或许与此墓有亲属关系。

896.西安市北郊金代墓葬发掘简报

作　者：倪志俊、韩国河、程林泉
出　处：《考古与文物》1991 年第 6 期

1988 年西安市北郊西安医疗设备厂基建中清理出一座金代墓葬。简报配以照片、手绘图予以介绍。

据介绍，该墓为竖穴土洞，墓室为长方土洞，葬具为木棺，已朽。葬式为仰身直肢。随葬品共 11 件。方砖墓志一块，共 280 字，简报录有墓志文全文。根据志文记载，墓主潘顺死于大金明昌二年，即公元 1191 年。明昌三年其妻李氏死后，迁葬潘顺和其妻合葬于西乡万城门西北原下。应该指出的是，这篇墓志文反映了金代道教的盛况。

897.西安南郊山门口元墓清理简报

作　者：王九刚、李军辉
出　处：《考古与文物》1992 年第 5 期

1988 年 8 月，西安市南郊山门口乡沙平沱村南，陕西省果品研究所在基建施工中发现元代陶俑数件，考古人员前去清理。简报分为：一、墓葬形制和葬式，二、随葬器物，三、墓葬年代，共三个部分予以介绍。

据介绍，墓葬为土洞墓，正东西方向，由墓道、甬道、前室和后室四部分组成。随葬器物有陶俑、瓷枕及陶质器物和铜钱等。这座墓葬出土的黑陶俑与户县贺氏墓出土的陶俑风格相同，只是制作更为粗糙。其女俑发式、服饰与贺氏墓女侍俑相似。I 式男俑服饰与贺氏墓侍俑相似，不同处是脚下无薄底座。因此，简报推断该墓属元代墓无疑。

898.元代李圭墓志考

作　者：陕西师范大学古籍研究所　周晓薇
出　处：《文物》1998 年第 6 期

李圭墓志，1976 年出土于西安市南郊陕西师范大学原苹果园。墓志无盖，出土时志石右下侧断裂，后经粘合缀为完石，今藏陕西师范大学图书馆。简报配以拓片予以介绍。

据介绍，志石为青石质地，正上方凿为椭圆形。志文 17 行，满行 18 字，铭文 2

行，行 16 字，撰书人名 1 行，行 11 字。志石上方右行横题"元故李先生墓铭"7 字，篆书。志文清晰完整，断裂处文字笔画亦能吻合而无大缺损。

据志文，志主李圭及其祖高、父惠、子昶、孙煦、灵等人，史籍均无可考。志主李圭，字君玉，本籍河南开封，宋辽金战乱，徙家山西，南宋末年，迁居长安。尝"以《易》义中选，隶儒籍"，以年龄推之，李圭中选当在南宋。考宋代以经义论策试进士，废唐代明经，则李圭所举为策试《周易》一经之进士科。据志文，知李圭"通星历风水之术"并有所撰著，即《地理捕龙赋注》和《五姓内外宅纂》，均为讲述修建冢墓和宅第的占卜风水以配五行之书。这两部书元明以来公私书目及《补元史艺文志》《补辽金元艺文志》《补三史艺文志》等均未见著录，故可补元代艺文之阙。志文又载李圭《诫子弟》五言诗一首，谓"言质而理当"，亦可补《全元诗》之佚。此志书法画貌较为新奇，兼杂隶篆两种书体，对研究古代文字书法及碑别字在元代的发展变化也具有一定的参考价值。

简报未录墓志全文。

899.西安市钟鼓楼广场发现一批金代官印

作　者：西安市文物局　王长启等
出　处：《考古与文物》1999 年第 3 期

1996 年 1 月西安市钟鼓楼广场扩建挖掘地基时，在一个废弃的井内发现一批金代铜质官印与铜版残片，经过整理，金代铜质官印共 279 方，铜版 9 块，均残。考古人员将所有铜印按其官职、类别、大小与用途进行分类研究，从中可以看到金代晚期的政治与社会面貌，为研究金代历史提供了宝贵资料。简报配以照片、拓片予以介绍。

据介绍，金朝一代的官印在使用与制造上前后有所不同，这是由于政治形势发生变化的缘故。官印在各个时期的不同变化，表现在形制、内容及颁造机构等各个方面。而西安钟鼓楼广场出土的金代官印均为铜质，据金史文献资料可知，金代的官制"大率皆循辽、宋之旧"，金代官印依据官职的高低分金、玉、银、铜不同质料，皇帝、皇后、太子的玺印用金或用玉，三师（太师、太傅、太保）、三公（太尉、司徒、司空）、亲王、尚书令之印均是用金印，诸郡王和正一品、从一品印为镀金银印，正二品、从二品官印采用镀金铜印，三品以下的官印均采用铜印。西安钟鼓楼广场出土的金代铜质官印均为三品以下印。最早的印是正隆三年（1158 年），最晚为正大八年（1231 年）。计有"行尚书六部印""行省左右司印""行部员外郎之印""总领尚书六部员外郎之印""行尚书六部员外郎之印""军前行六部员外郎印""行尚书六部侍郎印""总领行尚书六部侍郎印""总领行尚书省六部郎中印""行省都事之印""总领尚书六部主事印""行尚书六部主事印""统领尚书六部主事印""行部主事划字号印""行部主事元字号印""行尚书省都领之印""检察司印""行省参议之印""总帅府印""陕西省总帅府印""行元帅府之印""征行元帅府之印""行省帅府之印""元帅右都监印""陕西路总帅府知事印""知事之印""经历司印""都总领所之印"等。另附有铜券与帖子4件，简报录有全文。简报认为，这批官印，是正大八年（1231年）蒙古兵击败金兵，金朝廷逃亡之前弃之于废井中的。具体的埋藏时间，若按史书所载弃京为正大八年四月，但这批官印中所刻最晚时期是正大八年十月，也许是史书记载有误，也许是官印时间有误。

900.西安电子城出土元代文物

作　者：霍春玲、翟　荣、贾晓燕
出　处：《文博》2002年第5期

2001年下半年，西安电子城开发公司基建工地在挖地基时，用推土机推出一批元代文物，后由西安市文物管理部门征集。据调查，这里原来是一个元代墓葬，因现场破坏严重，墓葬形制及随葬品摆放的位置与组合情况，已不可知，出土的文物有陶俑（包括男俑、女俑、马俑）、动物模型、驷马车、器具等56件，全部为黑灰色泥胎，表面施一层白色陶衣，未上釉。这批文物制作精致，造型优美，动物模型造型逼真，各具神态，形象生动，惟妙惟肖，为研究元代历史提供了珍贵的实物资料。简报配以照片予以介绍。

据介绍，计陶俑16件，其中男卫士俑8件、男侍俑1件、女侍俑2件。动物模型4件、驷马车一套，陶罐等器具31件。简报称，该墓属于元代墓葬无疑。

901.西安东郊元代壁画墓

作　者：西安市文物保护考古所　孙福喜、王自力等
出　处：《文物》2004年第1期

2001年7～9月，西安市文物保护考古所在西安东郊韩森寨九街坊黄河机械制造厂12号住宅楼基建工地抢救性发掘了一座元代壁画墓（M1）。

简报分为：一、墓葬形制，二、壁画，三、随葬器物，四、结语，共四个部分。有彩照、手绘图。

据介绍，M1位于12号楼基西边缘。考古人员闻讯赶到现场时墓葬已部分遭到

破坏。从现存部分看，该墓由墓道、甬道和墓室三部分构成，平面呈"甲"字形。出土有瓷器、铁器、买地券等。简报录有买地券全文。从买地券记载可知，此地在元至元二十五年（1288年）属安西路咸宁县龙首乡朝堂社长乐坡正西原，墓主姓韩，死于至元二十五年，其妻吕氏死于至元二十三年（1286年），至元二十五年合葬于此。地券使用了许多当时地券格式的固定用语，而其中坟地的长、宽和面积数据应为实指。从此地券看，墓主的身份应为无官职的地主富户。

此次发掘的一大收获是壁画。从M1壁画写实的风格看，与当时重写意的"文人画"属不同风格。但从所绘湖石修竹、博古插花等来看，有写意成分，可见此墓壁画也受到"文人画"的许多影响。元代壁画墓集中发现于内蒙古、辽宁、山西、河北、山东等地。此墓在西安地区尚属首次发现。从壁画的人物形象、衣着及用具等方面看，表现的应是汉族地主的生活，所绘人物也均为汉族人。该墓壁画构图讲究，层次分明，采用了对称布局、人物安排疏密有致。壁上隐约可见用木签等硬物刻画的起稿图，可知在正式着墨之前画师已对墓葬整体空间的壁画内容做了合理的安排。绘画笔法多用铁线描，线条遒劲而流畅，寥寥几笔便勾勒出人物的容貌和飘逸的衣纹。人物花草用笔细腻，近似工笔；湖石修竹则近似写意。这些都充分体现了元代民间画师的艺术水平。

另外，墓室四角及中部发现有5枚未经加工的天然鹅卵石，应属镇墓石。这应是元代葬俗的一个特点，为进一步了解元代葬俗提供了新的实物资料。

902.西安市曲江乡孟村元墓清理简报

作　者：陕西省考古研究所　马志军、高明韬
出　处：《考古与文物》2006 年第 2 期

2002 年 3 月，为配合西安理工大学曲江校区的基建施工，考古人员在其 2 号学生公寓楼的基槽中清理了一批古墓，其中一座元代墓保存状况较好，出土器物较丰富。

简报分为：一、概况，二、墓葬形制，三、葬具葬式，四、随葬器物，五、结语，共五个部分。有手绘图。

西安理工大学曲江校区基建工地位于西安市南郊曲江乡孟村之北，该墓位于其校区的西北部 2 号学生公寓楼基槽的东南部，简称 M8。为斜坡墓道双室土洞墓，坐西朝东，由斜坡墓道、甬道、前后墓室及壁龛组成。出土有陶俑 16 件及陶器、瓷器、铜器、木器、漆器等。有朱书买地券一块，但字迹已无法辨认。简报推断为元初墓葬。

903.西安南郊元代王世英墓清理简报

作　者：西安市文物保护考古所　王久刚等
出　处：《文物》2008 年第 6 期

2005 年 1 月，西安市文物保护考古所为配合曲江溪水园住宅小区的工程建设，在西安南郊雁塔南路东侧清理发掘了一批古墓，其中有元代王世英墓（M11）一座。

简报分为：一、墓葬形制，二、随葬器物，三、结语，共三个部分介绍了该墓的发掘情况，有彩照、拓片。

据介绍，M11 为长斜坡墓道土洞式双室墓，由墓道、甬道、前室、后室、过洞、小龛组成。墓室后室东西并列放置木棺两具，棺板已朽蚀倒塌，棺内底部有大量草木灰。未发现骨架，可能盗墓时已将尸体移出墓外，因此葬式不清。此墓虽经盗扰，但仅限于后室棺内，前室随葬器物基本原地摆放。现清理出随葬器物 38 件（套），有陶瓷器、铜钱及墓志。简报录有志文。M11 的墓葬形制在西安地区已发掘的元墓中未出现过。其中出土的 2 件骑马俑，为头戴毡帽的女子；女立俑中 1 件着男装，反映了蒙古族妇女的特点。

从墓志可知，M11 为元代王世英与其妻萧氏的合葬墓。王世英于元大德十年（1306 年）葬于咸宁县洪固乡先茔之次，享年 73 岁，妻萧氏在王世英死后 10 年于延祐乙卯（1315 年）十二月二十九日卒，享年 81 岁，第二年二月十一日祔于王世英墓。墓志刻于萧氏入葬时。

墓志记述王世英为陕西省京兆府耀州富平县人，精通蒙古语，从至元四年（1267 年）由京兆宣抚司奏，差擢成都宣使起，历任安西王府通事，敦武校尉，武功、华阴县令，忠勇校尉同知耀州事。墓志记有至元四年，即王世英任成都宣使那年，成都周围各抗元宋军围攻成都，成都行省严侯遣派王世英领 10 名骑兵乘夜晚突出重围，去潼川刘都统处求援，解成都之围，得到严侯嘉奖的事迹。《元史》卷七记有此事。但所记时间推后了 5 年，史实也与志文所记有所出入。志文还为我们提供了至元十一年（1274 年）朝廷派遣王世英招抚嘉定宋军将领赵黑子投降元朝，以及至元二十八年（1291 年）朝廷命野速儿犒军吐蕃遭遇羌酋叛乱的事，文献上均未见记载。

简报认为，此墓有明确纪年，为研究元代历史，以及北方草原文化与中原文化在元代的相互融合，乃至元代陶俑艺术的发展变化，提供了重要资料。

904.西安南郊潘家庄元墓发掘简报

作　者：西安市文物保护考古所　张小丽等
出　处：《文物》2010 年第 9 期

2003 年 5 月至 2004 年 5 月，考古人员配合工程建设，在西安市南郊潘家庄村西和村南发掘清理战国晚期至元代墓葬 300 余座。简报分为：一、M122，二、M184，三、M238，四、结语，共四个部分，先行介绍了其中 3 座元墓的发掘情况，有彩照、手绘图。

据介绍，其中 M238 为双人合葬墓，出土有陶器、元宝、银器等，三墓均无墓志出土，但从随葬器物看，均应属元代墓葬。简报指出，目前西安所发掘的元代墓葬主要集中在南郊，且不少有纪年。此次发掘的这三座元墓虽无纪年，但保存完好，出土器物丰富，为研究元代西安地区的丧葬礼俗、社会生活史和风俗史提供了新资料。

905.西安南郊孟村宋金墓发掘简报

作　者：陕西省考古研究院　马志军、高明韬
出　处：《考古与文物》2010 年第 5 期

墓葬区位于西安市南郊曲江乡孟村之北，西安曲江水厂之南。2001 年 11 月至 2003 年 5 月，为配合西安理工大学曲江新校区的基本建设，考古人员在其施工的区域内分数次发掘了一批古墓葬。简报分为：一、宋墓，二、金墓，三、小结，共三个部分。有手绘图、拓片。

据介绍，宋墓 9 座，多位于西安理工大学曲江校区的西北部。这 9 座墓均为竖穴墓道土洞墓，出土随葬品不多，一般仅有几件陶器、瓷器、铜饰、铜钱。M10 仅出土北宋、金铜钱各 1 枚，定为金代墓葬。

906.西安南郊夏殿村金代墓葬发掘简报

作　者：陕西省考古研究院
出　处：《考古与文物》2010 年第 5 期

2009 年 5 月，考古人员为配合西安南郊曲江观山悦住宅小区工程建设，在西安市长安区韦曲街道夏殿村西发掘了一座保存较为完整的金代墓葬，编号为2009XBM30。简报分为：一、墓葬形制，二、葬具葬式，三、随葬器物，四、结语，共四个部分。有照片、手绘图。

据介绍，该墓系竖穴单室土洞墓，墓道位于墓室之南，水平总长度4.7米，由墓道、封门、墓室和壁龛组成。葬具、人骨已朽，推测应有木棺。出土瓷器、铜器、玉器16件。其中5件褐釉盖碗应为耀州窑产品，出土时内装有粮食。简报推断该墓为金墓。

907.西安曲江元代张达夫及其夫人墓发掘简报

作　者：西安市文物保护考古研究院　张小丽、赵　晶、朱连华等
出　处：《文物》2013年第8期

2011年5月，考古人员为配合曲江风景线建设工程，发掘了17座古代墓葬，包括9座汉墓、6座唐墓及2座元墓。其中2座元墓（2011QJFJXM5、2011QJFJXM6）东西并列，M5位于西侧，M6位于东侧，间距约5米。这2座元墓均是机械取土时偶尔发现的，原开口层位已无法确定。均保存较好，出土器物丰富。简报分三个部分介绍了这两座元墓的发掘情况，有彩照、拓片和手绘图。

第一部分为"张达夫第四位夫人墓（M5）"，介绍说该墓为竖穴墓道土洞墓。墓室中部南北向置一木棺，棺木已朽。木棺内有人骨1具，已朽成粉末状，可辨其葬式为仰身直肢，头向北。

该墓共出土陶器13件，均为泥质灰褐陶，器表黑亮光滑。出土时均置于墓室口供案上及其周围。其中供案上有匜1、单耳杯1、盏托1、盘1，供案北侧有碗2、碟1、盏托1，供案东侧有碗1、碟2、盏托1、玉壶春瓶1。另外，墓室内还放置5块镇墓石，其放置位置为：东西两侧小龛外北侧各1块，墓室口中部1块，头骨上方1块，墓主右腿膝盖处1块。其中墓室口镇墓石涂有朱砂。

第二部分为"张达夫及其前三位夫人合葬墓"，介绍说M6与M5墓葬形制相同，为竖穴墓道土洞墓。

墓室内南北向放置4副木棺，棺木均已朽，有的尚存朽木残片。其中主棺较大，置于墓室中部。主棺东侧有木棺一副，很窄。主棺西侧有木棺两副，很窄。棺内人骨均已朽成粉末状，可辨其葬式均为仰身直肢，头向北。

M6共出土瓷器14件（套）、陶器28件（套），另有铜片1件、铜钱约46枚，镇墓石5块及墓志1方。其中陶器大多置于东西两侧小龛内，瓷器大多置于东西两侧供案上。出土青瓷应为耀州窑烧制。

M6出土墓志1方，无盖，墓志呈竖长方形。长68厘米、宽56厘米、厚12厘米。墓志志题位于上方，由右至左楷书"元故张君达夫墓铭"8字。志文楷书，19行，满行21字，共394字。简报录有志文全文。

第三部分为"结语"，据出土墓志志文可知，墓主姓张，名弘毅，字达夫，至

元五年六月二十一日卒，与三位夫人合葬于咸宁县洪固乡灵寿原。关于至元年号，元代有两个，一个是元代建立之初的前至元，一个是元惠宗时期的后至元。简报认为墓志所述至元五年应为元惠宗时的至元五年，即 1339 年。M5 的年代与 M6 基本相当，应略晚于 M6。

M6 墓室内出土 4 具人骨，最大棺内人骨应为墓主人；东西两侧木棺都很小，棺内人骨应为祔葬者。据墓志可知，墓主张达夫一生娶妻四位，前三位分别姓武、李、赵，皆先张达夫而卒，祔葬于张达夫墓，这一点和墓葬埋葬人数相一致。惜人骨朽成粉末，已无法进行人骨鉴定。从埋葬位置来看，墓主东侧有一人，西侧有两人。古代以东为上、为尊，且志文唯一提及的墓主的一位儿子敬，是第一位夫人武氏所生，因此简报推测墓主东侧一人应为张达夫第一位夫人武氏，西侧两人应是其第二位和第三位夫人李氏和赵氏。M5 墓室正中置人骨一具，木棺也很窄，简报推测墓主可能为张达夫第四位夫人刘氏。

简报指出，M6 出土有陶俑和动物模型，组合完整，制作精致，是元代墓葬典型的随葬器物。特别值得一提的是，出土的陶香几为我们了解元代家具提供了重要的实物资料。出土的陶簋和簠，应是元代制陶作坊依据宋人聂崇义纂辑的《三礼图》所制作的礼器，这说明《三礼图》对元代丧葬观念和习俗有着很大的影响。

简报认为，M6 是西安地区发现的为数不多的数十座元代墓葬之一。出土的陶器在西安地区元代墓葬中比较常见，但出土的 14 件（套）瓷器，应当是西安地区一次较大规模集中出土的元代瓷器。

另外，两座墓葬均放置有 5 块镇墓石，反映了道教五石镇墓思想对元代丧葬习俗的影响。

908.西安南郊皇子坡村元代墓葬发掘简报

作　者：陕西省考古研究院　段　毅
出　处：《考古与文物》2014 年第 3 期

2008 年 7～12 月，陕西考古研究院在陕西烟草公司西安分公司物流中心的建设范围内发掘古墓葬 45 座，地点位于今长安区韦曲镇皇子坡村北，韦鸣路与神州二路交会的西北隅。简报分为：一、M42，二、M43，三、结语，共三个部分。有彩照、手绘图。

据介绍，在发掘的 45 座古墓葬中，编号为 08 烟草 M42 和 M43 系 2 座元代墓葬，且两墓相距不足 6 米，保存较完整，出土随葬品较丰富，其中 M42 出土有墓志，时代明确。墓志楷书，共计 665 字，简报录有志文全文。M42、M43 均开口于耕土层下，竖穴墓道斜坡底土洞墓，墓室平面呈圆形，墓顶形制略有差异。两座元代墓葬保存较好，墓葬形制及出土物极为相似，且相距不远，认为为同一时期家族墓的可能性较大。M42 据墓志记载，墓主人武敬逝于元皇庆壬子年（1312 年），终年 67 岁，身份为元延安路医学教授，出身于儒医世家，并以孝悌闻。

简报称，两座元代墓葬，时代处于元代中后期，特别是元代医学教授武敬墓志的出土，为研究西安地区元代墓葬分期和关中地区儒士群体的境况提供了重要的考古材料。

铜川市

909.铜川市耀州窑遗址发现窖藏铜钱

作　者：铜川市中心文化馆　卢建国
出　处：《文物》1979 年第 5 期

1977 年 3 月，铜川市黄堡公社梁家塬大队农民在耀州窑遗址范围内平整土地时，于距离地面 1.5 米深处发现一只陶罐，罐口用陶盆盖着，罐内装满一串串排列整齐的铜钱。这批铜钱重量约 87 公斤，计 19639 枚。年代最早的为西汉"半两"钱，年代最晚的为金代"大定通宝"钱，其中大多数为北宋时期的钱币。铜钱分小平钱、折二钱、当十钱等，钱文有楷、草、行、隶、篆书体和瘦金体。简报配以拓片予以介绍。

据介绍，简报按朝代顺序介绍了出土铜钱，指出各朝钱币同时窖藏在一个陶罐内，可见都是当时流通的。窖藏铜钱年代最晚的是"大定通宝"，说明掩埋这批铜钱的时间当在金世宗大定以后不久。黄堡耀州窑是一处著名的民间瓷窑，由于金代战乱的破坏，窑场逐渐衰败，这批窖藏铜钱很可能是瓷窑窑主在当时战乱的紧急情况下被迫掩埋的。据梁家塬大队的老人反映，过去这里还发现过同样两罐窖藏铜钱。所以，这批窖藏铜钱为研究黄堡耀州窑衰落阶段的绝对年代和当时政治和经济情况提供了又一可靠的实物证据。

910.陕西铜川陈炉镇发现元代窖藏

作　者：陕西省铜川市耀州窑博物馆　薛东星
出　处：《考古》1988 年第 8 期

1983 年 8 月，陈炉陶瓷厂待业青年张友民在镇中学挖蝎子时，发现了一处窖藏，该厂干部孟树锋闻讯后将情况信告铜川市耀州窑博物馆，后者随即派员前往现场。简报分为：一、窖藏位置及埋藏情况，二、出土器物，三、结语，共三个部分。有手绘图、照片。

据介绍，陈炉中学地处镇的西南隅，窖藏位于学校后操场台地的断崖旁。操场三面环山，系削坡修建而成。窖藏破坏很严重，清理时，缸已被人打碎，从遗迹可知，存放的碗为13柱，每柱共20件，大部分已被塌土压碎，仅清理出完整的33件。清理出完整器物共69件，另有窑具1件、陶器1件（详见出土器物统计表）。这批窖藏瓷器全部为生活实用器，以碗居多。其烧造年代和入藏年代，简报推断应属元代为宜。

简报称，窖藏内有窑具出土，埋藏的主人当为本地瓷场的窑工，进而可知这批瓷器是当地烧造的。这批窖藏瓷器的出土，使得人们对陈炉的陶瓷烧造历史有了进一步的认识。另外，这批瓷器的施釉方法有其显著特点，与黄堡窑有别。

911.耀窑赭釉陶罐和青釉象耳瓷瓶

作　者：薛东星

出　处：《文博》1989年第2期

1985年10月，铜川市黄堡乡下马村村民建房取土时，从墓内挖出一件完整的赭釉高足陶盖罐。又1986年7月，黄堡派出所在某案的审理中，获青釉盘口双象耳瓷瓶一件，据当事人介绍，这件瓷瓶是50年代初黄堡耀州窑遗址出土的。简报配以照片予以介绍。

据介绍，赭釉高足陶盖罐具有盛唐时期的特点。从陶盖罐的釉色、胎质、成型工艺及出土地点诸方面看，该器当属耀州窑产品。青釉盘口双象耳瓷瓶颇具元代造型风格，姜黄色的青釉又是元代耀州窑青瓷釉的一个显著特点，故该器当为元代耀州窑烧造。

912.陕西耀县董家河金墓清理简报

作　者：铜川市考古研究所

出　处：《文博》1998年第1期

董家河金墓位于陕西省耀县董家河镇西塬上。地处西铜一级公路西侧，东距董家河镇0.5公里。1996年7月，为配合铜川市铝厂自备电厂工地建设，考古人员对工地选址全面钻探，确认此地是一处汉至北朝时期的居住遗址。金代墓葬位于遗址的东南部，1997 年 1 月对其作以清理，编号 97YDM1、M2（简称 M1、M2）。简报分为：一、墓葬形制，二、遗物，三、结语，共三个部分。有手绘图、照片。

据介绍，M1 为竖穴土洞墓，清理前因表土已被取掉，原始状况不明，未发现封土。出土遗物中有墓契 1 件，楷书，共 249 字，简报录有墓契全文，M1 与 M2 为迁葬墓。从出土的墓契可知，M2 葬于金明昌四年（1193 年）。M1 元随葬物，根据形制、葬式及填土中的包含物，简报推断 M1 应与 M2 是同一时期的合葬墓，属一般平民墓。

简报称，金代墓葬的发掘在陕西为数不多，而有石刻的则为首次发现。这为研究金代的服饰、葬制及石刻风格的演变，提供了珍贵的实物资料；出土的墓契，对研究金代历史地理具有一定的作用；两墓前所立之方砖，在发掘同一时期的墓葬中尚为首次出现，简报认为为研究金代葬俗也提供了新的资料。

913.陕西铜川市发现耀州窑纪年陶范

作　者：陕西省铜川市考古研究所
出　处：《考古》2003 年第 2 期

1997 年 5 月，陕西省铜川市考古研究所在铜川市黄堡镇岇村征集到一件纪年铭莲纹印花碗内范，据说此物系近年于该村附近出土。简报配以照片予以介绍。

据介绍，范为陶质，土黄色，火候较高。圈足外刻有一周铭文，根据铭文简报推断，此范的制作时间应与"至元六年"接近，即世祖至元四年（1267 年），属蒙古国时期。铭文中的"杜李"为姓氏，即此范为杜氏和李氏所持有。另外，铭文中的"吉不将来士人而"语意不通，当为"即不将来不是人耳"，其意为如果有人借后不归还的不是人，这是以诅咒的口气来督促借用陶范者用后要及时归还本主。

简报称，"至元四年"陶范的发现，为研究耀州窑的历史提供了重要的实物资料。

宝鸡市

914.岐山县周原发现金代铜印

作　者：刘　亮
出　处：《考古与文物》1985 年第 6 期

1983 年 12 月 31 日，岐山周原文管所在祝家庄公社杜城大队后东生产队农民于中奎处征集到一颗铜印。重 0.65 公斤。印面阳刻九叠篆书四字"都统之印"。简报配以拓片予以介绍。

据介绍，杜城大队后东生产队之西南九华里处有洗马庄大队，该大队的王家村东有金代宗室完颜鄂和墓葬，封土堆围大百米，高约 15 米，现为岐山县重点文物保护单位。史载金王朝为蒙古汗国灭亡后，金哀宗完颜守绪于天兴三年（1234 年）春正月自缢身死，据此可知金王朝宗室完颜鄂和兵败被杀，应在公元 1234 年前后。简报认为发现于杜城大队的这颗"都统之印"当与完颜鄂和或其统率的军队有关，其应属金代末年金哀宗完颜守绪天兴年间（1232～1234 年）的官印。

915.陕西宝鸡元墓

作　者：刘宝爱、张德文
出　处：《文物》1992 年第 2 期

1980 年 8 月，在陕西省宝鸡市大修厂基建工地发现一座古墓。墓顶及墓壁已基本被铲除，器物已被取出。简报配以照片、手绘图予以介绍。

据介绍，此墓位于宝鸡市西约 3 公里的一个向阳山坡上，坐北朝南。据在现场的工人追述并结合清理情况看，此墓为土坑墓，墓室基本呈方形，边长约 3.8 米、高约 1.6 米。用青砖铺地。有墓道，墓道两旁各有一小龛，龛内分别有 4 件陶俑和 1 件陶马。墓室内有陶仓、陶盒、陶瓶、瓷碗、瓷罐及铜镜等。出土遗物共计 43 件。简报称，此墓形制虽然简单，但随葬器物比较多。陶俑造型具元代风格，特别是陶男俑的发式塑造清晰，为研究元人习俗提供了珍贵的形象资料。

916.岐山县博物馆藏古代甬钟、镈钟

作　者：庞文龙
出　处：《文博》1992 年第 2 期

岐山县博物馆藏的古代甬钟、镈钟，简报配以照片予以介绍。

据介绍，云纹甬钟。1977 年 10 月岐山县青化乡梁田村农民在其村东取土时掘得，交售给青化乡废品收购站（同出青铜质簴虡配件，惜被砸碎一并交售）。考古人员前往察看出土现场，由收购站将钟拣出，归馆收藏。藏品编号为岐总 137 号。此件甬钟重 18.2 公斤，简报推断其时代为西周中期。

元仿造镈钟。1975 年岐山县博物馆由益店镇收购站拣得收藏，藏品编号为岐总 70 号。钟体为桶状，横截面呈椭圆形，顶部平齐。各部用阴线分隔。钟腔内壁铸楷

书阳文"至正元年造"五字。当为元代文物。

简报指出，北宋以来，仿制古物之风兴起，此铸钟与春秋时期铸钟形制相似，为元人仿造。

917.陕西千阳发现金明昌四年雕砖画墓

作　者：宝鸡市考古队、千阳县文化馆　田仁孝、刘明科
出　处：《文博》1994 年第 5 期

1993 年 9 月 17 日，千阳县冉家沟村农民在耕地种麦时，发现一座古墓洞穴，考古人员前往调查并对此墓进行了抢救性清理，墓葬未经盗扰，农民发现后又及时采取了保护措施，因此基本保存完好。出土的地券文表明墓主人叫赵海，死于明昌三年，是陕西一座少见的金代纪年墓。发掘清理结果简报分为：一、墓葬位置、结构及葬式，二、出土遗物，三、浮雕壁画，四、结语，共四个部分。有手绘图、照片、拓片。

据介绍，冉家沟位于千阳县西，距县城约 6 公里。这座金墓是仿木建筑结构的砖砌单室墓，墓向东西，由墓道、甬道、墓室三部分组成。这座金墓虽未盗扰，但陪葬品并不多，只有几件瓷器、一枚破碎的铜钱和小件饰物。地契文表明墓主人叫赵海，死于明昌三年十一月五日，于明昌四年二月十七日百日时迁葬于此。但墓室中共四具尸骨，其余三人身份未予注明。这座金墓亦是砖雕仿木建筑墓。因此看来，这种葬式并非偶然，应是一种金代文化习俗的特点。

简报称，依据地契文推测，赵海不可能是官僚阶层，可能是当地山庄一位地主。

918.法门寺出土金代香雪堂碑

作　者：宝鸡周原博物馆　张恩贤
出　处：《文博》2001 年第 2 期

2000 年 10 月，法门寺在建藏经楼挖基础时出土了一块石碑，地点位于距法门寺大雄宝殿北约 30 米处。此碑深埋地下 3 米，周围多为杂土，混有宋金时期残瓷片。碑为汉白玉石质，铭文共 15 行，满行 14 字，字径 2 厘米 ×1.5 厘米，先楷后行书，有欧体风范。碑文为扶风县令郄文举撰并书，法门寺天王院僧法苑立石。文分前后两部分内容，前为碑铭主体，记载了法门寺天王院主持僧法苑所居之堂——"香雪堂"得名的缘由及赠名者为金代驸马镇国上将军都尉蒲察公。铭文后半部分为扶风县令郄文举所赋七言律诗，赞天王院"香雪堂"环境幽雅宁静，翠柏森列，荼蘼花香，

飘谢飞散，犹如香雪；僧人煮茶，手捧经卷，终日禅坐诵念，一派佛家曲径通幽佳境。简报分为：一、此碑刻立年代考略，二、蒲察公浅释，三、郤文举、法苑其人，四、法门寺天王院与香雪堂，共四个部分予以介绍。

据介绍，简报摘录了部分碑文，考察了赠名者"蒲察公"生平，介绍了碑文撰写者郤文举和立石者法苑其人。考证此碑应立于金泰和八年（1208 年）。认为出土地点极有可能就是唐代天王院旧址。此院毁弃于明末清初。

咸阳市

919.淳化县发现一批铜钱

作　者：淳化县文化馆　姚生民
出　处：《考古与文物》1981 年第 1 期

1978 年，淳化县淳化中学在校园内挖土时发现一批铜币，重 15 公斤，1800 余枚，出土后即交送县文化馆收藏。

据介绍，这批铜币出土时散置于一汉代铁釜内，铁釜的口径约 35 厘米（已残碎），埋在距地表 90 厘米的土坑中。有趣的是，这批铜钱仅 1800 余枚，崇宁通宝和正隆元宝 2 式占去 1600 余枚，其他 72 式平均每式仅 3 枚多，有 28 式仅只 1 枚。藏钱者似在集辑铜钱标本。淳化中学旧址为城隍庙，出土的铜钱铸造年代最晚者是大定通宝，铸于金世宗大定十八年（1178 年）。宋、金以后虽有交子、会子、交钞等纸币使用，但其后的元、明、清各代仍然大量铸造和通行金属货币。这批铜钱中在金大定通宝以后的诸钱未见，结合埋藏方法，简报初步认为它们的储存年代应为公元 1178 年后不长时间内私人所藏，距今约 800 年。

920.陕西乾县又发现一块契丹小字《郎君行记》石刻

作　者：刘凤翥、于宝麟
出　处：《黑龙江文物丛刊》1983 年第 3 期

尽人皆知，契丹小字《大金皇弟都统经略郎君行记》（简称《郎君行记》）是刻在唐乾陵的武则天碑（简称《无字碑》）上。谁也不曾想到，除此以外，还有一块《郎君行记》石刻。1982 年 10 月 28 日至 11 月 2 日期间，中国社会科学院民族研究所刘凤翥和于宝麟两位先生为拓制无字碑上的《郎君行记》曾前往陕西省乾县乾陵公社石马大队第三生产队（即司马道村，俗称石马道村）。11 月 1 日上午，因风大，无法拓制无字碑上的《郎君行记》，便在乾陵朱雀门遗址散步。刘凤翥先生突然发现东边石狮后面的一块残石上有字。他立即让于宝麟先生取拓制工具。二人细细辨认，发现几乎磨平的石头上原来刻的是契丹小字，其内容竟与无字碑上的《郎君行记》完全相同。字的大小，格式和行数也与无字碑上的《郎君行记》相同。新发现的为残石，大约只有原石的四分之一，但简报认为残石为原刻，无字碑上的是好事之徒移刻的副本。

921.淳化县发现金代窖藏文物

作　者：姚生民
出　处：《文博》1986 年第 6 期

1984 年 10 月 16 日，淳化县官庄乡金牙山龙盘寺僧人在金牙山上建筑动土中，于地表下 70 厘米处，发现一个黑釉瓷罐，罐的东西两侧，竖置两面铜镜，罐口覆盖一陶碟，罐内置木塑像、泥塑像、货币、钵、铜匙和纸屑等物。简报配以照片、拓片予以介绍。

据介绍，龙盘寺发现两面铜镜，均较轻薄，纹饰粗劣，这是宋代铜镜普遍存在的现象。货币中的"正隆元宝"，铸于金海陵王完颜亮正隆二年，即南宋高宗（赵构）绍兴二十七年（1157 年）。

龙盘寺现存有清道光七年（1827 年）《增修金牙山龙盘寺碑记》，结合碑文和明《读史方舆纪要》卷五十四载，龙盘寺发现的这一窖藏文物，简报推测应是北宋以后金时私人所藏。简报由所得几件塑像情况分析，龙盘寺早在宋代就已开始有僧人在此建立寺院。简报推断这批文物应属于宋金时代。

922.咸阳市郊新发现的"至正通宝"

作　者：张德臣
出　处：《文博》1992 年第 4 期

咸阳市渭城区文管会 1989 年 8 月收藏一枚新发现的元代大钱，此钱是咸阳郊区双照乡南上照农民王群英在村北耕地时捡到的。铜质，暗绿色，重 21 克。面有直读"至正通宝"四个楷体字。穿背下有一星点及汉文"五"字，上有八思巴文（参照钱背），制作稍粗糙，与史料所记载的"至正通宝"不同，是首次发现的一枚独特的元代钱币。简报配以拓片予以介绍。

据介绍，这枚钱面文为纪年"至正"，背为纪值汉文"五"字，按常见的纪值钱，星点穿上应为"百"（读午，同五）。此钱却是八思巴文（参照钱背），与汉文"戌"字含意相同，即地支戌年，或干支戊戌年。故简报推断此钱应铸于至正十八年（1358年），距今已634年，简报定名为"戌年当五钱"，与当十钱同属于大钱。

简报称，这枚钱币的发现，不但证实了元代曾铸过钱，又证明了"至正通宝"的种类的确很多，不仅有纪年钱、纪值钱，又有纪年纪值钱，丰富了元代至正年钱币研究的内容。

923.咸阳瑞祥小区发现的金墓

作　者：咸阳市文物考古研究所　杨新文、赵旭阳
出　处：《文博》2004年第5期

2003年12月，考古人员为配合秦都区瑞祥小区1号楼基建工程，抢救性发掘了一座金代墓葬。

简报分为：一、墓葬形制及葬具葬式，二、出土器物，三、结语，共三个部分。有照片、拓片、手绘图。

据介绍，该墓地发掘前，上部分已被挖楼基时破坏，应为斜坡形土洞式墓。葬具应为木棺，人骨为仰身直肢。出土遗物有陶器4件、瓷枕1件、玛瑙器1件、石环2件及铜钱等。

简报推断此墓为金代早期一座民间墓。墓主应无官品。

渭南市

924.陕西韩城县出土一枚元代铜印

作　者：韩城县文化馆　路　灯
出　处：《考古与文物》1982年第4期

1979年陕西省韩城县崽东公社堡安大队第七生产队农民贾养森在院内挖水窖时，发现铜印一枚。据贾谈，出土时有盒，外裹绸帕，因在地下年久，手触即碎，盒、帕已毁，铜印现藏县文化馆。简报配以照片、拓片予以介绍。

据介绍，印为正方形，印的正面联文篆书"义军万户之印"六字。印的一侧有阴刻文字一行，经磨损模糊不清。

925.陕西富平县发现金代铁铸佛像

作　者：刘耀秦
出　处：《考古与文物》1988 年第 2 期

金代铁铸佛像，现存富平县觅子乡南张村东南的大殿内。原殿为金代建筑，毁于清同治年间，清末民国初年集资重建。该佛高达 5.64 米。简报配以拓片予以介绍。

据介绍，铁佛上有出资人姓名，上有"大定二十一年"纪年铭文。"大定"为金世宗完颜雍的年号，大定二十一年系公元 1181 年，距今八百余年。这尊铁佛一改南北朝"秀骨清像"、隋唐"丰满圆润，生动活泼"的特点，体现出"雄健朴实"的风格，为研究金代的冶炼技术、宗教信仰和社会风俗习惯，提供了可靠的实物依据。

926.陕西韩城金代僧群墓

作　者：任喜来、呼林贵
出　处：《文博》1988 年第 1 期

墓葬位于今韩城市东北郊的安居寨村东北角，距市中心直线距离 1 公里左右。村南邻崖。站立原头，整个市区可尽收眼底。1986 年 3 月 11 日，安居寨村民赵宏章在整修新房地基时发现该墓，考古人员前往清理发掘。简报分为"墓葬结构""葬具及葬式""随葬品""结语"等几个部分予以介绍，有手绘图。

据介绍，此墓为南北向，坐北朝南，墓道在墓室南边正中。整个墓葬由墓道和墓室两部分组成。墓道呈长方形竖穴土坑，墓室内共发现 5 副葬具（4 具陶质、1 具木质）。尸骨处理有两种情况，一种是大骨块形，如 5 副葬具内的情况就是这样。另一种是细碎的骨灰粉状，如 1 号棺南侧和北侧的情况。若以骨灰计算，该墓当有 7 人埋葬其中。出土有瓷枕 1 件，上有大定十六年（1176 年）纪年。另有残砖 1 块，上有"悟贤"两字。简报认为这是一座金代僧人群葬墓。

927.陕西蒲城洞耳村元代壁画墓

作　者：陕西省考古研究所　刘恒武
出　处：《考古与文物》2000 年第 1 期

1998 年 3 月，蒲城县东阳乡洞耳村农民在其村西梨园中浇地时发现一座元代壁画墓，考古人员作了保护性考古清理。该墓地处蒲城县城南部的紫金塬上，北距县城 2 公里，距洞耳村西约 200 米，该墓墓葬形制独特、壁画精美，是陕西省内少见的保存完整的一座元代壁画墓。简报分为：一、墓葬形制，二、壁画和出土物，三、结语，共三个部分。有手绘图。

据介绍，这座墓葬的墓室平面为八角形，是元代比较少见的形制。元代墓葬以方形穹隆顶砖室墓居多。该墓壁画可以分作三个部分：墓室边壁壁画和甬道侧壁壁画。根据墓葬北壁志书，墓主入葬日期为"大朝国至元六年岁次己巳"。所以简报推断该墓年代为公元 1269 年，该墓属蒙古时期墓葬。

关于墓主情况，志书也有记载：夫张按答不花籍属宣德州，即宣德府，在今河北宣化。其妻李云线籍属河中府，在今山西永济。夫妇二人为蒙汉合璧。款志中最后两联还书有墓主长子姓名以及题志人姓名。

简报称，虽元代壁画墓集中发现于山西地区，陕西元墓则以随葬陶俑为特色。此元墓虽地处陕西蒲城，但女墓主原籍山西永济，应当接受了晋俗影响。蒲城元墓壁画属墓主对坐配置生活场面，壁画排布规模，对各种元代蒙古时期服饰器具描绘得细致入微，为研究蒙宋对峙时期蒙古统治区的物质文化和社会面貌提供了极好的形象资料。

928.华县馆藏元代官印考

作　者：刘安宏

出　处：《文博》2002 年第 1 期

1981 年 7 月，华县华州乡农民在华县县政府东北角老城附近取土时发现一枚元代官印，现藏华县文管会，经陕西省文物局鉴定组鉴定为国家二级文物。简报配以拓片予以介绍。

据介绍，该印铜质，正方形，扁柱纽，通高 5.5 厘米，印面边长 6.8 厘米，印台厚 1.5 厘米，纽高 4 厘米，印文九叠篆书"行省左翼虎贲都尉印"九字，字迹清晰，笔画工整。印背纽之左右，均有题刻，左镌行书"中统元年十一月□日"；右刻楷书"陕西四川行省发"七字。

简报称，华县出土的这枚官印，属元初"陕西四川行省"为其下属"左翼侍卫亲军虎贲司"所发的官印，即中统元年（1260 年）时"商挺领秦蜀五路四川行省事"时的官印。其组织机构当属行省之下州司一级的地方军事机构，其职责正如《元史·兵志二》载"掌宿卫扈从，兼营屯田，国有大事，则调度之"。其出土地点，恰在今华县县政府后院，即元时华州州治之腹地。

简报称，这枚官印的出土，为研究元代地方军事武装的建制以及行政区划提供了重要的物证，也进一步证实了华县在历史上的重要地位。

929.陕西渭南靳尚村金末元初壁画墓发掘简报

作　　者：陕西省考古研究院　渭南市中心博物馆　岳连建、尹海涛等
出　　处：《考古与文物》2014 年第 3 期

2008 年 9 月 30 日，陕西省渭南市临渭区崇凝镇靳尚村砖厂在取土过程中发现了一座砖室壁画墓。10 ～ 12 月，考古人员对该墓（编号 M1）进行了抢救性发掘，并对墓室壁画采取了"整体搬迁、异地保护"的措施。另外，通过对 M1 周边的钻探，又发现了三座已遭毁灭性破坏的同期墓葬（编号 M2、M3、M4），并对其中的一座残墓（M3）进行了清理。这座壁画墓（M1）的发掘情况，简报分为：一、墓葬形制，二、葬式葬具，三、随葬器物，四、墓室壁画，五、时代及意义，共五个部分。有彩照、手绘图。

据介绍，墓葬坐北向南，墓室四壁经过打磨，平整光滑，均绘有壁画。壁画内容为伎乐图、官宦图、对坐图、侍女图以及园林花卉等。从出土文物、墓葬形制及壁画内容来看，简报推断墓葬的时代应在金末元初。简报称，该墓葬壁画具有很高的艺术价值，对研究金元时期的历史文化、丧葬习俗、绘画艺术、服饰制度以及建筑技术等具有十分重要的意义。

延安市

930.黄陵县发现一件金代瓷枕

作　　者：杨元生
出　　处：《文博》1986 年第 1 期

1983 年 11 月 1 日，陕西黄陵县黄帝庙附近的县委党校在前院挖土时，发现古墓一座，内有一件瓷枕，后交黄陵文管所收藏。简报配以照片予以介绍。

据介绍，瓷枕总长 46 厘米、高 20 厘米、枕面宽 12 厘米。造型奇特，枕面上为一个小脚年轻妇女，扎两个小辫，左侧而卧，双腿弓曲，左手枕头下，全身用浅塑浮雕合成一整体，枕形花卉装饰是釉下彩：为青釉，呈姜黄色，白地碎片，釉质细腻，瓷枕的底部书有"大定十六年五月"七个中楷黑色大字。大定十六年，即公元 1176 年。

简报称，瓷枕烧制始于隋，盛于唐宋，历代相承，烧造不绝，是夏令常用的寝具，又是一种工艺美术品。因此至今在不少地方还很流行。黄陵出土的这件瓷枕，人物造型丰满秀丽，比例均称，是一件难得的艺术精品。

931.洛川县出土金代武官印

作 者：左　正

出 处：《文博》1986年第3期

陕西洛川县百益乡白村农民于1984年在院内取土时挖出金代铜印一枚，正方形，纽上有一楷书"上"字。印重52克，纽面上侧左右边款为"征行万户""绩字号印"八字。印面阳刻篆字"陕西征行万户所积字号之印"12字。

据介绍，万户为金代武官，金初地位较高，后来权势渐落，印背虽无落款年月，但与1969年内蒙古昭乌达盟喀喇沁旗娄子店公社出土的"天字号行军万户所印"形制相仿。金代印多用汉文篆书，偶有契丹文篆体。

公元1128年金军攻克延安府，设鄜城县、洛川县，这枚金印出土地就在古鄜城附近，简报推断应为金军之遗物。

932.陕西洛川县出土金代武官印

作 者：左　正

出 处：《考古与文物》1987年第1期

1984年，陕西省洛川县百益乡白村农民冯怀安在院内取土时，挖出一枚金代铜印。重523克，通高4.5厘米。纽面上侧左右边款为"征行万户""积字号印"。印面为正方形，边长5.5厘米，阳文篆书"陕西征行万户所积字号之印"12字。简报配以拓片予以介绍。

据介绍，万户为金代武官。公元1128年，金军攻克延安府，设鄜延路、鄜城县、洛川县，这枚金印出土地点就在古鄜城南，应为金军遗物。

933.子长县新发现的元代佛教史料

作 者：李福顺

出 处：《文博》1988年第1期

在今陕西延安子长县（古名安定县）北石钟山石窟寺内，有元代碑刻两通，字体遒劲粗犷，堪称元碑上品。碑文详细记载了延安地区佛教沿革、佛门传派情况，其中所列龙泉祖师门人谱系、大普济禅寺所属下院及元代重修该寺之地方官，均不见于正史记载，故可补元史、元佛教史及地方志之缺。简报配以拓片予以介绍。

据介绍，简报录有碑文全文，文后列有三十多名地方官（职务、姓名），涉及周边数县。还列有龙泉祖师门人一百多人，简报据此列有表格，可反映佛教传授情况。

934.陕西甘泉金代瘞窟清理简报

作　者：张　燕、李安福
出　处：《文物》1989 年第 5 期

1984 年 6 月，考古人员对甘泉县境内洛河流域的石窟进行了一次调查，调查中在雨岔乡李巴圪崂村发现金代瘞窟一座。简报配以照片予以介绍。

据介绍，雨岔沟是洛河一条南北走向的支岔，沟内的季节性水流汇入洛河。沟东为阳山，西为柴关山支脉。瘞窟位于沟东的阳山石崖之上，距李巴圪崂村约 0.5 公里。窟口距地面高 6.1 米。瘞窟包括前廊、门道、窟室三部分。发现的 14 具尸体，均为成年人。其中 8 号女性头颅右额处有伤痕。有 2 具尸体尚未完全腐烂，这表明死者入葬此窟的时间或有早晚。从残存的棺板上尚可辨认出棺上原绘有红、绿色的忍冬纹纹样。窟室内遗物还有木门、竹签及严重腐朽的丝、麻织品。简报初步推断这座瘞窟约开凿于金代。

简报称，金代瘞窟以这一座为首次发现。窟外壁前廊两侧雕佛道像龛，表现了当时佛道合流的情况，为研究金代历史和文化的发展提供了新资料。

935.延安虎头峁元代墓葬清理简报

作　者：延安市文化文物局、延安市文管会　刘　智
出　处：《文博》1990 年第 2 期

1987 年 6 月，在延安市南柳林乡虎头峁村，一农民在修建时发现两座元代墓葬，考古人员赶赴现场，对其进行了抢救性清理。简报分为：一、墓葬位置和墓葬形制，二、随葬遗物，三、有关墓葬年代、墓主人身份及其二者关系等问题的推测，共三个部分。有照片、手绘图。

据介绍，延安城南柳林乡政府所在地西南 500 米处，可以看到一突出的东西走向的山梁，山梁西接南北走向的柳林山，向东一直延伸到由南而北流淌的南川河边，

其形状恰似一头横卧于川道、在河边小憩的老虎。因当地农民多集居于山梁嘴上，也即"虎头"上，故得名虎头峁村，其南北两侧均为较开阔的平地，这两座元代墓葬则正好位于"卧虎"腹部南侧，俗名卧虎湾内。东西向并排排列（西为M1，东为M2），两墓相距5米余，其形制、大小基本相同。墓葬所处位置较低，墓顶距现存地平面4米余，两墓均为单室墓，墓室平面呈抹角八边形。葬具不存，葬式不明。随葬品方面，M1一经发现，有人即从墓室顶部打开一洞，潜入其内，随葬品被盗掘一空，并已转移、匿藏他处。现已缴回30件，但近半数已残破不全，是在盗掘、转移、匿藏过程中被人为破坏。M2经清理，仅在淤泥中发现4件陶俑。追回的文物计有陶俑7件，陶塑动物3件，陶质生活用具20件。

简报称，M1、M2应为元墓，M2或略晚于M1。M1的主人可能为男性，M2的主人可能为女性。两墓内随葬器物的明显差异，除了说明入葬时间可能有早晚不同外，还反映了男女之间的差别。这两座元代墓葬的发现与清理，对我们了解元代墓葬形制、埋葬风俗具有重要的意义。墓内出土的陶俑，有典型的蒙古人形象，也有大胡子、鹰钩鼻的西域胡人形象，还有汉人形象，他们的出土，给我们研究元代蒙古人的服饰以及元代民族关系，提供了十分珍贵的实物资料。

936.安塞县发现一批元代佛教石造像

作　者：杨宏明

出　处：《文博》1992年第2期

1989年10月，安塞县文管所在深入农村宣传文物保护法，建立群众文物保护组织时在距县城西北60公里的王窑乡白台村的白杨树湾发现了一处元代石雕佛像群。这批造像位于山峦叠峰、沟壑纵横中的一块小盆地的簸箕形红砂石崖窟内。为了抢救这批文物，考古人员垂索而下，冒险入窟查看，在第3号窟中发现了20多尊石雕造像，当即就地封存，指定专人监护。1990年7月，考古人员前往石窟现场，排除困难，终将这批距地面15米高，而临毁没的造像抢救出窟，安全运回县城，收藏在文管所。简报分两个部分配以照片予以介绍。

据介绍，这批石造像共23尊，包括佛、菩萨、罗汉等，均系青灰石质。白杨树湾石窟，根据断壁残痕观察，原有6个洞窟，现除第3号窟内有造像外，其余5个均为空窟。这批造像从总体看，既继承了洗练的唐宋雕刻风格，又突出了元代面貌粗野风格。从风格判断，简报推断这批造像应属元代造像。

简报称，安塞发现的这批造像风格独特，目前其他地区还未见报道，这批造像的发现对于研究我国元代石造像有较高的艺术价值。

937.陕西吴旗出土金与西夏划界碑

作　者：姬乃军

出　处：《文物》1994 年第 9 期

1987 年 6 月 23 日，陕西省吴旗县长官庙乡白沟村村民在该村后梁山顶耕地时，发现了界碑 3 块。同年 10 月，考古人员在普查中进行了调查登记。1988 年 1 月，又到该村进行了复查，并将界碑搬迁回吴旗县文管所珍藏。简报配以照片、手绘图予以介绍。

据介绍，金代界碑出土于白沟村后梁。出土地点比邻甘肃省华池县元城子乡前寨子沟村，东西邻沟，南北均为长梁，地势较高。界碑出土时，距地表不足 20 厘米。界碑 3 块，均素砂石质，碑文楷书。

1 号界碑高 68 厘米、宽 46 厘米、厚 6.5 厘米。碑文三行，第一行系"分划定"三字，第二行系"韦娘原界堠宣差兵部尚书光禄"十三字，第三行系"正隆四年五月"六字。

2 号界碑高 65 厘米、宽 54 厘米、厚 4 厘米。碑文三行，第一行系"分划定"三字，第二行系"界堠宣差兵部尚书光禄"十字，第三行系"正隆四年五月"六字。

3 号界碑高 65 厘米、宽 46 厘米、厚 4 厘米，碑文内容同 2 号界碑。

简报称，据《金史》《续资治通鉴》，正隆四年（1159 年），曾派兵部尚书肖恭与划夏国边界。碑文中"兵部尚书光禄"当为兵部尚书、光禄大夫肖恭。"界堠"，系指边界上之记里堡。古代五里一堠，十里二堠。"韦娘原"所指不详。"据《金史》卷二六载："正隆元年，命与夏国边界对立烽堠，以防侵轶。"奇怪的是，这 3 块界碑却集中出土于一处，原因待考。

简报指出，金代界碑，国内较为罕见。这次吴旗出土的金代界碑，为西北地区金、西夏政权边界的研究提供了重要的实物例证。

938.陕西甘泉金代壁画墓

作　者：甘泉县博物馆　王勇刚

出　处：《文物》2009 年第 7 期

甘泉县地处陕北南部，洛河上游，南距延安市 35 公里，属延安市辖县。2008 年 4～11 月，甘泉县城关镇袁庄村村民先后在该村北面的两处山坡上发现了 4 座古墓。考古人员前往调查。调查表明，4 座墓葬均在早年已被盗扰，随葬品及葬式情况不明，但墓内仿木结构及壁画保存基本完好，且有金代大定、明昌纪年题记。考古人员对 4 座墓葬进行了抢救性清理，分别编号为 2008GQYZM1、M2、M3、M4，并进行了回填保护。简报分为"一号墓""三号墓""四号墓""结语"等几个部分予以介绍，有彩照、手绘图。

据介绍，这4座金代壁画墓，墓内仿木结构和壁画保存基本完好，壁画内容有宴饮、孝子故事、听琴、诵书、弈棋、赏画、行旅以及花鸟、山水、花卉图案等，代表了金代中期当地民间绘画的水平。甘泉金代纪年壁画墓的发现，为研究金代建筑、服饰、社会生活、丧葬习俗等提供了重要资料，尤其是墓室内墨书"明昌元年二年三年三百钱一斗粟，明昌四年初熟"的内容，为研究当年米价提供了证据。据墓室内纪年题记，M1建于金章宗明昌四年（1193年），M3、M4建于金世宗大定二十九年（1189年），M2当与M3、M4相近。换言之，4墓均建于金中期兴盛时期，墓主为朱俊家族，身份当为当地富有地主。

简报称M1壁画中的两幅宴饮图，分别表现了朱俊夫妇及子媳、朱俊子朱孜夫妇及子媳饮宴、侍奉的场景，并墨书人物姓名，明确朱俊、朱孜、喜郎祖孙三代的关系。这种将墓主人及子孙家庭成员形象共绘于同一墓室壁画中的现象十分罕见，丰富了我们对宋金时期壁画墓流行题材"开芳宴"中人物关系的认识，即一些"开芳宴"图中男侍、女侍的身份有可能是墓主的儿子和儿媳。从两幅宴饮图和墓门东侧的题记，还可以得到如下信息：

第一，该墓为朱俊之子朱孜所建；

第二，两幅宴饮图中朱孜相貌的变化表明，建墓时朱孜已逾中年；

第三，其父朱俊死时，配偶只有少氏一人。但清理墓葬时，墓室中却发现了4具颅骨，显然墓中所葬并非仅朱俊夫妇二人。结合墓中尸骨散乱不全、没有葬具以及墓门未封堵等情况分析，简报认为，该墓应是一座多次葬合葬墓，即是朱孜生前为亡故的父母和自己夫妇修建的家庭合葬墓。

939.陕西甘泉城关镇袁庄村金代纪年画像砖墓群调查简报

作　者：延安市文物研究所　王　沛
出　处：《考古与文物》2014年第3期

2008年，甘泉县袁庄村村民在村北两处山坡上先后发现4座砖室墓，考古人员进行调查表明，4座砖室墓均遭盗扰，随葬品及葬式已被扰乱，情况不明，但墓室结构及砖雕壁画保存尚好，几座墓有金大定、明昌纪年题记。其后又对这几座墓葬进行了复查。简报分为：一、M1（金明昌四年画像砖墓），二、M2（金大定廿九年十一月初七日画像砖墓），三、M3（金大定贰拾九年拾壹月拾口日画像砖墓），四、M4，五、袁庄村金代纪年画像砖墓葬的相关问题，共五个部分予以介绍，有彩照、手绘图。

据介绍，这4座墓葬都经数次盗扰，仅有墓室及壁画保存较好，并在墓葬中发现有金代纪年题记。简报称，这批墓葬的发现为延安地区画像砖墓葬的研究、金代墓葬的研究提供了重要的标尺和参照物，具有重要价值。

汉中市

榆林市

940.神木出土一颗金代官印

作　者：陈　颖
出　处：《考古与文物》1981年第2期

1979年在陕西省神木县太和公社山梁上发现一颗金代铜质官印，长、宽均为4.5厘米。正面印文是"葭州宣义军第三指挥使记"，阳文，有边框。背面题记为阴文，右刻"兴定六年正月"，左刻"行宫礼部造"，上侧刻"葭州宣义军"，左侧刻"第三指挥使"，下侧刻"印"。简报配以拓片予以介绍。

据介绍，兴定六年（1222年），金元兵在这一带交战。此印是金朝在当地地方部队的官印，大约掌管三五百名士兵。此印应是金兵收复葭州后不久铸造颁发的，同年十一月元兵进占葭州后即行失效。这颗官印仅仅使用了不到11个月的时间。

941.陕北出土一批古钱币

作　者：张　泊、胡　城
出　处：《文博》1985年第5期

1983年8月29日，在绥德县教学楼基建施工中，于地表3.8米处发现一批窖藏古铜钱，重约30.5公斤，计有4000余枚。这批铜钱全部放在一个灰陶罐内，分层贮放，大小排列有序，尚可看到串穿铜钱的细绳痕迹。因窖藏地势较高，土质干燥，故铜钱出土后虽然锈迹斑斑，但字迹仍清晰可辨。经过拣选，共清理出了各类古钱85种。

简报称，绥德出土的这批窖藏铜钱，最晚的是金"大定通宝"。"大定通宝"始铸于金世宗大定十八年（1178年），因此可以推定，这批窖藏的上限应在此年代后不久，时当南宋孝宗淳熙年间。陕北榆林地区一带，据史载于建炎二年（1128年）

秋即沦入金人之手，此后一直在金朝统泊之下，这批铜钱应属金代窖藏。但这批铜钱，绝大部分为北宋钱，约占全部窖藏的90%以上，足以说明金代大量流通宋钱，与史载相符。南宋的"建炎"钱和"绍兴"钱也有发现，说明在南宋初期高宗时南北之间并未完全隔绝，尚有民间经济贸易往来，而在金"大定通宝"之前铸造的"隆兴""乾道""淳熙"三种南宋钱却无一发现，可能在这一时期宋金双方已采取了经济上互相封锁的政策。

安康市

商洛市

甘肃省

兰州市

嘉峪关

金昌市

白银市

天水市

942.甘肃省清水县贾川乡董湾村金墓

作　者：北京大学中国考古学研究中心、甘肃省文物考古研究所　杨惠福、
　　　　辛光灿、袁　泉、蔡宇琨、南宝生、程　石
出　处：《考古与文物》2008 年第 4 期

　　董湾村彩绘砖雕壁画墓位于甘肃省清水县西南贾川乡董湾村地湾自然村内。1997 年 5 月 12 日，因实施"121"蓄水工程，村民在宅院前挖井时发现一座仿木结构砖雕壁画墓。5 月 14 日至 16 日，考古人员对其进行了清理和保护；又于 2000 年 9 月 1 日对墓葬进行了抢救性迁建工作，将其整体搬移至董湾村赵充国陵园区内以便进行保护。简报分为：一、墓葬形制，二、墓壁装饰，三、建筑彩绘，四、结语，共四个部分。有手绘图、照片。

　　据介绍，此墓葬为仿木结构方形单室砖墓。墓道大部分已毁，从残留看应为竖

穴土坑墓道。墓葬现存甬道、主室、棺龛三部分，平面呈"中"字形。此墓采用砖雕和彩绘相结合的装饰手法，砖雕为单砖雕刻并施以彩绘。简报推断，此墓的建造年代为金中期甚至更晚，墓主人可能为家境富裕的大户乡绅。

武威市

943.甘肃武威市白塔寺遗址 1999 年的发掘

作　者：中国社会科学院考古研究所、甘肃省文物考古研究所　魏文斌、李明华、王　辉、李裕群、刘　瑞

出　处：《考古》2003 年第 6 期

白塔寺，又名百塔寺，位于甘肃武威市东南 20 公里的武南镇百塔村，东临兰新铁路，西近 312 国道线。寺院创建年代不详。1247 年初，镇守凉州的蒙古窝阔台汗之子阔端与西藏萨迦派第四任法王萨迦·班智达在凉州举行了有历史意义的会谈，就西藏归属问题达成协议，这是西藏归属中央王朝统治的重大历史事件，史称"凉州会谈"。会谈结束后，阔端将白塔寺重修供萨班居住。萨班将其改建为萨迦派寺院，称为"东部幻化寺"。1251 年萨班逝世于凉州，阔端为其修建规模宏伟的灵骨塔。该寺塔元末毁于兵火，明宣德年间重修，并赐名"庄严寺"，但直至清代仍习称"白塔寺"。清康熙年间又重修塔院。1927 年白塔寺及白塔毁于大地震，"文化大革命"期间又遭拆除破坏，现仅存基座及台基部分。1999 年 8～11 月，考古人员对该遗址进行了发掘和清理工作。这次发掘的重点是寺院内的白塔塔基（即萨迦·班智达灵骨塔），同时也对寺院内其他部分遗迹作了小面积的钻探与试掘。发掘总面积 1527 平方米，清理出元、明两代的塔台基及清代重修塔院的残存遗迹，基本探明了白塔寺的布局。发掘出土了大量的建筑构件以及少量的瓷器残件等，并收集了许多白塔寺早年出土遗物的资料。简报分为：一、地层堆积，二、塔基及其他遗迹，三、出土遗物，四、塔基及其周围遗迹的年代，五、结语，共五个部分。有手绘图、拓片。

据介绍，简报推断：基座夯土结构及台基应是 1252 年竣工的萨班塔的遗迹，现存包砖应是明代重修的遗迹；塔基周围经发掘清理有许多灰坑、殿基等遗存，多属清代或更晚，与白塔、塔院并无直接的关系；H114 为口呈"凸"字形的袋状窖穴，晚于清康熙二十一年（1682 年），应为一储藏物品的窖穴。据这次钻探和发掘，白塔寺的规模和形制基本为寺院，平面略呈方形，南北长约 430 米，东西宽约 420 米。整个寺院外围有围墙，俗称"佛城"，四角均有高大的角墩，开四门，围墙中部又有类似于马面的建筑，

与同时期城址的结构与布局相仿。

简报称，白塔寺即萨班灵骨塔是西藏正式归入中央王朝统治的历史见证，因而具有非常重要的历史意义。对该遗址及塔基的发掘可以揭示该寺的布局特征，从而为研究元代藏传佛教寺院的布局及形制特征提供科学的资料。

张掖市

平凉市

944.甘肃静宁发现金代墓葬

作　者：平凉地区博物馆　刘玉林

出　处：《考古》1985年第9期

1983年，甘肃静宁县贾河公社山庄大队张家湾生产队农民在平整土地时挖出一座砖室墓。由于墓顶挖开，墓中淤泥积土全被翻动，待考古人员赶到时仅有一座空墓和四具散乱的人骨，未发现任何随葬器物，只在翻动过的积土中找到黑釉瓷片一块，但墓室保存基本完好。

简报分为：一、墓葬位置及墓室结构，二、雕砖内容，三、墓葬时代及其他，共三个部分。有照片、手绘图。

据介绍，张家湾位于静宁县西南一座大山梁南麓近沟底部的缓坡形台地上，墓葬就在村庄中心的一块农田中。该墓坐北向南，由墓道、甬道、墓室、壁龛四部分组成。墓内画砖和模制浮雕砖（不包括门楣、龛楣及仿木建筑构件中的彩绘砖和雕刻砖）共91块，内容大多重复，从墓葬形制观察，除豪华的墓室外，壁画中不像宋金时期的官僚墓葬中，常有武士、侍从、婢妾等奴仆形象和歌舞、宴会、狩猎等场面，所反映的主要是一般人的现实生活情景和历代孝子的故事，说明墓主人可能是一个很有财富的山乡地主豪绅。简报推断此墓时代为金代初期。

简报称，这座墓葬虽然没有发现任何随葬品，但墓室本身提供了比较丰富的资料，它对于研究金代的建筑、绘画、雕刻、社会生活及人们的思想意识等都是有一定参考价值的。

酒泉市

庆阳市

945.甘肃庆阳县出土元代银锭

作　者：庆阳县文化馆

出　处：《考古》1985 年第 2 期

1982 年 10 月，甘肃省庆阳县彭原公社彭原大队第八生产队农民修庄时挖出银锭两件。随同出土的有宋代瓷碗一个，清代陶罐一个。两件银锭装在陶罐内，瓷碗盖在罐口上（再无其他随同物）。根据地形及出土现场分析，元代银锭系清代时期的人所埋葬。简报配以照片予以介绍。

据介绍，据初步考查，可称为"元宝"。两件元代银锭含银量 95%，上有铭文、押记、戳记。两件银锭的出土，对于元朝的货币形态及有关度量衡制度的研究有一定参考价值。

定西市

946.甘肃漳县元代汪世显家族墓葬

作　者：甘肃省博物馆、漳县文化馆　乔今同、周之梅

出　处：《文物》1982 年第 2 期

1972 ~ 1979 年，为配合农田建设，考古人员在甘肃省漳县徐家坪汪家坟墓区清理了 27 座墓葬。简报分为"简报之一""简报之二"两部分予以介绍，有照片、手绘图。

据简报一介绍，漳县的元、明两代汪氏家族的墓葬群，位于城南 2.5 公里的徐家坪。1972 年漳县文化馆配合农田建设，在坡地南端清理元代墓葬 7 座，出土文物颇多，并伴出有墓志两合，墓主人为汪惟简及汪惟孝，其祖考为汪世显。1973 年秋，因雨水冲刷墓地，墓葬又有数处暴露，考古人员在坡地南端清理元代墓葬 7 座，坡地北端清理明代墓葬二座。因知汪氏家族的元、明两代分别葬于坡地南、北两端。

汪世显，在元代统治阶级中是一个比较重要的人物，《元史》有传，其子德臣、

良臣和孙惟正传均附世显传后。汪氏祖先为徽州歙县人，自隋至明，均为上层人物。

此次清理元墓7座，按顺序编为M8、M9、M10、M11、M13、M14、M16。其中M10、M14自然破坏严重，M9被盗过，M16因故只清理了墓道，简报重点介绍了M8、M9、M11、M13四墓。出土有墓志3合：M8出土的汪懋昌墓志、M9出土的汪惟纯墓志、M16出土的汪源昌墓志。简报均未录志文全文。清理明墓2座（M12、M15），M13有墓志，简报未录志文。

据简报介绍，汪家坟墓区面积200米×150米，约建于蒙古海迷失癸卯年（1243年），止于明万历丙辰年（1616年），历经十四代，三百七十多年。据传原有封土堆二百多座，历年被毁不少。漳县文化馆于1972～1979年先后清理了18座，出土墓志九合零一块，均未录全文。

简报指出，汪氏家族为旺古族，是元代蒙古族的一个支派，是中国古代的少数民族。出土墓志铭是研究我国少数民族历史及元代历史的重要资料。

947.甘肃定西县发现一方元代铜印

作　者：杜　蔚
出　处：《考古》1992年第11期

20世纪80年代地处定西县崌口乡的甘肃省定西地区林业试验站在基建中挖出元代铜印一方，现收藏定西县文化馆。简报配以拓片予以介绍。

据介绍，印为铜质，正方形，纽呈梯形，印背右边阴刻"杨威征行义兵万户府印"，与正面八思巴文印文相符，左边阴刻"中书府部造""至正廿一年十月日"字样。元代在至元六年（1269年）正式颁行八思巴新制的蒙古字后，由此成为官方法定文字，官印在八思巴字推行之际，规定诸省、部、台印信并用蒙古字，官印由中书省礼部造发，用八思巴字。

简报称，此印制造于元末，正值阶级矛盾和民族矛盾极端尖锐化，红巾军为主力的农民起义风起云涌之际。简报据《元史·百官志》所载，认为此后义兵万户府越来越多，定西出土的这方铜印，可能为当时扩充军事实力而造发的义兵万户府印。

陇南市

临夏州

948.甘肃临夏金代砖雕墓

作　　者：临夏回族自治州博物馆　石　龙等

出　　处：《文物》1994 年第 12 期

1980 年 5 月，临夏市南龙乡农民在平整宅基地时发现一座砖室墓，考古人员进行了清理、拆迁和复原工作。简报分为：一、墓葬结构，二、随葬器物，三、结语，共三个部分并配以照片予以介绍。

据介绍，墓葬位于临夏市东南 2 公里的大夏河南岸第一台地，为仿木结构单室墓，由墓道、门楼、甬道和墓室组成。随葬器物有铜镜 1 件。砖雕内容丰富，其中人物 9 幅、动物 14 幅、花卉 97 幅、几何形图案 8 幅以及阴阳面、斜面线砖若干，画面生动，排列有序，建筑紧凑而协调。简报推断该墓墓主人身份为进义校尉，下葬年代为金大定十五年（1175 年）。

甘南州

青海省

西宁市

海东地区

海北州

黄南州

海南州

果洛州

玉树州

海西州

宁夏回族自治区

银川市

949.灵武发现古代藏文经卷

作　者：钟　侃

出　处：《文物》1963 年第 6 期

宁夏回族自治区灵武县城东，有一座相传始建于元代的古塔，名叫东塔，又名镇海塔。1962 年 11 月在该塔塔顶安装避雷针的施工过程中，发现一条裂缝，在裂缝中有铜铸佛像一尊，并在佛像内发现用藏文写的经卷 31 卷。

简报介绍，这些经卷都是横着书写，用竹笔写就，书法流利。发现时每卷都卷成筒状，外面用丝绳捆束。可分两种类型：一种是用藏文解释梵文经典，内有咒语和祈祷词，硬蓝纸底，金粉字，但大部已脱落；另一种为僧人的读经札记，白纸底，黑字。这些经卷是研究古代宁夏地区佛教流传情况的珍贵资料。

950.银川市出土金代和元代铜钱

作　者：许　成

出　处：《考古与文物》1985 年第 6 期

1981 年 7 月 16 日，银川市南环城路外，北距胜利旅馆 20 余米的地方，在基建施工中，挖出金代和元代铜钱 46 枚。钱币距地表约 1.5 米。简报配以拓片予以介绍。

据介绍，计金代铜钱币 21 枚，元代货币 25 枚。中有花纹钱。凡有花纹的铜钱，在当时并不是作为货币使用的，而是人们用以镇鬼避邪、消灾祈福之类迷信活动时使用的压胜钱。简报称，出土铜钱的地点，现场被挖空，仅在地下清理出残破不堪的铜洗 1 件，灰色长条砖 10 余块，其形制大小与明代的城墙砖完全相同。简报推测，这批铜钱是出土于一座元代以后的墓葬之内。

951.宁夏灵武县磁窑堡瓷窑址发掘简报

作　者：中国社会科学院考古研究所内蒙古工作队　张连喜、杨国忠、马文宽
出　处：《考古》1987 年第 10 期

1983 年 11 月，考古人员对灵武县磁窑堡瓷窑址进行了调查。1984～1986 年在此进行了三次发掘，发掘面积 700 平方米，发掘窑炉 4 座，作坊遗迹 7 处。出土器物有日常生活用具、雕塑品、娱乐用品、建筑材料、窑具等共 2500 余件。简报分为四个部分予以介绍，有照片、手绘图。

据介绍，窑址位于灵武县内干沟与大河子沟河之间，当地人称"瓦罐窑"，瓷片、窑具随处可见。烧造时间为西夏、元代。

简报称，灵武县窑址受到了定窑和磁州窑两窑系的强烈影响，但有些产品也反映了本窑的一些特点。如剔刻花扁壶，其正反两面的中间均有一圈足，壶侧有两耳或四耳便于穿绳携带，这种扁壶为其他窑址所不见。其他如牛头瓷埙、瓷钩、瓷骆驼等亦为本窑所特有，白釉瓷瓦、瓦件等大量建筑材料制作规整、精细，可能供西夏统治者所享用。这些具有民族特色的精美瓷器，又为研究西夏王国的物质文化及其历史提供了宝贵的实物资料。

石嘴山市

吴忠市

固原市

中卫市

新疆维吾尔自治区

乌鲁木齐市

克拉玛依市

吐鲁番地区

哈密地区

和田地区

阿克苏地区

喀什地区

克孜勒苏柯尔克孜自治州

巴音郭楞蒙古自治州

952.新疆若羌出土两件元代文书

作　者：新疆维吾尔自治区博物馆　张　平
出　处：《文物》1987 年第 5 期

1979 年 5 月，在新疆若羌县瓦石峡遗址的调查和试掘中，于 F3 居址里出土了两件元代汉文文书。文书质地为麻纸，字体为行书兼有俗体字。

简报分为：一、1 号文书，二、2 号文书，共两部分并配以照片予以介绍。

据介绍，1 号文书残长 19.5 厘米、宽 17.5 厘米，残存 13 字，简报录有原文；2 号文书残长 30 厘米、宽 25 厘米。出土时对折线被火烧焦，部分文字脱损，简报照录内容文字。简报推断 1 号文书年代为至元二十一年至三十年（1284～1293 年）之间，2 号文书年代为元朝的初期阶段。

简报指出，元代文书及遗物在瓦石峡遗址中发现，为研究这一时期的历史及南缘站赤屯戍设置的情况，提供了重要的线索。

昌吉回族自治州

博尔塔拉蒙古自治州

伊犁哈萨克自治州

953.两颗契丹文铜印

作　者：李遇春
出　处：《文物》1959 年第 3 期

1952 年，前新疆省文化局收到了百姓捐献的 4 颗铜印，其中有一颗铜印印背无字，印文为叠篆。据捐献人说，这印是 1949 年以前南疆沙雅县一农民挖地时发现的。

1958 年 7 月，在伊宁市自治州文教处的库房里看见一颗铜印，这颗印已带回乌鲁木齐市，藏在自治区博物馆里。这颗印背面是一个坛状，印背的柄端有一个汉文隶书的"上"字，四边上刻了一圈小字。这颗印的文字也是一种叠篆，叠篆文字和印背左边第二字起到上边一行，共 10 个字的形状是一样的。

这两颗印文的最后一字和伊犁印背上的最后一字，都和东北博物馆所藏的以及日本人今西春秋所藏的那两颗契丹文铜印（见《考古学报》1957 年第 2 期）的最后一字相同。

契丹文铜印发现在天山南北，考古人员怀疑是西辽时的文物。简报称，这两颗铜印的获得，对研究辽和西辽的历史是有一定参考价值的。

今有辛蔚先生《辽代玺印研究》（暨南大学出版社 2009 年版）一书，可参阅。

954.新疆伊犁地区霍城县出土的元青花瓷等文物

作　者：新疆博物馆

出　处：《文物》1979 年第 8 期

近几年来，新疆维吾尔自治区博物馆收藏了一批在伊犁地区霍城县境发现的文物。简报分三个部分予以介绍，有照片。

据介绍，1975 年冬，在某团农场克干渠西岸坡地西一支二斗二号条田中，发现一座窖穴。穴内整齐地堆放着一批瓷器，按碗、盘的大小分类重叠放置。其中在 4 件摞起来的大盘上面，还覆盖着一个高足铜碗。经初步鉴定，这批瓷器全是元代文物。

1976 年春，在上述地点以南约 100 米处的另一条田里，距地表约 30 厘米以下，又发现一批陶瓷器，出土时都已残碎，大部分不能复原。

1977 年 5 月至 9 月间，又在发现陶瓷等文物的附近农田里，采集到金代大定铜钱一枚，铸有阿力麻里黑地名的大小银钱 6 枚，珠饰二颗和制陶用三足支架窑具一个，并征集到早年发现的铁锅一口和陶质下水管道一节。

简报称，几批出土的文物中，较为重要或具有特点的有花口双凤印纹大碗、云龙纹大碗、高足青花大碗等。

在霍城县境内出土的几批瓷器和瓷片，经鉴定，全是元代器物。从银钱上压印的"阿力麻里"地名来看，这一带可能是元代阿力麻里城遗址或其一部分。这为考证和研究阿力麻里古城遗址，提供了重要资料。

955.新疆巩乃斯河畔出土石面具

作　者：新疆考古研究所　张玉忠
出　处：《文物》1985 年第 1 期

1979 年初，伊犁地区工建团工程三队工人在新源县巩乃斯河大桥桥墩基础施工中，发现石面具一件，实物现存新疆考古研究所。简报配以照片予以介绍。

据介绍，面具为细砂岩质，凿刻后打磨光洁细致。据发现者介绍，发现石面具时，还见到人骨、长条砖、釉陶片及锈蚀的铁链等（现已散失）。据此分析，简报认为石面具应为随葬品。

简报称，这种石面具在新疆是初次发现，其用途和时代尚难以确定。这件面具是以石料制成，其面部形象也和其他地区发现的铜、银面具有所不同。是否属于西辽时期遗物，还有待研究及新的考古发现。

塔城地区

阿勒泰地区

石河子市

阿拉尔市

图木舒克市

五家渠市

香港特别行政区、澳门特别行政区、台湾省

参考文献

一、参考文献分为上编、中编、下编。

二、上编收录本书收录的考古核心刊物（以《北京大学中文核心期刊目录》2011 年版考古学科为准，略加调整）。中编系非核心刊物及以书代刊的连续出版物、某一地区考古成果汇编等举要。下编是面对非考古专业读者的相关书籍。

三、上编依《北京大学中文核心期刊目录》2011 年版给出顺序排列；中编依通行的省市自治区直辖市顺序排列。省市自治区下排列不分先后。

上 编

1.《文物》

创刊于 1950 年，国家文物局主管，文物出版社主办。初名《文物参考资料》，1959 年改为《文物》。1971 年曾停刊一年。现为月刊。

2.《考古》

创刊于 1955 年，由中国社会科学院考古研究所主办。1955～1959 年，用《考古通讯》的刊名，1955～1957 年为双月刊，此后改为月刊，1966 年 6 月至 1971 年 12 月停刊，1972～1982 年为双月刊，1983 年至今为月刊。有《考古（1955～1996 年）》《考古（1997～2003 年）》两张全文检索光盘出版。2007 年 3 月起，实行双向匿名审稿。

3.《考古学报》

创刊于 1936 年 8 月，由国立"中央研究院"历史语言研究所主办，刊名《田野考古报告》，列为专刊之十三。第二册（1947 年 3 月出版）更名为《中国考古学报》，至 1949 年共出版四册。第四册出版于 1949 年 12 月，由中国科学院历史语言研究所主办。1950 年 8 月 1 日，中国社会科学院考古研究所成立（当时为中国科学院所属研究机构），继续主办，于 1950 年 12 月出版第五册。自第六册（1953 年 12 月出版）更名为《考古学报》至今。1954 年变更为半年刊，1956 年变更为季刊，1960 年又变更为半年刊，1978 年起改为季刊，每年 1、4、7、10 月的 30 日出版。2007 年 3 月起，实行双向匿名审稿。

4.《考古与文物》

1980 年创刊，陕西省考古研究所主办，季刊。1982 年改为双月刊。该刊曾编有若干期《考古与文物》辑刊，多为研究性文章；还编有《考古与文物丛刊》，为不定期刊物，有少许发掘报告，但内容较宽泛，古文字学、古人类学等方面文章均收。

5.《中原文物》

河南省博物馆主办，1977 年创刊时名为《河南文博通讯》，1981 年改名《中原文物》，季刊。2000 年改为双月刊。有《〈中原文物〉十五年叙录（1977～1992）》一书。

6.《北方文物》

黑龙江省考古研究所、考古学会主办，1981 年创刊，初名《黑龙江文物丛刊》，季刊。

7.《华夏考古》

河南省考古研究所、河南省文物考古学会主办，创刊于 1987 年，季刊。

8.《四川文物》

四川省文物局主办。1984 年创刊，双月刊。出版有《〈四川文物〉二十年目录索引（1984～2003）》。

9.《江汉考古》

1980 年创刊，先以不定期形式共出了五期（至 1982 年底为止）。从 1983 年第 1 期（即总第 6 期）起改为季刊，向国内外公开发行。1989 年第 3 期起，由湖北省文物考古研究所主办。

10.《农业考古》

1981 年创刊，为国内外唯一的专门发表有关农业考古学研究成果的大型学术刊物。原主办单位为江西省博物馆、江西省中国农业考古研究中心。1985 年由江西省社会科学院历史研究所和江西省中国农业考古研究中心主办；1994 年起由江西省社会科学院和中国农业博物馆联合主办；2003 年起由江西省社会科学院主办。双月刊。

11.《文博》

1984 年 7 月创刊，陕西省考古研究所主办；陕西省博物馆、秦始皇陵兵马俑博物馆参办。双月刊。

《文博》虽未列入 2011 年版《北京大学中文核心期刊目录》，但考虑到该刊的质量及陕西省作为文物大省的地位，此次仍然予以收录。

中 编

1. 北京市

《考古学社社刊》

北京燕京大学考古学社编，1934 年创刊，1937 年停刊。

《考古学集刊》

中国社会科学院考古研究所主办，1981 年创刊，科学出版社出版，年刊。自第 16 期开始以专业论文为主。

《考古学研究》

北京大学考古文博学院、中国考古学研究中心编，16 开平装，科学出版社、北京大学出版社不定期出版。

《北京文物与考古》

1983 年创刊。

《北京文博》

北京市文物事业管理局主办，1995 年创刊，季刊。

《北京考古》

北京市文物研究所编，北京燕山出版社 2008 年始不定期出版。

《三代考古》

中国社会科学院考古研究所夏商周考古研究室编，16 开平装，科学出版社不定期出版。

《中国道教考古》

线装书局不定期出版。

《中国古陶瓷研究》

紫禁城出版社出版的连续出版物。

《石窟寺研究》

中国古迹遗址保护协会石窟专业委员会编，文物出版社不定期出版。

《中国大遗址保护调研》

中国社会科学院考古研究所文化遗产保护研究中心编，科学出版社 2011 年始不定期出版。

《文物研究》

科学出版社连续出版物。

《九州》

商务印书馆连续出版物。

《古脊椎动物学报》

中国科学院古脊椎动物与古人类研究所主办。1957 年创刊时为英文版，季刊，1959 年创刊中文版。1961 年英文、中文版合并，1966 年停刊，1973 年复刊。

《文物资料丛刊》

《文物》编辑委员会编，文物出版社不定期出版。

《古代文明》

北京大学中国考古学研究中心编，文物出版社不定期出版。

《古代文明研究》

中国社会科学院考古研究所、古代文明研究中心编，文物出版社不定期出版。

《中国盐业考古》

科学出版社不定期出版。

《科技考古》

中国社会科学院考古研究所编，科学出版社不定期出版。

《水下考古》

国家文物局水下文化遗产保护中心编，上海古籍出版社 2018 年出版第 1 辑。

《中国国家博物馆馆刊》

创刊于 1979 年，初名《中国历史博物馆馆刊》。原为半年刊，一年两本。1999 年改名《中国历史文物》，2002 年改为双月刊，2011 年改为《中国国家博物馆馆刊》，并改为月刊。

《首都博物馆丛刊》

首都博物馆主办，北京燕山出版社 2007 年始不定期出版。

《中国文物报内部通讯》

1991 年 7 月创刊，不定期出版。

《陶瓷考古通讯》

《玉器考古通讯》

《古代文明考古通讯》

以上三种"通讯"，均由北京大学文博学院主办。

《青年考古学家》

北京大学文物爱好者协会会刊，1988 年创刊。科学出版社出版。每年一册。

《故宫博物院院刊》

故宫博物院主办，1958 年创刊，双月刊。

《中国文物科学研究》

国家文物学会、故宫博物院主办，2006年创刊。

《中国历史文物》

国家博物馆主办，双月刊。

2. 天津市

《天津博物馆集刊》

天津博物馆编，天津人民出版社出版，1998年第一辑出版。

《天津考古》

天津市文化遗产保护中心编，16开精装，科学出版社不定期出版。

《天津博物馆论丛》

科学出版社不定期出版。

《天津文博》

天津市文物博物馆学会编，1986年创刊。

3. 河北省

《文物春秋》

河北省文物局主办，创刊于1989年，双月刊。

《河北省考古文集》

河北省文物研究所编，科学出版社不定期出版。

4. 山西省

《三晋考古》

山西省考古学会、山西省考古研究所主办，1994年创刊。年刊，现由上海古籍出版社出版。

《山西博物馆学术文集》

山西人民出版社不定期出版。

《晋中考古》

文物出版社不定期出版。

《运城地区博物馆馆刊》

运城地区博物馆主办。

《北朝研究》

中国魏晋南北朝史学会、大同平城北朝研究会编，16开平装，科学出版社不定期出版。

《文物世界》

山西省文物局主管，1987年创刊，双月刊。

5. 内蒙古自治区

《内蒙古文物考古》

内蒙古文化厅、内蒙古考古博物馆学会主办，1981 年创刊，半年刊。

《草原文物》

内蒙古自治区文化厅、内蒙古考古博物馆学会主办，1984 年创刊，1997 年由年刊改为半年刊。

《鄂尔多斯考古文集》

伊克昭盟文物工作站 1981 年创刊。

《内蒙古包头博物馆馆刊》

内蒙古包头博物馆主办，2000 年创刊。

6. 辽宁省

《辽宁文物》

辽宁省博物馆主办，1980 年创刊。

《辽海文物学刊》

1986 年创刊，辽宁省博物馆、文物考古研究所主办，半月刊。

《辽宁考古文集》

辽宁省文物考古研究所编，16 开平装，科学出版社不定期出版。

《辽宁省博物馆馆刊》

辽海出版社不定期出版。

《沈阳故宫博物院院刊》

沈阳故宫博物院主办，1995 年创刊，半年刊。

《沈阳考古文集》

沈阳市文物考古研究所编，科学出版社 2007 年始不定期出版。

《大连文物》

科学出版社不定期出版。

7. 吉林省

《东北史地》

吉林省社会科学院吉林省高句丽研究中心主办，2004 年 1 月创刊。

《博物馆研究》

吉林省博物馆学会、吉林省考古学会主办，季刊。

《边疆考古研究》

吉林大学连续考古研究中心编，科学出版社不定期出版。

《亚洲考古》

吉林大学边疆考古研究中心编，科学出版社出版。该刊为英文版。

8. 黑龙江省

《黑龙江文物丛刊》

1985 年创刊，季刊，现已改名为《北方文物》。

《昂昂溪考古文集》

科学出版社 2013 年版。

9. 上海市

《上海博物馆馆刊》

创刊于 1981 年，上海人民出版社出版。后改名《上海博物馆集刊》，年刊。

《上海文博论丛》

上海博物馆主办。2002 年创办，季刊。

《文物保护与考古科学》

上海博物馆主办，1989 年创刊，现为双月刊。

《出土文献》

清华大学出土文献研究与保护中心编，2010 年创办，每年一辑。

10. 江苏省

《东南文化》

南京博物院、江苏省考古学会主办，1975 年创刊时名为《文博通讯》，1985 年改为《东南文化》。

《南京博物院集刊》

南京博物院主办，文物出版社出版。

《无锡文博》

1990 年创刊，季刊，原名《无锡博物馆通讯》。

《扬州文博》

扬州市博物馆主办，1990 年创刊，1992 年停刊。

《江淮文化论丛》

扬州市博物馆编，文物出版社不定期出版。

《徐州文物考古文集》

徐州市博物馆编，科学出版社不定期出版。

《苏州文博论丛》

苏州市博物馆编，文物出版社不定期出版。

《文博通讯》

江苏省考古学会编。1975 年创刊，1985 年改名为《东南文化》。

《江阴文博》

江阴市文物管理委员会编，半年刊。

《常州文博》

常州市博物馆编，1993 年创刊，半年刊。

11. 浙江省

《东方博物》

浙江省博物馆主管，创刊于 1997 年，季刊。

《杭州文博》

杭州出版社不定期出版。

《浙江省文物考古所学刊》

科学、文物出版社不定期出版。

《宁波文物考古研究文集》

宁波市文物考古研究所、文物保护管理所编，科学出版社不定期出版。

《东方建筑遗产》

宁波报国寺古建筑博物馆编，科学出版社的连续出版物。

《绍兴市考古学会会刊》

绍兴市考古学会编，不定期出版。

12. 安徽省

《安徽省考古学会会刊》

安徽省文物考古研究所、考古学会编，16 开平装，1985 年创刊，为科学出版社
出版的连续出版物。

《安徽文博》

安徽博物院、安徽省博物馆协会主办，1980 年创刊。年刊。

《徽州文博》

黄山市博物馆协会主办。

《文物研究》

安徽省文物考古研究所编，科学出版社不定期出版。

13. 福建省

《福建文博》

福建省博物馆主办，1979 年创刊，半年刊。

《东南考古研究》

厦门大学出版社不定期出版，涉及东南亚国家考古成果。

14. 江西省

《南方文物》

江西省文化厅主办，江西省博物馆、江西省考古研究所编辑出版。原名《江西文物》，1992年改称《南方文物》，季刊。

《江西省博物馆集刊》

江西省博物馆主办，文物出版社不定期出版。

15. 山东省

《东方考古》

山东大学东方考古研究中心编，16开平装，为科学出版社推出的连续出版物。

《齐鲁文物》

山东省博物馆编，科学出版社不定期出版。

《海岱考古》

山东省文物考古研究所编，科学出版社不定期出版。

《胶东考古》

《齐鲁文博》

齐鲁书社不定期出版。

《山东省高速公路考古报告集》

科学出版社不定期出版。

《济南考古》

济南市考古研究所编，为科学出版社的连续出版物。

《青岛考古》

青岛市文物保护考古研究所编，为科学出版社出版的连续出版物。

16. 河南省

《河南博物馆馆刊》

1936年创刊，河南博物馆编辑出版，16开，计已出版了11册。除了考古成果，还收录了动物、植物、矿物等方面的成果。

《中原文物考古研究》

大象出版社不定期出版。

《河洛文化论丛》

北京图书馆出版社不定期出版。

《动物考古》

河南省文物考古研究所编，文物出版社不定期出版。

《文物建筑》

河南省古代建筑保护研究所编，科学出版社不定期出版。

《郑州文物考古与研究》

郑州市文物考古研究院编，科学出版社不定期出版。

《郑州商城考古新发现与研究》

河南省文物考古研究所编，中州古籍出版社出版。

《洛阳考古》

洛阳市文物考古研究院编，中州古籍出版社出版的系列出版物，2017 年以来已出版十余册。

《洛阳文物钻探报告》

洛阳市文物钻探管理办公室编，文物出版社不定期出版。

《开封考古发现与研究》

开封市文物工作队编，中州古籍出版社 1998 年出版。

《开封文博》

开封市博物馆主办，1990 年创刊，半年刊。

《殷都学刊》

安阳师范学院主管，1980 年创刊，季刊。

17．湖北省

《楚文化研究论集》

荆楚书社不定期出版。

《荆楚文物》

荆州博物馆编，16 开平装，科学出版社 2013 年始不定期出版。

《襄樊考古文集》

襄樊市文物考古研究所编，科学出版社 2007 年始不定期出版。

《鄂东北考古报告集》

湖北科学出版社 1996 年版。

《三峡考古之发现》

湖北科学技术出版社推出的连续出版物。

《湖北库区考古报告集》

国务院三峡工程建设委员会办公室、国家文物局编，科学出版社 2003 年始不定期出版。

《武汉文博》

武汉市文物管理处研究室编，1988 年创刊，季刊。

《清江考古》

湖北省清江隔河岩考古队、湖北省文物考古研究所编，科学出版社 2004 年出版。

《湖北南水北调工程考古报告集》

科学出版社不定期出版。

《葛洲坝工程文物考古成果汇编》

武汉大学出版社出版。

《长江文物考古简讯》

长江流域规划办文物考古队编，1958 年创刊，月刊。

18. 湖南省

《湖南省博物馆馆刊》

岳麓书社不定期出版。

《湖南考古辑刊》

岳麓书社不定期出版。

19. 广东省

《广东文物》

广东省文化厅、广东省文物博物馆学会主办，1996 年创刊，半年刊。

《广东文博》

广东省文物管理委员会主办，1983 年创刊，不定期出版。

《艺术史研究》

中山大学艺术史研究中心编，中山大学出版社出版，每年一本。

《华南考古》

广州市文物考古研究所等编，文物出版社 2004 年始不定期出版。

《羊城考古发现与研究》

广州市文物考古研究所编，文物出版社 2005 年始不定期出版。

《广州文博》

广州市文物局等编，1985 年创刊，文物出版社不定期出版。

《珠海考古发现与研究》

广东人民出版社 1991 年版。

《深圳文博论丛》

深圳博物馆编，文物出版社不定期出版。

20. 广西壮族自治区

《广西考古文集》

广西文物考古研究所编，文物出版社不定期出版。

《广西文物考古报告集》

广西壮族自治区文物工作队编，广西人民出版社 1993 年出版的一册汇集了 1950 ~ 1990 年的考古调查、考古发掘报告等。

21．海南省

《海南省博物馆研究文集》

科学出版社不定期出版。

《西沙水下考古》

中国国家博物馆水下考古研究中心、海南省文物保护管理办公室编，科学出版社不定期出版。

22．重庆市

《长江文明》

中国三峡博物馆主办，2008 年创刊，季刊。

《重庆库区考古报告集》

重庆市文物局、重庆市移民局编，科学出版社出版，大体每年一卷。

《大足学刊》

大足石刻研究院编，重庆出版社不定期出版。

23．四川省

《四川考古报告集》

文物出版社不定期出版。1998 年出版第 1 集。

《南方民族考古》

四川大学博物馆、成都民族文物考古研究所编，1987 年创刊，中间因故停刊，2010 年复刊。科学出版社不定期出版。

《成都文物》

成都文物管理委员会主办，季刊。

《成都考古发现》

成都市文物考古研究所编，科学出版社出版，大体一年一册。据称自 2001 年以来，20 年间发表了 425 篇报告。

《四川古陶瓷研究》

四川省社会科学院主办，不定期出版。

《川南文博》

四川省宜宾市博物馆主办，1985 年创刊。

24．贵州省

《贵州省博物馆馆刊》

贵州省博物馆主办，1985 年创刊，1988 年停刊，1992 年与《贵州文物》合并，改名《贵州文博》。

《贵州文物》

贵州省文管会主办，1982年创刊，1992年停刊。

25．云南省

《云南文物》

云南省博物馆主办，1973年创刊，1987年停刊。

《云南考古文集》

云南民族出版社出版。

《茶马古道研究集刊》

云南大学出版社不定期出版。

26．西藏自治区

《西藏文物考古研究》

西藏自治区文物保护研究所编著，平装16开，科学出版社2014年始不定期出版。

《西藏考古》

四川大学出版社1994年始不定期出版。

《西藏文物通讯》

西藏自治区文管会主办，1981年创刊。

27．陕西省

《周秦文明论丛》

三秦出版社不定期出版。

《西部考古》

三秦出版社出版的连续出版物。

《史前研究》

陕西省考古研究院、西安半坡博物馆主办，1986年创刊，季刊。

《秦文化论丛》

西北大学出版社出版的连续出版物。

《陕西省历史博物馆馆刊》

西北大学出版社出版的连续出版物。

《陕西博物馆馆刊》

三秦出版社不定期出版。

《宝鸡文博》

1991年创刊，不定期出版。

《秦陵秦俑研究动态》

秦始皇兵马俑博物馆主办，1986 年创刊，季刊。

28．甘肃省

《敦煌研究》

《西北民族研究》

《陇右文博》

甘肃省博物馆主办，1996 年创刊，半年刊。

《简牍学研究》

西北师范大学、甘肃省文物考古研究所编，甘肃人民出版社 1997 年开始出版。

29．青海省

《青海文物》

青海省文化厅主办，1988 年创刊。

《青海考古学会会刊》

青海省文化厅文物处、青海省考古学会主办，1980 年创刊，1985 年停刊。

30．宁夏回族自治区

《宁夏社会科学》

《西夏学》

宁夏大学西夏学研究院主办，半年刊。

31．新疆维吾尔自治区

《新疆文物考古研究所丛刊》

《新疆考古》

新疆社会科学院考古研究所主办，后改为《新疆考古研究资料》，不定期出版。

《新疆文物》

《西域文史》

北京大学中国古代史研究中心、新疆师范大学西域文史研究中心合办，16 开平装，由科学出版社不定期出版。

《吐鲁番学研究》

吐鲁番地区文物局编。

32．香港特别行政区、澳门特别行政区、台湾省

《香港文物》

香港古物古迹办事处出版。

《香港考古学会专刊》

《"国立"台湾大学考古人类学刊》

1953 年创刊，年刊。

《台湾省博物馆季刊》

创刊于 1948 年，现存 4 期，已停刊。

《故宫文物月刊》

台湾"'国立'故宫博物院"出版，1983 年创刊。

下 编

欲了解最新的考古成果、考古文献，有两套书是必须知道的：一套是《中国考古学年鉴》，自 1984 年以来每年一册，欲了解上一年度（如 2019 年出版的年鉴，反映的是 2018 年的信息）的考古成果、考古书籍、考古论文等，这是最权威的工具书之一；另一套是《中国重要考古发现系列》，这套书的优点是图文并茂，反映的就是书名所示年度的重要考古发现。如 2013 年出版的《2012 年中国重要考古发现》，说的就是书名所示 2012 年的事情。这两套书，均由文物出版社出版。

更深入一些的书籍，有三套书应该提到：

第一套是文物出版社出版的《中国文物地图集》，这套书按各省市自治区分册，如重庆分册、河北分册等。优点是将考古发现与地图结合，可以直观地看到某一地区考古发现的多少，但欲进一步了解，仅靠此套书是无法解决的。所以正确的使用方法是：将此书与其他书结合起来阅读。

第二套是《中国考古集成》（中州古籍出版社 2006～2007 年版），此书实际上就是将散见各处的考古文献汇集一处，这对使用者而言当然是极为便利。不过窃以为如改为《中国稀见考古文献集成》，或许更实用一些。

第三套是《中国考古学》，此为集中全国专家编写了十余年之久的国家项目，专业性较强。计划分为 9 卷，目前"新石器时代卷""秦汉卷""两周卷""三国两晋南北朝卷""夏商卷"等册已出版。全套书要出齐恐怕尚待时日。《考古》杂志 2011 年第 7 期有相关书评，有兴趣的话可以找来看看。

如果没有时间去浏览这些大套书的话，先看一些概述、综述性质的书是一个不错的选择。这里仅介绍国家文物局主编的《中国考古 60 年（1949～2009）》（文物出版社 2009 年版）一书。这部书是按省市自治区分开叙述的，囊括了 1949 年后几乎全部重大考古发现，有文有图，执笔者多为各省（自治区、直辖市）的考古专家，文简意赅，缺点是没有给出参考文献，无法以此为线索扩大阅读。当然，依照以往的惯例，可以预料日后会有《中国考古 70 年（1949～2019）》一类的书出版，希望那时会有所改进。文物出版社 2009 年出版的《中国文物事业 60 年》一书，或可视作《中国考古 60 年（1949～2009）》一书的姐妹篇，也可参阅。书中除了港澳台以外，各省（自治区、直辖市）均列有专节。另外，国家博物馆编、中华书局 2012 年出版的《文物史前史·彩色图文本》等，已出齐 10 册，几可视为中国考古的图片专辑。

陈淳先生的《考古学研究入门》（北京大学出版社2009 年版）、李朝远先生的

《青铜器学步集》（文物出版社2007年版）、刘凤翥先生的《遍访契丹文字话拓碑》（华艺出版社2005年版）等，当为比较专业的"入门"类书。四川文物考古研究院编过一本《少儿考古入门》（文物出版社2013年版），那是明言给中小学生看的。其实，一些大家写的集子，可读性颇强，不妨也当作入门书来读。如严文明先生的《足迹：考古随感录》（文物出版社2011年版）、苏秉琦先生的《中国文明起源新探》（辽宁人民出版社2009年版，三联书店2019年新版）、李零先生的《入门与出塞》（文物出版社2004年版）、赵青芳先生的《赵青芳文集·考古日记卷》（文物出版社2011年版）、罗宗真先生的《考古生涯五十年》（凤凰出版集团2007年版）、石兴邦先生的《叩访远古的村庄》（陕西师范大学出版社2013年版）、杨育彬先生的《考古人生——杨育彬回忆续录》（科学出版社2021年版），等等。一些考古工作者亲力亲为的记载，也十分生动有趣。如王吉怀先生的《禹人絮语——考古随笔记》（中国社会科学出版社2017年版）、罗西章先生的《周原寻宝记》（三秦出版社2005年版），等等。事实上，此类书几乎已成为近几年的一个出版热点。如《了不起的文明现场：跟着一线考古队长穿越历史》（三联书店2020年版）、《我在考古现场：丝绸之路考古十讲》（中华书局2021年版）、《考古中国——15位考古学家说上下五千年》（中信出版集团2022年版）等，均很受欢迎。

这里要特别推荐李伯谦先生《感悟考古——写给青年学者的考古学读本》（上海古籍出版社2015年版）一书，这是考古大家唯一一本明言写给青年学者的考古学入门读本。另外，李学勤先生的《李学勤讲演录》（长春出版社2012年版），也是深入浅出的大家之作。陈洪波先生《中国科学考古学的兴起：1928～1949年历史语言研究所考古史》（广西师范大学出版社2011年版）、《中国文物研究所七十年（1935～2005）》（文物出版社2005年版）、《记忆：北大考古口述史》（北京大学出版社2012年版）、《考古研究所编辑出版书刊目录索引及概要》（四川大学出版社2001年版）等是众多考古机构类书籍中最值得推荐的几本。读此会对中国最高考古机构及最早的考古教育院系有一个基本了解。文物出版社2010年还出版过一本《春华秋实：国家文物局60年纪事》，读一读，对中国大陆最高文物考古行政部门，也会有所了解。学术史、研究史方面的书自也不应忽视。这方面的书籍应提到陈星灿先生的《中国史前考古学史研究：1895～1949》（三联书店1997年版）、《20世纪中国考古学史研究论丛》（文物出版社2009年版）、黄继秋先生的《百年中国考古》（江苏人民出版社2013年版）、李学勤先生的《20世纪中国学术大典·考古学、博物馆学》（福建教育出版社2007年版）等。最新的书籍，当然是王巍先生主编的《中国考古学百年史（1921～2021年）》（中国社会科学出版社2021年版）共12册，据称共有276名专家参加了此书的写作。

有几部书较有特色，但很难归类：一是国家文物局第三次全国文物普查办公室编的《三普人手记：第三次全国文物普查征文选集》（文物出版社 2009 年版），可一见奋战在文物普查一线的文保工作者的酸甜苦辣；二是中国文物保护基金会编的《天职——从"文保市长"到"文保书记"》（文物出版社 2009 年版），可了解地方官员的无奈与奋争；三是何驽先生的《怎探古人何所思：精神文化考古理论与实践探索》（科学出版社 2015 年版），不是讲考古的思想史，而是从考古材料出发研究思想史；四是《梁带村里的墓葬：一份公共考古学报告》（北京大学出版社 2012 年版），它是从一个村庄微观角度，讲述考古学。

最后应介绍文献学及工具书方面的书籍。首先应提到张勋燎、白彬先生编著的《中国考古文献学》（科学出版社 2019 年版）。至于工具书，有《中国考古学文献目录（1949～1966）》（文物出版社 1978 年版）、《中国考古学文献目录（1971～1982）》（文物出版社 1998 年版）、《中国考古学文献目录（1983～1990）》（文物出版社 2001 年版）等，虽说尚未构成一个完整的考古文献"数据库"，但总算有胜于无。期待着国家文物局相关数据库建设早日完善。还有一些小型的更专业的书目，如叶骁军编的《中国墓葬研究文献目录》（甘肃文化出版社 1994 年版），赵朝洪先生的《中国古玉研究文献指南》（科学出版社 2004 年版）。这些书目都很不错，但如不及时修订容易过时。史前方面，还有几部研究史和文献目录应该提到：吕遵谔先生的《中国考古学研究的世纪回顾——旧石器时代考古卷》（科学出版社 2004 年版）、严文明先生的《中国考古学研究的世纪回顾——新石器时代考古卷》（科学出版社 2008 年版），是很好的研究史专著。缪雅娟先生的《中国新石器时代考古文献目录（1923～2006）》（中州古籍出版社 2014 年版），为我们提供了该领域的专业目录。后两书的内容，从时代看有的已进入夏商甚至更晚的时期。

辞典方面，仅介绍三部：一部是上海辞书出版社 2014 年出版的《中国考古学大辞典》，由中国社会科学院考古研究所所长王巍先生主编。条目拟定者多为相关领域专家，历时 7 年编成。正文收有条目 5000 余条，附录中有"中国考古学大事记（1899～2012）"等也都很实用。这部辞典，可以看作是考古学领域的"牛津双解辞典"，颇具权威性。另一部是罗西章、罗芳贤父女二人编著的《古文物称谓图典》（百花文艺出版社 2013 年版）。李学勤先生在序中称此书"别出心裁，与众不同，是一部新颖又有重要应用价值的著作"。共收录各类文物（图）3553 件（组），下分 20 大类，再依时代排列。此书的图片印制等尚有提升空间，期盼第三版时会更臻完善。第三部是文物出版社 2012 年出版的《常见文物生僻字小字典》，很实用。

报纸方面，应提到国家文物局主办的《中国文物报》周报。当然，最快捷的还是互联网。较权威的有中国社会科学院考古研究所的中国考古网（http：//kaogu.

cn）、中国考古网微信（zhongguokaogu/ 中国考古网）、中国考古网新浪微博（http：//e.weiho.com/kaoguwang）。

各地区也有一些不错的考古史及考古丛书等。

如北京市，推荐宋大川先生主编的《北京考古发现与研究（1949～2009）》一书，科学出版社 2009 年版，上、下两册。如觉此书太厚，可参见同一作者的《北京考古史》（上海古籍出版社 2012 年版）一书。另外，上海古籍出版社 2011 年出版的《北京考古工作报告（2000～2009）》，计 12 册，可视为北京考古事业的一个大型文献数据库。《北京考古集成》（北京出版社 2005 年版）15 卷也已出齐。

河北省，推荐河北省文物研究所编著的《河北考古重要发现 1949～2009》（科学出版社 2009 年版）一书。分旧石器时代、新石器时代、夏商周、秦汉、魏晋北朝、隋唐五代、宋辽金元明，共七个部分进行介绍。另有《河北文物考古文献目录》（河北人民出版社 2020 年版）。

山西省，山西是文物大省。相关书籍不少。从非专业人员阅读兴趣考虑，首先推荐《发现山西：考古人手记》（山西博物院、山西省考古研究所编，山西人民出版社 2007 年版）一书。该书 16 开一册，仅 175 页厚，插图 213 幅，记叙了山西省芮城县西侯度、清凉寺，吉县柿子滩、沟堡，绛县横水墓地，曲沃县羊舌墓地，黎城县西周墓地，侯马市西高祭祀遗址，大同市沙岭北魏壁画墓，太原市北齐徐显秀墓的考古发掘始末。读此一书，对山西省比较重要的考古发现，都会有一个初步的印象。《有实有积：纪念山西省考古研究所六十华诞集》（山西人民出版社 2012 年版）也可参考。

内蒙古，有《辽西区青铜时代考古文献选编：回眸药王庙、夏家店遗址发掘六十周年》（科学出版社 2020 年版）一书，把相关的考古发掘报告及研究论文集中于一书，使用起来当然很方便，何况收入的考古发掘报告又做了修订。

黑龙江省，可参阅黑龙江省文物考古研究所编《考古·黑龙江》（文物出版社 2011 年版）。

上海市，张明华先生《考古上海》（上海文化出版社 2010 年版）、上海博物馆编《上海市民考古手册》（北京大学出版社 2014 年版）等均可一阅。

浙江省，可参阅浙江省文物局编《发现历史：浙江新世纪考古新成果》（中国摄影出版社 2011 年版）一书。马黎先生的《考古浙江：历年背后的故事》（浙江古籍出版社 2021 年版），用浅白有趣的文笔，讲述了近十年来浙江省的考古工作，正好可与上一本书在时间上衔接起来。《浙江考古（1979-2019）》（文物出版社 2020 年版）汇集了相关最新成果。

安徽省，可参阅《流金岁月——安徽省文物考古研究所 50 年历程》（安徽省文物考古研究所 2008 年版）。

山东省，山东省文物考古研究所编《山东 20 世纪的考古发现和研究》（科学出版社 2005 年版），可作为了解山东省考古事业的一部入门书，但缺点是缺少近十年来的内容。

河南省，河南省是文物大省。可以推荐的书不少。如文物出版社 2011 年出版的《历程：洛阳市文物工作队三十年》，读来并不枯燥。同类书尚有《岁月如歌——一个甲子的回忆》《岁月记忆：河南省文物考古研究所 60 年历程》，均由大象出版社 2012 年出版。国家图书馆出版社 2009 年出版的《洛阳古墓图说》一书，以图解方式介绍了新石器时代至明代的古墓。《河南文博考古文献叙录（1986～1995）》（中州古籍出版社 1997 年版）、《河南新石器时代田野考古文献举要（1923～1996）》（中州古籍出版社 1997 年版），虽稍显过时，但仍不失为两部有价值的文献目录。

北京图书馆出版社 2005 年始陆续出版的《洛阳考古集成》，为 16 开多卷本，已出版"原始社会卷""夏商周卷""秦汉魏晋南北朝卷""隋唐五代卷"及"补编"等，汇集了近五十年来相关考古资料，可视为考古重镇洛阳的一项大型文献基本建设。

湖北省，楚文化研究会早在 20 世纪 80 年代即编有《楚文化考古大事记》，可作为工具书使用。

湖南省，文物出版社 1999 年出版有《湖南省考古五十年》一书，可参阅。

广东省，广东省文物局编《广东文物考古三十年》（暨南大学 2009 年版）一书，附有"广东省文物考古调查发掘简报、报告目录（1978～2008）"，可以视作广东省考古文献的入门目录之一。文物出版社 1999 年出版的《广东省考古五十年》一书也可参看。

近年来，不少经济大省纷纷推出本省文物、考古的集大成丛书，广东省自然也不例外。科学出版社近年所出《广东文化遗产》，下分"古墓葬卷""塔幢卷""石刻卷""近现代重要史迹卷""古代祠堂卷"等，广东相关文献，几乎全部囊括在内。

广州市文物考古所有《广州考古六十年》（广东人民出版社 2013 年版）一书，可了解广州市考古工作的情况。

重庆市，文物出版社 1999 年出版的《重庆市考古五十年》一书，可作为入门书来看。此后的考古发现，可参阅《重庆文物考古十年》（重庆出版社 2010 年版）。

四川省，比较值得推荐的有《巴蜀埋珍：四川五十年抢救性考古发掘纪事》（天地出版社 2006 年版），此书为四川省文物考古研究院编著，读者阅后对四川省 1949～2005 年间重大考古发现会有一个总体的印象。

贵州省，今有贵州民族出版社 1993 年版《贵州田野考古 40 年》一书，可参阅。

西藏自治区，夏格旺堆先生的《西藏考古工作 40 年》（文物出版社 2013 年版），是了解西藏自治区考古工作的一部综述类著述。

陕西省，陕西省是我国文物大省，从出版角度看，2006 年成立的陕西省考古研究院在全国各省市自治区中可以说是做得最好、最有规划的。该院已出版的丛书计有：

——"陕西省考古研究院田野考古报告丛书"，已出版五六十部；

——"陕西省考古研究院学术专题研究丛书"；

——"陕西省考古研究院专家学术研究丛书"；

——"陕西省考古研究院文物精品图录丛书"；

——"陕西省考古研究院译著丛书"。

陕西省考古方面的书籍众多，在此仅介绍《三秦 60 年重大考古亲历记》（三秦出版社 2010 年版）一书，此书 16 开，554 页厚，收文 71 篇，图文并茂，还有一些专业名词解释等小贴士，便于初学者阅读。读后对 20 世纪 50 年代的半坡遗址，60 年代的蓝田猿人、70 年代的秦兵马俑坑和周原遗址、80 年代的法门寺地宫、汉唐帝陵和陪葬墓，90 年代的汉阳陵陪葬坑、周公庙遗址、梁带村芮国墓地等均会有所了解。文章中不乏考古人员的发掘过程、生活细节、真实想法等，读来颇为生动、形象。陕西省文物局、考古研究院编《留住文明：陕西"十一五"期间基本建设考古重要发现（2006～2010）》（三秦出版社 2011 年版）当然是更专业的综述了。尹申平、焦南峰先生主编的《薪火永传：纪念陕西省考古研究院 50 周年（1958～2008）》（三秦出版社 2008 年版），读后对陕西省考古最高学术机构陕西省考古研究院会有一定了解。罗宏才先生的《陕西考古会史》（陕西师范大学出版社 2014 年版），也可参阅。

工具书方面，《陕西考古文献目录（1900～1979）》仍有一定使用价值。《陕西文物年鉴》（陕西人民出版社）是少数几个出版有文物年鉴的省、市中最为实用的。

甘肃省、青海、宁夏，有李怀顺、黄兆宏著《甘宁青考古八讲》（甘肃人民出版社 2008 年版），介绍了甘肃、宁夏、青海从旧石器时代到明代的考古情况。另有《青海考古 50 年》（青海人民出版社 1999 年版）一书，也可参阅。

新疆维吾尔自治区，2015 年由新疆美术摄影出版社、新疆电子音像出版社、美国克鲁格出版社联合出版《西域文物考古全集》一书，共有"研讨与研究卷""精品文物图鉴卷""不可移动文物卷"三大卷 39 分册，是新疆维吾尔自治区文物局完成的对近万处文物资料的整理汇编，是以新疆 88 个县、市的不可移动文物资料为基础，融汇了多年来新疆文物考古取得的主要成果。按照古遗址、古墓葬、古建筑、石窟寺及石刻、近现代重要史迹及代表性建筑、文物等类别的体例依次汇编。这些细致的工作，不仅为新疆不可移动文物保护规划的制定、进一步的考古发掘提供了科学依据，更为西域古代文化的研究提供了全面和系统的资料。

香港特别行政区，商志（香覃）、吴伟鸿先生的《香港考古学叙研》（文物出版社 2010 年版）在回顾香港考古发现、考古发掘的过程中，不时加入自己的研究观点，可作为了解香港特别行政区考古事业的首选书。

澳门特别行政区，郑炜明先生的《澳门考古史略》（澳门理工学院 2013 年版）是了解澳门特别行政区考古事业的一部好书，只是在中国内地不太好找。

台湾省，有陈光祖先生主编、臧振华先生编著的《台湾考古发掘报告精选（2006～2016）》。又有李匡悌先生编著的《岛屿群相：台湾考古》（台湾"中央研究院"历史语言研究所 2018 年版）一书，分章叙述了台湾的考古学史、史前考古、田野考古、环境考古、科技考古、动物考古、历史考古、水下考古等。

中国考古学会有《中国考古学年鉴》，已如前述。河南等地考古机构也有《考古年报》，一年一册。博物馆方面，有《中国国家博物馆年鉴》《中国博物馆年鉴》。

后记

考古发掘报告，包括前期的勘察报告、调查报告、钻探报告、航拍报告、试掘报告，中期的清理报告、发掘报告，后期的实验报告、整理报告、保护报告等，是我国几代考古工作者辛勤劳动的结晶，是我们认识考古学术成果的唯一文字凭证。考古发掘报告，反映的是祖先留下的珍贵遗产，而考古发掘报告本身，也已成为一座取之不尽、用之不竭的学术宝库。这座宝库，应该说不仅仅属于考古学界，甚至应该说不仅仅属于学术界，而应属于全体国民，属于人类文明。

然而，令人遗憾的是，多年以来，国人对考古发掘报告的了解和利用实在是太有限了。考古学"是20世纪中国学术界成绩最突出，对人类历史贡献最大的学科之一"。（陈星灿著《考古随笔（二）》，文物出版社2010版，第251页），历史学号称与考古学的关系"特别密切和重要"（赵光贤著《中国历史研究法》，中国青年出版社1988年版，第29页），但《中国古代史史料学》（安作璋主编，福建人民出版社1994年版，第91页）一书，对古代陵墓、建筑遗址、遗迹及相关实物等考古材料不还是以一句"因涉及考古学的专门知识，这里不再作介绍"交代了吗？究其原因，主要在于考古发掘报告专业性强，佶屈聱牙。考古学家俞伟超先生甚至说，他当年对斗鸡台的考古报告都"很难看得懂"，直至1954年"在陕西宝鸡发掘时，在当地琢磨才明白的"（曹兵武编著《考古与文化续编》，中华书局2012年版，第330页）。考古名家尚且如此，遑论其他？唯其如此，如果有一部通俗易懂而又信息量大的集中介绍考古发掘报告的工具书，不是多少能解决点问题吗？我个人以为，这一工具书最好是有提要的，仅仅是一部考古发掘报告的书目、篇名目录，对"数据"的"发掘"程度是不够的。人们需要了解：在哪儿、什么时候、发现或发掘出什么、这些遗迹或遗物有何特别之处、有何重要意义等基本信息。只有通过对这些基本信息的揭示，人们才会对考古发掘报告有一个大体了解，才谈得上去进一步利用。但这么多年了，却未见这样的工具书问世。诚如章培恒先生所言："要踏踏实实地、系统地研究某一门学问，非有这方面的较为完整的目录书指示门径不可。倘若没有呢？那就得自己动手去编。"（《日本现藏稀见元明文集考证与提要·序》，岳麓书社 2004 年版）这，也正是我们编纂《中国考古发掘报告提要》这一工具书的初衷和目的。如果说，《四库全书总目》囊括了大部分古典文献；那么，《中国考古发掘报告提要》则涉及主要的考古发现与考古发掘，只有既掌握了古典文献的基本内容，又了解了考古发掘的基本事实，才有可能真正融会贯通，将王国维先生的"二重证据法"落到实处。从这一角度看，将《中国考古发掘报告提要》视为"地下的《四库全书总目》提要"似无不可，尽管二者的作者水平与学术地位不可相提并论。

在工作开始之前，征求了多位不同学科、不同专业的专家、学者们的意见。有意思的是，持反对意见的人主要集中在考古圈内，考古圈外的人却大多表示赞同。反对的意见主要出自三点考虑：

一是"网上都有"。的确，不少刊物现已在网上可查全文。但经过逐刊、逐年、逐期的查寻发现，并非"网上都有"，有的刊物网上查不到，有的刊物缺年少期。更重要的是，仅在网上浏览，是无从享受纸本工具书的解说、集中、分类、检索等功能的。从务实的角度说，上网查询，毕竟是要产生费用的，有时一篇文章反复翻阅，既不方便，也不经济。这时恐怕即使是考古圈内的人，也会想要有一部工具书，有个基本了解后再有目的地上网查找相关文献，线上线下，相辅相成，岂不是事半功倍？

二是"大多知道"。这里所说的"大多知道"，是指某一地区的考古人员，对本地区的考古文献是很熟悉的。比如北京市的考古人员，对北京市这一亩三分地都挖出过什么，可以说是如数家珍。即便如此，仍然会让人产生以下推论：一是就算是对本地区的考古文献烂熟于胸，有一部工具书辅助查寻，又有什么坏处呢？二是谁真能保证当地考古人员人人都能对本地区的考古文献十分熟悉呢？三是考古这门学问和别的学科一样，少不了比较，仅仅是熟悉本地考古文献，是做不了什么大学问的。王巍先生不就讲过："考古资料如汗牛充栋，不仅业外人士很难了解其全貌，就连从事考古学研究的学者，对自己研究领域之外的考古成果也往往知之不多。"（《中国考古学大辞典·前言》，上海辞书出版社 2014 年版）四是考古圈以外的人，当然不可能做到"大多知道"。

三是"量太大了"。认为考古报告成千上万，编起来不胜其烦。其实不正是因为太多太繁，才有必要编纂相关工具书吗？马云讲未来的资本不是土地，不是金融，而是"大数据"。从做学问的角度讲，只有掌握了某一门学科的"大数据"，才有可能做出大学问。

与考古圈内形成鲜明对比的是，考古圈外的人却大多表示赞同，认为有这么一部工具书，对于查找和理解考古发掘报告是颇有益处的。北京大学李零先生早就谈到：考古圈内人"除了'报告语言'就不会说话"，而"圈外人看考古报告又如读天书，不知所云，不但不知道怎样找材料，也不知道怎样读材料和用材料"（《说考古"围城"》，载《读书》1996年第12期）。复旦大学葛兆光先生则说："当外行人读他们的报告时，要么觉得他们的话让人难懂，要么觉得他们是在自言自语。""考古可以不断地挖出新的遗址，发现新的文物，但是无论如何，这只是学科内的事情。"（《槛外人说槛内事》，载《读书》1996年第12期）其实这些学者，还是很关注考古发掘的。例如文献学家周勋初先生，就说他"喜欢看考古发掘方面的介绍"（《艰辛与欢乐相随——周勋初治学经验谈》，凤凰出版社2016年版，第3页）。但喜欢是一回事，能否真正看懂又是一回事。许宏先生不就讲过："考古学给人以渐渐与世隔绝的感觉。甚至与这个学科关系最为密切的文献史学家，也常抱怨读不懂考古报告，解读无字天书的人又造出了新的天书。"（王巍主编《追迹：考古学人访谈录II》，上海古籍出版社2015年版，第170页）如果说，《四库全书总目》提要让人们对那些陌生的古代文献有了一个基本了解；那么，《中国考古发掘报告提要》也不过是想让人们对这些号称"天书"的考古发掘报告有个大致印象，仅此而已。

对于编纂《中国考古发掘报告提要》的看法不同，或许也是因为考古圈内、圈外对于考古发掘报告的关注点不一样：

首先，考古圈内更关注的是相关考古报告何时发表，是否规范。如郑嘉励先生指出："就考古工作者的职业道德而言，积压的考古资料必须适时发表。"（《浙江汉六朝墓报告集·后记》，科学出版社2012年版）张文彬先生也谈到："在我看来，客观、完整、及时将重要的考古资料公布于世，让学界鉴赏、研究，这是文物、考古工作者的天职，也是文物考古界的职业道德。恪守这个职业道德，对于我国考古学研究水平的提高乃至整个考古事业的发展，都是十分重要的，切不可等闲视之。"（《鹿邑太清宫长子口墓·序》，中州古籍出版社2000年版）而考古圈外更关注的，主要是已出版、发表的考古发掘报告如何利用。

其次，考古圈内更关注史前及夏商周三代考古，现在不少大学还是史前、三代考古各设一个教研室，其后的各朝各代统设一个"汉唐宋元考古教研室"。这是因为中国考古学诞生于20世纪20年代那个落后、屈辱的时代，"中国考古学一开始的主要工作，就是要寻求中国人类繁衍不息，中国文化源远流长，中国文明连接不断的证明"（王煜主编《文物、文献与文化——历史考古青年论集·序言》第一辑，上海古籍出版社2017年版）。以求重建民族自尊心和自信心。加之中国考古学源自欧洲，而欧洲"考古学要解决的主要是人类起源、农业起源、文明起源这三大问题"。（同前引文）不要说中世纪及近现代考古，就是古希腊、古罗马，在很长一段时间都"显然不是欧洲考古学的主要阵地，甚至更多的关注来自艺术史的学者"（同前引文）。这对中国考古学不可能没有影响。所以考古圈内不少人对战国以后的所谓"历史时期考古"兴趣不大。而考古圈外呢，自然更关注与自己搞的那一段所谓"断代史"有关的史料。

这么说，并不是说考古圈内的人都反对这个事，考古圈外的人都赞成这个事——不是这样的。考古圈外有的也颇不以为然，考古圈内的人也有的认为很有必要。如老考古人苏秉琦先生神骥出枥，指出考古学"新趋势的特点是向多学科、大众化发展。考古学的发展需要多学科素养的人来参加，社会上各行各业的人都能从这门学科中找到他们感兴趣的知识或材料，事实上还远远没能做到这一点，这主要是由于我们的工作还有许多薄弱环节"（《苏秉琦文集》（三），文物出版社 2009 年版，第 113 页）。苏秉琦先生这里所说的"我们"，应该是指考古学界。而自说自话、外人难读的考古发掘报告，理应属于"薄弱环节"之一，既然是薄弱环节，当然就有待改进和提高了。否则的话，就如同另一位老考古人张勋燎先生所指出的："如果搞其他学科史的人感到我们的历史时期考古对解决他们的问题完全没有帮助，那我们就是在玩古董，而不是研究考古了。"（《中国历史考古学论文集》下册，科学出版社 2013 年版，第 261 页）

不过，考古圈内和考古圈外在一个问题上的看法却惊人地一致：那就是都认为考古发掘报告花费了这么多的时间、精力和金钱，不好好利用，实在可惜。李伯谦先生曾讲过："我深知一部考古报告的诞生十分不易，从田野调查、发掘到室内资料整理、编写报告，一环扣一环，不知有多少人为此付出了辛劳和汗水。"（《大冶五里界·序》，科学出版社 2006 年版）。郭德维先生也曾谈到："凡整理过报告的人都知道，这是一项极其繁杂、十分琐碎的工作，既费神又费力，且短期难以完成，如果不是有很强的事业心，不下狠心用很长时间坚持做，是绝对做不好的。"（《随州擂鼓墩二号墓·序》，文物出版社 2008 年版）。宋建忠先生则感叹："常言道：巧妇难为无米之炊，但考古工作的现状常常是'好米难遇巧妇'，现在是物欲横流的时代，考古发现层出不穷的时代，人心浮躁不安的时代，现实的情况往往是'发掘抢着做，报告无人理'。因此，即使是一个重要的考古发现，报告的出版也常常是遥遥无期"。（《汾阳东龙观宋金壁画墓·序》，文物出版社 2012 年版）安金槐先生更直言："考古报告的出版是个大问题""编一本考古报告是要费大劲的""所以编考古报告要有点吃亏的精神"（曹兵武编著《考古与文化续编》，中华书局 2012 年版，第 359～360 页）。考古发掘详报时隔一二十年甚至更长时间才得以出版的例子比比皆是。如张忠培先生在《元君庙仰韶墓地》一书封三上写道："一九五九年写成初稿，二十四年后才贡献给读者。"（高蒙河《张忠培先生六十年学术论著要目编纂札记》，载《庆祝张忠培先生八十岁论文集》，科学出版社 2004 年版）王益民先生在《丁村旧石器时代遗址群》一书后记中，开篇即说此书费时 20 年。然而，好不容易有人不计名利将报告写了出来，又费尽千辛万苦申请到了经费，总算幸运地得以出版，命运又如何呢？除了图书馆、博物馆采购一些外，大都流往图书大集，成了打折书。北京大学陈平原先生讲："就拿我来说，明明知道正在削价出售的考古报告很有学术价值，可就是没有勇气把它们抱回家，原因是读不懂。"（《文学史家的考古学视野》，载《读书》1996 年第 12 期）季羡林先生也曾讲道："往往有这种情况，中国考古工作者发掘的某个地方，经过艰苦的劳动和细致的探索，写出了发掘报告，把发掘的情况和发掘出来的实物都加以详尽、准确、科学的描述，有极高的水平，但是往往不把这些发掘结果应用到历史研究上来。结果给外国的历史学家提供了素材。他们利用了这些素材，证之以史籍，写出了很高水平的历史专著。"（转引自张保胜《张懋夫妇合葬墓·序》，科学出版社 2017 年版）然后国内学界再"出口转内销"。这实在是一件令人深感悲哀的事情。

说完了考古圈内外关于考古发掘报告及《中国考古发掘报告提要》的看法，再来说说考古发掘报告本身。关于这一问题，比较令人感触的有两点：一个是"量"与"质"，一个是"繁"与"简"。

先说"量"与"质"。先说"量"。自 20 世纪 20 年代至今，究竟有多少考古发掘报告，谁也说不清楚。不仅考古圈外的人说不清，考古圈内的人也说不清，王巍先生曾谈到，1949～2009 年这 60 年，"公开出版的考古发掘报告已达 300 余部"（《新中国考古六十年》，载《考古》2009 年第 9 期）。可也有人说如今"每年出版的考古报告多达百册以上"（《新世纪的学术期刊的繁荣发展——纪念〈考古〉创刊 50 周年笔谈》，载《考古》2005 年第 12 期）。以书的形式出版的考古详报并不算多，都有不同的数字，更不用说以文章形式发表的考古简报了。

《中国考古发掘报告提要》收入的考古发掘报告，从收录标准看是偏宽的，不是仅收狭义的"考古发掘报告"，从篇幅来看，既收动辄几十万字的考古详报，也收几千字上万字的考古简报，还有几百字的所谓"微简报"。之所以连"微简报"也尽量予以收录，有两个原因：一是考古发现（发掘）本身就比较简单：或许只是发现了一件青铜器，或许就是发掘出一处窖藏；二是正是因为考古发掘过程简单，很大可能仅有此一介绍，除此再无音讯。但即使是这种"微简报"，也有可能蕴藏着丰富的信息（如某种文化的"边疆"在哪）。金泥玉屑，不可小视。

《中国考古发掘报告提要》收录了以书的形式出版的考古详报和在核心期刊（以《北大中文核心期刊目录》2011 版考古学科为准，略加调整）发表的考古简报、微简报共计 13000 多种。在非核心期刊和以书代刊的考古文献上发表的考古报告，估计还有四五千种，公正地说，这部分发掘报告的学术价值大多略逊一筹，计划日后以《中国考古发掘报告提要·补编》的形式出版。如此，仅是 20 世纪 20 年代末至

2015 年，已出版和发表的考古发掘报告，就几近 20000 种，差不多是《四库全书总目》所收书的一倍了。这个数字看似可观，其实仍只是我们这个五千年文明古国考古成果中的一部分。众所周知，祖先留下的遗迹、遗物，已发现的只是其中的一部分；对这一部分进行了清理、发掘的又只是其中的一部分；已发掘的这一部分中，写有考古发掘报告的又仅是其中的一部分；写有考古发掘报告能正式发表的，又只是其中一部分。不是有学者指出，"十个考古发掘项目中，只有四五个发表了简报或者报告"吗？甚至一些名列"全国十大考古新发现"的考古发掘，也尚未发表考古报告。（张庆捷《考古发掘报告积压的问题》，载 2011 年 9 月 23 日《中国文物报》）所以我们今天能够看到的考古发掘报告，看似珠渊瑶海、宏富之极，其实已是经过层层递减，实在是弥足珍惜。

再看"质"。既然是中国考古发掘报告，自然和别的事情一样，必定会带有中国特色。其表现之一，就是质量参差不齐。不像发达国家，考古报告的整体学术水平相对比较整齐。质量不一的一个重要原因，是时代造成的。张在明先生曾讲过："我们干考古时间长了，也有一种自豪感，我们是文科里边，理工科因素最多，科学性最强、最严谨的一门学科。比起哲学、文学、历史，还是比较自豪的。"（张在明《科学的态度，历史的真实——在全国文物普查培训班上的发言》，载《文博》2008 年第 1 期）但从事这一"科学性最强"的人又如何呢？不去提中华人民共和国成立初期留用的盗墓人员（参见《长沙砂子塘西汉墓发掘简报》，载《文物》1963 年第 2 期），也不提"大跃进"时由 8 位刚从中学毕业的姑娘组建的"刘胡兰"考古队（参见《河南南召二郎岗新石器时代遗址》，载《文物》1989 年第 7 期），"文化大革命"后期和改革开放之初的"亦工亦农学员"（参见《河北磁县东魏茹茹公主墓发掘简报》，载《文物》1984 年第 4 期），就是到了 20 世纪 80 年代末 90 年代初文物普查时，张在明先生不还在说，"中国就是这样的现实，大部分普查队员就是这样一个业务水平。当时陕西省上了 1000 多人，省上真正业务好的，懂考古的，上的人并不多"，甚至出现"照出来的胶卷大部分废了"，因为有时"镜头盖没打开，照完了，回来一冲是空的"，以致陕西省"90% 以上文物点都没有照片"（同前引文）。文物大省陕西省尚且如此，别的省区可想而知。近一二十年，考古队伍中的高学历人员多了许多，考古报告的质量有所提升，但仍然存在诸多问题。比如董新林先生谈到的"有意无意加以取舍，不按单位发表资料，使得资料零散"的问题，恐怕就不在少数（"期刊建设与考古学的发展暨纪念《考古》创刊 500 期学术研讨会"纪要，载《考古》2009 年第 5 期），而"资料完整不完整，是评判考古报告的质量高低的第一标准"（李伯谦《郑州大师姑·序》，科学出版社 2004 年版）。看来，的确如张忠培先生所言："中国考古学的成长史，离不开整个社会条件的制约。"（《中国考古学：走近历

史真实之道》，科学出版社 1999 年版，第 43 页）

应该指出，考古发掘报告在近年来有很大的进步，从量来说，取得国家专项资金支持得以出版的考古发掘详报越来越多，当然印量都不高，甚至有的书已出，考古圈内都不太了解（参见《考古》2011 年第 7 期载《中国考古学》一书书评），从质来说，海外学者曾批评："中国大陆在考古研究上不会问问题，即使问，也问得有限。有资料与有问题是两回事，如果只有资料而没有或问不出好的问题，资料也失去意义。"（许倬云《历史分光镜》，上海文艺出版社 1998 年版，第 297 页）而近年来出版的考古发掘报告，应该说已越来越善于问问题了。

再说"繁"与"简"。早在 20 世纪 80 年代，尹达先生就曾提出考古发掘报告"太简化，简化到史学家不能使用的程度"（《尹达同志谈考古学研究》，载《中原文物》1982 年第 2 期）。黄宽重先生则抱怨：考古发掘报告"偏重于墓葬结构、形制、出土陪葬物品的种类式样，如漆器、瓷器、石器等，特别着重于器物、墓室形制的描述，并讨论其意义。报告中虽然也注意到买地券，以及考订墓葬年代等等问题，却多忽略墓志资料"（《宋代的家族与社会》，国家图书馆出版社 2009 年版，第 15 页）。而墓志又恰恰是治史之人最需要的，着实令人恼火。王益人先生也指出已发表的旧石器时代考古发掘详报："可读的信息量实在太少，一个遗址出土几千件标本，读者只能看到十几件甚至一两件石器标本的插图和照片。难道这些标本就能代表这个遗址的所有信息吗？这绝不是我们想要的，也不能再走这样的老路了。"（《丁村旧石器时代遗址群：丁村遗址群 1976 ～ 1980 年发掘报告·代后记》，科学出版社 2014 年版）如此看来考古发掘报告似乎是越全、越厚越好。而当下 80、90后的网友，又大多认为如今的考古发掘报告太过繁琐，不忍卒读。如有一位名叫王悦婧的网友提到初读考古发掘报告的印象："在刚开始阅读时，我深刻体会到了阅读的艰难，很多专业术语一知半解，而且有很多的疑问和不理解。"（王悦婧《阅读考古发掘报告的几点心得体会》，载 http：//www.do-cin.com/D-8333.6897.htm1）似乎考古报告越通俗，越简单为好。

那么，考古发掘报告的量与质的问题、繁与简的矛盾是否能有一个兼顾呢？我个人认为，撰写提要，恰恰就是一个比较好的解决方案。只有通过撰写提要，才能为考古发掘报告算一总账，知道还有哪些重大考古发掘迟迟未出报告，以致国家文物局不得不将其列入"限期整理"名单（参见《长治分水岭东周墓地》文物出版社2010 年版，第 4 页）；只有通过撰写提要，才能分辨出哪些报告已不堪使用，需要出版修订本、增订本（参见霍东峰、华阳《也谈考古报告的编写》，载《内蒙古文物考古》2007 年第 2 期）；也只有通过撰写提要，才能使"繁"与"简"的矛盾得以平衡，需要更多信息的读者，可以沿着提要的线索去查找更多的资料；需要一般了解的读者，或许阅读几百几千字的提要就得以了解相关信息了。

尽管考古发掘报告尚存在着这样那样的问题，但诚如有学者指出："从某种意义上说，现今研究中国的古代历史和文化，如果离开考古学及其研究成果，是很难进行的。"（张之恒主编《中国考古通论》南京大学出版社 2009 年版，第 38 页）而对考古学成果的利用，抛开考古发掘报告，也是不现实的，同样是很难进行的。《輶轩语》曰："无论何种学问，先须多见多闻，再言心得。"欲了解考古成果、考古材料，一本一本、一篇一篇地去读考古发掘报告，当然是一个办法，但先行阅读考古发掘报告提要，也应不失为一种事半功倍的选择吧？如袁珂先生所言："积累应当说是做学问的基础，没有积累，任何学问也做不起来。"（《袁珂神话论集·代序》，四川大学出版社 1996 年版）《中国考古发掘报告提要》，只能说是考古发掘报告"提要学"的最初一点积累吧。也算是为贯彻习近平总书记提出的"建设中国特色、中国风格、中国气派的考古学"的指示，所做出的一点努力吧。

至于编纂此书的难处，先抛开编者的学术水平等主观因素不说，客观上的困难至少有三：

一是几无借鉴。此书的编纂属于首创，考古发掘报告的提要怎么写，谁也不知道；这么多提要依照什么原则进行编排，谁也没干过。只能是摸着石头过河，摸索着干。王杰先生曾指出："万事开头难，前人没有做过，第一次来做此事，自然就难。"（《楚都纪南城复原研究·序》，文物出版社 1992 年版）确是深知甘苦之言。而只要是首创之举，恐怕都难称完美。这在目录学史上不乏其例。比如《书目答问》，被称作是首部"面向广大读书人的，把书目与读者的密切关系放在首位"的杰作，但"《答问》体例不一，仓促之迹比比皆是"（《增订书目答问补正·前言》，中华书局 2011 年版）。这里要提到张在明先生在谈及考古文物普查图集时曾引用过的一个外国笑话，说是一个火车站火车老晚点，旅客们埋怨说，要列车时刻表有什么用？站长说，没有列车时刻表，你怎么知道列车晚点多少？张先生说："可是我们 50 多年了，连个列车时刻表都没有。文物事业的火车，就是在没有时刻表的情况下，跑了 50 多年。"（同前引文）蠡测其意，张先生意思是说，文物普查图集，也是类似列车时刻表这么一项基本建设。而《中国考古发掘报告提要》，不也应算是一项基本建设吗？何况是出于编者少数人之力，错讹肯定是还要超过文物普查图集，但正如张先生所言，"有了文物图集至少有了靶子，有靶子可打呀，没有文物图集，你连靶子都没有"（同前引文），编者不揣简陋，编纂《中国考古发掘报告提要》，实在是任重才轻，操刀伤锦；也不过是想给学界提供一个"靶子"吧，甚望高明缺者补之，误者正之，日后也有类似《四库全书总目提要补正》《中国丛书综录补正》一类专著问世，使其更趋完善，更便使用。

二是工程浩大。工作量有多大，可有个参照。《〈中原文物〉创刊十五年叙录（1977～1992）》（河南省博物馆 1993 年 6 月自印本）一书收录了 1500 余条 25 万字，每条都有提要。该书前言称："《中原文物》编辑部的全体同志，在完成自己繁重的本职工作之余，为编写这本书，不辞劳苦，牺牲了业余时间，经过一年的艰苦努力，克服经费上的困难，自筹资金，终于使此书出版发行了。"《中国考古发掘报告提要》所收是《中原文物》提要数倍，且参编人员也均为利用业余时间工作，这么一对比，其工作量之大，即可思过半矣。

原稿堆积如山

三是经费紧张。《中国考古发掘报告提要》是在未及申报任何项目，没有一分钱科研经费的情况下干起来的，经费之紧张自不待言。中国科学院院士叶大年先生常常开导学生们，要记住拿破仑的名言："先投入战斗，然后见分晓。"（日新编著《听大师讲学习方法》，天津社会科学出版社 2004 年版，第 126 页）这件事也是"先投入战斗"，困知勉行，干起来再说。

或许正是因为有这些难处，才会留下诸多遗憾：

从"量"来说，未能一步到位，收录的书籍肯定有遗漏，收录的文章更是缺少了非核心期刊和以书代刊这一块。估计还会有几千种。计划仿照《四库全书存目丛书》的先例，以补编形式出版。

从质来说，未能更臻完善。记得曾在《北京晚报》上看到北京大学考古系的同学写的文章，将发掘的先民住宅用今天的"两居室""三居室"来打比方。我们这部提要虽说也尽量往"浅白有趣"努力，但似乎尚无法做到如此直白。另外，不少重要的学术信息，也实在是无暇一一查找对应到位，这都只能是留下遗憾了。

这么一部有着诸多遗憾和不足的资料，为什么仍要野人献曝、布鼓雷门呢？这实在是因为我坚信考古发掘一定会有着学界急需的营养。诚如陈星灿先生所言："考古学是一门让人难堪的学问。它的发展日新月异，足以动摇被世代奉为金科玉律的东西。"（《考古随笔（二）》，文物出版社 2010 年版，第 149 页）不要说三星堆、红山、陶寺等足以改写上古史的考古发现，就是中古史，不少考古发现也一样会促使我们重新思考以往的一些"定论"。比如胡宝国先生就注意到:"根据传统史料,到处都是豪族,到处都有豪族的影响,但在造像记中,我们又几乎看不到豪族的踪影。"(胡宝国著《将无同:中古史研究论文集》,中华书局 2020 年版,第 383 页)这至少会促使我们重新审读以往的文献记载,以求更加贴近历史真相。

　　还有几点需要特别说明一下:

　　一是大的原则是依时间排列。征求了不少人的意见,都愿意从最便利的途径得知某一朝代(如汉代)已发现了多少手工业遗址,已发现了多少皇陵。《中国考古学》系列,倒是依时间排列的,但那是考古学的专业书,圈外人看起来还是费力,何况还未出齐。

　　二是附录中的"参考文献",列举的是一些最基本的书刊,注明的也是一些考古界最熟知的事实,算是照顾考古圈外的普通读者吧。

　　三是总主编刘庆柱先生统筹全局,负责大政方针的把控,已是千钧重负,尽管先生向来虚己以听,闻过则喜,但作为后学,已然兼葭倚玉,何忍再让先生推功揽过,分损谤议。故而收录之遗漏、分卷之可议、校读之疏忽等种种具体问题,理应由本人引咎自责,抉误补阙。

　　四是本《提要》总索引,待《补编》《续编》《外编》等出齐后,再统一编一个涵盖整个《提要》系列的总索引。

　　最后想说的是:编纂过程虽然充满艰辛,但好在有许多前辈、朋友的支持和帮助,大家一起来克服困难。要感谢中国社会科学院考古研究所、北京大学文博学院、北京大学图书馆、首都师范大学图书馆、文物出版社、科学出版社、中国大百科全书出版社、中华书局以及河南、山西、陕西等地考古部门的支持与帮助,要感谢傅璇琮前辈的肯定与提携,要感谢中国文史出版社的各位领导,各位编辑、印制、发行老师和项目负责人窦忠如先生,感谢关心此书出版的范纬女士、卢仁龙先生,还有许多师友,恕不一一列举大名了。没有大家的支持和鼓励,这件事情是不可能做成的。

丁晓山

2016 年 8 月于首都师范大学

2021 年 10 月改定